Chronik 1989

Chronik
Verlag

Robert Specht Jarvis

Dr. Roland Specht Jarvie
St. Cloud State University
Brown Hall 226
St. Cloud / Minnesota 56301

Wir haben Weltgeschichte miterlebt!

Wenn wir uns in Zukunft an jenes Jahr 1989 erinnern, das Gegenstand dieser »Chronik« ist, dann wird ein Jahr an uns vorüberziehen, in dem wir eine entscheidende Stunde Weltgeschichte miterlebt haben.

Die Welt hat sich innerhalb dieses einen Jahres mehr verändert als in 40 Jahren zuvor. Innerhalb eines Jahres? Nur wenige Tage und Wochen hat es gedauert, bis Menschen in der DDR durchgesetzt haben, wozu Politik und Wirtschaft nicht fähig waren.

Keine Revolution hat schneller zum Ziel geführt als die November-Revolution des Jahres 1989. Niemals zuvor ist es möglich gewesen, einen Umsturz dieser Tragweite zu vollziehen, ohne auch nur einen Tropfen Blut zu vergießen. Auch insofern hat Geschichte im Jahr 1989 eine neue Dimension bekommen.

Dabei hat das Jahr nicht anders begonnen als die Jahre zuvor, alte Gewohnheiten bestimmten Politik und Alltag. Niemand hätte vorauszusagen gewagt, daß kurze Zeit später Menschen zu Menschen reisen würden, die noch kurz zuvor durch Mauer und Minenfelder getrennt gewesen sind.

Weil diese Entwicklung für niemanden vorhersehbar war, wird einige Zeit vergehen, bis wir vergegenwärtigen können, was in diesen wenigen Tagen tatsächlich geschehen ist. Vielleicht werden wir dann auch besser verstehen, warum ganz allein das Volk diese Wende erzwingen konnte, obwohl doch Politiker für sich in Anspruch nehmen, die Geschicke der Menschheit zu gestalten und zu sichern.

Aber Geschichte ist niemals zu Ende. Noch trauen viele Menschen in der DDR den neuen Verhältnissen nicht – weil die Entwicklung so plötzlich gekommen und kaum Zeit zum Nachdenken über die Zukunft geblieben ist. Tausende von Fragen sind in den Tagen nach dem 9. November 1989 gestellt worden, Tausende von Antworten müssen so schnell wie möglich noch gefunden werden.

Viele Deutsche fragen, wann die Wiedervereinigung der beiden Teile Deutschlands folgen wird. Staatsführer aus Ost und West haben erklärt, daß es diese Wiedervereinigung nicht geben könne. Auch die Entwicklung der beiden deutschen Staaten hat Unterschiede entstehen lassen, die am 9. November nicht beseitigt wurden.

Aber heißt das zwangsläufig, daß die Wiedervereinigung so unmöglich ist? War es nicht Anfang November 1989 auch noch undenkbar, daß die Mauer fallen würde und die Menschen wieder ungehindert von Ost nach West reisen dürfen? Das Rad der Geschichte dreht sich schneller als je zuvor, und neue Kräfte machen die Geschwindigkeit vielleicht noch rasanter.

Als die Redaktion zu Beginn des Jahres 1989 mit der Arbeit für diesen Chronik-Band begonnen hat, war die Bilanz eines Jahrzehnts angesagt. Das Ergebnis des Jahres 1989 hat dieses Jahrzehnt noch einmal verändert. Wir haben es miterlebt, wir sind Zeugen der Weltgeschichte geworden.

In der »Chronik '89« sind diese großen Veränderungen festgehalten.

Dortmund, im Dezember 1989   Bodo Harenberg

Die Mauer: *Über Nacht geschieht das Unfaßbare – Mauer und Stacheldraht trennen nicht mehr. 28 Jahre lang war Berlin in zwei Teile zerrissen, nun dürfen die Menschen wieder zueinander (→ S. 88).*

Der Gipfel: *»Ohne Fanfarenstöße und ohne Erwartungsdruck« – unter diesem Vorzeichen treffen sich George Bush (l.) und Michail Gorbatschow im Dezember auf dem Passagierschiff »Maxim Gorki« im Mittelmeer (→ S. 116).*

Das Massaker: *Entsetzen und Abscheu löst das brutale Vorgehen der chinesischen Armee auf dem Platz des Himmlischen Friedens in Peking aus (→ S. 43).*

Inhalt

Das Inhaltsverzeichnis gibt einen Überblick über die herausragenden Ereignisse des Jahres 1989 – in Auswahl und nach Stichworten geordnet. – Ab Seite 6 finden Sie eine chronologische Darstellung des Jahres. Jeder Monat beginnt mit einem Kalendarium, in dem die wichtigen Ereignisse Tag für Tag dargestellt sind. Herausragende Begebenheiten werden in Wort und Bild dokumentiert. – Verweise innerhalb einzelner Artikel stellen Zusammenhänge zwischen den Ereignissen des Jahres her. – Das Personenregister am Schluß des Buches erleichtert den Einstieg, wenn Ihnen Datum oder Stichwort nicht vertraut sind.

Gipfeltreffen

NATO-Gipfel: Kompromiß bei den atomaren Kurzstreckenraketen	37
EG-Gipfel: Weichen für europäischen Binnenmarkt gestellt	49
Gipfel von Malta: Bush und Gorbatschow treffen sich auf hoher See	116

Bundesrepublik Deutschland

Walter Momper wird Regierender Bürgermeister von Berlin	8
Bundeskanzler Kohl bildet sein Kabinett um	29
Die Bundesrepublik Deutschland feiert ihr 40jähriges Bestehen	38
Bundespräsident v. Weizsäcker mit großer Mehrheit wiedergewählt	38
Gorbatschow in der Bundesrepublik begeistert empfangen	48
Kohl läßt CDU-Generalsekretär Geißler fallen	62
Wahlerfolge für Republikaner bei Kommunalwahlen	81
»Soldatenurteil« erregt die Öffentlichkeit	81
Kohl-Besuch in Polen führt zu innenpolitischen Auseinandersetzungen	106
Bankchef Herrhausen wird von Terroristen ermordet	107

Deutsche Demokratische Republik

Tausende von DDR-Bürgern fliehen über Ungarn in den Westen	59, 66
Oppositionsgruppe »Neues Forum« gründet sich	68
Egon Krenz löst Erich Honecker an der Staats- und Parteispitze ab	78
Eine Million Menschen demonstrieren für Demokratie und Freiheit	86
9. November: Nach 28 Jahren wird die Mauer geöffnet	88
Besucherstrom von DDR-Bürgern nach der Grenzöffnung	100
Hans Modrow wird Ministerpräsident	102
Kontroverse Reaktionen auf Kohls Zehn-Punkte-Plan	104
Volkskammer streicht Führungsanspruch der SED	113
Egon Krenz legt nach 46 Tagen alle Ämter nieder	113
Korruptionsvorwurf gegen alte Führung: Verhaftungen in der DDR	114
Bundeskanzler Helmut Kohl besucht Dresden	115

Österreich

Blecha-Rücktritt nach Lucona-Affäre	9
Rechtsruck bei Landtagswahlen	23
Brenner-Blockade gegen Nachtfahrverbot	74

Schweiz

Justizministerin Elisabeth Kopp tritt zurück	9
Bürger entscheiden in einer Volksabstimmung für die Armee	107

UdSSR

Erste Wahlen zum Kongreß der Volksdeputierten	22
Michail Gorbatschow nun auch Staatspräsident	37
Bergarbeiterstreiks gefährden »Perestroika«	53
Nationalitätenkonflikte erschüttern den Vielvölkerstaat	60

Polen

Gewerkschaft Solidarität offiziell anerkannt	29
Mazowiecki erster nichtkommunistischer Regierungschef seit 40 Jahren	60

Ungarn

Volksaufstand von 1956: Imre Nagy rehabilitiert	47
Verfassungsreform: Republik Ungarn wird ausgerufen	80

ČSSR

Massendemonstrationen zwingen KP-Führung zum Rücktritt	108
Oppositionelle besetzen Regierungsämter	116

China

Pekinger Studenten beginnen Hungerstreik für Reformen	37
Militär schlägt Demokratiebewegung blutig nieder	43

USA

David Dinkins wird erster schwarzer Bürgermeister von New York	110
US-Truppen greifen in Panama ein	117

Lateinamerika

Paraguay: Alfredo Stroessner gestürzt	17
Brasilien: Sarney legt Programm zum Schutz der Regenwälder vor	31
Kolumbien: Drogenkrieg erschüttert das ganze Land	61
El Salvador: Massiver Truppeneinsatz gegen Guerilla	110

Wirtschaft

Handelskonzern co op erneut vor dem Konkurs bewahrt	72
Wirtschaftsminister Haussmann genehmigt Fusion von Daimler/MBB	72
Die größten nationalen und internationalen Wirtschaftsunternehmen	73

Wissenschaft

»Voyager 2« sendet sensationelle Bilder vom Neptun	64
Größter Teilchenbeschleuniger der Welt in Genf eingeweiht	107
Gerichtsurteil stoppt gentechnische Produktion bei Hoechst	107

Umwelt

»Exxon Valdez« verursacht Ölpest vor der Küste Alaskas	21
Algenpest hält Badende von Italiens Stränden fern	55

Kultur

Kölner Ausstellung »Bilderstreit« polarisiert die Kunstszene	33
Dirigent Herbert von Karajan stirbt in Salzburg	56

Mode/Life Style

Hits der Modesaison 1989: Bermuda und Hosenrock	26
Tanz des Sommers 1989: Lambada – Erotik auf dem Parkett	63

Sport

Tischtennis: Deutsches Doppel holt Weltmeister-Titel	35
Eishockey: UdSSR zum 21. Mal Weltmeister	35
Tennis: Steffi Graf und Boris Becker siegen in Wimbledon	57
Radsport: Greg LeMond triumphiert als Tour-de-France-Sieger	57
Kunstturnen: Andreas Aguilar wird Weltmeister an den Ringen	84
Fußball: Deutsches Team für WM 1990 in Italien qualifiziert	111

Anhang

Regierungen und Staatsoberhäupter der souveränen Staaten	120
Kriege und Krisenherde des Jahres 1989	124
Neuerscheinungen auf dem Buchmarkt	126
Uraufführungen aus Schauspiel, Oper, Operette und Ballett	130
Kino-Filme des Jahres	133
Nekrolog	137
Personenregister	140
Bildquellenverzeichnis	142
Impressum	142

Die Toten: *Salvador Dalí inszenierte selbst seine eigene Beerdigungsfeier (→ S. 10).*

»Vater Japans«: Nach 62jähriger Herrschaft stirbt Kaiser Hirohito in Tokio (→ S. 14).

Ende einer Ära: Dirigent Herbert von Karajan stirbt in Salzburg (→ S. 56).

Die Sieger: *Steffi Graf und Boris Becker sorgen für einen zweifachen deutschen Sieg in Wimbledon. Die Fernsehzuschauer sind sauer, da ARD und ZDF das Turnier nicht übertragen (→ S. 57).*

Das Unglück: *Im Oktober wird San Francisco vom schwersten Erdbeben seit 1906 heimgesucht. Foto: Die eingestürzte Bay Bridge (→ S. 83).*

Januar 1989

Mo	Di	Mi	Do	Fr	Sa	So
						1
2	3	4	5	6	7	8
9	10	11	12	13	14	15
16	17	18	19	20	21	22
23	24	25	26	27	28	29
30	31					

1. Januar, Neujahr

Mit Jahresbeginn treten in der Bundesrepublik zahlreiche Gesetzesänderungen in Kraft. Einschneidend sind die Neuregelungen in den Bereichen Steuern, Krankenversicherung und Arbeitsförderung. → S. 7

Die US-amerikanische Tageszeitung »New York Times« berichtet über die Mitwirkung westdeutscher Firmen am Bau einer Chemiefabrik zur Herstellung von Giftgas in der libyschen Stadt Rabta. → S. 7

In Bonn beginnen die Feiern zum 2000-Jahr-Jubiläum der Stadt. → S. 10

2. Januar, Montag

Die Bundesprüfstelle für jugendgefährdende Schriften warnt in Bonn vor der zunehmenden Verbreitung rechtsradikaler Computerspiele mit Titeln wie »Anti-Türken-Test« oder »Clean Germany«.

3. Januar, Dienstag

Bei einem Schiffsunglück vor der Küste Guatemalas kommen 67 Menschen ums Leben. Das Fährboot war überladen.

4. Januar, Mittwoch

Zwei US-amerikanische F-14-Jäger schießen über internationalen Gewässern im Mittelmeer zwei libysche MIG 23 ab. → S. 10

5. Januar, Donnerstag

Das Bundesverkehrsministerium gibt bekannt, daß es den Einsatz von Streusalz auf vereisten Straßen im Gegensatz zu verschiedenen Kommunen für unverzichtbar hält.

6. Januar, Freitag

In Frankfurt am Main wird der 9. Bundesparteitag der DKP eröffnet. Nach heftigen Auseinandersetzungen über einen eventuellen Reformkurs der Partei wird Herbert Mies unter erheblichen Stimmverlusten erneut zum Vorsitzenden gewählt.

7. Januar, Samstag

In Tokio stirbt im Alter von 87 Jahren nach 62jähriger Herrschaft der japanische Kaiser Hirohito (→ 24. 2./S. 14).

In Moskau beginnt ein bundesdeutsches Theaterfestival, das großes Interesse beim Publikum findet. → S. 10

8. Januar, Sonntag

Wegen eines Triebwerkschadens stürzt in Mittelengland eine fast neue Boeing 737 auf eine Autobahn. Dabei kommen 44 Menschen ums Leben, 82 werden zum Teil schwer verletzt (→ 24. 2./S. 17).

9. Januar, Montag

Das Berliner Landgericht fällt die Urteile im Prozeß um den Diebstahl von mehreren tausend NS-Akten aus dem Berlin Document Center. Der frühere Leiter des Archivs, Alfred Darko, wird zu einer Freiheitsstrafe von zwei Jahren und vier Monaten verurteilt.

10. Januar, Dienstag

Die peruanische Regierung verbietet die Einfuhr von Industriemüll aus dem Ausland, weil Peru nicht über die Mittel zur Lagerung und Überwachung solcher Abfälle verfüge.

11. Januar, Mittwoch

20 ausreisewillige DDR-Bürger, die sich seit Anfang des Monats in der Ständigen Vertretung Bonns in Ost-Berlin aufhielten, verlassen das Gebäude, nachdem ihnen Straffreiheit sowie eine Überprüfung ihrer Ausreiseanträge zugesichert worden ist (→ 16. 2./S. 15).

Ein weltweites Verbot und die Vernichtung aller Giftgaswaffen fordern die 149 Teilnehmerstaaten der Pariser Internationalen Konferenz zur Beseitigung der C-Waffen (7. – 11. 1.). → S. 10

12. Januar, Donnerstag

Die Schweizer Justizministerin Elisabeth Kopp tritt zurück, da sie beschuldigt wird, Amtsgeheimnisse an ihren Ehemann weitergegeben zu haben. → S. 9

13. Januar, Freitag

Ari Vatanen aus Finnland gewinnt auf Peugeot die Wüsten-Rallye Paris – Dakar. Zweiter wird sein Markengefährte Jacky Ickx aus Belgien.

14. Januar, Samstag

Unter mysteriösen Umständen wird in Brüssel der ehemalige belgische Premierminister Paul Vanden Boeynants entführt. → S. 9.

15. Januar, Sonntag

In Wien verabschieden die 35 Teilnehmerstaaten des KSZE-Folgetreffens ein Schlußdokument, das den Boden für eine konventionelle Abrüstung in Europa bereitet.

Anläßlich des 20. Jahrestages der Selbstverbrennung des tschechoslowakischen Studenten Jan Palach am 16. Januar beginnen auf dem Prager Wenzelsplatz Demonstrationen, in deren Verlauf es zu schweren Zusammenstößen mit der Polizei kommt. → S. 9

16. Januar, Montag

Zur Eindämmung der Inflation von fast 1000% beschließt die brasilianische Regierung ein drastisches Sparprogramm, das neben der Abwertung der Landeswährung Cruzado einen unbefristeten Lohn- und Preisstopp vorsieht.

17. Januar, Dienstag

Laut Bundestagsbeschluß soll der Grundwehrdienst ab 1. Juni 1989 von 15 auf 18 Monate verlängert werden. Die Zivildienstzeit soll statt 20 künftig 24 Monate dauern (→ 16. 6./S. 48).

Die Einzahlungen auf Girokonten müssen dem Bankkunden am selben Tag gutgeschrieben werden. Mit diesem Urteil erklärt der Bundesgerichtshof in Karlsruhe die bisherige Wertstellungspraxis der Banken für rechtswidrig.

18. Januar, Mittwoch

Wegen eines Sprengstoffanschlags auf das Luft- und Raumfahrtunternehmen Dornier in Immenstadt am Bodensee im Juli 1986 werden die Mitglieder der Rote Armee Fraktion Erik Prauss und Andrea Sievering zu jeweils neun Jahren Freiheitsstrafe verurteilt.

19. Januar, Donnerstag

In Österreich treten Innenminister Karl Blecha und Nationalratspräsident Leopold Gratz (beide SPÖ) zurück. → S. 9

20. Januar, Freitag

Der Republikaner George Bush (64) wird als 41. Präsident der USA vereidigt. Er war im November 1988 zum Nachfolger von Ronald Reagan (77) gewählt worden. → S. 10

Ein mit Aids infizierter Mann wird vom Landgericht Kempten in zweiter Instanz vom Vorwurf der versuchten gefährlichen Körperverletzung freigesprochen. Die Partnerin des Mannes hatte in Kenntnis der ärztlichen Diagnose auf ungeschütztem Geschlechtsverkehr bestanden.

21. Januar, Samstag

In Braunschweig wird das Theaterstück »Fredegunde« von Peter Hacks uraufgeführt (→ Anhang).

Claudia Leistner aus Mannheim wird in Birmingham Eiskunstlauf-Europameisterin. Patricia Neske aus Düsseldorf gewinnt überraschend die Bronzemedaille. Bei den Herren verteidigt Alexander Fadejew (UdSSR) seinen Titel.

22. Januar, Sonntag

Das Ballett »Peer Gynt« des US-amerikanischen Choreographen John Neumeier wird in Hamburg uraufgeführt.

23. Januar, Montag

Anläßlich eines offiziellen Essens für den schwedischen Ministerpräsidenten Ingvar Carlsson kündigt DDR-Staats- und Parteichef Erich Honecker einseitige Abrüstungsschritte sowie eine Kürzung des Verteidigungsetats an.

Ein Erdbeben in der sowjetischen Republik Tadschikistan fordert knapp 300 Todesopfer.

Der spanische Maler Salvador Dalí stirbt in seinem katalanischen Geburtsort Figueras. → S. 10

24. Januar, Dienstag

Das B.A.T.-Freizeit-Forschungsinstitut in Hamburg stellt eine Studie vor, laut welcher berufstätige Frauen in ihrer Freizeit wesentlich stärker durch häusliche Arbeiten belastet sind als Männer.

25. Januar, Mittwoch

163 deutschsprachige Theologen beziehen in einer »Kölner Erklärung« Stellung gegen Zentrismus und Machtmißbrauch von Kurie und Papst.

26. Januar, Donnerstag

Der Oberste Sowjet der Republik Litauen erhebt Litauisch zur offiziellen Staatssprache (→ 23. 8./S. 60).

27. Januar, Freitag

Das niederländische Parlament begnadigt die deutschen Kriegsverbrecher Ferdinand Aus der Fünten und Franz Fischer. → S. 9

28. Januar, Samstag

Zu neuen Sprechern der Grünen im Bundestag werden in Bad Neuenahr Antje Vollmer, Helmut Lippelt und Jutta Oesterle-Schwerin gewählt. Die beiden »Realos« Otto Schily und Petra Kelly müssen Abstimmungsniederlagen hinnehmen.

29. Januar, Sonntag

Bei den Wahlen zum Berliner Abgeordnetenhaus verliert die CDU mit 37,8% der abgegebenen Stimmen ihre Position als stärkste Fraktion. → S. 8

30. Januar, Montag

Die Menschenrechtsorganisation Amnesty International fordert internationalen Druck auf die Regierung des Iran, wo in den letzten sechs Monaten laut Amnesty über 1000 politische Gefangene hingerichtet wurden.

31. Januar, Dienstag

Der SPD-Parteivorstand beschließt die Einstellung des Parteiblattes »Vorwärts« aus Kostengründen. Die Mitarbeiter der Zeitung beschließen deren Fortsetzung in eigener Regie (→ 14. 4./S. 30).

Der Rechtsanspruch außerehelich gezeugter Kinder auf Auskunft über ihren leiblichen Vater wird durch ein Urteil des Bundesverfassungsgerichtes in Karlsruhe erweitert.

Auf einen Blick:

Die Zahl der Arbeitslosen in der Bundesrepublik beträgt 2 334 613, das entspricht einer Quote von 9% (Januar 1988: 9,9%).

Die Verbraucherpreise in der Bundesrepublik liegen um 2,6% höher als im Januar 1988.

TV-Hit im Januar

Die höchste Einschaltquote erreicht die ZDF-Show »Wetten, daß . . ?« am 28. 1. (20,03 Mio. Zuschauer = 50%).

Giftgas-Skandal um Imhausen-Chemie

1. Januar. Ein Bericht der Tageszeitung »New York Times« über die Beteiligung der Firma Imhausen-Chemie (Lahr) am Bau einer angeblichen Giftgasfabrik in Libyen setzt Bundesregierung und Rüstungsindustrie heftiger internationaler Kritik aus.

Auch Erkenntnissen des Bundesnachrichtendienstes (BND) zufolge hat Imhausen Pläne für den Bau einer Giftgasfabrik in Rabta geliefert und Ingenieure entsandt. Das Geschäft sei durch den Bau einer Fabrik in Hongkong getarnt worden.

Die Bundesregierung, die zunächst von einer »Kampagne amerikanischer Medien« spricht, räumt nach und nach ein, schon in den Jahren zuvor Hinweise auf die Mitarbeit deutscher Firmen an Chemiewaffenpro-

Deutsche und US-amerikanische Nachrichtenmagazine nehmen die illegalen Geschäfte bundesdeutscher Firmen mit Libyen unter die Lupe.

jekten erhalten zu haben. Die Informationen seien jedoch »nicht gerichtsverwertbar« gewesen. Die Staatsanwaltschaft in Offenburg leitet am 13. Januar Ermittlungen we-

gen Verstoßes gegen das Außenwirtschaftsgesetz ein. Der am 27. Februar abgelöste Geschäftsführer Jürgen Hippenstiel-Imhausen wird am 10. Mai festgenommen.

Wie Exportverbote umgangen werden

Die Imhausen-Affäre bringt die Exportpraxis deutscher Unternehmen in die Diskussion.

Nach dem Außenwirtschaftsgesetz ist es bundesdeutschen Firmen untersagt, Waffen und kriegsverwendbares Material in Spannungsgebiete zu liefern. Diese Beschränkung wird häufig umgangen, indem Rüstungserzeugnisse an NATO-Länder verkauft werden, in denen solche Verbote nicht gelten. Frankreich oder Italien beispielsweise exportieren Gemeinschaftsprodukte wie das Kampfflugzeug »Tornado« oder die Lenkrakete »Milan« in Drittländer, ein Teil des Geldes fließt jedoch in deutsche Kassen. Besonders schwierig ist die Kontrolle bei Gütern, die auf zivilem wie militärischem Gebiet einsetzbar sind. Bei jährlich 75 000 Anträgen auf Ausfuhrgenehmigung ist es den 70 Mitarbeitern des Bundesamtes für Wirtschaft kaum möglich, eine genaue Prüfung der Verwendbarkeit durchzuführen.

Die größten Rüstungsexporteure der Welt (1987 Ausgaben in Millionen US-Dollar)

Land	Ausgaben
UdSSR	12 262
USA	11 547
Frankreich	3578
Großbritannien	1792
BRD	1444
China	1040
Niederlande	497
Schweden	380

© Harenberg

Gesundheitsreform und Quellensteuer treten in Kraft

1. Januar. Zu Beginn des Jahres treten zwei Gesetze in Kraft, die vor ihrer Verabschiedung für innenpolitischen Zündstoff sorgten: Die Gesundheitsreform und die Einführung einer 10prozentigen Quellensteuer auf Zinseinkünfte.

Um die Ausgaben der gesetzlichen Krankenversicherung zu senken, die im Vorjahr um 2,5 Mrd. DM auf 127,5 Mrd. DM gestiegen ist, sieht die Gesundheitsreform umfassende Einsparungen vor:

▷ Für Arzneimittel werden Festbeträge eingeführt, die von den Krankenkassen gezahlt werden. Bei teureren Medikamenten muß der Patient zuzahlen

▷ Bei Zahnersatz übernehmen die Kassen durchschnittlich 50% der Kosten. Für regelmäßige Zahnvorsorge wird ein Bonus von 10 bis 15% gewährt

▷ Für Heilmittel (z. B. Massagen) muß der Patient 10% der Kosten übernehmen. Ein neues Brillengestell wird von der Kasse nur noch mit 20 DM bezuschußt

▷ Bei Krankenhausaufenthalten verdoppelt sich der Zuzahlungsbetrag während der ersten zwei Wochen auf 10 DM pro Patient und Tag

▷ Das Sterbegeld wird von rund 5000 DM auf einheitlich 2100 DM pro Person reduziert.

Bundesarbeitsminister Norbert Blüm (CDU) erhofft sich von der Gesundheitsreform jährliche Einsparungen in Höhe von 14 Mrd. DM. Die Oppositionsparteien kritisieren jedoch die höhere Belastung der einkommensschwachen Bevölkerung und die unzureichende Einbezie-

hung der Pharmaindustrie in die Sparmaßnahmen. Ende 1988 hatte die Bekanntgabe der Reform zu einer verstärkten Inanspruchnahme medizinischer Leistungen insbesondere bei Zahnersatz, Brillen und Hörgeräten geführt.

Mit dem Ziel, die staatlichen Einnahmen um jährlich 4,3 Mrd. DM zu erhöhen, wird zu Jahresbeginn eine 10prozentige Quellensteuer auf Kapitalerträge eingeführt. Damit soll zur Finanzierung der Steuerreform beigetragen werden, deren dritte Stufe am 1. Januar 1990 in Kraft tritt.

Die Ankündigung dieser Quellensteuer hatte ähnlich wie bei der Gesundheitsreform zu Auswirkungen geführt, die den Intentionen der Bundesregierung zuwiderliefen. In bisher unbekanntem Ausmaß wurde 1988 Kapital aus der Bundesrepublik in Länder wie Luxemburg transferiert, die keine Steuern auf Zinserträge erheben: Mit 93 Mrd. DM war 1988 der Abfluß langfristig angelegten Kapitals um 30 Mrd. DM höher als im Vorjahr (→ 16. 6./S. 48).

Anstieg der Krankheitskosten

Leistungsausgaben der gesetzlichen Krankenversicherung in Milliarden DM

* z. B. Brillen, Hörgeräte, Massagen

Quelle: Globus © Harenberg

Jahr	Mrd. DM
1968	22,5
1973	41,0
1978	71,5
1983	95,9
1988	127,5

davon für:

	Mrd. DM
Krankenhaus	40,7
Transportkosten	1,7
Arzt	21,7
Mutterschaftshilfe	2,6
Arznei- und Heilmittel aus Apotheken	20,5
Sterbegeld	2,2
Zahnersatz	9,2
Heil- und Hilfsmittel*	8,7
Krankengeld	7,8
Zahnarzt	7,7
Sonstiges	4,7

Republikaner im Schöneberger Rathaus

29. Januar. Mit einem sensationellen Ergebnis enden die Wahlen zum Berliner Abgeordnetenhaus: Die seit 1983 regierende Koalition aus CDU und FDP mit Eberhard Diepgen als Regierendem Bürgermeister verliert ihre Regierungsmehrheit, und die rechtsradikalen Republikaner ziehen erstmals mit 7,5% der Wählerstimmen in das Landesparlament ein.

Entgegen allen Prognosen muß die CDU unerwartet hohe Verluste hinnehmen. Sie erreicht nur noch einen Stimmenanteil von 37,8% gegenüber 46,4% bei den letzten Wahlen 1985. Die FDP verfehlt mit 3,9% (1985: 8,5%) der Stimmen sogar den Einzug ins Abgeordnetenhaus und geht der CDU als Koalitionspartner verloren. Gewinner der Wahl sind die Sozialdemokraten mit einem Zugewinn von 4,9% auf 37,3% und die Alternative Liste (AL), die sich von 10,6% auf 11,8% verbessert.

Besonderes Aufsehen im In- und Ausland erregt das überraschend gute Abschneiden der Republikaner. Nach einem Wahlkampf, der sich fast ausschließlich auf die Ausländerproblematik konzentrierte und bereits vorhandene Stimmungen gegen Asylanten und Aussiedler schürte, schafft die Partei des Bundesvorsitzenden Franz Schönhuber auf Anhieb den Einzug ins Schöneberger Rathaus. Nach Erkenntnissen mehrerer Wahlforschungsinstitute setzt sich die Wählerschicht der Republikaner zu einem großen Teil aus früheren Anhängern der CDU zusammen, aber auch die SPD muß Abwanderungen hinnehmen.

Der Ausgang der Wahlen wird von den etablierten Parteien mit Betrof-

Damit hatte kaum jemand gerechnet: Walter Momper (l., mit dem SPD-Vorsitzenden Hans-Jochen Vogel) wird neuer Regierender Bürgermeister von Berlin.

fenheit registriert. Der Regierende Bürgermeister von Berlin und Spitzenkandidat der CDU, Eberhard Diepgen, auf den der Wahlkampf seiner Partei zugeschnitten war (»Ihn braucht Berlin«), spricht von einer »bitteren Niederlage«. Die Angst vor Asylbewerbern und Aussiedlern sowie bundespolitische Themen seien ausschlaggebend für die Verluste der CDU gewesen. In Bonn und München wird Kritik an dem Kurs der Bundespartei laut, für den CDU-Generalsekretär Heiner Geißler verantwortlich sei. Dieser habe, so der CSU-Vorsitzende Theo Waigel, durch eine Öffnung der Partei nach links ein »Vakuum« am rechten Rand der Union entstehen lassen. Auf dem Gebiet der Rechts- und Innenpolitik sowie des Asyl- und Ausländerrechts müsse die CDU/CSU mehr Entschlossenheit zeigen.

Völlige Genugtuung stellt sich auch bei der Berliner SPD nicht ein. Spitzenkandidat Walter Momper zeigt sich zwar befriedigt über seinen Wahlerfolg, doch betrachtet er das Abschneiden der Republikaner »als dem internationalen Ansehen Berlins abträglich« (→ 1. 10./S. 81).

Noch Wochen nach dem Wahlabend bleibt ungewiß, welche Parteien den neuen Senat stellen. Um ein rot-grünes Bündnis zu verhindern, erklärt sich die CDU zur Bildung einer großen Koalition mit der SPD bereit, was jedoch bei der SPD-Basis auf Ablehnung stößt. An eine Koalition mit der AL knüpft Momper die Bedingung, daß die aus unterschiedlichen Strömungen gebildete Gruppierung die Rechte der Alliierten, die Bindung West-Berlins an den Bund und das Gewaltmonopol des Staates anerkennt. Im Wahlkampf der Alternativen waren oft anderslautende Aussagen gefallen.

(→ 1. 10./S. 81)

Rot-grüner Senat mit acht Frauen

Die Konsequenzen der Wahl in Berlin sind in mehrfacher Hinsicht spektakulär: Zum einen erklärt sich die Alternative Liste (AL), traditionell auf dem fundamentalistischen Flügel der Grünen angesiedelt, zu einer Koalition mit der SPD bereit. Darüber hinaus wird erstmals in der deutschen Geschichte eine Regierung gebildet, in der mehr Frauen als Männer vertreten sind.

SPD und AL einigen sich auf ein Programm, in dem die Bekämpfung von Wohnungsnot und Arbeitslosigkeit sowie eine liberale Innen- und Ausländerpolitik im Vordergrund stehen. Dazu gehören die Einführung eines kommunalen Wahlrechts für Ausländer und eine stärkere Kontrolle des Verfassungsschutzes. Am 16. März wird der neue Senat mit Walter Momper (SPD) als Regierendem Bürgermeister vereidigt. Ihm gehören fünf Männer und acht Frauen an, von denen drei von der AL nominiert wurden.

Der Senatsbildung waren heftige Proteste vorausgegangen. CDU-Politiker sprachen von einer »Koalition des Verderbens«, und Vertreter der Wirtschaft sagten eine Verschlechterung des Investitionsklimas voraus. Skepsis herrschte nach Meinungsumfragen auch in der Bevölkerung: Nur 30% der Berliner begrüßten eine rot-grüne Koalition.

Die Regierenden Bürgermeister von Berlin

Ernst Reuter
(27. 7. 1889–
29. 9. 1953)
SPD.
(1947–51)
1951–53
Koalition aus
SPD, CDU, FDP

Walther Schreiber
(10. 6. 1884–
30. 6. 1958)
CDU.
1953–55
Koalition aus
CDU und FDP

Otto Suhr
(17. 8. 1894–
30. 8. 1957)
SPD.
1955–57
Koalition aus
SPD und CDU

Willy Brandt
(* 18. 12. 1913),
SPD.
1957–63
Koalition aus
SPD und CDU
1963–66
Koalition aus
SPD und FDP

Heinrich Albertz
(* 22. 1. 1915),
SPD.
1966–67
Koalition aus
SPD und FDP

Klaus Schütz
(*17.9.1926),
SPD.
1967–71
Koalition aus
SPD und FDP,
1971–75
SPD Alleinregierung,
1975–77
Koalition aus
SPD und FDP

Dietrich Stobbe
(* 25. 3. 1938),
SPD.
1977–81
Koalition aus
SPD und FDP

Hans-Jochen Vogel
(* 3. 2. 1926),
SPD.
1981
Koalition aus
SPD und FDP

Richard von Weizsäcker
(* 15. 4. 1920),
CDU.
1981–1984
Koalition aus
CDU und FDP

Eberhard Diepgen
(* 13. 11. 1941),
CDU.
1984–1989
Koalition aus
CDU und FDP

© Harenberg

Polizei knüppelt Demonstrationen in Prag nieder

15. Januar. Die Prager Polizei geht mit Hunden, Wasserwerfern und Schlagstöcken gegen eine verbotene Kundgebung auf dem Wenzelsplatz vor, die an die Selbstverbrennung des Studenten Jan Palach am 16. Januar 1969 erinnern soll. Palach hatte mit seinem Freitod gegen die Besetzung der ČSSR durch Truppen des Warschauer Pakts protestieren wollen, die der Liberalisierung des Staates während des »Prager Frühlings« 1968 ein Ende bereitete.

Trotz der Abriegelung des Wenzelsplatzes durch hohe Stahlgitter und massive Polizeipräsenz folgen zahlreiche Menschen am Rand des Platzes dem Aufruf verschiedener Bürgerrechtsinitiativen, des Todes von Palach zu gedenken. Auch in den folgenden Tagen kommt es zu Demonstrationen in der tschechoslowakischen Hauptstadt, die jeweils von brutalen Polizeieinsätzen begleitet werden. Dabei werden zahlreiche Personen verletzt und bis zum Ende der Aktionen am 22. Januar insgesamt rund 500 Demonstranten festgenommen. Zu ihnen zählt auch der prominente Dramatiker und Bürgerrechtler Václav Havel. Er wird am

△ *Mit Wasserwerfern geht die Polizei am Prager Wenzelsplatz gegen Demonstranten vor.*

◁ *Der Schriftsteller Václav Havel erhält im Oktober den Friedenspreis des Deutschen Buchhandels. Zur Preisverleihung am 15. 10. wird ihm die Ausreise aus der ČSSR verweigert.*

21. Februar wegen Teilnahme an einer nicht genehmigten Demonstration und »Rowdytums« zu neun Monaten Haft verurteilt. Havel hatte zum Gedenken Blumen auf dem Wenzelsplatz niederlegen wollen. Nach heftigen nationalen und internationalen Protesten kann Havel am 13. Mai vorzeitig das Gefängnis verlassen.

Die fünftägigen Demonstrationen in Prag dokumentieren neben der unnachgiebigen Härte von Regierung und Staat ein Erstarken der tschechoslowakischen Opposition, die bislang ausschließlich in Form der Bürgerrechtsbewegung »Charta 77« auf den Plan trat. Schon 1988 entstanden eine Reihe unabhängiger Oppositionsgruppen, die – anders als die »Charta« – nicht nur die Einhaltung bürgerlicher Grundrechte vom Staat verlangen, sondern darüber hinausgehende politische Ziele verfolgen.

Auf Überraschung selbst bei den Initiatoren stößt auch die breite Unterstützung einer Petition an den tschechoslowakischen Ministerpräsidenten Ladislav Adamec, die noch im Januar die Freilassung Havels und einen Dialog zwischen Regierung und Opposition fordert. Über 1000 Wissenschaftler und Künstler – auch regimetreue und politisch bislang nicht engagierte – unterzeichnen den Aufruf, mit dem sich die Hoffnung auf eine Lockerung der starren und reformfeindlichen Politik verbindet (→ 24. 11./S. 108).

»Affäre Kopp« bewegt die Schweiz

12. Januar. Die Schweizer Justizministerin Elisabeth Kopp legt in Zürich ihr Amt mit sofortiger Wirkung nieder. Die Ministerin wird beschuldigt, das Amtsgeheimnis verletzt zu haben. Sie soll u. a. im Oktober 1988 ihren Mann über Ermittlungen gegen eine Geldhändlerfirma infor-

Die 52jährige Politikerin Elisabeth Kopp (Freisinnig-Demokratische Partei) wurde 1984 als erste Frau in den siebenköpfigen Schweizer Bundesrat gewählt.

miert haben, deren Verwaltungsrat Hans W. Kopp angehörte. Die »Affäre Kopp« löst eine heftige Diskussion um die politische Moral in der Schweiz aus. Nachfolger der gestürzten Justizministerin wird der designierte Bundespräsident für 1990 Arnold Koller.

Blecha stürzt über Lucona-Affäre

19. Januar. Wegen seiner Verwicklung in die sog. Lucona-Affäre tritt der österreichische Innenminister Karl Blecha (SPÖ) zurück. Blecha wird vorgeworfen, die Ermittlungen gegen den Hauptbeschuldigten der Affäre, Udo Proksch, behindert zu haben. Proksch, der am 3. Oktober

Der 55jährige SPÖ-Spitzenpolitiker Karl Blecha galt zu Beginn der 80er Jahre als aussichtsreichster Anwärter auf die Nachfolge des damaligen Bundeskanzlers Bruno Kreisky.

verhaftet wird, soll sich 1977 mit der Sprengung des Schiffes »Lucona« im Indischen Ozean (6 Tote) Versicherungsgelder in Höhe von 35 Millionen DM erschlichen haben. Die Affäre bringt die SPÖ kurz vor den Landtagswahlen am → 12. März (S. 23) in Schwierigkeiten.

Belgien: Rätsel um Vanden Boeynants

14. Januar. In Brüssel wird der ehemalige belgische Premierminister Paul Vanden Boeynants entführt. Da sich in den folgenden Tagen eine bis dahin unbekannte »Revolutionäre Sozialistische Brigade« zu der Tat bekennt, vermutet man zunächst einen politischen Hinter-

Der 69 Jahre alte Paul Vanden Boeynants (1966 – 68 und 1978 – 79 belgischer Ministerpräsident) ist aufgrund verschiedener Affären eine der umstrittensten Figuren in der belgischen Politik.

grund der Tat. Nach der Freilassung Vanden Boeynants am 13. Februar kann die Polizei im Mai den meistgesuchten Verbrecher Belgiens, Patrick Haemers, als den mutmaßlichen Drahtzieher der Entführung festnehmen, bei der umgerechnet 3 Millionen DM erpreßt wurden.

»Zwei von Breda« auf freiem Fuß

27. Januar. In einer spannungsgeladenen Atmosphäre beschließt das niederländische Parlament mit 85 gegen 55 Stimmen, die beiden letzten deutschen Kriegsverbrecher im Gefängnis von Breda, Ferdinand Aus der Fünten (79) und Franz Fischer (86), freizulassen.

Der liberale niederländische Justizminister Frederik Korthals-Altes betont, es könne zwar kein Mitleid für die Kriegsverbrecher geben, es sei aber besser, sie ihrer Symbolfunktion zu berauben und sie freizulassen.

Die Trennungslinie zwischen Befürwortern und Gegnern einer Begnadigung verläuft quer durch alle Fraktionen. Überlebende Opfer der NS-Gewaltherrschaft reagieren mit Bitterkeit. Bundespräsident Richard von Weizsäcker dankt dem Parlament für seine humanitäre Entscheidung.

US-Flugzeuge schießen libysche MIG ab

4. Januar. Zwei US-amerikanische F-14-Kampfflugzeuge schießen über dem Mittelmeer zwei libysche MIG-Jäger ab. Der Vorfall löst international Unruhe über mögliche US-Militäraktionen gegen Libyen aus. Den Hintergrund bilden Gerüchte über eine im Bau befindliche angebliche Chemiewaffenfabrik in der Nähe von Tripolis (→ 1. 1./S. 7).
Etwa 200 km nördlich der libyschen Küste feuern die Piloten der vom Flugzeugträger »John F. Kennedy« aus gestarteten US-Maschinen Raketen auf die beiden sich nähernden MIG 23 der libyschen Luftwaffe ab. Nur einer der beiden Piloten kann sich mit einem Fallschirm retten.
Während US-Verteidigungsminister Frank Carlucci die Aktion als »Selbstverteidigung« gegenüber den »in feindlicher Absicht« operierenden MIGs bezeichnet, klagt der libysche Revolutionsführer Muammar Al Gaddhafi die USA des »Terrorismus« an und droht mit Vergeltung. Entgegen den US-Darstellungen seien die libyschen Flugzeuge weder bewaffnet gewesen noch hätten sie den Luftkampf mit den amerikanischen Maschinen gesucht.
Die internationalen Reaktionen auf

US-Verteidigungsminister Frank Carlucci erläutert der Presse anhand einer Karte, wo die F 14 ihre libyschen Kontrahenten abgeschossen haben.

diese US-amerikanische Aktion schwanken zwischen zurückhaltender bis scharfer Kritik und Furcht vor einer militärischen Eskalation. Der sowjetische Außenamtssprecher Gennadi Gerassimow bezichtigt die Vereinigten Staaten, »auf gefährliche Weise zur arroganten Anwendung des Faustrechts« zurückgekehrt zu sein.
Spekulationen über weitere militärische Schritte der USA gegen Libyen

nähren sich vor allem aus der Ankündigung von US-Präsident Ronald Reagan im Dezember 1988, der gesagt hatte, er schließe militärische Aktionen gegen Libyen wegen der nach US-Auffassung dort entstehenden Chemiewaffenfabrik nicht aus. Washingtoner Regierungsvertreter bestreiten allerdings jeden Zusammenhang zwischen dieser Ankündigung und dem Luftkampf über dem Mittelmeer.

Pariser Konferenz ächtet den Einsatz von C-Waffen

11. Januar. In Paris verpflichten sich 149 Staaten, auf den Einsatz chemischer Waffen zu verzichten. Im Schlußdokument der fünftägigen Internationalen Konferenz zur Beseitigung der C-Waffen verurteilen sie außerdem jede Verletzung des Genfer Giftgasprotokolls. Dieses Abkommen untersagte bereits 1925 den Einsatz von Giftgas und ähnlichen Kampfstoffen.
Der Wortlaut der Schlußerklärung war zunächst umstritten, weil verschiedene Staaten der Dritten Welt eine Koppelung des C-Waffen-Verbots mit atomarer Abrüstung forderten. Dieser Verknüpfung widersetzten sich erfolgreich die Industriestaaten. Chemiewaffen gelten als »Atombomben des kleinen Mannes« (»Der Spiegel«), weil sie relativ billig herzustellen und damit auch für finanzschwache Länder erschwinglich sind. Entsprechend bedienten sich zuletzt vor allem Staaten der Dritten Welt der C-Waffen:
▷ Nach Angaben des Irak setzte der Iran im Golfkrieg 1987/88 Senf-

gas und Phosgen gegen irakische Truppen ein
▷ Der Irak verwendete seinerseits Giftgas gegen iranische Truppen und gegen die Zivilbevölkerung kurdischer Dörfer.

Nach Schätzung des Stockholmer Friedensforschungsinstituts SIPRI sind weltweit 37 Staaten in der Lage, Giftgase für den Kriegseinsatz herzustellen. Die USA geben jährlich über eine Mrd. Dollar für die Produk-

tion chemischer Waffen aus, deren Herstellung im Gegensatz zu ihrer Verwendung noch kein Abkommen verbietet. An einem Vertrag über die Vernichtung der C-Waffen arbeitet die Genfer Abrüstungskonferenz.

1. Weltkrieg (Sommer 1918): US-amerikanische Infanterieabteilung beim Angriff in gasverseuchtem Gebiet; Das Deutsche Reich setzte 1916 erstmals chemische Waffen ein. Besonders dem im letzten Kriegsjahr entwickelten »Gelbkreuz« fielen zahlreiche Soldaten zum Opfer.

Im Vietnamkrieg setzten die USA in den 60er und 70er Jahren das Entlaubungsmittel »Agent Orange« ein, das auch Krebs erregt.

George Bush vereidigt

20. Januar. *George Bush (64) wird in Washington als 41. Präsident der USA vereidigt. Bush, von dem die Bevölkerung u. a. Lösungen für das Drogenproblem und das Haushaltsdefizit erwartet, kassiert zunächst eine Niederlage: Der Senat lehnt den vom Präsidenten als Verteidigungsminister vorgeschlagenen John Tower u. a. wegen dessen Beratertätigkeit für die Rüstungsindustrie ab. Am 17. März wird Richard Cheney neuer Pentagon-Chef.*

◁ V. l.: Nancy und Ronald Reagan, George und Barbara Bush, Dan und Marilyn Quayle

Dalí im eigenen Museum beerdigt

23. Januar. Im Alter von 84 Jahren stirbt der spanische Maler Salvador Dalí in seinem katalanischen Geburtsort Figueras.

Dalí, der zu den schillerndsten und umstrittensten Künstlern des 20. Jahrhunderts gehört, verdankt seine historische Bedeutung vor allem seinen frühen surrealistischen Arbeiten. 1929 bis 1934 Mitglied der Surrealistengruppe in Paris, schuf er u. a. »Die Beständigkeit der Erinnerung« (1931) und die »Brennende Giraffe« (1935). In Zusammenarbeit mit Luis Buñuel drehte Dalí auch den mittlerweile zum Klassiker gewordenen surrealistischen Film »Der andalusische Hund« (1928), der bei seiner Uraufführung in Paris einen Skandal auslöste.

Der Künstler, der in seinem Werk häufig traumähnliche Situationen thematisierte (»Der Schlaf«, 1937), begnügte sich jedoch nicht mit seiner Klassikerrolle, sondern nahm in späteren Jahren die Herausforderung auch der jeweils jüngsten Künstler an. So integrierte er das Action Painting der 50er Jahre ebenso wie Pop- und Op-art, die kybernetische Kunst und den Foto-Realismus in sein Spätwerk.

Der Publicity-Drang des exzentrischen Provokateurs, der sich selbst gern in großen Auftritten zelebrierte, und seine Geschäftstüchtigkeit trugen ihm die Verachtung vieler Malerkollegen und die Kritik der Fachwelt ein. Durch Signierung von Blanko-Blättern leistete er einer unseriösen Vermarktung seiner Werke Vorschub und erschwerte einen Überblick über das Gesamtwerk.

Dalí gelang es, seine Mitmenschen bis über seinen Tod hinaus zu provozieren. Er inszenierte seine Beerdigung unter der Kuppel des von ihm gegründeten »Teatro-Museo Dalí« in Figueras als seinen letzten großen Auftritt: Rund 35 000 Zuschauer säumen den Weg des Sarges mit dem einbalsamierten Leichnam von Dalís Taufkirche zu seinem bizarren Museums-Mausoleum.

Auch sein Testament, das am 6. Februar eröffnet wird, sorgt noch einmal für Aufregung. Statt – wie ursprünglich vorgesehen – seine Heimatregion Katalonien mit der Hälfte seines Gesamtwerkes zu bedenken, setzt Dalí den spanischen Staat als »universalen und freien Erben aller seiner Besitztümer« ein. Diese werden auf einen Wert von rund 250 Millionen DM geschätzt.

◁ △ *Trauergäste vor dem »Teatro-Museo Dalí«*

△ *Dalís Grab befindet sich unter dem roten Fliesenboden seines Museums in Figueras*

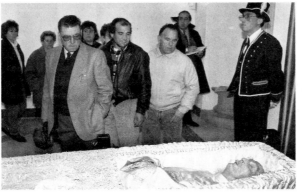

◁ *Der einbalsamierte Leichnam des Künstlers*

Glasnost auf Moskauer Bühnen

7. Januar. Unter dem Titel »Theatertage der Bundesrepublik Deutschland in Moskau« beginnt in der sowjetischen Hauptstadt ein dreiwöchiges Festival, an dem zehn namhafte westdeutsche Bühnen mit fast 800 Theaterleuten teilnehmen.

Unter den Stücken, die mit Ausnahme von Tschechows »Drei Schwestern« noch nie auf russischen Bühnen inszeniert wurden, befinden sich Klassiker ebenso wie ein antistalinistisches Stück des DDR-Autors Heiner Müller. Die Resonanz ist außerordentlich positiv, so daß weitere kulturelle Austauschprojekte zwischen der UdSSR und Bundesrepublik ins Auge gefaßt werden.

Auftakt zu Bonner Doppeljubiläum

1. Januar. Mit einer Aufführung von Beethovens 9. Sinfonie in der Bonner Beethovenhalle beginnen in der Bundeshauptstadt die Feiern zu einem Doppeljubiläum: 2000 Jahre alt wird die Römersiedlung am Rhein, die seit nunmehr 40 Jahren Regierungssitz ist.

Bei der nicht unumstrittenen Datierung des »Geburtsjahres« auf die Zeit um 13 bis 9 vor Christus berufen sich die Stadtväter auf ein Zitat des römischen Schriftstellers Lucius Annaeus Florus. Demnach hat der römische Feldherr Drusus mit der Errichtung von 50 Kastellen und einem Brückenschlag über den Rhein den Grundstein für die Siedlung gelegt.

Februar 1989

Mo	Di	Mi	Do	Fr	Sa	So
		1	2	3	4	5
6	7	8	9	10	11	12
13	14	15	16	17	18	19
20	21	22	23	24	25	26
27	28					

1. Februar, Mittwoch

In verschiedenen Justizvollzugsanstalten der Bundesrepublik und in West-Berlin treten 28 Gefangene der Rote Armee Fraktion (RAF) in den Hungerstreik. Sie fordern die Zusammenlegung aller RAF-Gefangenen. → S. 15

Zu kontroversen Diskussionen kommt es nach der Uraufführung der Kammeroper »Ulrike«, eine antike Tragödie« von Leo Geerts und Raoul de Smet in Gent. Das Werk setzt sich mit der Entwicklung der RAF-Terroristin Ulrike Meinhof auseinander.

2. Februar, Donnerstag

Franz Bertele, der neue Leiter der Ständigen Vertretung Bonns in Ost-Berlin, überreicht DDR-Staats- und Parteichef Erich Honecker sein Beglaubigungsschreiben. → S. 15

Der südafrikanische Staatspräsident Pieter Willem Botha tritt aus Gesundheitsgründen als Vorsitzender der regierenden National Party zurück. Sein Nachfolger wird Erziehungsminister Frederik de Klerk (→ 6. 9./S. 71).

Der Europäische Gerichtshof in Luxemburg entscheidet gegen Importverbote für ausländische Wurst in die Bundesrepublik. Diese Wurst darf eingeführt werden, auch wenn sie nicht dem »Reinheitsgebot« der deutschen Fleischverordnung entspricht. → S. 18

3. Februar, Freitag

Nach fast 35 Jahren unumschränkter Herrschaft wird Paraguays Staatschef General Alfredo Stroessner (76) vom Militär gestürzt. → S. 17

4. Februar, Samstag

Zum Abschluß eines China-Besuches kündigt der sowjetische Außenminister Schewardnadse den Abzug von 260 000 Soldaten aus dem Osten und Süden der UdSSR an.

5. Februar, Sonntag

Die letzten 1000 Soldaten, die Kuba bis zum 1. April aus Angola abziehen wollte, treffen bereits jetzt in Havanna ein. Damit ist die kubanische Militärpräsenz in dem afrikanischen Land beendet.

6. Februar, Montag

An der Berliner Mauer wird ein 20jähriger Schlosser von DDR-Grenzsoldaten erschossen. Der Mann hatte versucht, in den Westteil der Stadt zu flüchten (→ 16. 2./S. 15).

Bei der alpinen Skiweltmeisterschaft in Vail/USA gewinnt der 21jährige Hans-jörg Tauscher aus Oberstdorf die Goldmedaille in der Herren-Abfahrt. → S. 19

7. Februar, Dienstag

Werbung für Präservative auf den Trikots einer Fußballmannschaft verstößt nicht gegen die guten Sitten. Mit diesem Spruch entscheidet die Zivilkammer des Landgerichts Frankfurt einen Streit zwischen dem Deutschen Fußball-Bund und dem FC Homburg.

8. Februar, Mittwoch

Beim Absturz einer Boeing 707 auf der Azoren-Insel Santa Maria kommen alle 145 Insassen ums Leben (→ 24. 2./S. 17).

9. Februar, Donnerstag

Die neonazistische Vereinigung »Nationale Sammlung« (N.S.) wird vom Bundesinnenministerium verboten. Die Gruppierung hatte sich für die hessische Kommunalwahl beworben.

In Hamburg wird die bisher größte Menge von Haschisch in der Bundesrepublik beschlagnahmt. Auf einem unter der Flagge Singapurs fahrenden Schiff werden acht Tonnen dieser Droge im Schwarzmarktwert von 50 Millionen DM entdeckt.

10. Februar, Freitag

Die 39. Internationalen Filmfestspiele in Berlin werden mit dem Film »Gefährliche Liebschaften« von Stephen Frears eröffnet. Zum Abschluß zeichnet die Jury am 21. Februar »Rain Man« von Barry Levinson mit dem »Goldenen Bären« aus (→ Anhang).

In Anwesenheit des ägyptischen Staatspräsidenten Hosni Mubarak wird im Tempel von Luxor ein sensationeller Statuen-Fund präsentiert. → S. 18

Mit Georg Hackl (Berchtesgaden) wird zum ersten Mal seit 1974 (Sepp Fendt) ein deutscher Rennrodler wieder Weltmeister. Er siegt in Winterberg mit $^{161}/_{1000}$ sec vor Jens Müller (DDR).

11. Februar, Samstag

Die ungarische KP tritt auf einer Sondertagung ihres Zentralkomitees für ein Mehrparteiensystem ein (→ 23. 10./S. 80).

12. Februar, Sonntag

Erstmals in den USA wird eine Frau – die Schwarze Barbara Harris – von der anglikanischen Kirche in Massachusetts als Weihbischöfin eingesegnet.

13. Februar, Montag

Gegen ein Lösegeld von umgerechnet drei Millionen DM wird der am 14. Januar entführte ehemalige belgische Premierminister Paul Vanden Boeynants freigelassen (→ 14. 1./S. 9).

14. Februar, Dienstag

In einem Urteil über Wohnungskündigungen bei Eigenbedarf entscheidet das Bundesverfassungsgericht in Karlsruhe zugunsten der Vermieter. → S. 16

Schleswig-Holstein beschließt als erstes Bundesland ein kommunales Wahlrecht für Ausländer. Die gleiche Entscheidung trifft am nächsten Tag die Hamburger Bürgerschaft. → S. 18

Der iranische Revolutionsführer Ayatollah Ruhollah Khomeini ruft zur Ermordung des britisch-indischen Schriftstellers Salman Rushdie auf. → S. 19

15. Februar, Mittwoch

Die UdSSR zieht ihre letzten Truppen aus Afghanistan ab. → S. 13

Bundesweite Hausdurchsuchungen von Geschäftsräumen der Unternehmensgruppe co op erhärten den Verdacht der Bilanzfälschung durch den hochverschuldeten Konzern (→ 26. 2./S. 16).

16. Februar, Donnerstag

Mit einem Wagen dringen vier ausreisewillige DDR-Bürger gewaltsam in den Hof der Bonner Vertretung in Ost-Berlin ein und verletzen dabei einen Volkspolizisten. → S. 15

17. Februar, Freitag

Mit der Unterzeichnung des Gründungsvertrages für eine Arabische Maghreb-Union vollziehen die Staatspräsidenten von Algerien, Libyen, Marokko, Mauretanien und Tunesien in Marrakesch den ersten Schritt zur Bildung eines »Großen Maghreb«.

18. Februar, Samstag

US-amerikanische Wissenschaftler stellen in Washington eine Studie vor, nach der der Ozonschild nicht nur in der Südpol-Atmosphäre, sondern nunmehr auch am Nordpol gefährdet ist (→ 4. 5./S. 40).

19. Februar, Sonntag

In der Gedenkstätte des ehemaligen Konzentrationslagers Neuengamme bei Hamburg treten 20 Roma in einen Hungerstreik, um gegen drohende Abschiebung zu protestieren.

20. Februar, Montag

In Ost-Berlin treffen Hamburgs Erster Bürgermeister Henning Voscherau (SPD) und DDR-Staats- und Parteichef Erich Honecker zu einem Gespräch über die Elb-Verschmutzung zusammen. Die DDR sagt die Einbeziehung Hamburgs in den kleinen Grenzverkehr zu.

21. Februar, Dienstag

Aus Protest gegen die Vergewaltigung einer U-Bahn-Bediensteten und die Banalisierung ähnlicher Fälle in der Öffentlichkeit streikt das Pariser Metro-Personal.

22. Februar, Mittwoch

Die Proteste der albanischen Volksgruppe in der jugoslawischen Provinz Kosovo weiten sich zu einem allgemeinen Streik aus. Die muslimischen Albaner befürchten eine Beeinträchtigung ihrer Autonomie durch die Teilrepublik Serbien, zu der Kosovo gehört (→ 23. 3./S. 23).

23. Februar, Donnerstag

Beim Sturz eines zweimotorigen Flugzeugs in den Bodensee kommen elf Menschen ums Leben, unter ihnen der österreichische Sozialminister Alfred Dallinger.

24. Februar, Freitag

In Tokio wird der am 7. Januar im Alter von 87 Jahren verstorbene japanische Kaiser Hirohito beigesetzt. → S. 14

In 6700 m Höhe über Hawaii verliert eine US-amerikanische Boeing 747 seitliche Teile ihrer Außenhaut. Neun Passagiere werden durch das so entstandene Loch in die Tiefe gerissen. → S. 17

25. Februar, Samstag

Mit einem K.-o.-Sieg in der fünften Runde verteidigt der 22jährige Mike Tyson (USA) in Las Vegas seinen Titel als Schwergewichts-Boxweltmeister gegen den Briten Frank Bruno.

26. Februar, Sonntag

Der drohende Konkurs des Handelskonzerns co op AG Frankfurt kann im letzten Moment abgewendet werden durch einen Forderungsverzicht der Gläubigerbanken. → S. 16

Das ZDF strahlt die erste Folge des vierteiligen Fernsehfilms über das Leben des US-amerikanischen Schriftstellers Ernest Hemingway aus. → S. 18

Die Handball-Nationalmannschaft der Bundesrepublik verpaßt bei der B-Weltmeisterschaft in Frankreich den Wiederaufstieg in die A-Gruppe und muß nun sogar in die C-Gruppe absteigen. → S. 19

27. Februar, Montag

Aufgrund von Preiserhöhungen elementarer Güter kommt es in allen großen Städten Venezuelas zu Plünderungen und Straßenkämpfen mit der Polizei. → S. 17

28. Februar, Dienstag

In Frankfurt am Main einigen sich die Tarifpartner der papierverarbeitenden Industrie auf eine Einkommenssteigerung von 3,5% rückwirkend zum 1. Februar sowie eine nochmalige Anhebung um den gleichen Betrag zum 1. Februar 1990. Die Arbeitszeit wird vom 1. November 1990 an 37 Stunden betragen.

Auf einen Blick:

Die Zahl der Arbeitslosen in der Bundesrepublik beträgt 2 304 819, das entspricht einer Quote von 8,9% (Februar 1988: 9,9%).

Die Verbraucherpreise in der Bundesrepublik liegen um 2,6% höher als im Februar 1988.

TV-Hit im Februar:

Die höchste Einschaltquote erreicht die 18. Folge der ZDF-Serie »Schwarzwaldklinik« am 11. 2. (18,74 Mio. Zuschauer = 50%).

Letzte sowjetische Truppen verlassen Afghanistan

15. Februar. Als letzter Soldat der 115 000 Mann starken sowjetischen Armee in Afghanistan verläßt Oberbefehlshaber Boris Gromow das Land über die Brücke des Grenzflusses Amudarja. Damit ist die militärische Intervention der Sowjetunion in dem seit über neun Jahren andauernden afghanischen Bürgerkrieg endgültig beendet.

Mit dem Abzug ihrer restlichen Truppen aus Afghanistan erfüllt die sowjetische Regierung termingerecht ihre vertragliche Zusage vom April 1988, alle Soldaten von Mitte Mai an innerhalb von neun Monaten nach Hause zu holen. Während Gromow die sowjetische Invasion als »internationalistische Pflicht« definiert und damit die Rechtfertigung des Einmarsches vom Dezember 1979 wiederholt, wird das Afghanistan-Engagement in der Sowjetunion mittlerweile offen kritisiert. So stuft Parteichef Michail Gorbatschow die Intervention als eine der »alten Sünden« der UdSSR ein. Knapp 14 000 sowjetische Soldaten sind seit 1979 in Afghanistan gefallen, mehr als 30 000 sind verwundet, häufig als Invalide in ihre Heimat zurückgekehrt. Der Bürgerkrieg setzt sich nunmehr als rein afghanischer Konflikt fort, wenn die USA und die UdSSR die jeweiligen Parteien auch nach wie vor militärisch unterstützen. Betroffen ist vor allem die Zivilbevölkerung. Zwischen einer und 1,5 Millionen Afghanen sollen nach unterschiedlichen Berichten bislang ums Leben gekommen sein. Etwa fünf Millionen – das entspricht mehr als einem Viertel des Volkes – sind nach Pakistan und in den Iran geflohen.

Überraschend kann sich die Regierung des Staatschefs Mohammad Nadschibullah auch nach Abzug der befreundeten UdSSR-Truppen halten. Im März scheitern der Sturm moslemischer Widerstandskämpfer auf Jalalabad und die Etablierung einer Gegenregierung. Auch die Belagerung der Hauptstadt Kabul bleibt zunächst erfolglos. Als Ursache der Stagnation gilt die Zerstrittenheit der 15 größeren moslemischen Widerstandsorganisationen. Deren Vorstellungen eines nichtkommunistischen Nachkriegs-Afghanistan reichen von der Rückkehr zu einer konstitutionellen Monarchie bis zur Errichtung einer islamischen Republik nach iranischem Vorbild.

△ *Nach Überquerung der »Freundschaftsbrücke« über den Amudarja passiert dieser sowjetische Panzer die Grenze zur UdSSR.*

◁ *Einen Tag nach dem Ende des Truppenabzugs: Vor einem Porträt Lenins spricht Oberbefehlshaber Boris Gromow in der Grenzstadt Termez zu sowjetischen Soldaten.*

▽ *Pressekonferenz des moslemischen Widerstands am 15. Februar im pakistanischen Rawalpindi: Abdulrasuf Sayyaf (r.) kündigt die Fortsetzung des »Heiligen Krieges« gegen Nadschibullah an.*

Moslemgruppen gegen Sozialisten

Nach dem Sturz der Monarchie 1973 und einem weiteren Putsch 1978 leitet die von der UdSSR unterstützte sozialistische Regierung Afghanistans tiefgreifende gesellschaftliche Veränderungen ein. Moslemische Gruppen sagen dem Regime im März 1979 den Kampf an.

▷ 27. 12. 1979: Nach einem angeblichen »Hilferuf« der afghanischen Regierung marschieren sowjetische Truppen ins Land ein und besetzen Kabul. Ihre Stärke wächst bis Februar 1980 auf 115 000 Mann.

▷ 4. 1. 1980: US-Präsident Jimmy Carter verkündet ein Getreideembargo gegen die UdSSR. Zehn Tage später verurteilt die UNO-Vollversammlung die Invasion.

▷ 9. 2. 1980: Die USA beschließen den Boykott der Olympischen Spiele in Moskau.

▷ 9. 3. 1981: US-Präsident Ronald Reagan billigt Waffenlieferungen an moslemische Widerstandskämpfer, die mittlerweile in einer »Islamischen Allianz« zusammengeschlossen sind.

▷ April 1984: Die UdSSR beginnt einen systematischen Luftkrieg gegen die »Mudschaheddin« (Glaubenskrieger).

▷ 4. 5. 1986: Der afghanische Staatschef Babrak Karmal wird durch Mohammad Nadschibullah abgelöst.

▷ 15. 1. 1987: Nadschibullah verkündet einen einseitigen Waffenstillstand und eine »Politik der nationalen Versöhnung« seitens der Regierung. Die Mudschaheddin lehnen eine Verständigung jedoch ab.

▷ 14. 4. 1988: Im Genfer Abkommen verpflichtet sich die UdSSR zum Abzug ihrer Truppen bis zum 15. 2. 1989.

▷ Sommer 1989: Die Sowjetunion versorgt das eingeschlossene Kabul seit Januar aus der Luft mit Benzin und Lebensmitteln.

Japan nimmt Abschied von seinem Kaiser

24. Februar. In Tokio wird der japanische Kaiser Hirohito unter Anteilnahme von 200 000 Landsleuten und geladenen Trauergästen aus 163 Ländern im Musashi-Mausoleum feierlich beigesetzt. Hirohito, dessen Gesundheitszustand seit September vergangenen Jahres kritisch war, starb am 7. Januar mit 87 Jahren. Hirohito war der 124. japanische Kaiser und laut Verfassung Symbol Japans und des japanischen Volkes. Sowohl in seinem Land als auch international blieb die Rolle Hirohitos während des Zweiten Weltkriegs. So erhob sich z. B. in Großbritannien Protest gegen die Reise Prinz Philips zur Beerdigung des Tenno, unter dessen Oberbefehl britische Kriegsgefangene in japanischen Lagern schwer mißhandelt worden waren.

Japans neuer Kaiser, der 55jährige Akihito Tsugu No Mija, mit dessen Regierung eine neue Zeitrechnung, die sog. Heisei-Ära (»Frieden schaffen«) beginnt, bekannte sich in seiner ersten programmatischen Ansprache am 9. Januar zur Verfassung, die ihm rein repräsentative Pflichten zuweist. Akihito entspricht damit der öffentlichen Meinung seines Landes, die den Fortbestand der konstitutionellen Monarchie als nützliche japanische Institution befürwortet.

△ *Beerdigungszeremonie in Tokio: 51 Männer der Kaiserlichen Wache tragen die Katafalk-Sänfte mit dem Leichnam des japanischen Herrschers. – Hinter den Kulissen kommt es zu zahlreichen Begegnungen zwischen Staatsgästen aus der ganzen Welt, zu denen US-Präsident George Bush, der französische Staatspräsident François Mitterrand und Bundespräsident Richard von Weizsäcker gehören.*

◁ *Der neue Tenno, Akihito Tsugu No Mija, konnte allmählich in seine neue Rolle hineinwachsen: Gut zwei Dutzend Staatsbesuche in aller Welt hat er bereits hinter sich, so daß die Repräsentationsaufgaben, die nun auf ihn zukommen, nicht neu für ihn sind. Akihito wurde von einer US-amerikanischen Privatlehrerin unterrichtet und studierte als erster Thronanwärter Japans an einer zivilen Universität Volkswirtschaft und Politik.*

»Gottessohn« und »Vater Japans«

Die Beerdigungszeremonie für den Tenno belebt die Erinnerung an die jahrhundertealte Tradition des japanischen Kaiserhauses, dessen Anfänge bis ins 7. Jahrhundert v. Chr. zurückreichen.

Die japanische Religion des Schintoismus verehrt den Tenno als direkten Nachfahren der Sonnengöttin Amaterasu und verlangt absoluten Gehorsam gegenüber diesem »obersten göttlichen Vater«. Die wahren Machthaber vom 10. bis zum 19. Jahrhundert waren jedoch die Schogune, Oberhäupter der führenden Adelssippen. Erst im Zuge der sog. Meidschireformen (1868–1889) eroberte sich der Kaiser die zentrale Staatsgewalt wieder zurück. Der Schintoismus wurde zur offiziellen Staatsreligion. In den 30er Jahren dieses Jahrhunderts übernahm das Militär die Macht in Japan und versuchte, den Kaiser für seine Interessen einzuspannen. Nach der Niederlage im Zweiten Weltkrieg mußte der Tenno seinem Anspruch auf Göttlichkeit entsagen. Er wurde zum bloßen Repräsentanten seiner Nation.

Thronbesteigung (1926)

Kapitulation (1945)

Freispruch von der Kriegsschuld (1947)

In den 50er Jahren

Der Kaiser als Meeresbiologe (70er Jahre)

Der Tenno mit der längsten Regierungszeit: 62 Jahre auf dem Chrysanthementhron

Kaiser Hirohito, der japanische Monarch mit der längsten Regierungszeit, wurde am 29. April 1901 im Aoyama-Palast in Tokio als ältester Sohn des Taisho-Tenno geboren. Mit 20 Jahren trat er, soeben von seiner ersten Auslandsreise zurückgekehrt, die Regentschaft für seinen geisteskranken Vater an. Für seine nach dem Tod des Vaters 1926 beginnende Regierungszeit wählte er die Devise »Showa« (»Erleuchtung und Frieden«). Doch die wachsende Macht der nationalistischen Militärs in Japan bescherte den ersten Jahrzehnten von Hirohitos Regierungszeit nur wenig Frieden. Nachdem der Tenno als oberster Befehlshaber der japanischen Streitkräfte den Eintritt Japans in den Zweiten Weltkrieg zumindest formal gebilligt hatte, setzte er sich gegen Ende des Krieges gegen den Widerstand seiner militärischen Berater für die Kapitulation ein. Von der Anklage als Kriegsverbrecher wurde er 1947 zwar freigesprochen, mußte jedoch bereits 1946 auf den göttlichen Anspruch des Tenno und auf militärische und politische Machtbefugnisse verzichten. Seitdem erfüllte der zurückgezogen lebende Hirohito ausschließlich repräsentative Aufgaben und widmete sich intensiv seinem Hobby, der Meeresbiologie.

DDR-Bürger wollen Ausreise erzwingen

16. Februar. Vier DDR-Bürger – Vater, Mutter und zwei Kinder – durchbrechen in einem Personenwagen eine Sperre zum Hof der Ständigen Vertretung der Bundesrepublik in Ost-Berlin und verletzen dabei einen DDR-Polizisten. Sie wollen mit der Flucht in die bundesdeutsche Mission ihre Ausreise in den Westen erzwingen. Zum ersten Mal verschaffen sich DDR-Bürger so gewaltsam Zugang zur Bonner Vertretung.

Den zunächst erhobenen Vorwurf des Mordversuchs gegen den Fahrer des Wagens läßt die DDR im Laufe der nächsten zwei Wochen fallen. Sie besteht nur noch auf einem Verfahren wegen Körperverletzung. Am 25. Februar verläßt die Familie in Begleitung des Ost-Berliner Rechtsanwaltes Wolfgang Vogel freiwillig das Missionsgebäude. Vogel ist Beauftragter der DDR-Regierung für die Lösung humanitärer Fragen.

Seit den ersten größeren Besetzungsaktionen im Jahr 1984 wird die bundesdeutsche Vertretung in Ost-Berlin durch ein Großaufgebot an uniformierten und zivilen Sicherheitsbeamten abgeschirmt. DDR-Bürger, die beispielsweise in der Rechtsabteilung Rat suchen, müssen sich zumindest ausweisen, manchen wird der Zutritt verwehrt. Zuletzt waren im Januar 30 DDR-Bürger in die Vertretung gekommen, um ihre Ausreise zu betreiben. Einige von ihnen wurden sehr schnell in die Bundesrepublik entlassen.

Die Praxis der DDR-Behörden steht vielfach im Gegensatz zu den Zusagen des DDR-Staatsratsvorsitzenden Erich Honecker bei seinem Bonn-Besuch 1987, ab 1. Januar 1989 mehr Freizügigkeit im innerdeutschen Reiseverkehr zu gewähren. Übersiedlungswünsche werden nach wie vor als »rechtswidrige Versuche der Übersiedlung« bezeichnet, obwohl die neue Verordnung die Antragstellung als rechtlich zulässig ansieht. Die Betriebe in der DDR werden Anfang des Jahres ausdrücklich darauf hingewiesen, daß sie die Behörden über Ausreisewillige zu informieren haben.

Zu scharfen Protesten Bonns führt auch die Erschießung eines DDR-Flüchtlings am 6. Februar an der Berliner Mauer sowie weitere Schüsse auf flüchtende DDR-Bürger am 10. März.

Rund um die Uhr durch Volkspolizei »gesichert«: Die Ständige Vertretung der Bundesrepublik in der Hannoverschen Straße in Ost-Berlin

Bertele vertritt Bonn in Ost-Berlin

2. Februar. Franz Bertele (57), neuer Leiter der Ständigen Vertretung der Bundesrepublik in Ost-Berlin, überreicht DDR-Staats- und Parteichef Erich Honecker sein Beglaubigungsschreiben. Bertele ist der Nachfolger von Hans-Otto Bräutigam in diesem Amt.

Franz Bertele, geboren am 30. 6. 1931 in Weikersheim, trat nach seiner Promotion zum Doktor der Rechtswissenschaft 1960 in den Höheren Auswärtigen Dienst ein. Von 1977 bis 1980 war er bereits stellvertretender Leiter der Bonner Vertretung in Ost-Berlin.

Höchst unterschiedlich legen die Regierungen in Bonn und in Ost-Berlin das Protokoll vom 2. Mai 1974 über die Errichtung der Ständigen Vertretungen im jeweils anderen deutschen Staat aus. So führt der Leiter der DDR-Vertretung in Bonn den Titel eines »Botschafters«, während der Leiter der Vertretung bei der DDR den Rang eines Staatssekretärs hat. Für die Mission der DDR in Bonn ist das Bundeskanzleramt zuständig, für die Vertretung der Bundesrepublik in Ost-Berlin aber das DDR-Außenministerium.

RAF-Häftlinge wieder im Hungerstreik

1. Februar. In der Bundesrepublik und West-Berlin treten 28 Straf- und Untersuchungsgefangene der terroristischen Vereinigung Rote Armee Fraktion (RAF) in den Hungerstreik. Sie wollen die Zusammenlegung aller rund 40 inhaftierten RAF-Gefangenen in eine oder zwei große Gruppen erreichen.

Die führenden Köpfe dieses zehnten Hungerstreiks der RAF seit 1973 sind Christa Eckes (39) und Karl-Heinz Dellwo (36). Sie orientieren sich an einem Modell der irischen Untergrundbewegung IRA, nach dem die Hungerstreikenden alle zwei Wochen ersetzt werden. Nur zwei von ihnen, Dellwo und Eckes, sollen weiterhungern.

Ein Kompromißvorschlag des Bundesjustizministeriums, Gruppen zu je fünf Häftlingen zu bilden, scheitert am Widerstand der CDU/CSU-regierten Bundesländer. Nach Abbruch des Hungerstreiks am 12. Mai – Dellwo und Eckes nehmen bereits seit dem 14. April wieder Nahrung auf – stimmen Nordrhein-Westfalen, Berlin und Schleswig-Holstein einer Zusammenlegung in Kleingruppen zu.

Eingehen auf RAF-Forderungen

Wie in der Hamburger Hafenstraße (Abb. l.) bekunden zahlreiche Gruppen und »Hungerstreik-Komitees« in der ganzen Bundesrepublik ihre Solidarität mit den Forderungen der Rote Armee Fraktion. Zum Einlenken erklären sich im April die SPD-regierten Bundesländer bereit, indem sie den Häftlingen anbieten, sie in kleinen Gruppen von vier bis sechs Personen zusammenzulegen. Der nordrhein-westfälische Ministerpräsident Johannes Rau (SPD) verteidigt sein Angebot gegen die massiven Proteste der CDU und mögliche Vorbehalte in Teilen der Bevölkerung mit dem Argument, sein Ziel, Leben zu retten, sei »viele Risiken wert«.

17mal das Urteil »Lebenslänglich«

Lebenslange Freiheitsstrafen wegen Terrorismus verbüßen in Gefängnissen der Bundesrepublik derzeit folgende Personen (in Klammern das Jahr der Verurteilung):

▷ Peter-Jürgen Boock (1986)
▷ Karl-Heinz Dellwo (1977)
▷ Knut Folkerts (1980)
▷ Rolf Heißler (1982)
▷ Raymund Hörnle (1982)
▷ Christian Klar (1985)
▷ Hanna Krabbe (1977)
▷ Christine Kuby (1979)
▷ Brigitte Mohnhaupt (1985)
▷ Helmut Pohl (1986)
▷ Bernd Rößner (1977)
▷ Adelheid Schulz (1985)
▷ Günter Sonnenberg (1978)
▷ Lutz Taufer (1977)
▷ Rolf Klemens Wagner (1987)
▷ Stefan Wisniewski (1981)

Sanierung soll co op-Konkurs verhindern

26. Februar. Die 143 Gläubigerbanken des hochverschuldeten Handelskonzerns co op AG Frankfurt einigen sich nach langen Verhandlungen in der Mainmetropole auf einen Forderungsverzicht in Höhe von 1,05 Milliarden DM.

Durch die Stundung der Schulden wird der Konkurs des viertgrößten Handelsunternehmens in der Bundesrepublik abgewendet. Der Konzern, der 1988 einen Jahresumsatz von 12,5 Milliarden DM verbuchte, steht mit mehr als 5 Milliarden DM in der Kreide. Eine verschachtelte Eigentümerstruktur und nahezu unüberschaubare finanzielle Transaktionen des im Dezember 1988 fristlos entlassenen Vorstands haben den Handelsriesen an den Rand der Zahlungsunfähigkeit gebracht.

Der frühere Bundeswirtschaftsminister Hans Friderichs (FDP), von den Gläubigerbanken zum Chef des Aufsichtsrats bestellt, legt nun ein Sanierungskonzept vor, das auf der Grundlage des Forderungsverzichts und rigider Sparmaßnahmen – Schließung von 350 Filialen und Entlassung von 2500 der insgesamt 50 000 Mitarbeiter – den Konzern vor dem Ruin bewahren soll (→ 18. 9./S. 72).

△ *Mehrere tausend co op-Filialen sind wegen der hohen Verschuldung des Konzerns von der Schließung bedroht. Die nahezu 50 000 Mitarbeiter der Großhandelskette bleiben lange im Ungewissen.*

◁ *Bernd Otto, Vorstandsvorsitzender der co op AG von 1980 bis November 1988, wird von den Aktionären für den Niedergang des Unternehmens verantwortlich gemacht. Der gelernte Färber und Diplom-Volkswirt, der seit 1974 im Vorstand der co op sitzt, hält sich seit Januar 1989 in Südafrika auf.*

Bilanz: Verschuldet und verschachtelt

Der drohende Konkurs bei der co op AG stellt den negativen Höhepunkt in der Geschichte des Unternehmens dar.

Mit der Gewerkschaftsbank BfG als Hauptaktionär wurden 1974 die Konsumgenossenschaften zur co op AG verschmolzen. Auf Betreiben des Vorstandsvorsitzenden Bernd Otto kaufte der Konzern in großem Umfang Lebensmittelketten auf, fast immer auf Kredit. Durch Gründung von Beteiligungsgesellschaften wurde die finanzielle Situation zunehmend unüberschaubar. Die Gewerkschaftsholding BGAG verkaufte 1985 ihren Anteil an der co op, die – durch Scheinfirmen getarnt – für 200 Millionen DM die Aktien erwarb. Otto und seine Kollegen waren somit gleichzeitig Vorstand und Hauptaktionär. Nachdem der Konzern in Zahlungsschwierigkeiten geraten war, übernahmen Ende 1988 vier ausländische Banken 72% der Aktien und setzten die Entlassung des Vorstands durch.

Wohnungskündigung bei Eigenbedarf wird leichter

14. Februar. Eine Entscheidung des Bundesverfassungsgerichts in Karlsruhe erleichtert Wohnungskündigungen wegen Eigenbedarfs und wegen Verkaufsabsichten der Eigentümer. Eine Kündigung ist demnach rechtens, wenn der Vermieter »einen vernünftigen und nachvollziehbaren Grund« vorweisen kann.

Ein Schutz der Mieter vor Kündigung ist nur bei willkürlichen oder mißbräuchlichen Eigenbedarfskündigungen gegeben. Darüber hinaus besteht die Möglichkeit einer Berufung auf die soziale Härteklausel.

Nach wie vor ist nicht eindeutig definiert, was unter dem im Mietrecht genannten »berechtigten Interesse« des Vermieters zu verstehen ist, und wann dieser die vermietete Wohnung für sich oder Angehörige »benötigt«. Das Bundesverfassungsgericht stellt sich auf den Standpunkt, das Gericht dürfe bei einem Rechtsstreit den Wunsch des Vermieters auf Nutzung einer ihm gehörenden Wohnung nur beschränkt überprü-

fen. Dieser Wunsch sei »grundsätzlich zu akzeptieren und bei der Rechtsfindung zugrundezulegen«. Das Kündigungsrecht stehe dem Vermieter auch dann zu, wenn er den Bedarfsgrund absichtlich herbeigeführt habe. Der Vermieter habe das Recht, »sein Leben unter Gebrauch seines Eigentums so einzurichten, wie er dies für richtig hält«. Die Karlsruher Richter schließen sich mit ihrer Auffassung einer Entscheidung des Bundesgerichtshofs vom Januar 1988 an, durch die Eigenbedarfskündigungen erleichtert wurden. Ihre Zahl nahm daraufhin

sprunghaft zu und macht gegenwärtig etwa drei Viertel aller Wohnungskündigungen aus. Hintergrund der Kündigungswelle sind gestiegene Immobilienpreise und die Tatsache, daß neue Mieter angesichts des großen Wohnungsmangels Aufschläge von mehr als zehn Prozent hinnehmen.

Bundeswohnungsbauminister Oscar Schneider (CSU) begrüßt das Urteil. Bisher hätten Eigentümer Wohnungen, die sie erst in einigen Jahren selbst nutzen wollten, gar nicht vermietet, weil sie fürchteten, ihren Eigenbedarf später nicht durchset-

zen zu können. Der Bundesdirektor des Deutschen Mieterbundes, Helmut Schlich, spricht von einem »Tiefschlag für den sozialen Rechtsstaat«, da die Freiheitsrechte des Vermieters höher eingeschätzt würden als der Schutz des Mieters.

Wohnungsmieten in Großstädten ziehen drastisch an
(Nettokaltmieten je m² in einem nach 1949 gebauten Haus in mittlerer Wohnlage. Quelle: Ring Deutscher Makler)

Aachen	8,00 DM	Hannover	7,50 DM	Nürnberg	8,00 DM
Berlin	10,00 DM	Heidelberg	9,50 DM	Paderborn	6,50 DM
Bonn	11,00 DM	Kassel	6,50 DM	Recklinghausen	5,80 DM
Bremen	8,00 DM	Köln	8,80 DM	Saarbrücken	7,50 DM
Düsseldorf	12,00 DM	Mönchen-gladbach	6,20 DM	Salzgitter	5,50 DM
Frankfurt	9,00 DM			Stuttgart	8,70 DM
Hamburg	10,00 DM	München	13,00 DM	Würzburg	6,70 DM

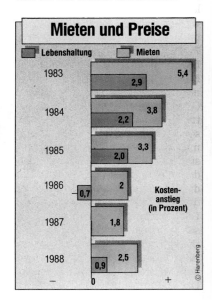

Mieten und Preise

◼ Lebenshaltung   ◻ Mieten

	Mieten	Lebenshaltung
1983	5,4	2,9
1984	3,8	2,2
1985	3,3	2,0
1986	2	-0,7
1987		1,8
1988	2,5	0,9

Kostenanstieg (in Prozent)

– 0 +

© Harenberg

Nach der Notlandung: Durch das Loch im Rumpf der Boeing 747 wurden neun Passagiere in die Tiefe gerissen.

Abstürze alter Flugzeuge häufen sich

24. Februar. Aus einer Boeing 747 der US-amerikanischen Fluggesellschaft United Airlines, die sich auf dem Weg von Hawaii nach Neuseeland befindet, werden neun Passagiere durch ein plötzlich auftretendes Loch im Rumpf der Maschine in die Tiefe gerissen. Das Unglück löst angesichts sich häufender Flugzeugabstürze weltweit Besorgnis über die Sicherheit im Flugverkehr aus. Die Boeing, die trotz des Lochs im Rumpf noch in Honolulu notlanden kann, gehört mit 19 Dienstjahren zu den älteren Maschinen, die im Linien- und Charterverkehr eingesetzt werden.

Am 8. Januar stürzte in Mittelengland eine neue Boeing 737 mit Triebwerkschaden ab, und am 19. Januar mußte in Atlanta (USA) eine Boeing 757 notlanden, die einen Teil der Backbord-Tragfläche verloren hatte. Einen Tag später stellte der Pilot einer Boeing 737 nach dem Start in Chicago fest, daß das Steuerbordtriebwerk seiner zweistrahligen Maschine abgebrochen war. Bei den meisten dieser Unglücksfälle stellte sich heraus, daß nicht das Versagen des Piloten, sondern Materialermüdung der zumeist alten Maschinen die Ursache des Unglücks war.

Die Vorfälle werfen zudem ein schlechtes Licht auf den US-amerikanischen Flugzeughersteller Boeing, dem weltweit größten Produzenten von Verkehrsmaschinen. Das renommierte Unternehmen aus

Seattle, aus dessen Fertigung 60 Prozent der westlichen Luftflotte stammen, kann die wachsende Zahl der Aufträge seit Jahren nicht mehr termingerecht bewältigen und zwingt seine Belegschaft zu Überstunden in großem Ausmaß. Die geringe Qualifikation der Arbeiter, von denen die meisten nur angelernt sind, stellt eine weitere Fehlerquelle dar. Die vorgeschriebene Überprüfung und Wartung der Maschinen geschieht ebenfalls unter Zeitdruck und bewirkt Nachlässigkeiten. So mußten zahlreiche Fluggesellschaften wegen erwiesener Wartungsmängel Bußgelder in Millionenhöhe an die US-Luftfahrtbehörde FAA zahlen.

Begründet sind sich häufende Mängel bei Produktion und Wartung in dem härter werdenden Konkurrenzkampf der Fluggesellschaften, an dem sich mehr und mehr Unternehmen beteiligen. Das Überangebot an Billigflügen veranlaßt sie, an den Kosten für Personal und Wartung zu sparen, um konkurrenzfähig zu bleiben. Darüber hinaus setzen die kleinen und neuen Fluggesellschaften in der Regel gebrauchte Maschinen ein; von den 7500 Verkehrsflugzeugen westlicher Gesellschaften sind 1000 über 20 Jahre alt, 1500 älter als 16 Jahre. Häufigstes Problem bei diesen Jets ist Korrosion an der Außenhaut sowie an tragenden Teilen.

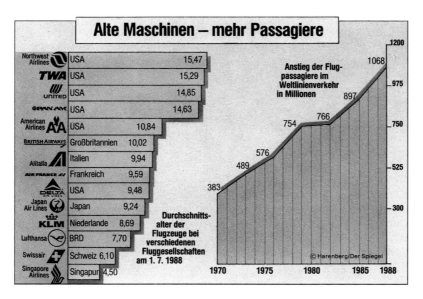

Alte Maschinen – mehr Passagiere

Fluggesellschaft	Land	Durchschnittsalter
Northwest Airlines	USA	15,47
TWA	USA	15,29
United	USA	14,85
Pan Am	USA	14,63
American Airlines	USA	10,84
British Airways	Großbritannien	10,02
Alitalia	Italien	9,94
Air France	Frankreich	9,59
Delta	USA	9,48
Japan Air Lines	Japan	9,24
KLM	Niederlande	8,69
Lufthansa	BRD	7,70
Swissair	Schweiz	6,10
Singapore Airlines	Singapur	4,50

Durchschnittsalter der Flugzeuge bei verschiedenen Fluggesellschaften am 1. 7. 1988

Anstieg der Flugpassagiere im Weltlinienverkehr in Millionen

Jahr	Passagiere
1970	383
1975	489
	576
1980	754
	766
1985	897
1988	1068

© Harenberg/Der Spiegel

Stroessner durch Putsch gestürzt

3. Februar. Durch einen blutigen Militärputsch wird Paraguays diktatorisch regierender Präsident Alfredo Stroessner (76) abgesetzt. Der Initiator des Staatsstreiches, Armeegeneral Andres Rodriguez, wird neuer Präsident. Stroessner – zunächst gefangengesetzt – gelingt später die Flucht nach Brasilien.

Anlaß des Putsches, bei dem in der Hauptstadt Asunción nahezu 300 Menschen ums Leben kommen, sind

Alfredo Stroessner (* 3. 11. 1912), Sohn eines Einwanderers aus Hof/Bayern, putschte sich 1954 in Paraguay an die Macht und herrschte seitdem mit Brutalität und Korruption. Der neue Präsident galt bislang als sein engster Vertrauter.

interne Auseinandersetzungen innerhalb der regierenden »Colorado«-Partei, der sowohl Stroessner als auch Rodriguez angehören. Der neue Staatschef, Schwiegervater von Stroessners jüngstem Sohn und Gerüchten zufolge Millionär durch Drogenschmuggel, verspricht zunächst demokratische Reformen. Bei den Parlaments- und Präsidentschaftswahlen am 1. Mai wird Rodriguez in seinem Amt bestätigt, Opposition und ausländische Beobachter sprechen jedoch von Wahlbetrug.

Preis-Aufstand in Venezuela

27. Februar. Bei schweren Unruhen, die bis in die zweite Märzwoche anhalten, kommen in Venezuelas Hauptstadt Caracas und in mehreren anderen Städten des Landes 256 Menschen ums Leben, etwa 2000 werden verletzt.

Mit Aufruhr und Plünderungen reagiert die Bevölkerung auf drastische Preiserhöhungen u. a. von Lebensmitteln. Der seit dem 2. Februar amtierende Präsident Carlos Andres Perez Rodriguez erfüllt mit der Verhängung der Preiserhöhungen eine Bedingung des Internationalen Währungsfonds (IWF) zur Gewährung weiterer Kredite an das hochverschuldete Venezuela. Das Land galt bisher als stabilste Demokratie Lateinamerikas.

»Reinheitsgebot« für Wurst aufgehoben

2. Februar. Nach einem Urteil des Europäischen Gerichtshofs in Luxemburg darf die Bundesrepublik die Einfuhr von Wurst und wurstähnlichen Erzeugnissen aus anderen EG-Ländern nicht mehr verbieten, auch wenn diese Ei, Milch, pflanzliche Stärke und Eiweißstoffe enthalten.

Nach Ansicht der Luxemburger Richter stellt das »Reinheitsgebot« für Wurst, die deutsche Fleischverordnung von 1982, eine unzulässige Behinderung des freien Warenverkehrs in der EG dar. Die Bestimmungen könnten für deutsche Erzeugnisse aufrechterhalten werden, dürften jedoch nicht zur Abschottung nach außen dienen.

Damit wird der deutsche Fleischmarkt, auf dem über 1500 Produkte angeboten werden, um Würste, Pasteten und Fleischklopse bereichert, die u. a. Soja enthalten. Dies war nach dem »Reinheitsgebot« untersagt, denn zur Herstellung von Wurst durften nur Fleisch, Fett, Gewürze sowie mehr als 40 Zusatzstoffe verwendet werden. Dazu gehörten durchaus auch gesundheitlich bedenkliche Stoffe wie Nitritpökelsalz, Diphosphate und Kaliumglutamat sowie

Die deutschen Metzger wehren sich gegen die Zulassung »fleischfremder« Zusatzstoffe wie Soja, die nach den neuen EG-Richtlinien erlaubt sind.

Blutplasma und Flüssigei. Vor dem Europäischen Gerichtshof, der nach Beschwerden französischer und belgischer Paté-Hersteller tätig geworden war, hatte die Bundesregierung vergeblich mit dem Gesundheitsschutz und den Erwartungen der Verbraucher argumentiert.

Das Urteil folgt einer Tendenz der EG-Rechtsprechung, die 1985 den italienischen Nudelmarkt für ausländische Weichweizen-Produkte öffnete und in Frankreich den Verkauf von Käse aus Milchersatzstoffen zuließ. Selbst das deutsche Reinheitsgebot für Bier fiel 1987 den EG-Vorschriften zum Opfer, die jedoch in keinem dieser Länder etwas an den Konsumgewohnheiten der Verbraucher geändert haben.

Ausländer dürfen erstmals wählen

14. Februar. Als erstes Bundesland beschließt Schleswig-Holstein ein kommunales Wahlrecht für Ausländer. Am 15. Februar trifft die Hamburger Bürgerschaft die gleiche Entscheidung.

In Hamburg sollen ab 1991 diejenigen Ausländer, die seit mindestens acht Jahren in der Bundesrepublik leben, an der Wahl der Bezirksversammlungen beteiligt werden; von den Bürgerschaftswahlen bleiben sie ausgeschlossen. In Schleswig-Holstein erhalten Ausländer aus Dänemark, Norwegen, Schweden, Irland, der Schweiz und den Niederlanden ab 1990 das Recht, sich an den Kommunalwahlen zu beteiligen. In diesen Ländern sind dort lebende Bundesbürger ebenfalls wahlberechtigt.

Auf Antrag der CDU/CSU-Bundestagsfraktion erläßt das Bundesverfassungsgericht am 12. Oktober eine einstweilige Anordnung gegen das Kieler Gesetz. Staatsrechtler weisen jedoch darauf hin, daß durch die Bemühungen um ein EG-weites Ausländerwahlrecht die innerstaatlichen politischen und rechtlichen Auseinandersetzungen hinfällig werden könnten.

Ägyptische Archäologen bei der Bergung der Standbilder in Luxor

Nach drei Jahrtausenden wiederentdeckt

10. Februar. *Fünf gut erhaltene Statuen aus dem 14. bis 13. Jahrhundert v. Chr. werden vor dem Tempel von Luxor in Anwesenheit des ägyptischen Staatspräsidenten Hosni Mubarak freigelegt. Prunkstück der Entdeckung, die als Sensation in der ägyptischen Kunstgeschichte und als der bedeutendste Statuenfund der letzten Jahrzehnte gilt, ist eine zweieinhalb Meter hohe Figur, die den ägyptischen König Amenophis III. (1390 bis 1353 v. Chr.) darstellt.*

Stacy Keach (vorne l.) als Hemingway in einer der Action-Szenen des Films

Medien halten Hemingway-Legende wach

26. Februar. *Die erste Folge der 30 Millionen DM teuren Fernsehserie »Hemingway« wird vom ZDF ausgestrahlt. Der vierteilige Fernsehfilm des Regisseurs Bernhard Sinkel über Leben und Leiden des bereits zur Legende gewordenen Schriftstellers ist Teil einer Hemingway-Welle in den Medien. Zeitungen, Zeitschriften und Biographien regen erneut eine Diskussion über den vor 90 Jahren geborenen US-amerikanischen Autor und vor allem über dessen umstrittenen Männlichkeitsmythos an.*

»Heiliger Zorn«: Todesurteil gegen Autor

14. Februar. Der iranische Revolutionsführer Ayatollah Ruhollah Khomeini (89) löst mit einem Mordbefehl gegen den britisch-indischen Autor Salman Rushdie (41) wegen dessen Roman »The Satanic Verses« (»Satanische Verse«) international einen Sturm der Entrüstung aus.

Schon vor Khomeinis »Todesurteil«, das durch ein Kopfgeld von umgerechnet zehn Millionen DM ergänzt wird, war Rushdies im September 1988 erschienener Roman Gegenstand heftiger Anfeindungen durch Moslems in aller Welt, die sich durch angeblich den Islam beleidi-

---

»Ich setze das stolze Volk der Moslems in aller Welt davon in Kenntnis, daß der Autor des Buches ›Die Satanischen Verse‹ . . . und alle an seiner Publikation Beteiligten zum Tode verurteilt sind.« (Ayatollah Khomeini)

---

gende Passagen angegriffen fühlen. Bei zahlreichen Demonstrationen kommt es zu symbolischen Bücherverbrennungen. In Pakistan, Ägypten und anderen Ländern wird das Buch im Oktober 1988 verboten. Trotz einer Entschuldigung Rushdies, der den Vorwurf der Blasphemie allerdings zurückweist, hält Khomeini den Mordbefehl aufrecht. Der in London lebende Autor taucht daraufhin unter. Besonders die westlichen Industriestaaten sehen in dem Mordaufruf einen generellen Angriff auf die Freiheit des Geistes.

Salman Rushdie bei einer britischen Preisverleihung im Januar 1989

Anti-Rushdie-Demonstration vor dem Gebäude der »Viking Press«, dem US-Herausgeber der »Satanischen Verse« in New York

Salman Rushdies »Satanische Verse«

Erst im Oktober erscheint Rushdies Roman – »das große ungelesene Buch« – (»Der Spiegel«) in dem eigens gegründeten Gemeinschaftsverlag »Artikel 19« auf Deutsch. Der Autor erzählt von zwei Indern, Gibril und Saladin, die sich nach einem auf wundersame Weise überstandenen Flugzeugabsturz in London wiederfinden. Dort verwandelt sich Saladin allmählich in einen Teufel. Er wird damit zum Spiegelbild der rassistischen Vorurteile, die dunkelhäutigen Immigranten aus der britischen Gesellschaft entgegenschlagen. Gibril nimmt Züge des Erzengels Gabriel an und irrt durch eine schillernde Traumwelt. Eine Traumlinie handelt verklausuliert vom jungen Propheten Mohammed, dem in einer Phantasie Gibrils jene historisch verbürgten »Satanischen Verse« offenbart werden, die neben dem einzigen Gott Allah noch drei weitere Gottheiten vorsehen. Anstoß erregt das Buch vor allem durch Gibrils erotische Phantasien in mehreren seiner Träume (→ Anhang).

Tauscher in Vail Abfahrts-Weltmeister

6. Februar. Bei den alpinen Ski-Weltmeisterschaften in Vail (US-Bundesstaat Colorado) gewinnt mit dem 21jährigen Hansjörg Tauscher erstmals ein Läufer aus der Bundesrepublik die Goldmedaille in der »Königsdisziplin«, dem Abfahrtslauf.

Auf der gut 3,3 km langen Piste am Beaver Creek Mountain siegt der Oberstdorfer völlig überraschend mit knapp zwei Zehntelsekunden Vorsprung vor dem favorisierten Schweizer Titelverteidiger Peter Müller. Dritter wird dessen Landsmann Karl Alpiger. Bei klirrender Kälte von minus 25 °C sichert sich Tauscher durch einen energischen Schlußspurt auf der schwierigen Strecke den Titelgewinn.

Mit jeweils drei Goldmedaillen sind die Schweiz und Österreich erfolgreichste Nationen bei der Skiweltmeisterschaft. Für die Bundesrepublik können neben Hansjörg Tauscher noch Armin Bittner (Zweiter im Slalom), Karin Dedler (Dritte in der Abfahrt) und Michaela Gerg (Dritte im Super-G) Medaillen mit nach Hause nehmen.

Die am 12. Februar beendete Skiweltmeisterschaft steht im Zeichen eisiger Temperaturen, die für die Aktiven erhebliche Probleme mit sich bringen. Organisatoren und Skifunktionäre werden darüber hinaus kritisiert, weil sie trotz Protesten der Sportler extrem schwere Streckenführungen durchsetzten, die zu spektakulären Stürzen und Verletzungen beitragen.

Die Gewinner der Herrenabfahrt in Vail (v. l.): Peter Müller (Schweiz, 2.), Hansjörg Tauscher (BRD, 1.) und Karl Alpiger (Schweiz, 3.); der Sieger wird nun auch als Werbeträger interessant. Sein Manager Weirather: »Tauscher wird zu den Topverdienern im Skizirkus gehören.«

Freier Fall der deutschen Handballer

26. Februar. Die bundesdeutsche Handball-Nationalmannschaft wird nach einer 24:30-Niederlage gegen Dänemark bei der B-Weltmeisterschaft in Frankreich drittklassig.

Das Spiel in Paris setzt den Schlußpunkt unter ein Turnier, das Bundestrainer Petre Ivanescu, der anschließend ebenso wie zahlreiche Nationalspieler seinen Rücktritt erklärt, so bilanziert: »In zehn Jahren meiner Tätigkeit bin ich noch nie so auf den Bauch gefallen.« Statt an der A-Weltmeisterschaft 1990 in der ČSSR und an den Olympischen Spielen 1992 in Barcelona teilzunehmen, muß sich das Team des Deutschen Handballbundes 1990 mit der C-Weltmeisterschaft in Finnland begnügen. Handballbund und Sportpresse zeigen sich fassungslos über den Absturz in die Drittklassigkeit, nachdem die deutschen Handballer noch 1978 Weltmeister und 1984 Olympiazweite geworden sind.

März 1989

Mo	Di	Mi	Do	Fr	Sa	So
		1	2	3	4	5
6	7	8	9	10	11	12
13	14	15	16	17	18	19
20	21	22	23	24	25	26
27	28	29	30	31		

1. März, Mittwoch

Manfred Grashof, ehemaliges Mitglied der Rote Armee Fraktion, wird vorzeitig aus der Haft entlassen. Im Oktober 1988 hatte der damalige rheinland-pfälzische Ministerpräsident Bernhard Vogel (CDU) Grashof begnadigt.

2. März, Donnerstag

Der NDR berichtet über eine Gruppe von Computer-Hackern, die für den sowjetischen Geheimdienst KGB tätig gewesen sein soll. → S. 24

3. März, Freitag

Die Volkskammer in Ost-Berlin beschließt ein Kommunalwahlrecht für Ausländer, die ständig in der DDR leben.

4. März, Samstag

Die West-Berliner Polizei schiebt 161 Polen ab, die bei Schwarzmarktgeschäften erwischt worden sind. → S. 24

5. März, Sonntag

Bei einem schweren Zugunglück südlich von London kommen fünf Menschen ums Leben.

6. März, Montag

In Bonn wird der Vertrag über eine Städtepartnerschaft zwischen Bonn und Potsdam unterschrieben. Die Unterzeichnung in Potsdam hatte im Januar 1988 stattgefunden. Eine Äußerung des Bonner Oberbürgermeisters Hans Daniels (CDU) über die angebliche Mißachtung der Menschenrechte in der DDR führte jedoch zwischenzeitlich zur Abkühlung der Beziehungen.

7. März, Dienstag

Wegen Demonstrationen in Tibet gegen die chinesische Besatzungsregierung verhängt Peking das Kriegsrecht über die autonome Region.

8. März, Mittwoch

Angelika Speitel, ehemalige Angehörige der Rote Armee Fraktion, wird von Bundespräsident Richard von Weizsäcker zum 30. Juni 1990 begnadigt. Im November 1979 wurde Frau Speitel zu zweimal lebenslanger Haft verurteilt.

In Hannover wird die Fachmesse für Computer CeBIT eröffnet.

9. März, Donnerstag

Der US-amerikanische Senat lehnt den von Präsident George Bush für das Amt des Verteidigungsministers vorgeschlagenen John Tower mit 53 zu 47 Stimmen ab. Tower werden seine Trinkgewohn-heiten und Frauenaffären vorgeworfen. Am 17. März wird Richard »Dick« Cheney einstimmig vom Senat bestätigt (→ 20. 1./S. 10).

10. März, Freitag

Die Tarifparteien der Druckindustrie einigen sich in Wiesbaden auf einen neuen Manteltarifvertrag für ihre 220 000 Beschäftigten. → S. 25

11. März, Samstag

Staats- und Regierungschefs aus 22 Ländern unterzeichnen in Den Haag eine Erklärung, in der als Maßnahme gegen die Verschmutzung der Atmosphäre eine internationale Behörde auf UNO-Ebene gefordert wird.

12. März, Sonntag

Die Kommunal- und Gemeindewahlen in Hessen bringen Verluste für die CDU und hohe Gewinne für die NPD und die Republikaner. → S. 24

Bundeswirtschaftsminister Helmut Haussmann (FDP) und Bundesbauminister Oscar Schneider (CSU) sagen ihre Besuche der Frühjahrsmesse ab, die in Leipzig eröffnet wird. Anlaß sind die Schüsse, die Grenzsoldaten am 10. März auf flüchtende DDR-Bürger abgegeben haben (→ 16. 2./S. 15).

Bei Landtagswahlen in Salzburg, Kärnten und Tirol müssen die Wiener Regierungsparteien ÖVP und SPÖ schwere Verluste hinnehmen. → S. 23

13. März, Montag

In der Nähe von Würzburg verunglückt ein mit drei gefechtsbereiten Raketen ausgerüsteter Transporter der US-Armee. Dabei kommt eine 22jährige Autofahrerin zu Tode.

14. März, Dienstag

Mit den Stimmen der CSU-Mehrheit verabschiedet der Bayerische Landtag eine Novelle zum Polizeiaufgabengesetz. Danach wird die Inhaftierung verdächtiger Personen, die noch keine Straftat begangen haben, ab 1. April erleichtert.

In der libanesischen Hauptstadt Beirut brechen schwere Kämpfe zwischen Moslem-Milizen und der von Christen geführten Armee aus. Vorausgegangen war eine »christliche« Seeblockade südlibanesischer Häfen, die von Moslems kontrolliert wurden (→ 23. 9./S. 71).

15. März, Mittwoch

Das Zentralkomitee der KPdSU beschließt eine Reform der sowjetischen Landwirtschaft. Danach soll das Pachtsystem ausgeweitet werden; die staatlichen Kollektivbetriebe bleiben jedoch erhalten.

16. März, Donnerstag

Walter Momper (SPD) wird von dem aus der Wahl am 29. Januar hervorgegangenen Abgeordnetenhaus zum Regierenden Bürgermeister von Berlin gewählt (→ 29. 1./S. 8).

Durch die Erhöhung des Kinder- und Erziehungsgeldes wenden CDU/CSU und FDP eine Koalitionskrise ab.

Zum neuen jugoslawischen Ministerpräsidenten wählt das Parlament in Belgrad den kroatischen Wirtschaftsfachmann Ante Markovic. In seiner Antrittsrede kündigt dieser radikale Wirtschaftsreformen an (→ 23. 3./S. 23).

17. März, Freitag

Beim Einsturz des aus dem elften Jahrhundert stammenden Stadtturms von Pavia werden mehrere Personen unter den Geröllmassen begraben.

18. März, Samstag

Bei einer Demonstration gegen die Wohnungsnot kommt es in Zürich zu schweren Straßenkrawallen.

19. März, Sonntag

Alfredo Christiani, Kandidat der ultrarechten ARENA-Partei, wird in El Salvador mit 54% der Stimmen zum neuen Präsidenten gewählt. → S. 23

20. März, Montag

Das Düsseldorfer Landgericht verpflichtet die Deutsche Lufthansa AG, künftig auf innerdeutschen Strecken Flugscheine der neuen Fluggesellschaft German Wings zu akzeptieren.

21. März, Dienstag

Ein Erdbeben der Stärke fünf auf der sog. Richter-Skala erschüttert die Inselgruppe der nördlichen Sporaden im Ägäischen Meer.

22. März, Mittwoch

Die Deutsche Friedensgesellschaft – Vereinigte Kriegsdienstgegner (DFG-VK) und Vertreter der IG Metall rufen gemeinsam zur »massenhaften Kriegsdienstverweigerung« auf. Bundeskanzler Helmut Kohl (CDU) bezeichnet dies als einen »Skandal«. Der IG Metall-Vorstand distanziert sich von dem Aufruf.

23. März, Donnerstag

Im Zuge einer vom Parlament der jugoslawischen Provinz Kosovo verabschiedeten Verfassungsänderung erhält die Teilrepublik Serbien, zu der Kosovo gehört, mehr Einfluß in dem autonomen Gebiet. → S. 23

Zwei Wissenschaftler in den USA behaupten, ihnen sei eine Kernfusion im Reagenzglas gelungen. → S. 26

Neuer deutscher Eishockey-Meister wird der SB Rosenheim, der im vierten Play-Off-Spiel des Finals mit einem 4:2-Sieg gegen die Düsseldorfer EG den vierten Sieg erringt.

24. März, Karfreitag

An den Ostermärschen der Friedensbewegung, die in der ganzen Bundesrepublik beginnen, beteiligen sich nach Angaben der Veranstalter etwa 200 000 Menschen.

Im Prinz-William-Sund vor der Küste Alaskas läuft der mit 206 000 Tonnen Rohöl beladene Tanker »Exxon Valdez« auf ein Riff und schlägt leck. → S. 21

25. März, Samstag

Der Brite Nigel Mansell gewinnt auf Ferrari den ersten Lauf zur Formel-1-Weltmeisterschaft 1989, den Großen Preis von Brasilien in Rio. Zweiter wird Alain Prost (Frankreich) (→ 22. 10./S. 84).

26. März, Ostersonntag

Bei den Wahlen zum ersten sowjetischen Kongreß der Volksdeputierten können sich die Bürger der UdSSR erstmals seit 70 Jahren zwischen mehreren Kandidaten entscheiden. → S. 22

27. März, Ostermontag

Der Helene-Weigel-Preis der DDR wird der Schauspielerin Monika Lennartz verliehen.

28. März, Dienstag

Ein New Yorker Gericht disqualifiziert Denis Connor (USA), der mit einem Katamaran 1988 den »America's Cup« gewonnen hatte, und setzt den geschlagenen Australier David Barnes als Sieger ein. Zur Begründung führt das Gericht an, daß die Verwendung eines Katamarans nicht im Geist des Stifters sei.

29. März, Mittwoch

Zwei bewaffnete 16jährige Slowaken entführen eine Tupolew-Maschine der ungarischen Gesellschaft Malev von Prag nach Frankfurt am Main. Dort ergeben sie sich.

Die Glaspyramide im Innenhof des Pariser Louvre wird als neuer Eingang des Museums eingeweiht. → S. 25

30. März, Donnerstag

Bei der Verleihung des »Oscar« in Los Angeles gehen vier Auszeichnungen an den Film »Rain Man« von Barry Levinson. → S. 26

Das ZDF zeigt den ersten Teil der Serie »Rivalen der Rennbahn«. → S. 26

31. März, Freitag

Tiefbauarbeiter stoßen in Bremen auf ein frühmittelalterliches Binnenschiff. Es wird ins Deutsche Schiffahrtsmuseum nach Bremerhaven gebracht.

Auf einen Blick:

Die Zahl der Arbeitslosen in der Bundesrepublik beträgt 2 178 164, das entspricht einer Quote von 8,4% (März 1988: 9,6%).

Die Verbraucherpreise in der Bundesrepublik liegen um 2,7% höher als im März 1988.

TV-Hit im März:

Die höchste Einschaltquote erreicht die ZDF-Unterhaltungssendung »Wetten, daß . . ?« am 4. 3. (19,99 Mio. Zuschauer = 50%).

Umweltkatastrophe nach Tankerunglück vor Alaska

24. März. Im Prinz-William-Sund vor der Südküste Alaskas läuft der mit 206 000 Tonnen Rohöl beladene Tanker »Exxon Valdez« auf ein Riff und schlägt leck. Dabei laufen 44 000 Tonnen Öl aus und verseuchen die Küste über mehr als 1100 km.

Der Supertanker der zweitgrößten Mineralölgesellschaft der Welt wird vorschriftswidrig vom Dritten Offizier gesteuert. Beim Versuch, mehreren Eisschollen auszuweichen, kommt dieser vom Kurs ab und manövriert das 335 m lange Schiff auf das Bligh-Riff. Nach dem Aufprall auf einer Felsspitze fährt er noch zwei Seemeilen mit voller Kraft weiter, bis die »Exxon Valdez« auf mehreren Felsen aufsetzt. Der Kapitän, bei dem noch zehn Stunden später ein Blutalkoholgehalt von 0,6 Promille festgestellt wird, hält sich währenddessen in seiner Kabine auf.

Durch meterbreite Risse und Löcher strömt das Öl ins Meer. Erst 18 Stunden später treffen Hilfsmannschaften ein, die versuchen, das Öl aus den Tanks der »Exxon Valdez« auf kleinere Schiffe zu pumpen. Die Eindämmung des Ölteppichs gelingt weder durch chemische Mittel noch durch Verbrennen.

Opfer der Ölpest in diesen fischreichen Gewässern sind Tausende von Seehunden, Seelöwen und Walen. Von freiwilligen Helfern werden in den folgenden Monaten 26 000 tote Vögel eingesammelt. Schätzungen gehen davon aus, daß tatsächlich 2,6 Millionen Vögel verendet sind. Die Fischerei muß auf unabsehbare Zeit eingestellt werden. Obwohl viele der Fischer bei den Reinigungsmannschaften anheuern, ist ihre berufliche Zukunft ungewiß.

Zielscheibe der Kritik wird der Verantwortliche für die Ölpest, der Exxon-Konzern. Nach anfänglichen Versuchen, das Ausmaß der Katastrophe herunterzuspielen, läßt Exxon die Reinigung der Strände mit einem Aufwand von 200 Millionen Dollar (rund 380 Mio. DM) durchführen. Trotz des Einsatzes von 9000 Arbeitern kann nur ein geringer Teil der Küste vom Öl befreit werden. Der materielle Schaden für den Konzern hält sich dabei in Grenzen: Mit 500 Millionen Dollar ist Exxon gegen Schadenersatzforderungen versichert, und die Umsatzeinbuße im ersten Quartal 1989 entspricht 0,53% des Vorjahresgewinns von 5,3 Milliarden Dollar.

Tot aus dem Wasser gezogen: Ein ölverschmierter Vogel

Tierkadaver werden in Plastiksäcken abtransportiert.

Ölpest vor Alaska

Alaska (USA)
Karten-ausschnitt
KANADA

ALASKA

Transalaska Pipeline

Anchorage

Kenai

Prince William-Sund

Valdez

Copper River

Unfall der „Exxon Valdez" am 24. 3. 1989

Shelikof Strait

Kuroschio-Strom

Golf von Alaska

Ölteppich

© Harenberg

◁ *Der Ölteppich breitet sich ungehindert vor der Küste Alaskas aus und verseucht eine intakte Naturlandschaft.*

▽ *Den erst viele Stunden später eintreffenden Hilfsschiffen gelingt es nicht, das ausgelaufene Öl von der Wasseroberfläche abzupumpen.*

Tanker unterwegs – das Risiko fährt mit

Bei den 44 000 Tonnen Rohöl der »Exxon Valdez« handelt es sich um die drittgrößte Ölmenge, die bisher nach einer Tankerhavarie ins Meer geflossen ist.

Das schwerste Unglück dieser Art ereignete sich 1979 in der Karibik vor Tobago, als der griechische Tanker »Atlantic Empress« mit dem unter liberianischer Flagge fahrenden »Aegean Captain« zusammenstieß. Die »Atlantic Empress« sank mit 276 000 Tonnen Rohöl an Bord. Der US-amerikanische Tanker »Amoco Cadiz« lief 1978 vor Brest auf Grund und verlor seine gesamte Ladung von 230 000 Tonnen Öl. Kollisionen und Havarien kleineren Ausmaßes ereigneten sich in jedem Jahr der Tankerschiffahrt; daß es nicht häufiger zu Katastrophen kam, war oft nur eine Frage des Zufalls. Der harte Konkurrenzkampf, der zunehmend von Schiffen unter Billigflagge bestimmt wurde, führte dazu, daß die Reedereien Personal einsparten und Einfluß auf den Schiffbau nahmen. Bei den immer größer werdenden Tankern wurde mit Absicht auf den Doppelboden verzichtet, um zusätzliche Ladekapazität zu gewinnen.

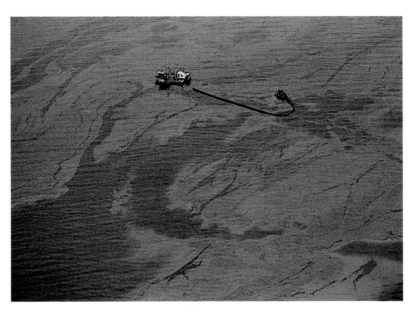

Wahlen in der UdSSR: Beginn einer »radikal neuen Ära«

26. März. Bei den Wahlen zum neugeschaffenen Volksdeputierten-Kongreß können sich die Bürger der UdSSR erstmals seit 70 Jahren wieder zwischen mehreren Kandidaten entscheiden. Reformvertreter tragen über die Kandidaten der Kommunistischen Partei (KPdSU) einen triumphalen Sieg davon.

Für die 1500 wählbaren Mandate im insgesamt 2250 Abgeordnete umfassenden Kongreß kandidierten in der ganzen UdSSR 2895 Kandidaten. In über zwei Dritteln der Wahlkreise bewarben sich mehr als zwei Kandidaten. Spektakulär ist das Wahlergebnis der Hauptstadt Moskau, wo der 1987 als Parteichef gestürzte Boris Jelzin 89% der Stimmen erhält und den offiziellen KP-Kandidaten vernichtend schlägt. Auch in anderen großen Städten, etwa in Kiew, bekommen Parteibürokraten deutliche Abfuhren.

Wahlkampf in Moskau: Bürger demonstrieren für Boris Jelzin als Wahlkandidat. Auf den Plakaten fordern sie u.a.: »Hände weg von Jelzin!« und »Sozialismus für die Menschen, nicht Menschen für den Sozialismus!«

»Ein Schritt von der politischen Lethargie zur bewußten politischen Aktivität«. (Sowjetische Regierungszeitung »Iswestija«)

Die Wahlen zum Kongreß der Volksdeputierten sind Teil einer Ende 1988 in Kraft getretenen Verfassungsreform. Der zu zwei Dritteln von der Bevölkerung gewählte und zu einem Drittel von gesellschaftlichen Organisationen beschickte Kongreß tagt künftig einmal im Jahr. Er wählt den Staatspräsidenten und den Obersten Sowjet, eine Art Arbeitsparlament mit mehrmonatigen Sitzungsperioden.

Auch das Amt des Staatspräsidenten wurde umgestaltet. Es soll der Exekutive eine größere Unabhängigkeit vom Parteiapparat verschaffen als dies bisher der Fall war (→ 25. 5./S. 37). Der Oberste Sowjet wird nach den neuen Bestimmungen von einem reinen Zustimmungsorgan für Regierungsentscheidungen, das jährlich bislang nur wenige Tage zusammentrat, zu einem Parlament mit demokratischen Kompetenzen aufgewertet.

Für die westeuropäische Presse manifestieren die Wahlen den Aufbruch der UdSSR in eine »radikal neue Ära« (»Le Figaro«) und eine wichtige Etappe in der Politik der Öffnung von Parteichef Michail Gorbatschow.

Der ehemals inhaftierte Bürgerrechtler Andrei Sacharow, der selbst als Deputierter in den Kongreß einzieht, bei der Stimmabgabe am 26. März

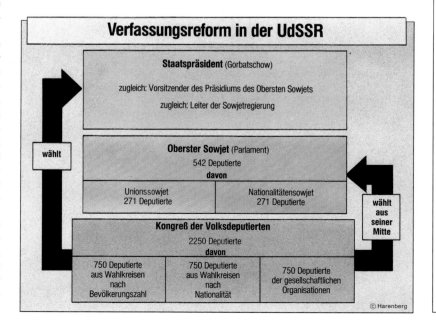

Verfassungsreform in der UdSSR

Staatspräsident (Gorbatschow)

zugleich: Vorsitzender des Präsidiums des Obersten Sowjets

zugleich: Leiter der Sowjetregierung

wählt

Oberster Sowjet (Parlament)
542 Deputierte
davon

Unionssowjet 271 Deputierte	Nationalitätensowjet 271 Deputierte

wählt aus seiner Mitte

Kongreß der Volksdeputierten
2250 Deputierte
davon

750 Deputierte aus Wahlkreisen nach Bevölkerungszahl	750 Deputierte aus Wahlkreisen nach Nationalität	750 Deputierte der gesellschaftlichen Organisationen

© Harenberg

»Glasnost« unter Gorbatschows Regie

Bald nach der Wahl Michail Gorbatschows zum neuen Parteisekretär der KPdSU im März 1985 zeigten sich erste Anzeichen der von ihm geforderten größeren Transparenz (russ. Glasnost) in der sowjetischen Gesellschaft: Die Medien kritisierten Bürokratie und Funktionärsprivilegien, die Zensur von Filmen und Büchern wurde großzügiger. Ende 1987 begann in den Medien eine von Gorbatschow selbst eingeleitete Abrechnung mit dem Stalinismus. Auch im Umgang mit Regimegegnern signalisierte der Staat mehr Toleranz. So durfte der Bürgerrechtler Andrei Sacharow im Dezember 1986 aus der Verbannung in Gorki nach Moskau zurückkehren.

Gorbatschow versuchte zunächst, seine Umgestaltungspläne durch personelle Veränderungen in den Machtzentren abzustützen. Rund zwei Drittel aller Funktionäre in Partei, Staat und Wirtschaft sind seit 1985 ausgewechselt worden.

Im Juni 1988 bereitete die erste Parteikonferenz der KPdSU seit 1941 eine tiefgreifende Umformung der politischen Institutionen des Landes vor. Diese schlagen sich in der Verfassungsänderung vom Dezember 1988 und – zum ersten Mal konkret – in den Märzwahlen nieder.

Jugoslawien am Rande des Bürgerkriegs

23. März. In Jugoslawien stimmt das Parlament der zu 90% von Albanern bewohnten Provinz Kosovo, die zur Teilrepublik Serbien gehört, einer drastischen Einschränkung der Autonomie des Kosovo zugunsten Serbiens zu. Daraufhin kommt es in der Provinz zu blutigen Unruhen, bei denen mindestens 20 Menschen getötet werden.

Die unter Druck Serbiens zustandegekommene Verfassungsänderung nimmt dem Kosovo u. a. die Zuständigkeit für Polizei und Justiz sowie das Recht auf die eigenständige Entscheidung über die Besetzung hoher Verwaltungsämter. Schon auf die Entlassung des Parteichefs Azem Vlasi Anfang Februar, der durch einen Befürworter des stärkeren serbischen Einflusses im Kosovo ersetzt wurde, reagierte die albanische Bevölkerung mit gewalttätigen Demonstrationen und Streiks. Die Zentralregierung in Belgrad setzte daraufhin die Armee gegen die Demonstranten ein.

Der Konflikt um den Kosovo steht stellvertretend für die eskalierenden Nationalitätenprobleme im Vielvölkerstaat Jugoslawien, der kulturell und wirtschaftlich sehr unterschiedliche Teilrepubliken bzw. Provinzen umfaßt. Verschärft werden die Auseinandersetzungen durch wirtschaftliche Probleme – die jährliche Inflationsrate in Jugoslawien beträgt mehrere hundert Prozent – und vor allem durch den Anspruch Serbiens auf eine Vormachtstellung im Staat. Hauptrepräsentant dieses erstarkenden serbischen Nationalismus ist Slobodan Milosevic (47), serbischer Parteichef bzw. ab Mai 1989

Slobodan Milosevic gilt als demagogischer serbischer Nationalist.

Präsident der Teilrepublik Serbien. Ihn bezichtigte der Vorsitzende des jugoslawischen Bundes der Kommunisten, Stipe Suvar, im Januar 1989, das Land durch Schüren der Nationalitätenkonflikte »in den Bürgerkrieg« zu treiben. Um die kommunistische Partei nach seinem Willen auszurichten, bediene er sich »neostalinistischer Methoden«.

Neben dem Kosovo sind Slowenien und Kroatien Zentren der Unruhe. Sie sind die wirtschaftlich am weitesten fortgeschrittenen Teilrepubliken. Auch hier wird der Ruf nach stärkerer Autonomie gegenüber Belgrad laut. Eine vom slowenischen Parlament am 27. September beschlossene Verfassungsänderung, die u. a. die Möglichkeit des Austritts aus der jugoslawischen Bundesrepublik vorsieht, führt erneut zu schweren Spannungen mit Serbien.

Spektakulärer Wahlsieger: Der FPÖ-Bundesparteiobmann Jörg Haider

Machtverschiebung in Österreich

12. März. Bei den Landtagswahlen in Kärnten, Salzburg und Tirol müssen die Wiener Regierungsparteien ÖVP und SPÖ schwere Verluste hinnehmen. Sieger der Wahlen ist die rechtsgerichtete Freiheitliche Partei Österreichs (FPÖ).

Die ÖVP erzielt in ihrer Hochburg Tirol mit 48,7% der Stimmen ihr schlechtestes Wahlergebnis seit Ende des Zweiten Weltkriegs. Auch die SPÖ muß Federn lassen. Die größten Verluste (5,7%) erleidet sie in Kärnten, wo sie erstmals nicht mehr den Landeshauptmann (Ministerpräsident) stellt. In dieses Amt wird mit Unterstützung der ÖVP im Mai FPÖ-Bundesparteiobmann Jörg Haider gewählt. Dessen Partei wird in Kärnten mit 29% zweitstärkste Fraktion. Die Ursache für das schlechte Abschneiden der etablierten Parteien wird u. a. in der Verwicklung zahlreicher Politiker in diverse Skandale gesehen (→ 19. 1./S. 9).

Mandate von ÖVP, SPÖ und FPÖ in den Länderparlamenten

Land	ÖVP	SPÖ	FPÖ
Burgenland	16	17*	3
Kärnten	8*	17	11*
Niederösterr.	29*	22	5
Oberösterr.	30*	23	3
Salzburg	16*	12	6
Steiermark	30*	22	2
Tirol	19*	9	5
Vorarlberg	20*	8	6
Wien	30	62*	8

* Regierungspartei

Teilrepubliken und Nationalitäten in Jugoslawien

SLOWENIEN
1,9 Mio. E.
90% Slowenen

PROVINZ WOJWODINA
2,1 Mio. E.
55% Serben
19% Ungarn

KROATIEN
4,7 Mio. E.
75% KROATEN

SERBIEN
9,7 Mio. E.
66% Serben

BOSNIEN U. HERZEGOWINA
4,3 Mio. E.
40% Bosnier
32% Serben

PROVINZ KOSOVO
1,8 Mio. E.
77% Albaner

MONTE NEGRO
0,6 Mio. E.
76% Montenegriner

MAZEDONIEN
2 Mio. E.
67% Mazedonier
20% Albaner

© Globus/Harenberg

Ultrarechter Wahlsieg in El Salvador

19. März. In El Salvador gewinnt Alfredo Cristiani, Kandidat der rechtsextremen ARENA-Partei, mit 54% der Stimmen die Präsidentschaftswahlen. Bei blutigen Zwischenfällen kommen am Wahltag mindestens 27 Menschen ums Leben.

Der 42jährige Cristiani siegt deutlich vor Fidel Chávez Mena, dem von den USA unterstützten Kandidaten der Christdemokraten. Die geringe Wahlbeteiligung von nur rund 36% ist auf den Aufruf zum Wahlboykott der linken Guerillaorganisation FMLN zurückzuführen. Die Guerilla liefert sich beim Versuch, am Wahltag die Stromversorgung lahmzulegen, in der Hauptstadt San Salvador heftige Gefechte mit dem Militär.

Die FMLN hatte Ende Januar angeboten, die Waffen niederzulegen und Wahlen anzuerkennen, wenn diese um sechs Monate verschoben würden, so daß auch linksgerichtete Kandidaten eine faire Chance zur Teilnahme hätten. Regierung und Militär lehnten das auch von den USA begrüßte Angebot ab. Die Folge ist zunächst eine Polarisierung der Auseinandersetzungen in dem mittelamerikanischen Staat. So verstärken sich nach den Wahlen wieder die Aktivitäten der berüchtigten »Todesschwadrone«, die enge Kontakte zur ARENA-Partei unterhalten und allein 1988 rund 1700 Menschen in El Salvador getötet haben. Im September 1989 nehmen bei Gesprächen in Mexiko erstmals seit zwei Jahren wieder Vertreter der FMLN und der Regierung Kontakt zueinander auf (→ 11. 11./S. 110).

Die Vorbereitungen für die im Februar 1990 vorgesehenen Wahlen in einem weiteren Krisenherd Zentralamerikas, Nicaragua, lassen im Gegensatz zu den Ereignissen in El Salvador einen demokratischen Ablauf erwarten. Im Juni schließen sich hier 13 Parteien, die den regierenden Sandinisten kritisch gegenüberstehen, zu einer »Nationalen Oppositionsunion« zusammen. Diese wählt am 2. September die Verlegerin und ehemalige Sandinistin Violeta Barrios de Chamorro zur Präsidentschaftskandidatin.

Freude über den Sieg: SPD-Spitzenkandidat Volker Hauff (l.) und der Frankfurter SPD-Vorsitzende Martin Wentz

Die Grünen Joschka Fischer (l.) und Daniel Cohn-Bendit (r.) mit Bürgermeister Hans-Jürgen Moog (CDU)

Frankfurt rot-grün – NPD im Römer

12. März. Hohe Verluste der CDU und beachtliche Gewinne der rechtsradikalen Parteien NPD und Republikaner kennzeichnen das Ergebnis der Kommunalwahlen in Hessen.

Ihre empfindlichste Niederlage muß die CDU in Frankfurt hinnehmen, wo sie 13% der Wählerstimmen verliert. Wahlsieger ist der SPD-Spitzenkandidat Volker Hauff, der am 15. Juni als Nachfolger des zuvor abgewählten Wolfram Brück (CDU) an der Spitze einer rot-grünen Koalition neuer Oberbürgermeister wird.

Landesweit büßen die Christdemokraten 6,3% der Stimmen ein und erhalten nur noch in drei der 21 Landkreise eine Mehrheit, meistens mit der FDP als Koalitionspartner. Die SPD kann ihre Position leicht verbessern und vergrößert mit einem Durchschnitt von 44,8% ihren Vorsprung vor der CDU, die auf 34,3% zurückfällt. Während die FDP nahezu unverändert bei 4,9% rangiert, legen die Grünen deutlich zu. Auf sie entfallen 9,1%, wobei sie in den Universitätsstädten Darmstadt (19%) und Marburg (17,8%) ihre größten Erfolge erzielen.

Große Beachtung findet das gute Abschneiden von NPD und Republikanern, die in drei Kreistage einziehen. In Frankfurt, wo die Republikaner nicht kandidierten, verbucht die NPD einen Stimmenanteil von 6,6%. Noch am Wahlabend demonstrieren 5000 Menschen vor dem Römer gegen den Einzug der Rechtspartei in das Stadtparlament.

Die Strategie der hessischen CDU, die Ausländerpolitik als Wahlkampfthema in den Vordergrund zu stellen, wird von SPD, FDP und Grünen für die Erfolge von NPD und Republikanern verantwortlich gemacht. Der hessische CDU-Vorsitzende Walter Wallmann sieht dagegen die Schuld für die CDU-Verluste in einem von der Bundesregierung verursachten Stimmungstief.

»KGB-Hacker« in Hannover enttarnt

2. März. Mehr als 100 Beamte des Bundeskriminalamtes durchsuchen in Berlin und Hannover mehrere Wohnungen von Computer-Hackern, die unter dem Verdacht der Spionage für den sowjetischen Geheimdienst KGB stehen.

Nach Informationen des Norddeutschen Rundfunks hat sich eine Gruppe von vier Hackern mit einem einfachen Heimcomputer von einer Wohnung in Hannover aus über das Telefonnetz weltweit Zugang zu Rechnern der US-Streitkräfte, von Forschungseinrichtungen, Atomlabors und Weltraumbehörden verschafft. Dabei wurden auch Rechner der Forschungsstätten für Atomwaffen und das SDI-Programm in Los Alamos und in Lawrence Livermore sowie der US-Raumfahrtbehörde NASA »geknackt«. Zwei Mittelsmänner des KGB hatten Kontakt zu den Hackern aufgenommen und sechsstellige Beträge für die Rechnerdaten gezahlt. Dabei wurde die Drogenabhängigkeit eines der Computerspezialisten für die »Geschäftsbeziehung« ausgenutzt.

Am 23. Juni wird die verkohlte Leiche eines der drei Hacker in einem Wald bei Gifhorn gefunden. Die Todesursache – Selbstverbrennung oder Mord – kann nicht eindeutig geklärt werden und löst zahlreiche Spekulationen aus.

Schlag gegen polnischen Schwarzmarkt in West-Berlin

4. März. Die West-Berliner Polizei nimmt 200 Polen fest, die in der Nähe des Reichstagsgebäudes Schwarzmarktgeschäfte betrieben haben.

Die Behörden reagieren mit diesem Zugriff auf die wachsende Zahl von Polen, die sich seit Jahresbeginn 31 Tage ohne Visum als Touristen in West-Berlin aufhalten können. Besonders Bewohner grenznaher Gebiete nutzen die kurze Entfernung nach Berlin, um sich durch den illegalen Verkauf von Waren – hauptsächlich Lebensmittel, Spirituosen, Kleidung und Haushaltsgegenstände – begehrte Devisen zu verschaffen. Der Weg lohnt sich: Schon der Reingewinn von 50 DM entspricht dem Monatslohn eines polnischen Arbeiters.

Großzügige Zollkontrollen machten es den Polen zunächst leicht, sich über das Verbot des Gewerbetreibens in West-Berlin hinwegzusetzen und ihre Waren anzubieten. Als die Zahl der Schwarzmarkthändler sprunghaft zunahm, verschärften die West-Berliner Polizei und der polnische Zoll die Kontrollen. Trotzdem reisen am 3. und 4. März noch annähernd 5000 Polen nach West-Berlin ein. Dabei waren allein am 3. März am Grenzübergang Frankfurt/Oder 400 Autos mit 1130 Personen nach Polen zurückgeschickt worden, weil sie offensichtlich Handelsware mitführten. Hier mußten auch 50 Busse umkehren, deren Insassen ihr zollfreies Kontingent an Mitbringseln weit überschritten hatten.

Polen kommen als Touristen nach West-Berlin, um am Rande der offiziellen Märkte Lebensmittel, Alkohol, Haushaltswaren oder Antiquitäten zu verkaufen. Der Schwarzmarkt im Bezirk Tiergarten blüht trotz verschärfter Zollkontrollen.

Neuer Zugang zum Louvre-Museum

29. März. *Der französische Staatspräsident François Mitterrand eröffnet die Glaspyramide in der »Cour Napoléon«, dem Innenhof des Pariser Louvre-Museums. Die futuristisch anmutende Glas- und Stahlkonstruktion des chinesisch-amerikanischen Architekten Ieoh Ming Pei dient als Eingangshalle zu den Schätzen des Königspalastes, der seit 1793 als Museum genutzt wird. Die Pyramide war eines der umstrittensten Bauprojekte des sozialistischen Staatschefs. Kritiker warfen ihm vor, er habe sich ein Denkmal setzen wollen und mit dem »unsinnigen Bauwerk« den größten Palast der Welt verschandelt. – Die Pyramide ist die erste Etappe im Ausbau des Museums zum »Grand Louvre«: Bis Mitte der 90er Jahre soll die Ausstellungsfläche auf 70 000 Quadratmeter verdoppelt werden.*

◁ Spektakulärer Eingang zum berühmtesten Museum der Welt: Die Louvre-Pyramide in Paris

Samstagsarbeit in der Druckindustrie eingeschränkt

10. März. Nach viertägigen Schlichtungsverhandlungen im Tarifkonflikt in der Druckindustrie wird in Wiesbaden ein neuer Manteltarifvertrag für die 220 000 Beschäftigten unterzeichnet. Danach soll Samstagsarbeit nur noch in Ausnahmefällen zulässig sein.

Die Vereinbarungen sehen vor, daß die Arbeitszeit auf fünf Tage von Montag bis Freitag zu verteilen ist. Abweichungen sind nur bei Zeitungen und Zeitschriften möglich, die am Wochenende ausgeliefert werden. In Absprache mit dem Betriebsrat kann ausnahmsweise auch an Samstagen gearbeitet werden, allerdings nur in Form von Überstunden. Die IG Druck vermag sich nicht mit ihrer Forderung durchzusetzen, die Zahl der Überstunden generell auf ein Kontingent von 25 im Vierteljahr zu begrenzen.

Das Verhandlungsergebnis wird von den beiden Tarifpartnern unterschiedlich bewertet. Der Vorsitzende der IG Druck und Papier, Erwin Ferlemann, stellt als Erfolg seiner Gewerkschaft heraus, das freie Wochenende erstmals vertraglich gesichert zu haben. Positiv bewertet der Bundesverband Druck den Verzicht der Gewerkschaft auf eine Überstundenbegrenzung. Besonders für mittelständische Unternehmen sei es wichtig, flexibel auf die häufig wechselnden Anforderungen des Marktes zu reagieren. Das Hamburger Verlagshaus Gruner + Jahr hatte vorsorglich noch vor Abschluß des Tarifvertrags seinen Austritt aus dem Bundesverband Druck erklärt, weil der Verzicht auf Samstagsarbeit nicht tragbar sei.

Dem Abschluß in der Druckindustrie, dem mehrtägige Streiks vorangegangen waren, wird eine über die Branche hinausgehende Bedeutung zugemessen, da andere Gewerkschaften in der nächsten Tarifrunde ebenfalls ein Verbot der Samstagsarbeit durchsetzen wollen. Insbesondere die größte Einzelgewerkschaft, die IG Metall, will neben der 35-Stunden-Woche auch den freien Samstag tarifvertraglich sichern.

Gerade in diesem Industriezweig treten bereits deutlich gegenläufige Entwicklungen zutage. Samstagsschichten sind vor allem in zahlreichen deutschen Automobilwerken keine Ausnahme mehr, und BMW hat in seinem Werk Regensburg mit Zustimmung des Betriebsrats die Arbeitszeit so geregelt, daß an vier Tagen neun Stunden lang gearbeitet wird. Der Samstag ist dabei ein voller Arbeitstag.

Durchschnittliche Arbeitszeit im internationalen Vergleich[1]

	Bundesrepublik Deutschland	Österreich	Frankreich	Italien	Großbritannien	Schweiz	USA	Portugal	Japan
Jahressollarbeitszeit (in Stunden)	1697	1735	1767	1768	1778	1890	1912	2025	2149
Wochenarbeitszeit	38,4	38,9	39	40	39	41	40	45	*
Jahresurlaub + zusätzliche Freizeit	30	26,5	25,5	31	25	25	12	22	*
Feiertage	10	11,5	9	9	8	8	10	14	*

*keine Angaben

[1] für Arbeiter des verarbeitenden Gewerbes (Stand: 1. 11. 1988)
Quelle: Bundesvereinigung deutscher Arbeitgeberverbände   © Harenberg

Keine Beweise für Kernfusion im Glas

23. März. Die Chemiker Martin Fleischmann (Großbritannien) und Stanley Pons (USA) geben in Salt Lake City (US-Bundesstaat Utah) eine sensationelle Entdeckung bekannt: Die Kernfusion im Glas.

Bei dem Experiment wird nach Angaben der Wissenschaftler ein Behälter von der Größe eines Marmeladenglases mit schwerem Wasser gefüllt, dessen Molekülbausteine aus Sauerstoff und Deuterium bestehen. In dem Behälter stecken ein Heizstab, eine Elektrode aus Platin und eine Elektrode aus Palladium. Bei der Stromzufuhr werden an der Palladium-Elektrode die Deuteriumkerne so verdichtet, daß große Energiemengen freigesetzt werden.

Diese angebliche Kernfusion wird in Fachkreisen zunehmend angezweifelt. Keiner der Versuche, das Experiment zu wiederholen, führt zum Erfolg. Fleischmann und Pons räumen schließlich selbst unzureichende Meßmethoden ein.

Fernsehen macht Galoppern Beine

30. März. Die elfteilige Fernsehserie »Rivalen der Rennbahn« startet mit einem 90minütigen Pilotfilm im ZDF. Die aufwendige Unterhaltungsserie (etwa 6 Millionen DM Produktionskosten) läßt seine Darsteller im buntschillernden Milieu des Galopprennsports agieren und damit zugleich Imagewerbung für den bisher im Fernsehen wenig beachteten Turf betreiben.

Die hochkarätig besetzte Serie, in der u. a. Thomas Fritsch, Ilse Werner und Margot Hielscher mitwirken, thematisiert den Existenzkampf eines kleinen Rennstalls. Zu jeder Folge lassen sich rund 13 Millionen Zuschauer vor den Fernseher locken.

Von dem Erfolg der eher leichten Unterhaltungskost profitieren nach Angaben des Direktoriums für Vollblutzucht und Rennen die Galopprennvereine: Der Wettumsatz der Rennbahnen steigt bis zum 31. September gegenüber dem Vorjahr um rund 16 Millionen DM (12%).

Mode-Woche München '89: Die Themen Hose und Rock werden in allen Formen variiert.

Oscars für die Kassenhits

30. März. Mit vier Oscars wird der Film »Rain Man« von Regisseur Barry Levinson im Shrine Auditorium von Los Angeles ausgezeichnet; u. a. erhält der US-amerikanische Filmschauspieler Dustin Hoffman für seine darstellerische Leistung in diesem Film die begehrteste Auszeichnung Hollywoods.

Die Literaturverfilmung »Gefährliche Liebschaften« von Stephen Frears, ebenso wie »Rain Man« ein Kassenhit, wird von der Academy of Motion Picture Arts and Sciences mit drei Oscars bedacht. In der heiß umkämpften Kategorie der besten Hauptdarstellerin gibt das 4600 Mitglieder zählende Preisgremium Jodie Foster (»Angeklagt«) den Vorrang vor Glenn Close (»Gefährliche Liebschaften«). Als der große Verlierer der glamourösen Show gilt der Film »Mississippi Burning«, der für sieben Oscars nominiert wurde, von denen er nur einen für die beste Kameraführung gewinnt.

Das »Rain-Man«-Team (v. l.): Produzent Mark Johnson, Hauptdarsteller Dustin Hoffman und Tom Cruise sowie Regisseur Barry Levinson freuen sich über den großen Erfolg ihrer Arbeit. In den USA hat der Film innerhalb von 59 Tagen 102 Millionen Dollar Kasseneinnahmen eingespielt.

Nur ein Hauch: Chiffon-Mode für Mutige

Hoher Beinausschnitt und Bustieroberteile

Ob eng oder weit, lang oder kurz

Die Mode-Insiderin zeigt in diesem Jahr Körpernahes: Einen engen Rock, der handbreit über dem Knie endet, oder eine enge Radlerhose aus dunklem Jersey. Das Oberteil dagegen darf leger und blusig sein. Hochkonjunktur haben aber auch weite, wadenlange Röcke aus transparentem Chiffon, Musselin oder Spitze. Ohne Futter oder Unterrock getragen, gewähren sie freizügig den Blick aufs Bein. Bezüglich der Saumlänge unterliegt die Mode 89 keinerlei Diktat. Gerade kniebedeckend ist die gängigste, wenn auch nicht die modischste Länge.

Hosen sind aktueller und variantenreicher denn je. Meist sind sie weit und nur wadenbedeckend. Damenhaft wirken Hosenröcke mit Falten. Der Hit aber sind ganz eindeutig Bermudas, ob als Stadtbermudas zur Kostümjacke oder als reine Freizeithose in Neonfarben. Die in der Werbung hochgejubelte Marlene-Dietrich-Hose dagegen vermag sich nicht so recht durchzusetzen. Aus dem Radrennsport findet nicht nur die kurze, sondern auch die hautenge, lange Hose Eingang ins Modesortiment: Als fußlose, blickdichte Strumpfhose, meist in Schwarz, häufig mit Tupfenmuster. Dazu werden lange, weite T- oder Sweat-Shirts und Ballerinaslippers getragen.

T-Shirts mit neonfarbenen Smileys, mit Donalds, Garfields oder Alfs bevölkern nicht nur die Kinderspielplätze. Auch viele Erwachsene fühlen sich in solchen Kleidungsstücken wohl.

Hit: Großflächige Blumenmuster (Ungaro)

Winterkollektion 1990 (Dior)

Stadtanzug (Hechter)

Mustermix und Legeres bietet die Mode auch für Männer

Cocktail-Kleid aus Wollcrêpe von Ungaro

Cape-Complet von Christian Lacroix

ie Hose bleibt nach wie vor Liebling der Modebewußten

Die allgegenwärtige Beschäftigung mit der Französischen Revolution (→ 14. 7./S. 54) scheint ihren Niederschlag auch in der Mode zu finden: Die Designer zeigen eine große Vorliebe für Westen. Stets in Herrenfasson geschnitten, wirken sie aus Brokat, Paisley oder Streifenstoff doch ausgesprochen weiblich.

Die Pariser Haute Couture steht ganz im Zeichen der Revolutionsfarben »bleu, blanc, rouge«. Und nicht nur das: Neoluxus à la Louis-seize ist angesagt. Verarbeitet werden mit Vorliebe üppige Stickereien, breite Borten und möglichst auffällige Muster. Christian Lacroix weist hier den Weg und mixt breite Streifen mit großen Blumen und auffälligen Karos.

Nicht weniger ausgefallen gibt sich der Italiener Moschino, der für Gloria von Thurn und Taxis ein hautenges Kleid entwirft, dessen Dekolleté mit großen Stoffbärchen umrahmt ist. Schwarz und Grau sind out, es dominieren kräftige Farben wie Kardinalrot, Maisgelb, verwaschenes Pflaumenblau und leuchtendes Rot. Zu den Modefavoriten gehören auch Mäntel. Hier konkurrieren weitschwingende, kurze Modelle mit langen, geraden, häufig versehen mit einem breiten, tiefsitzenden Riegel. Auch im Mantelangebot herrschen farblich keine Tabus.

An den Swimmingpools gibt man sich wieder angezogener, wenngleich »oben ohne« keineswegs verbannt wird. Der Einteiler mit hohem Beinausschnitt und tiefem Rückendekolleté wirkt verführerisch und sexy. Bei den Bikinis werden die Oberteile immer größer und nehmen Leibchenform an. Bikinihosen bedecken den Bauchnabel und geben dafür die Beine seitlich bis zur Taille frei.

Das Thema »Mode für Mollige« hat den Makel von gestern verloren. Mannequins mit Größe 42 sind eine hochbezahlte Rarität, auf die keines der großen Häuser verzichten möchte.

Die Herrenmode bevorzugt Bequemes, Leichtes, Fließendes. Die Schultern bleiben betont, aber rund, die Reversbreite nimmt eher zu, während Seitenschlitze kleiner werden. Das Spiel mit den Knöpfen – trapezförmig, asymmetrisch oder parallel angeordnet – hat sich auch der konservative Schneider zu eigen gemacht. Der Designer-Individualismus verfällt darüber hinaus auf interessante asymmetrische Reverslösungen.

Bei den Mänteln gehören weite, wadenlange Raglans aus Tuch oder Trenchcoats aus Ballonseide zum gehobenen Casualwear. Als eleganter Freizeitstil etablieren sich kragenlose Hemden, eventuell mit verdeckter, bestickter Knopfleiste. Diese werden ohne Krawatte getragen. Dazu gehört eine – stets offene – ein- oder zweireihige Weste.

Ein Experiment bleiben Stadtbermudas, die mit einem Sakko kombiniert als Anzug gedacht sind. Zur feinen Disco-Mode gehören Brokatweste, Hemd mit Stehkragen, Jeans und Turnschuhe – nach der Devise: Gegensätze ziehen sich an.

April 1989

Mo	Di	Mi	Do	Fr	Sa	So
					1	2
3	4	5	6	7	8	9
10	11	12	13	14	15	16
17	18	19	20	21	22	23
24	25	26	27	28	29	30

1. April, Samstag

In der Bundesrepublik tritt die im Juli 1988 beschlossene Änderung der Postgebühren in Kraft. Danach verteuert sich das Porto für Postsendungen. Ferngespräche werden z. T. billiger.

In Namibia beginnt die Übergangsphase, die zur Unabhängigkeit von Südafrika führen soll. → S. 31

Zita von Habsburg, von 1916 bis 1918 Kaiserin von Österreich und Königin von Ungarn, wird in Wien mit einem aufwendigen Zeremoniell beigesetzt. → S. 32

2. April, Sonntag

In Tunis wählt der Zentralrat der Palästinensischen Befreiungsorganisation PLO-Chef Jassir Arafat zum Präsidenten des im November 1988 ausgerufenen unabhängigen Staates Palästina.

3. April, Montag

Bei einem Zugunglück im süditalienischen San Severo werden acht Menschen getötet und 17 verletzt.

4. April, Dienstag

Der Landkreis Osnabrück untersagt dem Unternehmer Dietrich Fürstenberg die kommerzielle Vermittlung von Kindern zur Adoption. Gegen Fürstenberg laufen bereits Ermittlungen wegen illegalen Organhandels.

5. April, Mittwoch

Um einem Mißbrauch des Asylrechts entgegenzuwirken, beschließt das Bundeskabinett schärfere Einreisebestimmungen für polnische Touristen.

6. April, Donnerstag

Die Illustrierte »stern« veröffentlicht einen Bericht über die Beteiligung bundesdeutscher Firmen an der Errichtung eines Raketenzentrums im Irak. Angaben des Blattes zufolge wird wegen des Verdachts illegaler Militärexporte gegen eine Tochterfirma des Konzerns Messerschmitt-Bölkow-Blohm ermittelt.

7. April, Freitag

Der brasilianische Staatspräsident José de Ribamar Sarney verkündet ein Programm zur Erhaltung der Amazonas-Regenwälder. → S. 31

Im Nordmeer vor der norwegischen Küste gerät ein sowjetisches Atom-U-Boot in Brand und sinkt. → S. 31

Durch die Verhaftung von drei Hilfspflegerinnen und einer Krankenschwester wird eine Mordserie in einem Wiener Krankenhaus bekannt. → S. 32

8. April, Samstag

In Tiflis/Georgien fordern Demonstranten die nationale Unabhängigkeit dieser Republik, nachdem die moslemische autonome Abchasische Sowjetrepublik die Ausgliederung aus dem überwiegend christlichen Georgien gefordert hatte. Bei Zusammenstößen mit den Sicherheitskräften kommen mindestens 20 Menschen ums Leben (→ 23. 8./S. 60).

In den Kölner Messehallen wird die Kunstausstellung »Bilderstreit« eröffnet. → S. 33

9. April, Sonntag

Bei den Tischtennis-Weltmeisterschaften in Dortmund gewinnen die Düsseldorfer Jörg Roßkopf und Steffen Fetzner überraschend den Titel im Herrendoppel. → S. 35

10. April, Montag

Der Bundesgerichtshof erklärt die Einschleusung ausländischer Frauen zwecks Heiratsvermittlung für strafbar.

11. April, Dienstag

Die internationale Fußball-Vereinigung UEFA beschließt die Wiederzulassung der britischen Fußballclubs zu den Europapokal-Wettbewerben ab 1990/91. England war nach den tödlichen Zwischenfällen im Brüsseler Heysel-Stadion 1985 ausgeschlossen worden (→ 15. 4./S. 34).

12. April, Mittwoch

Der bundesdeutsche Energie-Konzern VEBA kündigt eine Zusammenarbeit mit der französischen COGEMA bei der atomaren Wiederaufbereitung in La Hague (Normandie) an. → S. 30

13. April, Donnerstag

Bundeskanzler Helmut Kohl (CDU) gibt in Bonn die Umbildung seines Kabinetts bekannt. → S. 29

In Frankfurt am Main konstituiert sich vier Wochen nach der hessischen Kommunalwahl mit einer rot-grüne Koalition mit Oberbürgermeister Volker Hauff (SPD) an der Spitze (→ 12. 3./S. 24).

14. April, Freitag

Der SPD-Vorstand beschließt die endgültige Einstellung des traditionsreichen Parteiblattes »Vorwärts«. → S. 32

Die Umweltminister der Länder vereinbaren eine Ausrüstung aller ab 1. Oktober 1991 in der Bundesrepublik zugelassenen Neuwagen mit einem geregelten Drei-Wege-Katalysator (→ 9. 6./S. 50).

15. April, Samstag

In Hamburg gründet sich die IG Medien. → S. 33

In Sheffield (Großbritannien) kommt es zu den blutigsten Ausschreitungen in der europäischen Sportgeschichte. → S. 34

Der Tod des früheren chinesischen Parteichefs Hu Yaobang (1980–87) löst in China die größte Demonstrationswelle seit mehr als zehn Jahren aus. Tausende von Studenten fordern mehr Demokratie und Freiheit (→ 13. 5./S. 37).

16. April, Sonntag

Bei einer Volksabstimmung in Uruguay votiert die Bevölkerung mit knapper Mehrheit für die Beibehaltung des 1986 beschlossenen Amnestiegesetzes. → S. 31

Im niedersächsischen Rotenburg an der Wümme werden rund 1000 Menschen während der Bergung eines mit hochgiftigen Chemikalien beladenen Güterzuges aus ihren Wohnungen evakuiert. Der Zug war am Vorabend entgleist.

17. April, Montag

Nach über siebenjähriger Untergrundarbeit wird die polnische Gewerkschaft Solidarität legalisiert. → S. 29

18. April, Dienstag

Die Deutsche Bundesbank stellt erstmals seit der Währungsreform eine komplette Serie neuer Geldscheine vor. Sie sollen Ende 1990 ausgegeben werden.

In Bern wird der saudi-arabische Geschäftsmann Adnan Kashoggi festgenommen. → S. 31

19. April, Mittwoch

Bei einer Explosion in einem Geschützturm des US-amerikanischen Schlachtschiffes »USS Iowa« kommen 47 Seeleute ums Leben. Das Unglück ereignet sich in einem Manöver nordöstlich von Puerto Rico.

20. April, Donnerstag

Das Bundeskartellamt in West-Berlin untersagt die geplante Fusion von Daimler-Benz mit dem Luft- und Raumfahrtunternehmen Messerschmitt-Bölkow-Blohm (→ 8. 9./S. 72).

21. April, Freitag

Mit 209:151 Stimmen bei einer Enthaltung nimmt der Bundestag ein neues Gesetz zur Verschärfung des Demonstrationsrechtes an. → S. 30

22. April, Samstag

6000 Schweizer demonstrieren in Bern für die Stillegung der fünf Atomkraftwerke des Landes.

23. April, Sonntag

Während eines tropischen Regensturms kommen 100 illegale Goldsucher beim Einsturz einer Goldmine in Burundi ums Leben.

24. April, Montag

Wegen Krawallen in der Nacht zum 13. April wird den Bewohnern des umstrittenen Wohnprojekts in der Hamburger Hafenstraße fristlos gekündigt.

Bundesaußenminister Hans-Dietrich Genscher (FDP) und Verteidigungsminister Gerhard Stoltenberg (CDU) fordern in Washington »baldige Verhandlungen« mit Moskau über eine Verringerung der atomaren Kurzstreckenraketen in Europa (→ 30. 5./S. 37).

Der private Fernsehsender SAT 1 startet eine Serie mit dem elektronisch erzeugten Star Max Headroom. → S. 33

Herbert von Karajan, künstlerischer Leiter der Berliner Philharmoniker auf Lebenszeit, legt sein Amt nieder. → S. 33

25. April, Dienstag

Der japanische Ministerpräsident Noburu Takeshita kündigt an, daß er nach der Verabschiedung des Haushalts zurücktreten werde. Er zieht damit die Konsequenzen aus seiner Verstrickung in die Recruit-Finanzaffäre und löst eine mehrwöchige Regierungskrise aus (→ 9. 8./S. 61).

Das Zentralkomitee der KPdSU wird verjüngt. Zu den 74 ZK-Mitgliedern, die aus Altersgründen ausscheiden, gehört auch der frühere Staatschef Andrei A. Gromyko (→ 2. 7./S. 54).

26. April, Mittwoch

Der Johannisburger Stadtrat hebt die Rassentrennung in Bussen auf.

27. April, Donnerstag

Ein Wirbelsturm in Bangladesch fordert über 1300 Todesopfer, mindestens 30 000 Menschen werden obdachlos.

28. April, Freitag

In Brüssel werden 14 britische Fußball-Rowdies im Prozeß um die Fußball-Katastrophe im Brüsseler Heysel-Stadion am 29. Mai 1985 zu je drei Jahren Haft mit teilweiser Bewährung verurteilt. Das Gericht erkennt ihnen die Schuld am Tod von 39 Menschen zu (→ 15. 4./S. 34).

29. April, Samstag

7000 Menschen demonstrieren in Le Puy im französischen Zentralmassiv gegen ein Staudammprojekt an der Loire.

30. April, Sonntag

Bei der Eishockey-Weltmeisterschaft vermeidet das bundesdeutsche Team durch einen 2:0-Sieg über Polen den Abstieg in die B-Gruppe. Weltmeister wird zum 21. Mal die UdSSR. → S. 35

Auf einen Blick:

Die Zahl der Arbeitslosen in der Bundesrepublik beträgt 2 035 000, das entspricht einer Quote von 7,9% (April 1988: 8,9%).

Die Verbraucherpreise in der Bundesrepublik liegen um 3% höher als im April 1988.

TV-Hit im April:

Die höchste Einschaltquote erreicht die Übertragung des Qualifikationsspiels zur Fußball-Weltmeisterschaft zwischen der Bundesrepublik und den Niederlanden (1:1) am 26. 4. (19,39 Mio. Zuschauer = 52%).

Polnische Gewerkschaft »Solidarität« wieder legal

17. April. Das Warschauer Bezirksgericht läßt die über sieben Jahre lang verbotene polnische Gewerkschaft »Solidarität« offiziell wieder zu.

Die ursprünglich im August 1980 gegründete »Solidarität« mußte nach der Verhängung des Kriegsrechts in Polen am 13. Dezember 1981 illegal im Untergrund weiterarbeiten. Ihre Anführer – darunter Lech Walesa – und über 6000 Anhänger wurden teilweise bis 1986 inhaftiert.

Die »Solidarität« kann sich nun in allen Betrieben landesweit neben der kommunistischen Gewerkschaft OPZZ organisieren, Veranstaltungen abhalten und eine Tageszeitung herausbringen. Der Weg vom »Staatsfeind Nummer eins« (»Der Spiegel«) zur legalen politischen Kraft wurde durch die »Verhandlungen am runden Tisch« geebnet, bei denen die Regierung und Vertreter der Opposition nach achtwöchigen Debatten am 5. April 1981 eine Einigungserklärung unterzeichneten. Mit diesem »Jahrhundertvertrag« (Walesa), der Polen aus seiner gesellschaftlichen und wirtschaftlichen Krise führen soll, räumt die kommunistische Staatsführung der Opposition im Land erstmals Mitspracherechte ein. So werden ab sofort Vereine und politische Clubs – allerdings keine Parteien – zugelassen (→ 24. 8./S. 60).

Freude: Tadeusz Mazowiecki (l.) und Anhänger

Dialog: Walesa (l.) und General Jaruzelski

Epochal: Am »runden Tisch« ausgehandelt

Neben der Zulassung von oppositionellen Gruppierungen sieht der »Vertrag am runden Tisch« auch demokratische Veränderungen der politischen Institutionen vor: Im Juni können erstmals 35% der Abgeordneten des Parlaments (»Sejm«) und alle 100 Abgeordneten einer neuen zweiten Kammer, des Senats, frei gewählt werden. Beide Kammern gemeinsam wählen den Staatspräsidenten (→ 24. 8./S. 60).

◁ Eigens für die Verhandlungen in Warschau gebaut: Der bald schon legendäre »runde Tisch«

Kohl bildet Kabinett um – Position der CSU gestärkt

13. April. Bundeskanzler Helmut Kohl (CDU) gibt in Bonn eine Kabinettsumbildung bekannt. Drei neue Minister treten in die Regierung ein, vier weitere wechseln das Ressort. Wichtigste Veränderung ist die Berufung des CSU-Vorsitzenden Theo Waigel zum Finanzminister. Der bisherige Amtsinhaber Gerhard Stoltenberg (CDU) wechselt als Verteidigungsminister auf die Hardthöhe. Er löst Rupert Scholz (CDU) ab, der in der Tiefflugdiskussion eine unpopuläre, harte Haltung eingenommen hatte. Wohnungsbauminister Oscar Schneider (CSU) muß der CSU-Bundestagsabgeordneten Gerda Hasselfeldt Platz machen. Der Wechsel von Innenminister Friedrich Zimmermann (CSU) ins Verkehrsministerium – ihn ersetzt Kanzleramtsminister Wolfgang Schäuble (CDU) – wird in Bonn vielfach als Degradierung gewertet. Für Aufsehen

sorgt auch die Entlassung von Regierungssprecher Friedhelm Ost, dessen Amt von Entwicklungshilfeminister Hans Klein (CSU) im Ministerrang übernommen wird.

Neue Ressorts bekleiden außerdem die CDU-Politiker Jürgen Warnke (Entwicklungshilfe) und Rudolf Seiters (Kanzleramt).

Die »wichtigste Kabinettsumbildung in der 40jährigen Geschichte der Bundesrepublik« (Kohl) wird von der Opposition heftig kritisiert. Die SPD spricht vom »letzten Aufgebot« und »bloßer Postenschieberei«.

Bundespräsident von Weizsäcker (4. v. l.) verabschiedet die Minister Scholz und Schneider und überreicht den Ministern Waigel, Hasselfeldt, Zimmermann, Schäuble, Stoltenberg, Warnke, Seiters und Klein (vorn v. l.) ihre Ernennungsurkunden. 6. v. l.: Bundeskanzler Helmut Kohl.

Stromkonzerne geben Wackersdorf auf

12. April. Der Energiekonzern VEBA kündigt die Zusammenarbeit mit der französischen Atomfirma COGEMA an, welche die Wiederaufbereitung radioaktiven Mülls aus der Bundesrepublik in La Hague (Normandie) übernehmen will. Die im Bau befindliche Wiederaufbereitungsanlage (WAA) in Wackersdorf wird dadurch überflüssig.

Der VEBA-Konzern ist als größter deutscher Stromlieferant über sein Tochterunternehmen Preussenelektra mit 23,5% an der Deutschen Gesellschaft für Wiederaufarbeitung beteiligt, die den WAA-Bau in Wackersdorf betreibt. Vorstandsvorsitzender Rudolf von Bennigsen-Foerder begründet den Verzicht auf das Wackersdorf-Konzept mit wirtschaftlichen Überlegungen: Die VEBA werde sich mit 49% an einer Anlage der COGEMA beteiligen, in der vom Ende der 90er Jahre an jährlich 400 Tonnen radioaktiver Abfälle aus deutschen Kernkraftwerken wiederaufbereitet werden können. Dafür müsse der Konzern lediglich 2,5 Milliarden DM aufwenden, während die WAA in Wackersdorf, die auf eine Kapazität von nur 350 Tonnen Atommüll ausgelegt ist, zehn Milliarden DM kosten würde.

Neben der Erkenntnis der Energiewirtschaft, daß die Kapazitäten für atomare Wiederaufbereitung in Westeuropa ausreichend sind und die WAA in Wackersdorf demnach überflüssig ist, beeinflußten auch politische Momente die Entscheidung. Seit dem Baubeginn 1985 hatten Bürgerinitiativen und Umweltschutzverbände hartnäckig gegen die WAA protestiert, für die ein Gebiet von 200 Hektar Wald gerodet werden mußte. Bei zahlreichen Demonstrationen kam es immer wieder auch zu gewaltsamen Ausschreitungen. Das Baugelände wurde durch umfangreiche Sicherheitsmaßnahmen abgeriegelt.

Die 2,6 Milliarden DM teure Bauruine zieht kurze Zeit nach dem Baustopp am 1. Juni neue Investoren an. Auf dem gut erschlossenen Gelände – nach wie vor von dem 30 Millionen DM teuren Sicherheitszaun umschlossen – wollen sich neben kleineren Firmen auch große Unternehmen ansiedeln. Siemens und das Bayernwerk beabsichtigen, hier eine Solarzellenfabrik zu errichten, und BMW plant den Bau eines Zulieferwerks.

Rudolf v. Bennigsen-Foerder († 28. 10. 1989), Vorstandschef der VEBA

Teuerste Bauruine der Republik: Die WAA im oberpfälzischen Wackersdorf

Bedarf an Atomstrom wächst nicht mehr

Die absehbaren Überkapazitäten im Bereich der Wiederaufbereitung, die den Weiterbau der WAA in Wackersdorf überflüssig machen, haben ihre Ursache in dem stagnierenden Ausbau des Kernkraftwerknetzes.

Der Anteil der Kernenergie an der Stromversorgung, der in der Bundesrepublik 34% beträgt, geht durch einen nur geringfügig steigenden Energieverbrauch eher zurück. Auch in Frankreich, wo die Kernkraftwerke 70% des Strombedarfs abdecken, ist der Bau weiterer Atomkraftwerke von der Regierung stark eingeschränkt worden.

Bundestag verabschiedet »Kronzeugenregelung«

21. April. Gegen die Stimmen der SPD, der Grünen und von sechs FDP-Abgeordneten verabschiedet der Bundestag in namentlicher Abstimmung das umstrittene Gesetz zur Verschärfung des Demonstrationsrechts sowie die »Kronzeugenregelung« bei terroristischen Straftaten. Die wichtigsten Gesetzesänderungen sind:
▷ Das Mindeststrafmaß für erpresserischen Menschenraub und Geiselnahme wird von drei auf fünf Jahre erhöht
▷ Mit Haft bis zu zehn Jahren kann bestraft werden, wer die Versorgung der Bevölkerung mit lebenswichtigen Gütern beeinträchtigt
▷ Der Haftgrund der Wiederholungsgefahr (Vorbeugehaft) wird auf besonders schwere Fälle von Landfriedensbruch ausgedehnt
▷ Vermummung und »passive Bewaffnung« (z. B. Schutzhelme), Zusammenrottungen oder die Teilnahme an verbotenen Versammlungen werden mit Strafe bedroht
▷ Mit der »Kronzeugenregelung« können terroristische Straftäter, die gegen Mittäter aussagen, mit Strafmilderung rechnen.

Juristen und Politiker warnen nach Verabschiedung des Gesetzes vor einer zunehmenden Aushöhlung der Rechte von Beschuldigten und Zeugen. Das Strafrecht dürfe nicht dazu herhalten, politische und soziale Probleme zu lösen.

Demonstration gegen den Pachtvertrag in der Hamburger Hafenstraße 1987; vermummtes Auftreten bei Demonstrationen oder auf dem Weg dahin stehen nun unter Strafe. Bislang wurde nur bestraft, wer trotz Aufforderung die Vermummung nicht ablegte.

U-Boot-Unfälle heruntergespielt

7. April. Ein sowjetisches Atom-U-Boot der »Mike«-Klasse gerät 190 km südwestlich der norwegischen Bäreninsel in Brand und sinkt auf den Meeresboden. 42 der 67 Besatzungsmitglieder kommen ums Leben.

Nach offiziellen sowjetischen Angaben konnten die beiden an Bord des Schiffes befindlichen Reaktoren noch rechtzeitig abgeschaltet werden. Vertreter der Umweltschutzorganisation Greenpeace fürchten jedoch, daß die Atomreaktoren dem Druck in rund 1500 m Meerestiefe nicht standhalten können. Sie fordern deshalb den Abtransport des U-Boot-Wracks.

Bereits am 26. Juni gerät wiederum ein sowjetisches Atom-U-Boot vom Typ »Echo II« vor der norwegischen Küste in Brand. Die Sowjetunion, die die Öffentlichkeit wie im März nur zögernd informiert, gibt wiederum an, daß der Atomreaktor abgeschaltet werden konnte. Das U-Boot kehrt aus eigener Kraft in seinen Heimathafen Murmansk zurück.

Keine Strafe für Uruguays Militärs

16. April. In Uruguay spricht sich die Bevölkerung in einem Referendum für die Beibehaltung der Amnestie aus, die den bis zum März 1985 regierenden Militärs Straffreiheit für Menschenrechtsvergehen garantiert.

Bei einer Wahlbeteiligung von 83% votieren knapp 53% für die im Dezember 1986 erlassene Amnestie, 40% fordern ein Gerichtsverfahren gegen die beschuldigten Militärs. 300 Offiziere stehen im Verdacht, während der Regierungszeit der Militärjunta (1973–1985) 120 bis 150 Menschen gefoltert und umgebracht zu haben. Nach Angaben von Amnesty International wurden 6000 tatsächliche oder angebliche Staatsfeinde verhaftet, überwiegend Mitglieder oder Anhänger der Stadtguerilla »Tupamaros«.

Das Abstimmungsergebnis wird international als Ausdruck der Angst interpretiert, das uruguayische Militär könnte bei einer Entscheidung gegen die Amnestie die Zivilregierung wieder stürzen.

Namibia erlangt Unabhängigkeit

1. April. In Windhuk (Namibia) trifft eine 4500 Mann starke Truppe der Vereinten Nationen ein. Sie soll die Loslösung der ehemaligen deutschen Kolonie Südwestafrika von Südafrika sichern. Namibia ist die letzte afrikanische Kolonie, die selbständig wird.

Der UNO-Plan beginnt mit dem Inkrafttreten eines Waffenstillstands zwischen der Unabhängigkeitsbewegung SWAPO und den südafrikanischen Truppen und soll im April 1990 mit der Bildung einer Regierung und dem Inkrafttreten der formellen Unabhängigkeit enden. Der weitere Zeitplan sieht u. a. die Aufhebung der Rassentrennungsgesetze bis Mitte Mai 1989 vor sowie die Rückkehr von etwa 41 000 Flüchtlingen aus Angola und Sambia. Am 1. November 1989 sollen Wahlen zu einer verfassunggebenden Versammlung stattfinden. Trotz verschiedener Verletzungen des Waffenstillstands wird an diesem Termin festgehalten (→ 6. 11./S. 109).

Kashoggi hinter Schweizer Gittern

18. April. Der saudi-arabische Waffenhändler Adnan Kashoggi wird auf Antrag der US-amerikanischen Behörden von der Schweizer Polizei in der Luxussuite des Berner Hotels »Schweizerhof« verhaftet.

Die USA beschuldigen den 54jährigen Kashoggi, der bis vor wenigen Jahren mit einem geschätzten Vermögen von drei bis vier Milliarden Dollar als der reichste Mann der Welt galt, für den philippinischen Ex-Diktator Ferdinand Marcos Millionen verschoben zu haben, die eigentlich dem südasiatischen Inselvolk gehören.

Nach 91 Tagen Untersuchungshaft im Berner Zentralgefängnis liefern die Schweizer Behörden den arabischen Lebemann Ende Juli an die USA aus. Dort wird er am 27. Juli gegen eine Kaution von 10 Millionen Dollar auf freien Fuß gesetzt. Bis zu seinem Prozeß im nächsten Jahr muß sich Kashoggi in seinem New Yorker Luxusappartment eine Überwachung per Computer gefallen lassen.

Schutzprogramm für Brasiliens tropische Regenwälder

7. April. Brasiliens Präsident José de Ribamar Sarney legt ein Programm zum Schutz der tropischen Regenwälder am Amazonas vor. Gleichzeitig lehnt er eine Alleinverantwortung der tropischen Länder für die rapide Zerstörung dieser »grünen Lunge« der Erde entschieden ab.

Das Programm sieht die Schaffung von Naturschutzgebieten und die Einrichtung einer Umweltstiftung vor. Die Abholzung des Urwaldes soll in Zukunft nicht mehr subventioniert, der Export von unbearbeitetem Holz verboten werden. Die Goldsuche, bei der Tausende von Weißen in Indiogebiete eindringen und die Umwelt zerstören, soll stärker reguliert werden, ebenso die Brandrodung des Dschungels durch Bauern und Viehzüchter. Sarney gibt die Hauptschuld an der globalen Umweltzerstörung den Industrieländern und verwahrt sich gegen deren »Bevormundung«.

In der weltweiten Dezimierung der Regenwälder, die Kohlendioxyd aufnehmen und in Sauerstoff umwandeln können, sehen Wissenschaftler eine Hauptursache für die Aufheizung der Erdatmosphäre, den sog. Treibhauseffekt.

Regenwälder auf dem Rückzug

Tropische Regenwälder

ursprünglicher Bestand

gegenwärtiger Bestand

Bestand im Jahr 2000 (bei Fortdauer der gegenwärtigen Vernichtungsrate)

0   1500   3000 km

© Der Spiegel/Harenberg

△ *Tropische Regenwälder bedecken etwa 17,5 Millionen km² oder 12% der Landoberfläche der Erde. Jährlich werden Urwaldgebiete von der doppelten Größe der Bundesrepublik gerodet, davon allein in Brasilien 20%. In Nigeria und an der Elfenbeinküste gibt es voraussichtlich im Jahr 2000 keinen Regenwald mehr.*

◁ *Gerodete Schneise im Dschungel Ecuadors. Eine Aufforstung einmal gerodeter Flächen ist kaum möglich, weil die nährstoffarmen Böden sofort weggeschwemmt werden. Daher sind auf die Dauer auch zahlreiche der 1,7 Millionen Tier- und Pflanzenarten der Tropen gefährdet.*

Mord im Krankenhaus

7. April. Eine der spektakulärsten Mordserien in der österreichischen Kriminalgeschichte wird mit der Verhaftung von drei Hilfsschwestern des Lainzer Krankenhauses in Wien bekannt. Gemeinsam mit einer weiteren Schwesternhelferin gestehen die Frauen im Alter zwischen 26 und 49 Jahren, mehr als 40 alte oder schwerkranke Patienten getötet zu haben.

Die 30jährige Hauptverdächtige gesteht, sie habe seit 1983 insgesamt 39 Patienten umgebracht. Sie habe ihnen entweder eine Überdosis Insulin oder Rohypnol injiziert oder sie unter Wasser erstickt.

Das Verbrechen löst in der Öffentlichkeit Entsetzen aus. Patienten des Lainzer Krankenhauses weigern sich zunächst, weitere Injektionen zu empfangen.

Der verantwortliche Chefarzt wird vom Dienst suspendiert, obwohl er selbst auf den Verdacht hin, in seiner Abteilung werde Insulin in Überdosen verabreicht, am 5. April die Untersuchungen in Gang gebracht hatte. Man wirft ihm jedoch vor, ein Jahr zuvor bei der Überprüfung eines ungeklärten Todesfalles auf seiner Station dringend notwendige weitere Nachforschungen unterlassen zu haben.

Das Verbrechen löst eine allgemeine Diskussion über die Pflegesituation in den österreichischen Krankenhäusern aus. Kritisiert wird insbesondere der akute Personalmangel auf den pflegeintensiven Stationen, der u. a. dazu führt, daß Hilfsschwestern Injektionen verabreichen, obwohl dies laut Gesetz verboten ist. Gefordert wird eine Entlastung des physisch überbeanspruchten Personals und psychologische Hilfestellung bei der oftmals deprimierenden Pflege von schwerstkranken Patienten.

Krankenhaus Lainz: Eingang zum V. Pavillon, Schauplatz der Morde

Erste (1876) und letzte (1989) Ausgabe der SPD-Wochenzeitung »Vorwärts«

»Vorwärts« wird eingestellt

14. April. Die SPD-Wochenzeitung »Vorwärts« wird 113 Jahre nach ihrer Gründung endgültig eingestellt. Der Parteivorstand in Bonn beschließt, das traditionsreiche Blatt künftig mit dem »Sozialdemokrat-Magazin« zusammenzulegen.

Der »Vorwärts« hatte im Vorjahr bei einer Auflage von 46 000 Verluste in Höhe von 4,5 Millionen DM erwirtschaftet. Der SPD-Vorstand lehnt das Angebot der 47 Mitarbeiter ab, die Zeitung unter eigener finanzieller Verantwortung weiterzuführen.

Viele Sozialdemokraten wollen das Blatt weiter aus der Parteikasse subventionieren. Der »Vorwärts« sei ein Stück Pressegeschichte und dürfe nicht wirtschaftlichen Überlegungen zum Opfer fallen.

Der 1876 gegründete »Vorwärts« durfte von 1878 bis 1890 aufgrund der Sozialistengesetze nicht erscheinen. Auch das NS-Regime verbot das SPD-Organ 1933, das bis 1940 in Prag und Paris als Exilblatt weitergeführt wurde. Die Neugründung erfolgte 1948 in Hannover.

Österreichs Ex-Kaiserin in Wien beerdigt

1. April. In der Wiener Kapuzinergruft wird Zita von Habsburg beigesetzt, die letzte österreichische Kaiserin und Königin von Ungarn. An den Trauerfeierlichkeiten für die im Alter von 96 Jahren verstorbene Ex-Kaiserin im Wiener Stephansdom nehmen rund 6000 Gäste teil, darunter viele Vertreter des Hochadels.

Zita, die 1916 zusammen mit ihrem Mann, Kaiser Karl I., den österreichischen Thron bestiegen hatte, mußte das Land bereits 1918 nach dem Zusammenbruch der Mittelmächte verlassen. Im Exil, wo ihr Mann 1922 starb, setzte sie sich für eine Rückkehr auf den Kaiserthron ein. Nach 64jähriger Verbannung konnte Zita erst im November 1982 wieder nach Österreich einreisen.

Die Trauerfeier im Stephansdom: Im Mittelpunkt der Sarg der ehemaligen Kaiserin, deren Herz jedoch im Schweizer Kloster Muri beigesetzt wird

Zita von Habsburg (r.) 1923 mit ihrem ältesten Sohn Otto

Mammutgewerkschaft für die Medien

15. April. Die IG Druck und Papier und die Gewerkschaft Kunst schließen sich auf einem Kongreß in Hamburg zur IG Medien – Druck, Papier, Publizistik und Kunst zusammen. Zum Vorsitzenden der Mediengewerkschaft, deren Sitz Stuttgart sein soll, wird der bisherige IG-Druck-Chef Erwin Ferlemann gewählt.

Ziel der erstmaligen Fusion zweier unabhängiger Mitgliedsgewerkschaften des Deutschen Gewerkschaftsbundes (DGB) ist die wirkungsvollere Interessensvertretung aller im Kulturbetrieb beschäftigten Arbeiter und Angestellten.

Dem Zusammenschluß gingen jahrelange Diskussionen voraus. Kritiker befürchten, daß in der geplanten Mammutorganisation, die mit 180 000 Mitgliedern an elfter Stelle der 16 DGB-Gewerkschaften steht, für eine wirksame Vertretung zu viele unterschiedliche Interessen aufeinanderstoßen würden.

Die weitreichenden Machtbefugnisse des Hauptvorstandes der neuen Gewerkschaft werden als zu zentralistisch angeprangert. Prominente Mitglieder des Verbandes deutscher Schriftsteller (VS), u. a. Günter Grass, traten Ende 1988 aus ihrer Organisation aus, weil sie fürchteten, ihr Verband würde als Mitglied der IG Medien zu wenig Mitspracherecht haben.

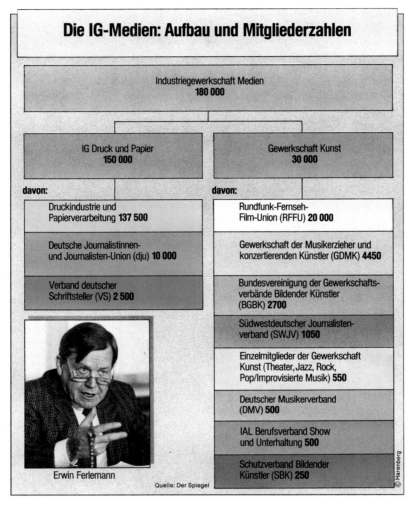

Die IG-Medien: Aufbau und Mitgliederzahlen

Industriegewerkschaft Medien **180 000**

IG Druck und Papier **150 000**

Gewerkschaft Kunst **30 000**

davon:

Druckindustrie und Papierverarbeitung **137 500**

Deutsche Journalistinnen- und Journalisten-Union (dju) **10 000**

Verband deutscher Schriftsteller (VS) **2 500**

davon:

Rundfunk-Fernseh-Film-Union (RFFU) **20 000**

Gewerkschaft der Musikerzieher und konzertierenden Künstler (GDMK) **4450**

Bundesvereinigung der Gewerkschaftsverbände Bildender Künstler (BGBK) **2700**

Südwestdeutscher Journalistenverband (SWJV) **1050**

Einzelmitglieder der Gewerkschaft Kunst (Theater, Jazz, Rock, Pop/Improvisierte Musik) **550**

Deutscher Musikerverband (DMV) **500**

IAL Berufsverband Show und Unterhaltung **500**

Schutzverband Bildender Künstler (SBK) **250**

Erwin Ferlemann

Quelle: Der Spiegel

© Harenberg

Streit um den Kölner »Bilderstreit«

8. April. In den Kölner Messehallen beginnt die Ausstellung »Bilderstreit«, in der auf einer Fläche von rund 10 000 m² mehr als 1000 Werke aus der Zeit von 1960 bis zur unmittelbaren Gegenwart gezeigt werden. Das ehrgeizige Projekt, das u. a. Bilder von Pablo Picasso, Andy Warhol, Joseph Beuys und Georges Braque umfaßt, soll nach dem Willen der Organisatoren Siegfried Gohr und Johannes Gachnang durch einen auf Widerspruch und Disharmonie angelegten Ausstellungsaufbau die konträren Standpunkte der neueren Kunst verdeutlichen. Dieses eigenwillige Konzept weckt den Widerspruch der Kunstszene.

Kunstkritiker bezeichnen die Ausstellung als »konzeptlose Prestigeschau«, weil Gohr und Gachnang das Motto der Ausstellung dazu benutzten, ihre ganz persönlichen Vorlieben als »Kunstregisseure« auszu-leben. Auch unter Künstlern und Kunsthändlern regt sich Widerstand gegen die allzu »wirre Superschau«. 33 Kölner Galeristen, die bei der Auswahl der Bilder die deutliche Bevorzugung einer Kölner Galerie festgestellt haben wollen, werfen der Ausstellungsleitung eine »Vermischung von marktpolitischen und pseudokunsthistorischen Intentionen« vor.

In einem der »Bilderstreit«-Räume werden eine Skulptur und vier Gemälde von Georg Baselitz (l.) mit einer Arbeit von Roy Lichtenstein (r.) konfrontiert.

Computerheld jagt Fernsehgangster

24. April. Der private Fernsehsender SAT 1 beginnt mit der Ausstrahlung einer futuristischen Satire auf die Fernsehindustrie, in deren Mittelpunkt der elektronisch erzeugte Computermann Max Headroom steht. Zusammen mit dem Starreporter Edison Carter jagt Max in einer nicht weit entfernten Zukunft Gangster, die mit Hilfe des Fernsehens die Welt regieren wollen.

Entwickelt wurde der elektronische Serienheld, der in den USA und Großbritannien bereits zur Kultfigur aufgestiegen ist, 1982 von dem Briten Peter Wagg und Computergraphik-Animateuren als Moderator für eine Musik-Video-Serie. Als Vorlage für ihr Kunstwesen benutzte das Team einen realen Schauspieler (Matt Frewer), dessen Bild mit Hilfe verschiedener elektronischer Tricks manipuliert wurde.

Max Headroom, in den Frewer sich mit Hilfe einer Latex-Maske, knallblauer Kontaktlinsen, einer gelben Perücke und eines Anzugs aus Fiberglas verwandelt, hatte als dreistfrecher Talkmaster von Showgrößen wie Jack Lemmon oder Boy George im britischen Channel 4 so großen Erfolg, daß er zunächst von Coca-Cola für Werbespots verpflichtet wurde und schließlich eine eigene Fernsehserie erhielt.

»Ära Karajan« in Berlin beendet

24. April. Herbert von Karajan, Chefdirigent des Philharmonischen Orchesters Berlin auf Lebenszeit, legt sein Amt nach fast 35jähriger Tätigkeit nieder. In seinem Kündigungsschreiben, das der 81jährige Star-Dirigent der Berliner Kultursenatorin Anke Martiny (SPD) in Salzburg überreicht, begründet er seinen Abschied mit seinem schlechten Gesundheitszustand, aber auch mit seinem Unmut über die ausgebliebene »grundsätzliche Festlegung« seiner Pflichten und Rechte durch die Berliner Kultusbürokratie. Karajans unerwartete Kündigung, die eine glanzvolle, in den letzten Jahren aber auch von Spannungen belastete Ära des Philharmonischen Orchesters beendet, führt zu der Entscheidung, für die Chefdirigenten des Orchesters keine Verträge auf Lebenszeit mehr abzuschließen.

Panik in Sheffield: 95 Tote

15. April. Im Sheffielder Fußballstadion Hillsborough ereignet sich die schwerste Katastrophe in der europäischen Sportgeschichte: Als die Polizei rund 4000 Spätankömmlinge, die sich vor dem Westtor gedrängt hatten, in das mit 54 000 Fußballanhängern ausverkaufte Stadion läßt, werden 95 Menschen, darunter viele Kinder, in der bereits überfüllten Westkurve von der hereinströmenden Menschenmasse erdrückt.

Die knapp drei Meter hohen Gitter und seitlichen eisernen Abgrenzungen an den Stehtribünen, die erst vor wenigen Jahren aus Sicherheitsgründen errichtet worden waren, um Schlachten zwischen konkurrierenden Fußballfans zu verhindern, werden zur Todesfalle.

Das laufende Halbfinalspiel um den englischen Fußballpokal zwischen dem FC Liverpool und Nottingham Forest wird abgebrochen, das Spielfeld muß zum Notlazarett für 170 zum Teil schwerverletzte Zuschauer umfunktioniert werden.

Langfristig bedeuten die Ereignisse von Sheffield für den englischen Fußball einen schweren Rückschlag. Vier Tage zuvor beschloß die

europäische Fußball-Vereinigung UEFA die Wiederzulassung der britischen Fußballclubs zu den Europapokal-Wettbewerben, von denen sie nach den blutigen Zwischenfällen im Brüsseler Heysel-Stadion im Mai 1985 ausgeschlossen worden waren.

Krawalle und Katastrophen

24. 5. 1964: Nach einem Sieg Argentiniens über Peru kommen in Lima 350 Zuschauer bei Krawallen ums Leben, 500 werden verletzt.

2. 1. 1971: 66 Fußball-Fans stürzen in den Tod, als im Ibrox Park in Glasgow nach dem Lokalderby Rangers gegen Celtic ein Geländer bricht.

11. 5. 1985: Bei dem Brand einer Tribüne im Stadion von Bradford in Nordengland sterben 56 Menschen.

29. 5. 1985: Im Brüsseler Heysel-Stadion lösen angreifende englische Fußballrowdys eine Panik aus, bei der 39 Personen ums Leben kommen; 450 werden verletzt.

12. 3. 1988: Ein Unwetter erzeugt unter den Zuschauern eines Fußballspiels in Katmandu eine Massenhysterie: Zu beklagen sind mehr als 90 Tote und 100 Verletzte.

Angehörige der Krawallopfer trauern vor dem Fußballtor des Hillsborough-Stadions, hinter dem sich die Tragödie ereignete.

Streit um die Konsequenzen der Fußball-Katastrophe

Die Katastrophe von Sheffield läßt in Großbritannien erneut eine Diskussion um die Sicherheit in den Fußballstadien aufkommen. Die britische Regierung reagiert auf das Unglück mit dem Beschluß, ohnehin geplante Kennkarten für die Fußballfans früher als vorgesehen einzuführen. Mit diesen maschinenlesbaren Ausweisen, die von den Zuschauern ab Anfang 1990 vorgezeigt werden müssen, sollen gewalttätige Fans, die der Polizei bekannt sind, von den Fußballarenen ferngehalten werden.

Sowohl der englische Fußballverband als auch Politiker aller Parteien halten diese Maßnahme der Regierung jedoch für verfehlt. Sie befürchten u. a., daß die Kontrolle der Karten für lange Schlangen und Unruhe vor den Stadioneingängen sorgen wird. Eine solche Drängelei hat aber in Sheffield gerade zur Katastrophe geführt.

Experten halten eine Überprüfung und Renovierung der britischen

Fußballstadien für wesentlich vordringlicher als die Einführung von Ausweisen. Viele der Sportarenen stammen noch aus spätviktorianischer Zeit. Von den Millionenbeträgen des Fußballgeschäfts wurde nur wenig in die Sportstätten investiert. Holztribünen und die um besonders

unruhige Blöcke gezogenen Stahlgitter, die in Sheffield zur Todesfalle wurden, machen aus vielen solcher »Slumstadien« Zeitbomben.

Sozialwissenschaftler vermuten, daß die trostlose Umgebung des Sheffielder Stadions bei den Fans zusätzlich Aggressionen weckt.

Todesfalle für viele Sheffielder Zuschauer: Die käfigartigen Gitter um die Stehplätze

Deutsches Tischtennis-Doppel holt Weltmeistertitel

9. April. Bei den 40. Tischtennis-Weltmeisterschaften in der Dortmunder Westfalenhalle gewinnen Jörg Roßkopf und Steffen Fetzner sensationell den Titel im Herren-Doppel. Damit werden zum ersten Mal Spieler aus der Bundesrepublik in dieser Sportart Weltmeister. Fetzner und Roßkopf schlagen im Finale das polnisch-jugoslawische Duo Leszek Kucharski/Zoran Kalinic in drei Sätzen mit 18:21, 21:17 und 21:19. Nachdem der vierte Matchball im letzten Satz verwandelt ist, laufen die frischgebackenen Weltmeister vor den 10 000 begeisterten Zuschauern spontan eine Ehrenrunde. Die eigentliche Sensation schafften die Deutschen bereits im Halbfinale, als sie die Chinesen Chen Langcan/Wei Qingqang, die als bestes Doppel der Welt gelten, in drei Sätzen schlugen. Die Titel im Einzel gewinnen Jan-Ove Waldner (Schweden) bei den Männern und Quiao Hong (China) bei den Frauen.

△ *Steffen Fetzner schlägt im Finale der Tischtennis-WM auf, während Partner Jörg Roßkopf gespannt zuschaut. Der 20jährige »Speedy« Fetzner und der ein Jahr jüngere Roßkopf spielen nicht nur seit 1982 zusammen Tischtennis, sondern halten auch eine gemeinsame Wohnung.*

▷ *Fetzner (l.) und Roßkopf präsentieren den Weltmeisterpokal. Auch im Medienrummel, der ihrem Finalsieg folgt, zeigen sich die beiden als Profis, die – mal lässig, mal blödelnd – die Dinge im Griff haben.*

UdSSR stellt wieder beste Eishockey-Mannschaft

30. April. Olympiasieger UdSSR holt sich bei den Eishockey-Weltmeisterschaften in Stockholm zum 21. Mal den Titel.

Im entscheidenden Spiel gegen Kanada behalten die sowjetischen Stars in einer hochklassigen Partie mit 5:3 die Oberhand. Kanada belegt in der Endabrechnung den zweiten Platz vor der ČSSR und Titelverteidiger Schweden.

Trotz ihrer Seriensiege steht der Titelgewinn für die Sowjets diesmal unter einem besonderen Stern. Nach heftigen Auseinandersetzungen mit den Stars Igor Larionow und Wjatscheslaw Fetisow, der seinem Coach »unmenschliches Verhalten« vorwarf, verbannte Trainer Viktor Tichonow Fetisow aus der Mannschaft, mußte ihn dann aber auf deren Druck hin wieder zurückholen und sogar als Kapitän akzeptieren. Um so größer ist der Jubel nach dem WM-Gewinn, den Tichonow als den »glücklichsten Moment nach der schwierigsten Phase« seines Lebens bezeichnet. Für die sowjetischen Spitzenspieler öffnet sich mit diesem versöhnlichen Schlußpunkt die Tür zu der ersehnten Freigabe für die beste Eishockeyliga der Welt, die nordamerikanische National Hockey League (NHL).

Weniger glücklich fährt das bundesdeutsche Team zurück in die Heimat: Erst im letzten Spiel schaffte die Mannschaft um Trainer Xaver Unsinn durch ein schwer erkämpftes 2:0 gegen Polen den siebten Platz unter den insgesamt acht teilnehmenden Teams. Sie vermeidet damit den Abstieg in die B-Gruppe. Nach zwei relativ erfolgreichen Jahren und vielversprechenden Unentschieden gegen die ČSSR und Schweden zum Auftakt der Weltmeisterschaft bedeutet diese Plazierung eine Enttäuschung.

Blick auf die »Stockholm Globe Arena«, Hauptaustragungsort der 53. Eishockey-Weltmeisterschaft in Schweden. Mit einer Höhe von 85 m und einem Durchmesser von 112 m ist die Stahlkonstruktion das größte Kuppelgebäude der Welt. 14 000 Zuschauer finden in der futuristisch anmutenden Halle Platz. Daß sie eigens aus Anlaß der Eishockey-WM errichtet wurde, illustriert die Bedeutung, die dieser Sport in Schweden hat.

Mai 1989

Mo	Di	Mi	Do	Fr	Sa	So
1	2	3	4	5	6	7
8	9	10	11	12	13	14
15	16	17	18	19	20	21
22	23	24	25	26	27	28
29	30	31				

1. Mai, Maifeiertag

Bei einer von »autonomen« Gruppen veranstalteten »Revolutionären 1. Mai-Demonstration« kommt es in den West-Berliner Bezirken Kreuzberg und Neukölln zu gewalttätigen Auseinandersetzungen mit der Polizei.

Mit knapper Mehrheit sprechen die Männer des Schweizer Kantons Appenzell Außerrhoden den Frauen das Stimmrecht zu. → S. 40

2. Mai, Dienstag

In West-Berlin tagt der Deutsche Ärztetag. Erstmals thematisiert die Versammlung die Nazi-Vergangenheit von deutschen Medizinern.

Ungarn beginnt mit dem im März angekündigten Abbau von Überwachungsanlagen und Stacheldraht an der Grenze zu Österreich.

3. Mai, Mittwoch

Nach Meinungsverschiedenheiten im Kabinett über die Finanzierung des Umweltschutzes tritt der niederländische Ministerpräsident Ruud Lubbers (Christlich-Demokratischer Appell) zurück.

Die australische Pop-Gruppe »Bee Gees« beginnt in Dortmund ihre Europa-Tournee. → S. 41

4. Mai, Christi Himmelfahrt

Auf einer Ozon-Konferenz in Helsinki einigen sich die 79 Teilnehmerstaaten auf eine weltweite Begrenzung des Ausstoßes von Fluorchlorkohlenwasserstoffen (FCKW). → S. 40

5. Mai, Freitag

Wegen illegaler Schwangerschaftsabbrüche wird der Frauenarzt Horst Theissen vom Landgericht Memmingen zu zweieinhalb Jahren Freiheitsstrafe und einem dreijährigen Berufsverbot verurteilt. → S. 39

6. Mai, Samstag

Vor einer als niveauarm eingestuften Konkurrenz gewinnt die jugoslawische Gruppe »Riva« das 34. Eurovisions-Schlagerfestival in Lausanne.

7. Mai, Sonntag

Bei einer Wahlbeteiligung von 98,77 Prozent (1984: 99,38%) stimmen 98,85 Prozent der Wähler bei den Kommunalwahlen in der DDR für die Kandidaten der Nationalen Front, den Zusammenschluß aller Parteien unter Führung der SED. Mehrere Bürger stellen daraufhin Anzeige wegen vermuteter Wahlfälschung (→ 18. 10./S. 78).

Die Präsidentenwahl in Panama bringt kein klares Ergebnis. → S. 40

8. Mai, Montag

János Kádár (76), ehemaliger ungarischer KP-Chef (1956–88), wird von seinem Amt als Ehrenpräsident entbunden und verliert damit auch seine letzte Parteifunktion (→ 16. 6./S. 47).

9. Mai, Dienstag

Beim Besuch des nicaraguanischen Staatspräsidenten Daniel Ortega in Bonn zeigt die Bundesregierung keine Bereitschaft, die Entwicklungshilfe für das mittelamerikanische Land wiederaufzunehmen.

10. Mai, Mittwoch

In Cannes werden die 42. Filmfestspiele eröffnet. Die »Goldene Palme« erhält am → 23. Mai (S. 41) der Film »Sex, Lies and Videotape« von Steven Soderbergh (USA).

11. Mai, Donnerstag

Der sowjetische Parteichef Michail Gorbatschow bietet den einseitigen Abzug von 500 atomaren Kurzstreckenraketen aus Europa an (→ 30. 5./S. 37).

12. Mai, Freitag

Die 39 noch im Hungerstreik befindlichen Häftlinge der Rote Armee Fraktion brechen ihre Aktion ab, die sie am → 1. Februar (S. 15) begonnen hatten.

Der Automobilclub ADAC steigt in das Geschäft mit Kreditkarten ein. → S. 39

Vier der fünf Insassen eines Privatflugzeuges vom Typ Beechcraft kommen beim Absturz auf ein unbewohntes Haus in München-Kirchtrudering ums Leben.

13. Mai, Samstag

Auf dem Pekinger Platz des Himmlischen Friedens beginnt ein Hungerstreik mehrerer tausend Studenten, die mehr Demokratie und Pressefreiheit fordern. → S. 37

14. Mai, Pfingstsonntag

Aus der Präsidentenwahl in Argentinien geht der Peronist Carlos Saul Menem (58) als Sieger hervor. → S. 40

15. Mai, Pfingstmontag

Der sowjetische Staats- und Parteichef Michail Gorbatschow trifft zu einem Besuch der Volksrepublik China in Peking ein. Der Besuch ist überschattet von Studentenprotesten gegen die Pekinger Führung (→ 13. 5./S. 37).

16. Mai, Dienstag

Die katholische Kirche fordert in Rom internationale Gesetze gegen Pornographie in den Medien.

17. Mai, Mittwoch

Nach 64 Tagen Prozeßdauer verurteilt das Frankfurter Landgericht den Libanesen Mohammad Ali Hamadi zu lebenslanger Haft. → S. 38

18. Mai, Donnerstag

Bei einem Großbrand in einer Hamburger Raffinerie kommt ein Arbeiter um.

19. Mai, Freitag

Der christdemokratische italienische Ministerpräsident Ciriaco De Mita (61) tritt zurück und zieht damit die Konsequenzen aus der Kritik des sozialistischen Koalitionspartners an seiner Amtsführung.

20. Mai, Samstag

Großbritannien weist elf sowjetische Diplomaten und Journalisten wegen Spionagevorwurfs aus. Moskau antwortet mit der Ausweisung der gleichen Anzahl britischer Diplomaten und Journalisten und verfügt die Reduzierung des Personals der britischen Botschaft.

Der Daimler-Benz-Konzern gründet seine neue Zwischenholding, die Deutsche Aerospace, in München. Die Gesellschaft übernimmt die bisherigen Daimler-Anteile am Luft- und Raumfahrtkonzern Dornier sowie das Triebwerkunternehmen MTU (→ 8. 9./S. 72).

Im spanischen Prozeß um vergiftetes Speiseöl werden unerwartet milde Urteile ausgesprochen. Nur 13 der 37 Angeklagten werden zu Haft- und Geldstrafen verurteilt. Das Gericht macht das Öl für den Tod von über 750 Menschen und die Erkrankung weiterer fast 25 000 verantwortlich.

21. Mai, Sonntag

Auf einer Außenministerkonferenz in Casablanca (Marokko) wird Ägypten wieder in die Arabische Liga aufgenommen. Nach seinem Separatfrieden mit Israel war es 1979 aus der Organisation ausgeschlossen worden.

22. Mai, Montag

Die Warschauer-Pakt-Staaten schlagen der NATO die gleichzeitige Auflösung der beiden Militärbündnisse vor.

23. Mai, Dienstag

Bundespräsident Richard von Weizsäcker wird mit 86,2 Prozent der Stimmen wiedergewählt. Es ist nach der Wiederwahl von Theodor Heuss 1954 (88,2%) das zweitbeste Ergebnis, das ein Staatsoberhaupt in der Geschichte der Bundesrepublik erzielte. → S. 38

In der »Flüssigeiaffäre« spricht das Stuttgarter Landgericht dem schwäbischen Teigwarenhersteller Birkel einen Anspruch auf Schadenersatz gegenüber dem Land Baden-Württemberg zu. Dieses hatte im August 1985 vor Produkten der Firma gewarnt, die angeblich »mikrobiell verdorben« seien.

24. Mai, Mittwoch

Zum 40jährigen Bestehen der Bundesrepublik Deutschland findet in Bonn ein Staatsakt statt. → S. 38

25. Mai, Donnerstag

Der sowjetische Parteichef Michail Gorbatschow wird auf der konstituierenden Sitzung des neuen Kongresses der Volksdeputierten zum Staatspräsidenten gewählt. → S. 37

26. Mai, Freitag

Nach einer spektakulären Flucht mit einem Ultraleichtflugzeug landet ein Ostberliner im Westen der Stadt vor dem Reichstagsgebäude.

27. Mai, Samstag

Ein Erich-Maria-Remarque-Archiv wird in Osnabrück, der Heimatstadt des Schriftstellers, eröffnet.

28. Mai, Sonntag

Die Ausstellung »Europa und der Orient 800–1900« beginnt im Berliner Martin-Gropius-Bau. → S. 41

29. Mai, Montag

Der italienische Dirigent Giuseppe Patané (57) stirbt im Orchestergraben der Bayerischen Staatsoper in München während einer Aufführung der Rossini-Oper »Der Barbier von Sevilla« an akutem Herzversagen.

30. Mai, Dienstag

Zum Abschluß des NATO-Gipfels in Brüssel einigen sich die USA und die Bundesrepublik auf einen Kompromiß in der Frage atomarer Kurzstreckenraketen. → S. 37

US-Präsident George Bush trifft zu einem Besuch der Bundesrepublik in Bonn ein. → S. 38

Auf einer Umweltministerkonferenz sechs mitteleuropäischer Staaten und der UdSSR in Prag wird vereinbart, in West- und Osteuropa einheitliche Normen für die Verschmutzung von Luft und Wasser aufzustellen.

Die Berliner Philharmoniker spielen unter der Leitung des US-amerikanischen Dirigenten James Levine erstmals seit dem Bau der Mauer in Ost-Berlin.

31. Mai, Mittwoch

Bundesarbeitsminister Norbert Blüm (CDU) stellt ein Programm für Langzeitarbeitslose vor. → S. 39

Auf einen Blick:

Die Zahl der Arbeitslosen in der Bundesrepublik beträgt 1 947 464, das entspricht einer Quote von 7,6% (Mai 1988: 8,4%).

Die Verbraucherkosten in der Bundesrepublik liegen um 3,1% höher als im Mai 1988.

TV-Hit im Mai:

Die höchste Einschaltquote erreichte die ZDF-Unterhaltungsserie »Wetten, daß . . ?« am 13. 5. (17,14 Mio. Zuschauer = 44%).

»Raketenstreit« in Brüssel beigelegt

30. Mai. Zum Abschluß des NATO-Gipfeltreffens in Brüssel einigen sich die Mitglieder des nordatlantischen Verteidigungsbündnisses auf einen Kompromiß im sog. Raketenstreit, der in den letzten Monaten besonders die Beziehungen zwischen den USA und der Bundesrepublik schwer belastet hat.

In der von den Außenministern der 16 NATO-Staaten ausgearbeiteten Schlußerklärung des Gipfels wird festgelegt, daß die sog. Modernisierung der umstrittenen nuklearen Kurzstreckenraketen zunächst bis 1992 aufgeschoben wird. Die Entscheidung darüber, ob neue Systeme die jetzt stationierten Lance-Raketen ersetzen sollen oder nicht, wird vom Erfolg der im März begonnenen Verhandlungen über konventionelle Streitkräfte in Europa (KSE) abhängig gemacht. Nur wenn die KSE-Gespräche innerhalb eines Jahres zu einer deutlichen Verringerung der konventionellen Überlegenheit des Warschauer Pakts führen, will die NATO über nukleare Kurzstreckenraketen verhandeln.

In der Bundesrepublik setzen sich sowohl Regierung als auch Opposition für Verhandlungen zur Reduzierung der 700 hier stationierten Kurzstreckenraketen ein. Nach dem Vertrag über den Abbau der Mittelstreckenwaffen in Europa (1987) und angesichts einer möglichen Einigung bei den im Juni beginnenden START-Verhandlungen über Langstreckenraketen stellen die Lance-Systeme nach Meinung vieler bundesdeutscher Politiker eine zunehmende Einengung des Kriegsrisikos auf die beiden deutschen Staaten dar. In den USA dagegen, wo bereits die Vorbereitungen zum Bau einer neuen Generation von Kurzstreckenraketen laufen, will man diese Waffen als Faustpfand gegen die konventionelle Stärke des Warschauer Pakts nicht aus der Hand geben. Als Zeichen des sowjetischen Abrüstungswillens kündigte Staats- und Parteichef Michail Gorbatschow am 11. Mai den einseitigen Abzug von 500 atomaren Kurzstreckenraketen der UdSSR aus Osteuropa noch im Jahr 1989 an.

Michail Gorbatschow spricht vor dem Volksdeputiertenkongreß.

Als Generalsekretär des Bündnisses leitet Manfred Wörner (M.) das NATO-Gipfeltreffen der 16 Vertragsstaaten in Brüssel.

Gorbatschow nun auch Präsident

25. Mai. Auf der konstituierenden Sitzung des neuen Kongresses der Volksdeputierten in Moskau (→ 26. 3./S. 22) wird Parteichef Michail Gorbatschow (58) nach einer heftigen Debatte mit 96% der Stimmen zum Staatspräsidenten der UdSSR gewählt. Die Machtfülle des neuen Amtes wird von verschiedenen Deputierten, u. a. von dem Bürgerrechtler Andrei Sacharow, scharf kritisiert.

Chinas Studenten hungern für mehr Mitbestimmung

13. Mai. Mehrere tausend Studenten beginnen auf dem Pekinger Platz des Himmlischen Friedens mit einem Hungerstreik. Die Aktion bildet den vorläufigen Höhepunkt von Protesten der akademischen Jugend Chinas, die seit Mitte April mit Demonstrationen mehr Demokratie, Achtung der Menschenrechte und die Anerkennung der unabhängigen Studentenverbände fordern.

Hintergrund der politischen Krise in China sind u. a. die wachsenden wirtschaftlichen Probleme wie Inflation und rasende Preisentwicklungen sowie die Weigerung der chinesischen Führung unter Deng Xiaoping, der 1979 eingeleiteten wirtschaftlichen Liberalisierung politische Reformen folgen zu lassen. Auch die Korruption auf allen Ebenen wird angegriffen.

Seit Anfang der 80er Jahre fanden u. a. durch den Auslandsaufenthalt zahlreicher Studenten und Akademiker Ideen westlicher Ideologien verstärkt Eingang in die innenpolitische Diskussion. Die Versuche der chinesischen Führung, diese liberalen Tendenzen zu unterdrücken, bewirken eher das Gegenteil: Immer stärker wird das Bewußtsein der Intellektuellen, Vertreter einer demokratischen Bewegung zu sein.

Der anhaltende Streik der Studenten überschattet Mitte Mai den Besuch des sowjetischen Staats- und Parteichefs Michail Gorbatschow in China. Als die Demonstranten schließlich den Rücktritt des 84jährigen Oberbefehlshabers der chinesischen Armee, Deng, fordern, beginnt das Pekinger Regime, gegen die Studenten vorzugehen (→ 4. 6./S. 43).

△ *Mit der Parole: »Absolute Macht korrumpiert absolut« protestieren Chinesen in Peking gegen die Einparteienherrschaft der KP.*

◁ *Aus Gips haben Studenten diese »Göttin der Demokratie« geschaffen.*

40 Jahre Grundgesetz: Staatsakt in Bonn

24. Mai. In einem Staatsakt zum 40jährigen Bestehen der Bundesrepublik Deutschland fordert Bundespräsident Richard von Weizsäcker die Bürger zum Mitwirken im Staat auf. Er warnt u. a. vor einer »Vollkasko-Mentalität« auf Kosten des Gemeinwohls.

Vor mehr als 1700 Ehrengästen in der Bonner Beethovenhalle geht von Weizsäcker auf die Bewährung der Verfassung in der Geschichte der Bundesrepublik ein. Das Grundgesetz schütze die Würde des Menschen und dessen Grundrechte, doch sei es nicht Motor gesellschaftlicher Veränderungen: »Auch die

Freiheits- und Grundrechte leben von dem, was wir aus ihnen machen. Sie verkümmern, wenn wir sie nur als eigene Ansprüche gegen den Staat verstehen . . . Mit der Verfassung allein ist kein Staat zu machen, sondern mit unserer Verantwortung für den Staat, das heißt füreinander; denn der Staat, das sind wir selber.« Mit warnendem Unterton geht der Bundespräsident auf die Rolle der Parteien ein: »Nicht ihre Selbstherrlichkeit ist die große Gefahr, sondern eher, daß sie auf der Suche nach Stimmen allzu viele Wünsche gleichzeitig erfüllen wollen.«

In seinen Ausführungen zur Weltpo-

litik fordert von Weizsäcker die westlichen Verbündeten zu einer »systemöffnenden Zusammenarbeit« mit dem Osten auf. Denn die »wahrhaft historische Chance zu einem Wandel« müsse genutzt werden, »denn die Geschichte pflegt ihre Angebote nicht zu wiederholen«.

Vor von Weizsäcker hatte auch Bundestagspräsidentin Rita Süssmuth (CDU) das Grundgesetz in seiner Bedeutung für die politische Entwicklung der bundesdeutschen Nachkriegszeit gewürdigt: »Unsere wichtigste Leistung: Wir sind zu Demokraten geworden – entgegen der 1945 verbreiteten Skepsis. 40 Jahre – das ist noch eine junge Demokratie, aber die dauerhafteste und tragfähigste, die wir je hatten.«

Bundesratspräsident Björn Engholm (SPD) fordert zu mehr Nachdenklichkeit auf: »Zwar ist die Bundesrepublik eines der reichsten Länder . . . in der Verteilung des Wohlstands und in der Fähigkeit zur politischen Nächstenliebe bleibt [aber] manches zu wünschen übrig. Zu viele fallen aus dem Wohlstands-Kontext heraus, und zu ungerührt nehmen wir das hin . . . Natürlich sind wir stolz auf unsere Exportfähigkeit, wir genießen die alljährliche Reise ins Ausland und schätzen die ausländische Küche hierzulande. Aber wenn es um die Integration ausländischer Mitbürgerinnen und Mitbürger geht, dann probt manche deutsche Seele den Aufstand.«

US-Präsident Bush (l.) und Kanzler Kohl auf einem Rheinschiff

US-Präsident Bush erstmals in Bonn

30. Mai. US-Präsident George Bush trifft zu einem zweitägigen Besuch der Bundesrepublik in Bonn ein. Höhepunkt des Kurzbesuchs ist eine Rede Bushs in Mainz, in der dieser ein »weniger militarisiertes Europa« fordert. Die Chance zur Abrüstung und zum Dialog mit dem Osten müsse genutzt werden, um »die Selbstbestimmung für ganz Deutschland und alle Völker Osteuropas« zu erreichen. Unumgänglich sei dabei der Abriß der Berliner Mauer, dem »Monument für das Scheitern des Kommunismus«.

Bundespräsident Richard von Weizsäcker bei seiner Festrede

Bundesadler mit Länderwappen; Erinnerungsblatt zum Jubiläum

Richard von Weizsäcker bleibt Präsident

23. Mai. Bundespräsident Richard von Weizsäcker (69) wird von der Bundesversammlung in der Bonner Beethovenhalle mit großer Mehrheit in seinem Amt bestätigt.

Der seit 1984 amtierende Präsident erhält 881 der 1019 gültigen Stimmen, 108 Delegierte votieren mit Nein, und 30 enthalten sich. CDU/CSU, SPD und FDP hatten sich für seine Wiederwahl ausgesprochen. Auch die Hälfte der 67 Grünen wollte ihn unterstützen. Die Mehrheit der Nein-Stimmen und Enthaltungen wird daher bei Unionsabgeordneten vermutet, die mit den liberalen Positionen und dem bewußt politischen Amtsverständnis des früheren CDU-Politikers nicht einverstanden sind.

Erstmals stimmten bei einer Bun-

despräsidentenwahl auch von den Parteien nominierte Prominente. Die CDU entsandte den Fußballer Pierre Littbarski und den Dressurreiter Reiner Klimke, die SPD holte sich Unterstützung bei dem Schauspieler Helmut Fischer und dem Kabarettisten Dieter Hildebrandt.

Der wiedergewählte Bundespräsident Richard von Weizsäcker bedankt sich in der Bonner Beethovenhalle bei der Bundesversammlung. Mit 86,2% der Stimmen kann er das Ergebnis seiner ersten Wahl 1984 um 5,3% verbessern.

Lebenslänglich für Mohammad Hamadi

17. Mai. Der zur radikalen schiitischen Organisation Hisbollah gerechnete Libanese Mohammad Ali Hamadi wird von der Großen Strafkammer des Landgerichts Frankfurt zu einer lebenslangen Freiheitsstrafe verurteilt.

Das Gericht hält den 25jährigen für schuldig, am 14. Juni 1985 zusammen mit einem Komplizen ein US-Verkehrsflugzeug auf dem Flug von Athen nach Rom entführt zu haben und an der Ermordung eines Passagiers beteiligt gewesen zu sein.

Schiitische Geiselnehmer hatten 1987/88 vergeblich versucht, Hamadi mit der Entführung der im Libanon arbeitenden Bundesbürger Alfred Schmidt und Rudolf Cordes freizupressen.

Empörung über Abtreibungsurteil

5. Mai. Die Erste Strafkammer des Landgerichts Memmingen verurteilt den 50jährigen Frauenarzt Horst Theissen wegen illegaler Schwangerschaftsabbrüche zu einer Gefängnisstrafe von zweieinhalb Jahren und verhängt ein dreijähriges Berufsverbot. Die Verteidiger Theissens kündigen Revision an. Das Urteil löst bei weiten Teilen der Öffentlichkeit Empörung aus.

Nach Ansicht des Gerichts hat der Gynäkologe in 36 Fällen eine Schwangerschaft unterbrochen, ohne daß eine Notlage bestand und 39 weitere Eingriffe ohne hinreichende Indikationsfeststellung vorgenommen. In die Strafe einbezogen ist eine einjährige Freiheitsstrafe wegen Steuerhinterziehung. Der Vorsitzende Richter Albert Barner verbindet die Urteilsbegründung mit persönlichen Angriffen auf den Angeklagten, den er als »Überzeugungs- und Gesinnungstäter« bezeichnet. Theissen habe die vom § 218 geforderte Güterabwägung zwischen dem Wert des werdenden Lebens und dem Selbstbestimmungsrecht der Frau versäumt und allein nach den Wünschen der Frauen entschieden.

Der Gynäkologe Horst Theissen (l.) im Gespräch mit Pressevertretern und Prozeßbesuchern, die ihm zum größten Teil ihre Solidarität bekunden

Im Laufe des Prozesses hatte das Gericht in 79 Fällen von Schwangerschaftsunterbrechung darüber entschieden, ob eine Notlage vorlag oder nicht. Dabei sahen sich die betroffenen Frauen z. T. höchst peinlichen Befragungen ausgesetzt. Die Anwälte Theissens bauten ihre Verteidigung daher auf der These auf, daß die Feststellung einer Notlage allein vom Arzt getroffen und vom Gericht nicht nachträglich überprüft werden könne.

Der Fall Theissen hatte Abtreibungsgegner wie -befürworter auf den Plan gerufen. Die liberale Presse sprach von einem »Schauprozeß«, mit dem ein Exempel statuiert werden sollte. Frauen würden mit dem Urteil gedemütigt und bevormundet. Offensichtlich solle ein Exempel statuiert werden, damit Ärzte eingeschüchtert würden. Am Rande des Prozesses war es immer wieder zu Demonstrationen von Abtreibungsgegnern gekommen, die eine harte Bestrafung forderten.

Programm gegen Arbeitslosigkeit

31. Mai. Bundesarbeitsminister Norbert Blüm (CDU) einigt sich mit Vertretern von Arbeitgebern, Gewerkschaften, Kirchen, Kommunen und Wohlfahrtsverbänden auf ein Programm zur Bekämpfung der Langzeitarbeitslosigkeit.

Das Konzept sieht vor, den Arbeitgebern vom 1. Juli an Lohnkostenzuschüsse von 1,5 Milliarden DM zur Verfügung zu stellen, wenn sie Arbeitnehmer einstellen, die länger als ein Jahr ohne Beschäftigung sind. Mit weiteren 250 Millionen DM will der Bund Arbeitgeber fördern, die schwer vermittelbare Arbeitslose einstellen oder beruflich qualifizieren. Die Arbeitsämter übernehmen dabei innerhalb des ersten Jahres bis zu 80% des Arbeitslohns. Der Gesamtbetrag soll für die Einstellung von 70 000 der rund 700 000 Langzeitarbeitslosen ausreichen.

Arbeitgeber und Gewerkschaften warnen vor überzogenen Erwartungen. DGB-Chef Ernst Breit verspricht sich noch keine Lösung des Problems, und Arbeitgeberpräsident Klaus Murmann bewertet die angebotenen Lohnkostenzuschüsse als zu wenig attraktiv, um minderqualifizierte Arbeitslose einzustellen.

Marktanteil von Kredit- und Kundenkarten nimmt weiter zu

12. Mai. Die wachsende Konkurrenz auf dem Kreditkartenmarkt wird durch einen neuen Anbieter noch verschärft: Der Allgemeine Deutsche Automobil-Club (ADAC) bietet seinen Mitgliedern die ADAC Visa-Card an.

Kreditkarten-Gesellschaften, Geldinstitute und große Unternehmen sind bemüht, den in der Bundesrepublik noch bescheidenen Anteil von Kredit- und Kundenkarten am Geldverkehr anzuheben. Werbekampagnen sollen dazu beitragen, diesen Nachholbedarf zu beschleunigen. Preissenkungen beim bundesdeutschen Marktführer Eurocard, der die Kartengebühr von 100 DM auf 60 DM senkte, sowie zusätzliche Leistungen zielen darauf ab, diese Form des bargeldlosen Zahlungsverkehrs attraktiver zu machen. Neben den Kreditkarten Eurocard/Mastercard, Visa, American Express und Diners Club mit über

120 000 Vertragsunternehmen sind rund 200 sog. Kundenkarten von Kaufhäusern, Hotelketten, Tankstellen und Fluggesellschaften auf dem Markt.

1200 Kreditkarten im Angebot: Werbung auf der Buchmesse

Der Vormarsch der Plastikkarten wird jedoch nicht nur positiv gesehen. Verbraucherverbände befürchten Datenmißbrauch und weisen warnend darauf hin, daß

Kartenbenutzer erfahrungsgemäß mehr Geld ausgeben als Barzahler. Händler beklagen die hohen Provisionen (2 – 5%) und die z. T. schleppende Abrechnungspraxis.

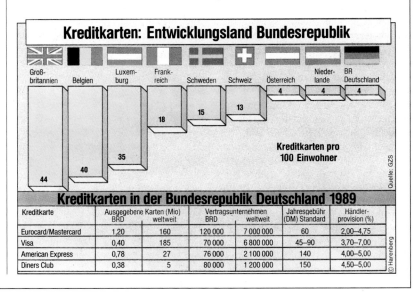

Kreditkarten: Entwicklungsland Bundesrepublik

Kreditkarten pro 100 Einwohner

Großbritannien	Belgien	Luxemburg	Frankreich	Schweden	Schweiz	Österreich	Niederlande	BR Deutschland
44	40	35	18	15	13	4	4	4

Quelle: GZS

Kreditkarten in der Bundesrepublik Deutschland 1989					
Kreditkarte	Ausgegebene Karten (Mio) BRD	weltweit	Vertragsunternehmen BRD	weltweit	Jahresgebühr (DM) Standard	Händlerprovision (%)
Eurocard/Mastercard	1,20	160	120 000	7 000 000	60	2,00–4,75
Visa	0,40	185	70 000	6 800 000	45–90	3,70–7,00
American Express	0,78	27	76 000	2 100 000	140	4,00–5,00
Diners Club	0,38	5	80 000	1 200 000	150	4,50–5,00

© Harenberg

FCKW-Verbot soll Klimakatastrophe Einhalt gebieten

4. Mai. Mit drastischen Begrenzungen des Ausstoßes von Fluorchlorkohlenwasserstoffen (FCKW) in der ganzen Welt soll der Zerstörung der Ozonschicht in der Atmosphäre Einhalt geboten werden. Darauf einigen sich die 79 Teilnehmerstaaten einer von den Vereinten Nationen veranstalteten Tagung in Helsinki. Kernpunkt der Vereinbarungen ist die Empfehlung, Produktion und Verwendung der ozonzerstörenden FCKW »so bald wie möglich, spätestens aber bis zum Jahr 2000« einzustellen. Die 1987 in Montreal getroffene Übereinkunft, die FCKW-Mengen bis 1998 um 50% zu reduzieren, wird dadurch verschärft. Da für die Entwicklungsländer ein Verzicht auf FCKW aus wirtschaftlichen Gründen problematisch ist, einigen sich die an der Konferenz beteiligten Industriestaaten darauf, den Ländern der Dritten Welt verstärkt Zugang zu wissenschaftlichen Informationen und Forschungsergebnissen zu verschaffen. Auf diese Weise soll der Ersatz von FCKW erleichtert werden. Außerdem wollen sie ausreichend Geld zur Verfügung stellen, um einen Technologietransfer in diese Staaten möglich zu machen.

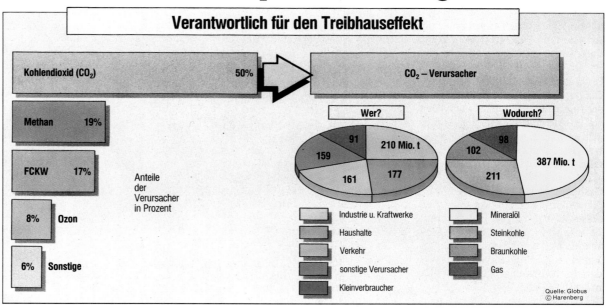

Fluorchlorkohlenwasserstoffe, die vor allem als Kühlflüssigkeiten, Treibgase, Lösungs- und Blähmittel zum Aufschäumen von Kunststoffen Verwendung finden, werden weltweit in einer Größenordnung von 1,14 Millionen Tonnen produziert. Sie sind mitverantwortlich für die Klimaveränderung durch die Zerstörung der Ozonschicht, welche die Erde vor ultravioletter Strahlung schützt. Bereits seit den 70er Jahren wird über dem Südpol ein Loch in der Ozonschicht beobachtet, dessen Vergrößerung bei einer weiteren Verwendung von FCKW wahrscheinlich ist. Voraussichtliche Folgen sind eine globale Erwärmung und eine Verschiebung der Klimazonen, was sich in Dürren einerseits und Überschwemmungen andererseits äußern kann. Bereits feststellbar sind eine Zunahme der durchschnittlichen Lufttemperaturen um 0,7 °C innerhalb der letzten 100 Jahre sowie ein Anstieg der Meeresspiegel um 10 bis 20 cm.

Argentinien: Menem löst Alfonsín ab

14. Mai. Carlos Saul Menem (58) wird zum neuen Präsidenten Argentiniens gewählt. Er tritt an unter dem Vorzeichen der populistischen Strategie des Peronismus. Menem übernimmt bereits am 8. Juli, fünf Monate früher als von der Verfassung vorgesehen, sein Amt als Nachfolger von Raúl Alfonsín. Für diesen geben die verschärften wirtschaftlichen Probleme des Landes den Ausschlag, vorzeitig aufzugeben. Allein im Mai beträgt die Inflationsrate 78,6% gegenüber dem Vormonat, die Kaufkraft der Löhne liegt um ein Drittel niedriger als sechs Jahre zuvor. Ende Mai kommt es zu Unruhen und Plünderungen. Der neue Regierungschef, der in seinem Wahlkampf noch höhere Löhne versprochen hatte, überrascht mit einem radikal-liberalen Sanierungsprogramm: Vor allem die Streichung von Subventionen für elementare Dienstleistungen treffen Menems wichtigste Wählergruppe, die ärmsten Bevölkerungsschichten.

Wahl-Farce in Panama

7. Mai. Nach den Parlaments- und Präsidentschaftswahlen in Panama beanspruchen sowohl Regierung als auch Opposition den Sieg für sich. Nach Meinung ausländischer Wahlbeobachter entfallen aber mindestens 70% der Stimmen auf den Präsidentschaftskandidaten des Oppositionsbündnisses ADOC (Demokratische Allianz der Bürgeropposition), Guillermo Endara. Am 11. Mai werden die Wahlen wegen »ausländischer Obstruktionen« annulliert. Vorausgegangen waren blutige Drangsalierungen von Oppositionspolitikern durch Schlägertrupps, die der Regierung und Panamas eigentlichem »starken Mann«, dem Oberbefehlshaber der Streitkräfte, General Manuel Antonio Noriega, verbunden sind. Der am 1. September ernannte neue Präsident Francisco Rodriguez gilt als verlängerter Arm der Militärs um Noriega, der am 3. Oktober einen Putschversuch von Offizieren unbeschadet übersteht. Noriega macht die USA, die noch bis 1999 die Panamakanalzone verwalten, für den Putsch verantwortlich. US-Außenminister James Baker weist dies zurück, gibt aber zu, daß zeitweise beabsichtigt war, den wegen Drogenhandels in den USA angeklagten Noriega von US-Truppen festnehmen zu lassen.

Panama City: Schlägerei zwischen Regierungsanhängern und -gegnern

Appenzeller für Frauenwahlrecht

1. Mai. Mit knapper Mehrheit sprechen die Männer des Schweizer Kantons Appenzell Außerrhoden den Frauen das Stimmrecht zu. Damit fällt die vorletzte Männerbastion der Schweiz, in der Frauen bei den Landsgemeindeversammlungen bisher nicht stimmberechtigt waren. Als letzte weigern sich jetzt nur noch die Männer des Kantons Appenzell Innerrhoden, den Frauen die politische Gleichberechtigung zu gewähren.

Seit wann dürfen Frauen wählen?	
Land	*Jahr*
Finnland	1906
Norwegen	1913
Dänemark	1915
UdSSR	1917
Österreich	1918
Deutschland	1919
USA	1920
Großbritannien	1928
Türkei	1935
Frankreich	1944

Goldene Palme für Film-Newcomer

23. Mai. Die zehnköpfige Jury der 42. Internationalen Filmfestspiele in Cannes verleiht dem 26jährigen US-Regisseur Steven Soderbergh die Goldene Palme für seinen Film »Sex, Lies und Videotape«. Wie die meisten Beiträge des Festivals beschäftigt sich auch der Überraschungserfolg von Soderbergh mit Beziehungsproblemen. Politische Themen werden in Cannes kleingeschrieben. Nach Meinung vieler Kritiker dominiert das Mittelmaß. Als eine der besten bundesdeutschen Produktionen des Festivals beurteilt die Fachpresse Bernhard Wickis 200minütige Joseph-Roth-Verfilmung »Das Spinnennetz«, in dem u. a. Klaus Maria Brandauer mitspielt.

Die Preisträger von Cannes

Goldene Palme: »Sex, Lies and Videotape«, Steven Soderbergh (USA)
Beste Regie: Emir Kusturica (Jugoslawien) für »Dom za vešanje«
Beste Darstellerin: Meryl Streep (USA) in »A cry in the dark«
Bester Darsteller: James Spader (USA) in »Sex, Lies and Videotape«

Tausend Schätze aus 1001 Nacht

28. Mai. Im Berliner Martin-Gropius-Bau beginnt die kulturhistorische Ausstellung »Europa und der Orient: 800–1900«. Fast 1000 Ausstellungsstücke im Versicherungswert von 400 Millionen DM sollen dem Besucher die rund 1000jährige Geschichte der vielfältigen Beziehungen zwischen Europa und dem mediterranen Orient, Mesopotamien und Persien vermitteln.
Dabei werden im Verlauf der 15 Ausstellungsabschnitte Themen wie der Einfluß arabischer Ärzte auf die mittelalterliche Medizin und Astrologie oder die Wiederentdeckung des Orient in der Kunst des 19. Jahrhunderts illustriert. Mehr als 200 europäische Leihgeber, darunter das British Museum und der Pariser Louvre, ermöglichten diesen Querschnitt durch die europäische Kulturgeschichte, der u. a. kostbare Reliquiare, verschwenderisch verzierte Schmuckstücke, aber auch Gemälde von Dürer, Rembrandt und Renoir umfaßt.

Wie in alten Zeiten: Rolling-Stones-Sänger Mick Jagger (M.) heizt seinem Publikum ein.

Nach 13jähriger Konzertpause geht Paul McCartney mit neuer Band und neuer LP wieder auf Tournee.

Renaissance für die Rockidole der 60er Jahre

3. Mai. Zum Auftakt ihrer Welttournee gibt die australische Softrock-Gruppe Bee Gees ein Konzert in der mit 20 000 Zuschauern ausverkauften Dortmunder Westfalenhalle. Mit Songs wie »Massachusetts« starten die Rockveteranen zu einer Reise durch 20 Jahre Musikgeschichte.
Ebenso wie die Bee Gees haben auch andere Popstars der 50er und 60er Jahre wieder Konjunktur. Die alten Rockidole greifen wie einst zu ihren Instrumenten und touren durch die Bundesrepublik, so z. B. die britische Gruppe Pink Floyd (»Money«), der 46jährige Lou Reed (»Walk on the wild side«) oder der 47jährige Ex-Beatle Paul McCartney. Ab 1. September rollen auch die Rolling Stones durch die Konzerthallen der Welt. Es ist jedoch beileibe nicht nur Altbackenes, was aus den Lautsprechern erklingt: Die Stars Lou Reed, Neil Young, ja sogar Altbarde Bob Dylan bringen neue Platten heraus, die vor den kritischen Ohren von Musikfeuilletonisten und Fans durchaus bestehen können.
Musikkritiker erklären das Comeback der Altstars u. a. damit, daß die angegrauten Rockfossile dem Publikum eine Orientierung inmitten jenes Stilwirrwarrs bieten, der seit langem durch die Radios rauscht. Die Idole von gestern scheinen über mehr persönliches Profil und musikalische Substanz zu verfügen als die »pflegeleichten Stars« der 80er Jahre mit ihren synthetischen Klängen.

Mit lockerem Hüftschwung feiert der 50jährige Peter Kraus sein Comeback in der nostalgischen Show »Vorwärts in die Fifties«, mit der er vor seiner Deutschland-Tournee auch in Österreich Erfolg hatte.

Haben ihre mittelalterliche Kluft inzwischen abgelegt: Jethro Tull (»Aqualung«) mit Ian Anderson

Hatte trotz guter Kritiken nie den rechten Durchbruch: Van Morrison, ehemals »Them«

Juni 1989

Mo	Di	Mi	Do	Fr	Sa	So
			1	2	3	4
5	6	7	8	9	10	11
12	13	14	15	16	17	18
19	20	21	22	23	24	25
26	27	28	29	30		

1. Juni, Donnerstag

Die am 17. Januar vom Bundestag beschlossene Verlängerung des Wehrdienstes wird mit der Mehrheit der christlich-liberalen Koalition bis zum 1. Juni 1992 ausgesetzt (→ 16. 6./S. 48).

2. Juni, Freitag

In München treten die ersten weiblichen Sanitätsoffiziers-Anwärter der Bundeswehr ihren Dienst an.

Das japanische Parlament wählt den bisherigen Außenminister Sosuke Uno (66) zum neuen Partei- und Regierungschef (→ 9. 8./S. 61).

3. Juni, Samstag

In Teheran stirbt der iranische Revolutionsführer Ayatollah Ruhollah Khomeini (89). → S. 46

Bei Tscheljabinsk am Ural werden zwei Personenzüge durch die Explosion einer Flüssiggasleitung zerstört. Dabei kommen mehr als 600 der fast 1300 Fahrgäste ums Leben (→ 19. 6./S. 47).

In der sowjetischen Unionsrepublik Usbekistan beginnen blutige Pogrome von Usbeken gegen türkischstämmige Mescheten. Nach offiziellen Angaben werden 99 Menschen getötet und 1000 verletzt (→ 23. 8./S. 60).

Mit einer kilometerlangen Autodemonstration protestieren Tausende von Berlinern gegen die vom Senat eingeführte Geschwindigkeitsbegrenzung von 100 km/h auf der Avus. → S. 50

4. Juni, Sonntag

Auf dem Platz des Himmlischen Friedens in Peking beendet das chinesische Militär in der Nacht zum 4. Juni mit einem Blutbad die seit Wochen andauernden Massendemonstrationen. → S. 43

In Polen finden Parlamentswahlen statt, bei denen zum ersten Mal auch Oppositionskandidaten zugelassen sind (→ 24. 8./S. 60).

5. Juni, Montag

Das SPD-Präsidium erkennt die Palästinensische Befreiungsorganisation (PLO) offiziell an.

6. Juni, Dienstag

Der erste bundesdeutsche Fernmeldesatellit DSF Kopernikus 1 wird mit der Europarakete Ariane 4 in eine Erdumlaufbahn geschossen. → S. 50

7. Juni, Mittwoch

In Ost-Berlin findet eine Protestversammlung statt, deren Teilnehmer die Ergebnisse der Kommunalwahlen vom 7. Mai in Zweifel ziehen. Polizei und Staatssicherheitsdienst lösen die Veranstaltung auf und nehmen über 120 Menschen vorübergehend fest.

In Surinam stürzt eine DC 8 der surinamischen Luftfahrtgesellschaft SLM ab. 174 Passagiere finden den Tod, nur zwölf überleben.

8. Juni, Donnerstag

Im südafrikanischen Pretoria werden drei wegen Mordes zum Tode verurteilte Männer gehängt. Allein in den letzten zwei Wochen sind 13 Menschen in Südafrika hingerichtet worden.

9. Juni, Freitag

Die 37jährige österreichische Journalistin Ingrid Strobl wird durch das Düsseldorfer Oberlandesgericht wegen Unterstützung der Terrororganisation »Revolutionäre Zellen« und Beihilfe zu einem Sprengstoffverbrechen zu fünf Jahren Freiheitsstrafe verurteilt. → S. 48

In Luxemburg beschließen die EG-Umweltminister eine Katalysatorpflicht für alle Kleinwagen ab Ende 1992. → S. 50

Der Beirat des Deutschen Fußball-Bundes lehnt in Frankfurt am Main eine Reform der Bundesliga ab. → S. 51

10. Juni, Samstag

Arantxa Sanchez (Spanien) und Michael Chang (USA) werden Sieger der Internationalen Tennismeisterschaften von Frankreich in Paris. → S. 51

11. Juni, Sonntag

In West-Berlin geht der 23. Deutsche Evangelische Kirchentag zu Ende. → S. 50

12. Juni, Montag

Der sowjetische Staats- und Parteichef Michail Gorbatschow trifft zu einem viertägigen Staatsbesuch in der Bundesrepublik ein. → S. 48

13. Juni, Dienstag

Nach dem Urteil des Bundesverfassungsgerichtes haben auch fraktionslose Parlamentarier Anspruch auf Mitarbeit in einem Bundestagsausschuß.

14. Juni, Mittwoch

Die Teilnehmer einer internationalen Konferenz über Indochina-Flüchtlinge in Genf nehmen einen UNO-Plan zur Eindämmung des Flüchtlingsstroms an, der seit 1986 stark zugenommen hat.

15. Juni, Donnerstag

Nach zwölf Jahren absoluter CDU-Mehrheit wählt die Frankfurter Stadtverordnetenversammlung den SPD-Politiker Volker Hauff zum Oberbürgermeister (→ 12. 3./S. 24).

Im Bremer Übersee-Museum wird die Ausstellung »Das Gold aus dem Kreml« eröffnet.

16. Juni, Freitag

Der Bundestag in Bonn beschließt die Rücknahme der erst zu Jahresbeginn eingeführten Quellensteuer. → S. 48

In Budapest wird Imre Nagy, ehemaliger ungarischer Ministerpräsident und Führer des niedergeschlagenen Volksaufstands von 1956, erneut und mit allen Ehren beigesetzt. → S. 47

In Hamburg beginnt das Festival »Theater der Welt«, an dem Theater und freie Gruppen aus 17 Ländern beteiligt sind.

17. Juni, Tag der deutschen Einheit

Beim Absturz einer Iljuschin 62 der DDR-Gesellschaft Interflug auf dem Ost-Berliner Flughafen Schönefeld kommen 20 Menschen ums Leben.

Mit fünf Punkten Vorsprung wird der FC Bayern München Deutscher Fußball-Meister vor dem 1. FC Köln und Werder Bremen. → S. 51

18. Juni, Sonntag

Bei den dritten Wahlen zum Europaparlament (am 15. und 18. 6.) können die Sozialisten starke Gewinne für sich verbuchen; die Christdemokraten und andere Konservative müssen z. T. drastische Verluste hinnehmen. → S. 49

Die SPD geht aus den Kommunalwahlen in Rheinland-Pfalz (42,5%) und im Saarland (45,7%) als stärkste Partei hervor.

Bei den Parlamentswahlen in Griechenland erleidet die regierende sozialistische PASOK-Partei von Ministerpräsident Andreas Papandreou eine schwere Niederlage. Die konservative Nea Dimokratia wird stärkste Partei (→ 2. 7./S. 53).

19. Juni, Montag

Bei einem Anschlag der irischen Terrororganisation IRA auf eine britische Kaserne in Osnabrück wird ein deutscher Wachmann niedergeschlagen. Es entsteht erheblicher Sachschaden.

Im Nordmeer 300 km vor Spitzbergen kollidiert das sowjetische Kreuzfahrtschiff »Maxim Gorki« mit einem Eisberg. → S. 47

20. Juni, Dienstag

Nach einer Welle von Gewalttätigkeiten und Streiks wird über Sri Lanka der Ausnahmezustand verhängt.

21. Juni, Mittwoch

Die ungarischen Grenzbehörden teilen mit, daß ein rumänischer Stacheldrahtzaun entlang der Grenze nach Ungarn zu 90% fertiggestellt sei. Nach internationalen Protesten beginnt Rumänien am 24. Juni stellenweise mit dem Abbau des Zauns, der offenbar die Flucht weiterer Rumänen nach Ungarn verhindern soll.

22. Juni, Donnerstag

In Slowenien erscheint die erste Oppositionszeitung Jugoslawiens unter dem Titel »Demokratija«.

23. Juni, Freitag

In Angola tritt nach 14 Jahren Bürgerkrieg ein Waffenstillstand in Kraft.

24. Juni, Samstag

Im Berliner Endspiel sichert sich Borussia Dortmund mit einem 4:1 (1:1) über Werder Bremen den DFB-Pokal (→ 17. 6./S. 51).

25. Juni, Sonntag

Im Lübecker Dom wird das zum 4. Mal veranstaltete Schleswig-Holstein-Musikfestival eröffnet.

26. Juni, Montag

Ein sowjetisches Atom-U-Boot havariert vor Nordnorwegen (→ 7. 4./S. 31).

27. Juni, Dienstag

Die Teilnehmer einer EG-Gipfelkonferenz in Madrid beschließen, daß die erste Phase der Wirtschafts- und Währungsunion am 1. Juli 1990 beginnen soll. → S. 49

Angaben des UNO-Flüchtlingshochkommissariats zufolge sind im Zuge eines anhaltenden Massen-Exodus von Angehörigen der türkischen Minderheit in Bulgarien in den letzten Wochen etwa 72 000 Menschen in die Türkei geflohen. Die Türkei wirft Bulgarien eine Unterdrückung der moslemischen Minderheit vor.

28. Juni, Mittwoch

Weit über eine Million Serben feiern in der Nähe der südjugoslawischen Stadt Pristina den 600. Jahrestag der Schlacht auf dem Amselfeld (→ 23. 3./S. 23).

29. Juni, Donnerstag

Die Hamburger Klavierbaufirma Steinway verkündet, künftig beim Bau ihrer Flügel und Pianos aus Gründen des Artenschutzes kein Elfenbein mehr zu verwenden.

30. Juni, Freitag

Zwei in Nordzypern wegen Totschlags angeklagte Berlinerinnen werden in einem Revisionsverfahren in Nikosia freigesprochen. → S. 50

Das österreichische Parlament spricht sich mit überwältigender Mehrheit für EG-Beitrittsverhandlungen der Wiener Regierung aus (→ 17. 7./S. 54).

Auf einen Blick:

Die Zahl der Arbeitslosen in der Bundesrepublik beträgt 1 915 189, das entspricht einer Quote von 7,4% (Juni 1988: 8,4%).

Die Verbraucherkosten in der Bundesrepublik liegen um 3,1% höher als im Juni 1988.

TV-Hit im Juni:

Die höchste Einschaltquote erreichte die ZDF-Unterhaltungssendung »Wetten, daß . . ?« am 10. 6. (15,61 Mio. Zuschauer = 42%).

Auf das brutale Vorgehen der 27. Armee reagieren einzelne Demonstranten mit hilfloser Gegengewalt: Militärfahrzeuge werden zerstört und angezündet.

Kampfpanzer der chinesischen Volksarmee rücken in Peking ein. Erbarmungslos überrollen sie später jeden Demonstranten, der sich ihnen in den Weg stellt.

Chinesische Demokratiebewegung in Blutbad erstickt

4. Juni. Mit einem Blutbad beendet das chinesische Militär in Peking die seit Mitte April andauernden Massendemonstrationen für Demokratie und Menschenrechte (→ 13. 5./S. 37). Auf Befehl der chinesischen Führung unter Deng Xiaoping, die ihr Herrschaftsmonopol durch die hauptsächlich von Studenten getragenen Protestaktionen bedroht sieht, ermorden Soldaten der Volksarmee nach inoffiziellen Schätzungen 3600 Zivilisten. Das Massaker und die sich anschließende »Säuberungswelle«, in deren Verlauf zahlreiche Demonstranten hingerichtet werden, löst weltweit Entsetzen und Protest aus.

Die blutigen Ereignisse auf dem Tiananmen-Platz (Platz des Himmlischen Friedens) bilden den Höhepunkt des brutalen Vorgehens der Armee, die sich bereits am Vortag den Weg in die von Demonstranten blockierte Innenstadt freigeschossen hat.
Am Morgen des 4. Juni wird der Tiananmen-Platz, auf dem sich mehr als 100 000 Studenten und mit ihnen sympathisierende Pekinger Bürger befinden, von Soldaten der 27. Armee umstellt. Panzer und Militärtransporter rasen in die Menschenmenge und walzen alles nieder, was sich ihnen in den Weg stellt. In Panik fliehende Menschen werden durch Schüsse getötet.
Die Studenten setzen sich mit Steinen zur Wehr. Vereinzelt werden Soldaten aus ihren Fahrzeugen gezerrt und von der aufgebrachten Menschenmenge gelyncht. Unter Einsatz ihres Lebens versuchen Helfer, die Verwundeten z. T. auf hölzernen Handkarren in die Krankenhäuser zu bringen, die durch schätzungsweise 60 000 Verletzte hoffnungslos überlastet sind.
Am Morgen danach feiert die Regierung die blutige Niederschlagung der Demonstrationen in einer Erklärung als »ersten Sieg über die Konterrevolution«. Westliche Beobachter bezeugen jedoch das Entsetzen der meisten Chinesen darüber, daß

die Soldaten des eigenen Landes in derart brutaler Weise gegen ihre Volksgenossen vorgegangen sind. Die chinesische Führung hat zwar ihr Machtmonopol erhalten können, aber das Vertrauen weiter Bevölkerungsteile verloren.

Im Mittelpunkt der internationalen Kritik steht vor allem Deng Xiaoping, der 1979 eine umfassende Modernisierung der wirtschaftlich rückständigen Volksrepublik einleitete und immer noch als der mächtigste Mann des Riesenreiches gilt.

Nach Meinung von China-Experten hat der 84jährige Deng mit dem Befehl zum Massaker sein Lebenswerk im Interesse des puren Machterhalts geopfert und den konservativen Kräften Chinas den Weg zurück zur Macht ermöglicht.

»Sagt bitte aller Welt, was hier passiert! Ihr seid unsere letzte Hoffnung!«

Zahlreiche Augenzeugenberichte, die in der internationalen Presse abgedruckt werden, führen der Weltöffentlichkeit die Brutalität der Ereignisse in Peking sowie die verstörten und entsetzten Reaktionen der chinesischen Bevölkerung vor Augen. Die Wochenzeitung »Die Zeit« zitiert eine chinesische Studentenführerin und zwei bundesdeutsche Journalisten, die das Geschehen dokumentieren:

»Einige von uns [Studenten] kämpften mit Stöcken und Limonadenflaschen – Waffen, die eigentlich keine sind – gegen Soldaten, die, mit Sturmgewehren und Panzern ausgerüstet, Amok liefen und jegliche Vernunft verloren hatten ... Wir wußten, daß unsere letzte Stunde gekommen war, in der wir unsere Opfer für die Demokratie bringen mußten ... Wie wir erst später erfuhren, hatten noch einige Studenten Hoffnungen in die Regierung, in die Armee gesetzt und geglaubt, die Armee würde uns höchstens wegtragen. Sie waren erschöpft in ihren Zelten liegengeblieben. Die Panzer walz-

ten sie einfach nieder. Später hieß es, es seien über 200 Studenten gewesen, andere meinten, schon über 4000 seien getötet worden. Bis jetzt kenne ich die genaue Zahl der Opfer nicht. Die Zelte und Kleidungsstücke ließ man von den Panzern und Schützenpanzern aus mit Benzin übergießen, die Leichen der Kommilitonen wurden einfach verbrannt. Danach wurde der Boden mit Wasser abgespritzt, so daß keinerlei Spuren übrigblieben ... Auf der Chang'an[-Avenue] kam uns ein Panzer entgegen, der mit Tränengas schoß, dann über mehrere von uns hinwegrollte, ihnen die Beine zerquetschte, den Kopf. Oft konnten wir keine ›vollständigen‹ Leichen mehr auffinden. Die Kommilitonen, die sich geopfert haben, wie soll man je ihr Leben zurückgewinnen?«
»Gegen zehn Uhr morgens fahren

wir auf dem dritten Ring von Osten in die Stadt. Überall dasselbe Bild: Niedergewalzte Straßenbarrikaden, zermalmte Fahrräder, viele zertrümmerte, brennende oder schon ausgebrannte Militärfahrzeuge. Am Boden verstreute Pflastersteine. Trotz verschärfter Bestimmungen des Ausnahmezustandes stehen überall große Menschengruppen und diskutieren. In den Gesichtern spiegeln sich Fassungslosigkeit, aber auch Wut und Haß ... Wir halten an einem Restaurant an, um zu telephonieren. Sofort kommen Chinesen auf uns zu: ›Aus welchem Land kommen Sie? Sind Sie Journalisten?‹ Und dann der Satz, den wir in diesen Tagen noch häufig hören sollen. ›Sagt bitte in aller Welt, was hier passiert. Ihr Journalisten aus dem Ausland seid jetzt unsere letzte Hoffnung!‹«

Lähmende Stille – überall in China regiert die Angst

5. Juni. Nur einen Tag nach den blutigen Ereignissen in Peking setzt die Führung der KP unter Ministerpräsident Li Peng ihre Propaganda-Maschinerie in Gang, um weitere Unruhen zu unterdrücken. Die ständige Wiederholung der von der Partei ausgegebenen »Wahrheit über den Ablauf des Geschehens« und Nachrichten über die gnadenlose Verfolgung von Demonstranten sollen die Bevölkerung einschüchtern und die Demonstrationen in eine aufrührerische und gewalttätige »Konterrevolution« umdeuten.

Über das öffentliche Lautsprechersystem, Fernsehen, Rundfunk und Zei-

Passanten vor amtlichen Fotos des Massakers, die den Pekinger Aufstand aus der Sicht der Herrschenden zeigen

»Die extreme Minderheit aber hat alles in den Wind geschlagen. Sie richtete heftige Angriffe gegen die Truppen. Unter diesen Umständen gab es Verletzte und Tote. Die meisten waren Soldaten der Volksbefreiungsarmee und der bewaffneten Polizei. Dies hatten wir nicht gewollt. Auf andere Weise aber hätte der Aufruhr nicht niedergeschlagen werden können ... Gestützt auf den heldenhaften Kampf der Offiziere und Soldaten der Volksbefreiungsarmee ... gestützt auf die aktive Hilfe und Unterstützung der Massen der Studenten und Bevölkerung, haben wir bereits einen ersten Sieg bei der Niederschlagung des Aufruhrs errungen ...« (Schreiben des Zentralkomitees der Kommunistischen Partei an alle Mitglieder)

tungen werden die Demonstranten als »Clique der politischen Halunken« und »Abschaum der Gesellschaft« bezeichnet. Demgegenüber sei der Einsatz des Militärs notwendig und »heldenhaft« gewesen. Die Nachrichten werden zur Gehirnwäsche. Über alle Medien erreicht die Chinesen die Aufforderung, ihnen bekannte »Aufrührer und Rowdies« zu denunzieren. Die Angst, selber verraten zu werden, begünstigt Denunziantentum. Bilder von reuigen Demonstrationsteilnehmern wechseln im Fernsehen mit Berichten von Verhaftungen und Fahndungsfotos der 21 wichtigsten Studentenführer.

Ende Juni werden die ersten Todesurteile vollstreckt. Nach Schätzungen von Amnesty International kommt es bis Anfang August zu 34 Hinrichtungen. Bis Ende August verhaften die chinesischen Sicherheitskräfte nach Aussagen von ins Ausland geflüchteten Studentenführern rund 120 000 Menschen.

Mit dieser »Säuberungswelle« verbunden ist eine massive ideologische Indoktrinationskampagne mit dem Ziel einer kulturellen und politischen Gleichschaltung des chinesischen Volkes. Hintergrund dieser Repressionen ist ein schwerer Macht- und Richtungskampf an der

Spitze der Kommunistischen Partei. Schon Monate vor dem Massaker vom 4. Juni war es innerhalb der chinesischen Führung zu Grundsatzdiskussionen über die Frage gekommen, wie die sich seit 1988 abzeichnende wirtschaftliche Krise zu bekämpfen sei. Der Reformflügel unter KP-Chef Zhao Ziyang plädierte für eine weitere Öffnung Chinas gegenüber dem Kapitalismus. Die konservativen »Hardliner« forderten jedoch eine Aufgabe der Reformen, denen man u. a. die sprunghaft steigende Inflation und eine damit einhergehende Unruhe in der Bevölkerung zuschreibt.

Im Verlauf der Massendemonstrationen gelang es der »alten Garde« um Deng Xiaoping, Ziyang am 19. Mai zu entmachten. Auf einer Sitzung des erweiterten Politbüros unter der Leitung des 84jährigen Deng in Peking Ende Juni können die Orthodoxen sich auch im inneren Führungskreis der Partei, dem Ständigen Ausschuß des Politbüros, durchsetzen. Nur zwei Monate später greifen die neuen Funktionäre unter Verwendung maoistischer Formeln wirtschaftliche und politische Reformen an. Bis dahin steht die chinesische Führung offiziell weiter zu ihrem bisherigen Kurs – nicht zuletzt aus Furcht vor einem plötzlichen Abzug westlichen Kapitals. Nach einem Jahrzehnt der Öffnung unter Deng scheint sich ebenfalls unter seiner Führung der Vorhang an den Grenzen Chinas wieder zu senken.

△ Drei führende Politiker der chinesischen KP, in der die Reformer nach der Niederschlagung der Demokratiebewegung von den konservativen Parteiführern verdrängt werden (v. l.): Ministerpräsident Li Peng (61) gehört als Reformgegner zu den Siegern des parteiinternen Machtkampfes. Zhao Ziyang (69) muß als Befürworter der Reformen den Stuhl des KP-Chefs räumen. Jiang Zemin (63) profitiert von den Parteiquerelen und wird im Juni neuer KP-Chef.

◁ Der 85jährige Deng Xiaoping galt bis zum 4. Juni als Modernisierer Chinas. Er hatte 1979 die wirtschaftliche Öffnung nach Westen eingeleitet. Sein Befehl zum Massaker droht jetzt sein Lebenswerk zu zerstören.

Auslandsproteste bleiben wirkungslos

Nach einer Welle moralischer Entrüstung folgen weltweit jedoch nur wenige konkrete politische Schritte. Zwar unterbrechen die zwölf EG-Staaten ebenso wie die USA hochrangige Kontakte auf diplomatischer Ebene. London verkündet ein Waffenembargo. Doch bleiben weitergehende Wirtschaftssanktionen im wesentlichen aus.

Nur wenige Staaten nehmen zugunsten der Volksrepublik China Stellung, die sich nach der blutigen Niederschlagung der Demokratiebewegung zu isolieren droht. Insbesondere die Erklärung der DDR, bei den Demonstrationen hätte es sich um »konterrevolutionäre Unruhen« gehandelt, deren entschlossene Niederschlagung zur Wiederherstellung der Ordnung gerechtfertigt gewesen sei, löst in den westlichen Demokratien Empörung aus.

Obwohl es nicht zu einem radikalen Bruch zwischen der westlichen Welt und China kommt, zeigt sich bei den 40-Jahr-Feiern der Volksrepublik im Oktober, daß zahlreiche Nationen den 4. Juni nicht vergessen haben: Nur wenige Staatsgäste sind bei dem Jubiläum anwesend.

Absage Pekings an Marktwirtschaft

9. Juni. In einer Ansprache vor Offizieren der Volksbefreiungsarmee im »Kriegsrechtshauptquartier« fordert der Oberbefehlshaber der Armee, Deng Xiaoping, das chinesische Volk zu größerer Sparsamkeit auf. Dieser allgemeine Aufruf geht einher mit der seit 1987 wiederholten Forderung, die Ansätze freier Marktwirtschaft in China zurückzudrängen und die zentrale Wirtschaftssteuerung wieder mehr zu betonen. Opfer dieser verstärkten Planwirtschaft ist das freie Unternehmertum, das in den letzten zehn Jahren mehr als 20 Millionen Chinesen eine Arbeit gab. Bereits im August werden 2,19 Millionen der insgesamt 14,53 Millionen Privatunternehmer aus ihren Geschäften verdrängt. Ungeachtet der Absage der Pekinger Führung an einen wirtschaftlichen Reformkurs setzen westliche Investoren jedoch durchweg weiter auf das China-Geschäft. Dies gilt für bundesdeutsche Produktionsanlagenbauer ebenso wie für den französischen Autohersteller Citroën oder japanische Großbanken.

»Mit Abscheu blickt die Welt nach Peking«

Die internationale Presse spiegelt die Trauer und das Entsetzen der Weltöffentlichkeit über die Ereignisse wider. Viele Kommentatoren werten das Massaker in Peking als Mahnung für die westliche Welt, die Probleme von Reformprozessen in kommunistischen Ländern nicht zu unterschätzen. In zahlreichen Zeitungsartikeln wird die Befürchtung ausgesprochen, daß mit der gewaltsamen Unterdrückung der chinesischen Reformbewegung neue Konfliktherde in China, aber auch im gesamten asiatischen Raum angelegt worden seien.

Frankfurter Rundschau: »Die gegenwärtigen Machthaber in China sind eine Handvoll Greise, deren Verdienste um den Aufbau Chinas, um seine Revolution, um seine Reformen nun durch ihre eigenen Taten verdüstert werden ... Die staatlich organisierte Gewaltaktion vom Tian'anmen-Platz diskreditiert die chinesischen Machthaber ... nicht nur im eigenen Land. Sie macht sie auch international unglaubwürdig.«

Die Welt: »Mit Entsetzen und Abscheu blickt die Welt nach Peking, wo Hunderte, vielleicht mehr als tausend wehrlose Menschen gnadenlos abgeschlachtet wurden ... Die blutige Unterdrückung der friedlichen Studentenbewegung für mehr Freiheit und Demokratie hat mit einem Schlage die Hoffnung zerstört, die Partei- und Staatsführung Chinas sei von sich aus bereit, das »Reich der Mitte« zu einem demokratischen und damit menschlichen Staat zu entwickeln.«

Neue Zürcher Zeitung: »... ungewiß erscheint die Zukunft für das Reich der Mitte insgesamt, denn das Milliardenvolk rief nach mehr Reform und mehr materiellem Gewinn und läßt sich wohl das, was es davon erhalten hat, nicht so ohne weiteres wieder nehmen. Neue Konflikte sind bereits vorprogrammiert, ebenso die Antwort der Führung darauf: Panzer und Gewehre.«

Daily Telegraph: »Es sind nicht nur die Studenten in Peking, denen die Feudalherren eine schreckliche Lektion erteilt haben über das, was wir begonnen haben, als das ›moderne‹ China zu verstehen. Die Welt wurde brutal daran erinnert, daß der Reformprozeß in kommunistischen Ländern, der in letzter Zeit solche Attraktivität für den Westen hat, nicht in jedem Falle erfolgreich sein muß ...«

Le Monde: »Ein Jahrzehnt lang hat der Westen den Mythos der ›Unumkehrbarkeit‹ der chinesischen Reformen aus diplomatischen, politischen und kommerziellen Gründen für bare Münze genommen. Diese Illusionen sind durch die Armeesalven hinweggefegt worden.«

Korea Herald: »Niemand kann zur Zeit mit Sicherheit voraussagen, welchen Weg China in Zukunft gehen wird. Aber alles spricht dafür, daß das Land in einen neuen Teufelskreis gerät, in dem dem Wunsch des Volkes nach Demokratie und wirtschaftlichem Fortschritt erneut nicht entsprochen wird. Das Resultat wäre beunruhigend für die Stabilität und Sicherheit in Asien insgesamt, einer Region, die sowieso schon reich an Unruheherden ist. Deshalb muß China so schnell wie möglich ... Stabilität und Frieden wiederfinden.«

Hongkongs Bürger protestieren zu Hunderttausenden gegen das Blutbad.

Ganz Hongkong zittert um seine Zukunft

In der britischen Kronkolonie Hongkong löst das Massaker vom 4. Juni nicht nur Mitgefühl für die niedergeschlagene Demokratiebewegung aus. Es erschüttert auch das Vertrauen der 5,5 Millionen Bewohner in die politische Zukunft ihrer Stadt, die Mitte 1997 unter chinesische Verwaltung gestellt werden soll.

Die hoffnungsvolle Stimmung, die auch in Hongkong durch die Demokratiebewegung in China ausgelöst wurde, schlägt in Resignation und Zittern um. Die »Hongkong Pro Democracy Alliance« hatte mit den aufbegehrenden Studenten sympathisiert und sie finanziell unterstützt. Hunderttausende versammeln sich noch am 4. Juni zu Protestdemonstrationen gegen das Vorgehen der chinesischen Armee. Die Zahl der bei ausländischen Botschaften in Hongkong eingereichten Emigrationsgesuche steigt in den folgenden Tagen sprunghaft an. Länder des benachbarten Südostasien, z. B. Singapur, beginnen, um Kapital und Fachpersonal zu werben, das nun aus Hongkong wegdrängt.

Die allgemeine Verunsicherung erfaßt auch die Wirtschaft der britischen Kronkolonie. Der Aktienindex der Hongkonger Börse sinkt wenige Tage nach dem Massaker um knapp 22 Prozent. Damit sind die Kurse seit dem 18. Mai um insgesamt 36 Prozent gefallen, das ist der schärfste Rückgang seit dem internationalen Börsenkrach im Oktober 1987.

Beerdigung Khomeinis am 6. Juni: Szenen von Massenhysterie auf dem Friedhof in der Hauptstadt Teheran

Trauer und Hoffnung nach Khomeinis Tod

3. Juni. Der iranische Revolutionsführer Ayatollah Ruhollah Khomeini stirbt nach einer Darmoperation in Teheran im Alter von mutmaßlich 89 Jahren. Mit Khomeini tritt *die* charismatische Symbolfigur nach zehn Jahren islamischer Revolution von der politischen Bühne ab. Während die Behörden eine 40tägige Staatstrauer verhängen, warnt Radio Teheran die Bevölkerung vor »jedwedem Komplott«. Die Armee sei auch nach Khomeinis Tod bereit, »die Revolution und die Grenzen der islamischen Republik zu verteidigen«.

Bei der Beisetzung, an der vier bis fünf Millionen Trauernde teilnehmen, kommt es am 6. Juni zu teilweise chaotischen Szenen: Auf dem Weg zum 20 Kilometer südlich Teherans liegenden »Friedhof der Märtyrer« wird der Wagen mit dem Leichnam im offenen Sarg von der wehklagenden Menge immer wieder gestoppt. Als Trauernde das Leichentuch an sich bringen und in Stücke reißen, fällt der Tote sogar zu Boden. Daraufhin wird er per Hubschrauber zur drei Quadratkilometer großen Grabstätte gebracht, wo ein Mausoleum von gigantischen Ausmaßen geplant ist. Bei den in glühender Hitze stattfindenden Feierlichkeiten kommt es zu zahlreichen Toten und Verletzten.

Die Reaktionen auf Khomeinis Tod reichen von offener Freude – so etwa im Irak, Irans Gegner im Golfkrieg – bis zu verzweifelter Trauer, besonders unter schiitischen Moslems. US-Präsident George Bush drückt in einer Erklärung die Hoffnung aus, daß Iran wieder eine »verantwortungsbewußte Rolle in der internationalen Gemeinschaft« übernehmen werde. Unmittelbar nach dem Tod des Revolutionsführers wählt ein Rat von 83 Geistlichen den amtierenden Staatspräsidenten Ali Khamenei (49) zum Nachfolger Khomeinis als Führer der Islamischen Republik. Er gilt im Nachfolgekampf zwischen gemäßigten und radikal-fundamentalistischen Kräften als Übergangskandidat, der für alle Flügel akzeptabel ist. Im Anschluß an die Trennung der von Khomeini in seiner Person vereinigten geistlichen und weltlichen Führung wird am 28. Juli der bisherige Parlamentspräsident und Oberbefehlshaber der Streitkräfte Ali Akbar Haschemi Rafsandschani (55) zum neuen Staatspräsidenten Irans gewählt. Durch eine Verfassungsänderung wird das Amt des Staatspräsidenten mit wesentlich mehr Macht ausgestattet: Rafsandschani ist nun sowohl Staatsoberhaupt als auch Regierungschef.

Der neue Mann: Rafsandschani

Der 55jährige Ali Akbar Haschemi Rafsandschani gewann als Schüler und Gefolgsmann Khomeinis zunehmend an Einfluß in der »Islamischen Republik Iran«. Er gilt als geschickter Pragmatiker, gleichermaßen akzeptiert von der Geistlichkeit und von eher antiklerikalen Kreisen im Iran, die in ihm den »Präsidenten des Aufbaus« nach dem ruinösen Golfkrieg gegen den Irak sehen. Rafsandschani sieht sich mit schweren wirtschaftlichen Problemen konfrontiert: Bei einer Inflationsrate von 35 – 55% sind etwa 25% der Iraner arbeitslos. Die Fabriken des Landes sind nur zu etwa einem Drittel ausgelastet.

Zehn Jahre Iran unter Khomeini

Als geistlicher Gelehrter im Iran zählte Ruhollah Khomeini zu den heftigsten Kritikern des prowestlichen Schah-Regimes, dem er u. a. diktatorische Machtausübung und Zerstörung der islamischen Kultur vorwarf. Seit 1964 betrieb er vom Exil aus die Revolution im Iran.

▷ 1. 2. 1979: Nachdem Schah Mohammed Resa Pahlawi den Iran verlassen hat, kehrt Khomeini im Triumph aus dem französischen Exil zurück.

▷ 2. 4. 1979: Im Einklang mit einer Volksabstimmung proklamiert er die »Islamische Republik Iran«, in der die Theologen führend sind. Zahlreiche Banken und Firmen werden verstaatlicht.

▷ 4. 11. 1979: Iranische Studenten besetzen die US-Botschaft in Teheran und nehmen 70 US-amerikanische Geiseln, die erst am 20. 1. 1981 wieder freikommen. In der Propaganda avancieren die USA zum Hauptfeind.

▷ 1980/81: Auf eine Reihe von Anschlägen seitens der Opposition antworten die »Revolutionsgerichte« mit Massenhinrichtungen vor allem der marxistischen »Volksmudschaheddin«. Der als gemäßigt geltende Präsident Bani Sadr wird am 21. 6. 1981 gestürzt.

▷ 22. 9. 1981: Mit irakischen Angriffen auf iranisches Territorium beginnt der sog. Golfkrieg, in dem Iran auch Tausende Jugendlicher an die Front schickt. Über eine Million Menschen werden bis zum Waffenstillstand am 8. 8. 1988 getötet.

▷ 24. 11. 1985: Der Ayatollah Hussein Ali Montazeri wird zum Nachfolger Khomeinis auserkoren, im Februar 1989 aber wieder fallengelassen, da er die Islamische Revolution kritisiert.

▷ 14. 2. 1989: Khomeini spricht einen Mordbefehl gegen den Schriftsteller Salman Rushdie wegen dessen Buch »The Satanic Verses« (»Satanische Verse«) aus (→ 14. 2./S. 19).

Nagy: Vom »Hochverräter« zum Helden

16. Juni. Genau 31 Jahre nach seiner Hinrichtung als »Hochverräter« wird der frühere ungarische Ministerpräsident und Führer des Volksaufstandes von 1956, Imre Nagy, erneut und mit allen Ehren beigesetzt. Seine Rehabilitierung gilt als Markstein der Vergangenheitsbewältigung und als Symbol des Reformwillens von kommunistischer Partei und Regierung.

Nach der Exhumierung Nagys im »Armesünderwinkel« (»Der Spiegel«) des Budapester Zentralfriedhofs nehmen etwa 300 000 Menschen an der Trauerfeier auf dem Heldenplatz teil. Neben dem Sarg des ehemaligen Mi-

Nachfolger Nagys: Parteichef Kádár

nisterpräsidenten stehen die Särge von vier ebenfalls am 16. Juni 1958 hingerichteten Mitstreitern. Ein sechster, leerer Sarg repräsentiert die weniger prominenten Aufständischen, die in den Jahren nach 1956 verurteilt und getötet wurden.

Zu Beginn der länger als elfstündigen Feierlichkeiten, die live im ungarischen Fernsehen übertragen werden, läuten die Glocken aller Kirchtürme im Land. Während einer Trauerminute ruht überall die Arbeit. Bis auf die regierende Ungarische Sozialistische Arbeiterpartei (USAP) sind alle politischen und gesellschaftlichen Organisationen offiziell bei der Trauerfeier vertreten. Mit Regierungschef Miklós Németh und Staatsminister Imre Pozsgay, die die Ehrenwache an Nagys Sarg halten, sind allerdings auch prominente USAP-Mitglieder anwesend. Während die 1956er Ereignisse bislang offiziell als »Konterrevolution« eingestuft wurden, setzt sich nun auch in der USAP die Definition »Volksaufstand« durch. Diese Neubewertung stellt die Legitimität der bisherigen Parteiherrschaft in Frage, die 1956 angegriffen wurde. Entsprechend hat die USAP bereits im Februar der Schaffung eines Mehrparteiensystems zugestimmt und nimmt jetzt nach polnischem Muster Verhandlungen mit Oppositionsgruppen auf (→ 23. 10./S. 80).

Die ungarischen Nationalfarben dominieren das Bild bei der Trauerfeier in Budapest. Auf der Fahne im Vordergrund das historische Wappen Ungarns.

Imre Nagy im ungarischen Parlament

1956: Sowjetische Panzer in Ungarn

Imre Nagy (* 7. 6. 1896) wurde im Sommer 1956 zum zweiten Mal Ministerpräsident, als in Ungarn bereits eine revolutionäre Stimmung herrschte. Nach dem Ausbruch des Aufstandes am 23. Oktober 1956 verkündete er die Neutralität Ungarns. Truppen der UdSSR schlugen die Erhebung nieder: 2700 Ungarn kamen dabei ums Leben, weitere 20 000 wurden verletzt, 200 000 flohen. Die Sowjets nahmen Nagy gefangen, der 1958 nach einem Geheimverfahren von Ungarn gehängt wurde.

Schiffs- und Zugkatastrophen im Unglücksmonat Juni

19. Juni. 300 km südwestlich von Spitzbergen kollidiert das sowjetische Kreuzfahrtschiff »Maxim Gorki« mit einer 2,5 m starken und etwa 3,7 km breiten Eisplatte. Das leckgeschlagene Schiff neigt sich langsam zur Seite.

Die 577 fast ausschließlich deutschen Passagiere und die 378 sowjetischen Besatzungsmitglieder müssen z. T. in Rettungsbooten und auf Eisschollen die Nacht verbringen. Sie können jedoch unverletzt von dem norwegischen Küstenpatrouillenschiff »Senja« und von Hubschraubern geborgen und nach Spitzbergen gebracht werden. Als Unglücksursache vermuten Experten überhöhte Geschwindigkeit: Das Schiff soll zum Zeitpunkt der Kollision trotz dichter werdenden Packeises und starken Nebels 18 Knoten (30 km/h) pro Stunde gefahren sein.

Eine der größten Katastrophen seit Einführung der Eisenbahn trifft die Sowjetunion am 3. Juni. Aus einer defekten Flüssiggasleitung, die parallel zur Transsibirischen Eisenbahn verläuft, war zwischen Ufa und Tscheljabinsk am Mittleren Ural eine Butan-Propangas-Mischung ausgetreten und kondensiert. Die Gaswolke explodiert genau in dem Moment, als zwei mit mehr als 1200 Menschen besetzte Reisezüge die Stelle passieren. 607 Menschen kommen ums Leben.

Am Tag nach dem Unglück nennt der sichtlich erschütterte sowjetische Staatschef Michail Gorbatschow vor dem Volksdeputiertenkongreß in Moskau »Verantwortungslosigkeit und Mißmanagement« als Ursache der Katastrophe.

Ein vollbesetztes Rettungsboot der in Seenot geratenen »Maxim Gorki« droht im Nordmeer zwischen den Eisschollen zerquetscht zu werden. Ein norwegisches Schiff kann die Passagiere jedoch vier Stunden später retten.

Gorbatschow auf dem Balkon des Bonner Rathauses

Gorbatschow mit Ehefrau Raissa inmitten einer begeisterten Menschenmenge in Bonn

Werbung um Vertrauen und Kredite: Der Kreml-Chef vor Unternehmern

Viel Beifall spenden die Arbeiter von Hoesch in Dortmund.

Quellensteuer wird wieder abgeschafft

16. Juni. Der Bundestag in Bonn beschließt die Abschaffung der erst zu Jahresbeginn eingeführten zehnprozentigen Quellensteuer auf Kapitalerträge zum 30. Juni (→ 1. 1./S. 7). Nach der Aussetzung der Wehrdienstverlängerung am 1. Juni ist dies das zweite Mal, daß sich die Bundesregierung zur Rücknahme eines Gesetzes gezwungen sieht.

Die Quellensteuer sollte die steuerliche Erfassung von Zinseinkünften verbessern und rund 4,3 Milliarden DM einbringen. Es setzte jedoch eine starke Kapitalflucht ins Ausland ein, wo die Höhe der Geldanlagen innerhalb eines Jahres von 43 auf 88 Milliarden DM anstieg.

Auch die Aussetzung der am 17. Januar beschlossenen Verlängerung des Grundwehrdienstes von 15 auf 18 Monate bis zum 1. Juni 1992 kommt einer Rücknahme des Gesetzes gleich. Wie die Quellensteuer war auch diese Entscheidung heftig kritisiert worden, so daß den Regierungsparteien CDU/CSU und FDP nach massiven Verlusten bei den Wahlen in Berlin (→ 29. 1./S. 8) und Hessen (→ 12. 3./S. 24) ein Verzicht auf die unpopulären Maßnahmen ratsam erschien.

Fünf Jahre Haft für Ingrid Strobl

9. Juni. Die österreichische Journalistin Ingrid Strobl (37) wird in Düsseldorf wegen Unterstützung einer kriminellen Vereinigung und Beihilfe zu einem Sprengstoffanschlag zu fünf Jahren Haft verurteilt.

Das Gericht hält die Angeklagte für schuldig, am 11. September 1986 den Wecker gekauft zu haben, mit dem am 28. Oktober 1986 von unbekannten Mitgliedern der terroristischen Vereinigung »Revolutionäre Zellen« ein Sprengstoffanschlag auf das Verwaltungsgebäude der Lufthansa in Köln verübt worden war. Ingrid Strobl gibt den Kauf des Weckers zu, bestreitet aber, seinen Verwendungszweck als Zeitzünder gekannt zu haben. Da sich im Verlauf des Indizienprozesses keine Beweise finden ließen, daß die Journalistin den »Revolutionären Zellen« angehörte, hatte die Bundesanwaltschaft den Vorwurf der Mitgliedschaft in einer terroristischen Vereinigung zurückziehen müssen.

Gorbatschow »erobert« die Bundesrepublik

12. Juni. Der sowjetische Staats- und Parteichef Michail Gorbatschow beginnt seinen viertägigen Staatsbesuch in der Bundesrepublik, der von der Öffentlichkeit und den Medien mit großer Aufmerksamkeit verfolgt wird.

Der Besuch des Kreml-Chefs, der von seiner Frau Raissa sowie mehr als 60 hochrangigen Politikern begleitet wird, findet in einer gelösten politischen Atmosphäre statt. Den ersten Höhepunkt stellt die Unterzeichnung der »Gemeinsamen Erklärung« durch Gorbatschow und Bundeskanzler Helmut Kohl (CDU) dar, in der die UdSSR erstmals gegenüber einem westlichen Land das Recht eines jeden Staates bekräftigt, »das eigene politische und soziale System frei zu wählen«. Besonderes Ziel beider Staaten sei der »Aufbau eines Europa des Friedens und der Zusammenarbeit – einer europäischen Friedensordnung oder eines

gemeinsamen europäischen Hauses«, in dem auch die USA und Kanada Platz hätten.

Wichtiger Bestandteil des offiziellen Programms ist ein Besuch in Stuttgart, bei dem wirtschaftliche Themen im Vordergrund stehen. Bei der abschließenden Pressekonferenz in Bonn bewertet Gorbatschow seinen Aufenthalt in der Bundesrepublik als bedeutsam für Europa und die ganze Welt, da sich »große Möglichkeiten« der Zusammenarbeit gezeigt hätten.

Bemerkenswerter noch als die politischen Ergebnisse ist die Sympathiewelle, die dem sowjetischen Gast aus der Bevölkerung entgegenschlägt – von ausländischen Journalisten leicht mißtrauisch als »Gorbimanie« bezeichnet. Zur Freude der Schaulustigen setzt sich der sowjetische Präsident häufig über das Protokoll hinweg und sucht im »Bad in der Menge« Kontakt zu den Menschen, die mit

roten Fahnen, Transparenten oder T-Shirts mit seinem Konterfei ihre Zuneigung bekunden. Ob auf dem Bonner Marktplatz oder vor dem Stuttgarter Neuen Schloß – die »Gorbi-Gorbi«-Rufe verfehlen ihre Wirkung auf den Kreml-Chef nicht, der bekundet, er habe eine »Bewegung der Seelen« gespürt und eine »gewaltige Sympathie«, die er mit nach Hause nehme und die von den Menschen in der Sowjetunion erwidert werde.

Seinen spektakulärsten Auftritt hat Gorbatschow mit einer frei gehaltenen Rede vor 7000 Stahlarbeitern der Hoesch-Werke in Dortmund, wo der Betriebsratsvorsitzende unter dem stürmischen Beifall seiner Kollegen den sowjetischen Staats- und Parteichef für den Friedensnobelpreis vorschlägt. Von der Begeisterung, die er hier wie zuvor in Bonn und Stuttgart auslöst, zeigt sich Gorbatschow sehr beeindruckt.

EG-Gipfel beschließt Währungsunion

27. Juni. Die zwölf Staats- und Regierungschefs der Europäischen Gemeinschaft (EG) einigen sich in Madrid über erste konkrete Schritte in Richtung auf eine Europäische Währungsunion.

Als erste Stufe zur Verwirklichung dieses Vorhabens, das in einem Entwurf des französischen EG-Kommissionspräsidenten Jacques Delors umrissen ist, tritt zum 1. Juli 1990 eine Liberalisierung des Kapitalmarkts in Kraft. Bis zu diesem Zeitpunkt sollen sich Großbritannien, Griechenland und Portugal dem Europäischen Währungssystem (EWS) angeschlossen haben. Anschließend soll eine Regierungskonferenz über eine Neufassung der Gründungsverträge der Europäischen Wirtschafts-

Franz Schönhuber, Mitbegründer und Vorsitzender der Republikaner

gemeinschaft (sog. Römische Verträge) von 1957 beraten. Ziel der Konferenz ist weiterhin die Übertragung von wirtschafts- und währungspolitischen Kompetenzen auf die Europäische Gemeinschaft. Der Versuch des französischen Staatspräsidenten François Mitterrand, das Jahr 1992 als spätesten Termin festzusetzen, scheitert insbesondere an Margaret Thatcher. Die britische Premierministerin lehnt es beharrlich ab, sich in dieser Frage unter Zeitdruck setzen zu lassen.

Widerstand setzt die britische Delegation auch der Forcierung einer »Charta sozialer Grundrechte« entgegen. So beschließen nur elf Teilnehmerländer, die Arbeit an der Sozialcharta und an sozialen Mindeststandards in der EG fortzusetzen. Insbesondere von bundesdeutscher Seite wird auf die Festlegung der Arbeitnehmerrechte Wert gelegt, um eine Verschlechterung der arbeitsrechtlichen Bedingungen durch den Wettbewerb im Rahmen des Europäischen Binnenmarktes (»Sozialdumping«) zu verhindern. Premierministerin Thatcher lehnt eine Sozialcharta ab, da diese nur Kosten verursache und die Wettbewerbsfähigkeit der EG beeinträchtige.

Republikaner im Europaparlament

18. Juni. Uneinheitliche Tendenzen bestimmen das Ergebnis der dritten Direktwahl zum Europäischen Parlament in Straßburg: Während europaweit Sozialisten und Grüne Gewinne verzeichnen, wandern in der Bundesrepublik viele Wähler nach rechts ab (→ 1.10./S. 88).

Wie bei den Wahlen in Berlin (→ 29. 1./S. 8) und Hessen (→ 12. 3./S. 24) müssen die CDU und CSU empfindliche Verluste hinnehmen. Ihr Stimmenanteil rutscht um 6,6 Prozent auf 37,7 Prozent ab, was in erster Linie den Republikanern zugute kommt, die bundesweit 7,1 Prozent, in Bayern sogar 14,6 Prozent erreichen. Während SPD (37,3%) und Grüne (8,4%) stagnieren, schafft die FDP mit 5,6 Prozent den Wiedereinzug in das Europaparlament.

Der Erfolg der Republikaner und ihres Vorsitzenden Franz Schönhuber löst vor allem bei CDU und CSU Diskussionen über den Führungsstil des Parteichefs Helmut Kohl und den Kurs der Union aus. Unterschiedliche Auffassungen werden auch bei der Einschätzung der Republikaner deutlich, die von einigen CDU-Politikern als mögliche Koalitionspartner betrachtet werden, was die CDU-Parteispitze strikt ablehnt. Parteiinterne Kritik wird ebenfalls in der SPD laut: Viele Genossen führen das enttäuschende Ergebnis ihrer Partei auf den unpolitischen Wahlkampf zurück, der sich allzu sehr an die Waschmittelwerbung angelehnt habe.

Die zwölf Staats- und Regierungschefs der EG, z. T. mit ihren Außenministern; vorn r. Bundeskanzler Kohl, hinten 8. v. l. Außenminister Genscher

EG-Länder im Vergleich

	Bundesrepublik	Frankreich	Italien	Großbritannien	Spanien	Niederlande	Belgien	Luxemburg	Dänemark	Griechenland	Portugal	Irland
Fläche (1000 km²)	248,7	549,0	301,3	244,1	504,8	41,8	30,5	2,6	43,1	132,0	92,4	70,3
Bevölkerung												
Einwohner in Mio	61,20	55,63	57,33	56,93	38,83	14,67	9,87	0,37	5,13	10,00	10,28	3,54
Einwohner je km²	246	102	190	232	77	351	324	143	119	76	112	50
Zivile Erwerbstätige in Mio	26,60	21,01	20,58	25,06	11,38	5,25	3,62	0,17	2,68	3,60	4,14	1,07
davon tätig in (Anteile in %)												
Landwirtschaft	5,2	7,1	10,5	2,4	16,1	4,9	2,9	3,7	5,9	28,5	21,9	15,7
Industrie	40,5	30,8	32,6	29,8	32,0	25,5	29,7	32,9	28,2	28,1	35,8	28,7
Dienstleistungen	54,3	62,1	56,8	67,8	51,8	69,6	67,4	63,4	65,9	43,4	42,3	55,5
Einkommen und Lebensstandard												
Netto-Jahresverdienst in DM 1987 (Arbeitnehmer unverheiratet)	25 820	21 720	24 960	23 950	18 950	24 500	23 430	31 310	20 930	13 680	8130	18 590
Tarifliche Jahresarbeitszeit 1988 (in Stunden)	1716	1771	1800	1778	1800	1784	1756	1800	1756	1840	2025	1864
Inflation 1988 (in Prozent)	1,25	2,75	5,0	4,5	4,75	0,75	1,25	1,5	4,75	13,25	9,5	2,0
Zivile Erwerbstätige (Mio.)	26,8	21,1	20,8	25,9	11,8	–	–	–	–	–	4,3	–
Arbeitslose (Tausend)	2242	2443	2885	2341	2853	432	462	462	240	109	257	241
In Prozent der Erwerbspersonen	7,6	10,1	11,8	8,2	19,1	7,4	11,0	11,0	8,4	3,0	5,6	18,6
BIP je Einwohner in ECU[1]	16 700	14 500	12 300	12 000	7400	13 100	13 100	14 800	17 800	4500	3400	6700
PKW je 1000 Einwohner	441	369	335	312	252	341	335	439	293	127	135	206
Telefonapparate je 1000 Einwohner	641	614	448	521	381	410	414	425	783	373	166	235
Fernsehgeräte je 1000 Einwohner	377	394	244	336	256	317	303	336	392	158	140	181
Ärzte je 1000 Einwohner	2,5	2,3	3,6	0,5	3,4	2,2	2,8	1,9	2,5	2,8	1,8	1,3

[1] 1 ECU = 2,0778 DM   Quelle: Europartners, BDA   © Harenberg

Protest gegen Tempo 100 auf der Avus

3. Juni. Unter der Devise »Tempo 100 auf der Avus – ick gloob, ick spinne« demonstrieren rund 18 000 West-Berliner in fünf Auto-Korsos gegen die vom rot-grünen Senat am 18. Mai verhängte Geschwindigkeitsbegrenzung auf der 6,5 km langen Stadtautobahn.

Der Konvoi von fast 6000 Autos und 1000 Motorrädern, der sich vom Grenzübergang Dreilinden über die Avus zum Reichstag in Bewegung setzt, bewirkt ein beispielloses Verkehrschaos. Auf der von der »Bürgerinitiative gegen Tempo 100 auf der Avus« organisierten Abschluß-kundgebung kritisieren mehrere Redner die aus Gründen des Umweltschutzes und der Verkehrssicherheit eingeführte Geschwindigkeitsbegrenzung als »Schikane« und »Gängelei des Bürgers«. Es herrschten Zustände wie in der DDR, wo ebenfalls Tempo 100 gilt.

Die Aktionen gegen die Tempobegrenzung werden insbesondere vom Berliner Gau des Automobilclubs ADAC unterstützt. Mit seiner Ankündigung, durch juristische Schritte den Senat zur Rücknahme der Tempobegrenzung zu zwingen und den Rechtsstreit aus Mitglieds-beiträgen zu finanzieren, setzt sich der Automobilclub heftigen Angriffen aus. Kritiker werfen ihm vor, unter Mißbrauch des Wortes Freiheit eine »gemeingefährliche Raserei« zu propagieren und unberechtigt ein politisches Mandat zu beanspruchen. Mehrere tausend Mitglieder, darunter der Schriftsteller Günter Grass und der Grafiker Klaus Staeck, treten daraufhin aus dem ADAC aus.

Der Tempostreit belebt die Auseinandersetzung um eine generelle Geschwindigkeitsbegrenzung auf bundesdeutschen Autobahnen neu. Während SPD und Grüne im Interesse einer Verringerung des Schadstoffausstoßes für eine solche Regelung eintreten und auch in CDU-regierten Bundesländern der Anteil der tempobegrenzten Autobahnstrecken zunimmt, bleibt die Bundesregierung bei ihrem grundsätzlichen Nein. Bundesverkehrsminister Friedrich Zimmermann (CSU) bekräftigt wiederholt, daß es kein Tempolimit geben werde, solange er Minister sei. Umweltpolitisch sei die Förderung des Drei-Wege-Katalysators sinnvoller. Sicherheitsargumente läßt Zimmermann ebenfalls nicht gelten. Die Mehrzahl der Unfälle ereigne sich bei Geschwindigkeiten unter 100 km/h. Die vielkritisierte Raserei und Drängelei auf den Autobahnen werde zudem nach dem neuen Bußgeldkatalog härter bestraft.

Satellit »Kopernikus« im Bau

Gelungener Start für »Kopernikus«

6. Juni. Der erste bundesdeutsche Fernmeldesatellit DFS Kopernikus 1 wird von der Europarakete Ariane 4 in eine elliptische Umlaufbahn gebracht.

Der ursprünglich überwiegend für den Fernmeldedienst bestimmte Satellit wurde nach dem Scheitern des Rundfunksatelliten TV-SAT 1 im November 1987 so umgerüstet, daß er jetzt auch Fernsehprogramme ausstrahlen kann. Zusammen mit einem zweiten Satelliten dieses Typs, der im Frühjahr 1990 gestartet werden soll, verfügt Kopernikus 1 über eine Kapazität von zwölf Fernsehprogrammen und 16 Kanälen für digitales Radio. Zum Empfang genügt eine Parabolantenne von 90 cm Durchmesser.

Nach dem erfolgreichen Start des deutsch-französischen Rundfunksatelliten TV-SAT 2 im August streitet man sich in Fachkreisen darüber, welchem der beiden Satellitentypen die Zukunft gehört. TV-SAT 2 ist mit einer achtmal stärkeren Sendeleistung Kopernikus zwar überlegen, doch können über ihn nur vier der insgesamt 18 in der Bundesrepublik empfangbaren Fernsehprogramme ausgestrahlt werden. Außerdem wird kritisiert, daß die Programme des Rundfunksatelliten TV-SAT 2 nur von wenigen Fernsehhaushalten empfangen werden können, da nur eine geringe Zahl der Fernsehgeräte für die D2-MAC-Übertragungsnorm des Satelliten tauglich ist. Die PAL-Norm des Satelliten Kopernikus kann dagegen mit den herkömmlichen Geräten empfangen werden.

Mehr Autos – Mehr Unfälle

Die wichtigsten Unfallursachen (in Prozent, Straßenverkehrsunfälle mit Personenschaden 1988)

Ursache	Prozent
Geschwindigkeit	17,6%
Mißachtung der Vorfahrt	12,2%
Fehler beim Abbiegen, Wenden, Rückwärtsfahren	11,8%
Zu dichtes Auffahren	8,2%
Straßenverhältnisse (Glätte, Nässe u. a.)	6,4%
Fehler von Fußgängern	6,3%
Nicht rechts oder auf falscher Fahrbahn gefahren	6,1%
Alkoholgenuß	5,9%
Fußgänger nicht beachtet	4,2%
Fehler beim Überholen	3,8%

PKW-Bestand in Millionen
* DIW-Prognose

Jahr	Millionen
1952	0,9
1964	8,3
1976	18,9
1989	29,8
2000*	34,0
2010*	34,6

© Globus/Harenberg

Ab 1993 Kat-Pflicht für Kleinwagen

9. Juni. Die Umweltminister der EG-Staaten beschließen in Luxemburg die Einführung einer Katalysatorpflicht für Kleinwagen zum 31. Dezember 1992.

Danach dürfen auch Kleinwagen unter 1,4 Liter Hubraum nur noch zugelassen werden, wenn sie den strengen US-Schadstoffnormen entsprechen. Nach dem Stand der Technik ist dies nur durch den Einbau eines Drei-Wege-Katalysators zu erreichen. Da den EG-Ländern das Recht eingeräumt wird, den Kauf von Katalysator-Autos steuerlich zu fördern, beschließt die Bundesregierung eine Steuervergünstigung für Neuwagen mit Drei-Wege-Katalysator in Höhe von 1100 DM. Der nachträgliche Einbau einer solchen Abgasreinigungstechnik wird ebenfalls honoriert.

Ruhiger Kirchentag in West-Berlin

11. Juni. Zum Abschluß des 23. Deutschen Evangelischen Kirchentages feiern mehr als 100 000 Menschen im Berliner Olympiastadion einen Abendmahlsgottesdienst. Die Losung des mit 153 000 Dauerteilnehmern seit 20 Jahren größten Kirchentages lautete »Unsere Zeit in Gottes Händen«.

Geistliche Inhalte prägten diesen Kirchentag stärker als politische Debatten. So drängten sich etwa 50 000 Teilnehmer bei den morgendlichen Bibelarbeitskreisen. Im Mittelpunkt der politischen Themen des fünftägigen Christentreffens, an dem auch 3000 Gäste und Mitarbeiter aus der DDR teilnahmen, stand der deutsch-deutsche Dialog. Diskutiert wurde auch die aktuelle politische Situation in China nach dem Massaker vom → 4. Juni (S. 43).

Zyprisches Gericht erkennt Notwehr an

30. Juni. Zwei in Nordzypern wegen Totschlags angeklagte Berlinerinnen – Mutter (48) und Tochter (21) – werden in einem Revisionsverfahren in Nikosia freigesprochen.

Die beiden Frauen, die in Zypern Urlaub machten, waren am 23. März von einem türkischen Zyprer in ihrem Zelt überfallen worden. In einem Kampf auf Leben und Tod erdrosselten sie den Mann, nachdem dieser die jüngere der beiden mehrfach vergewaltigt hatte.

Mit dem Freispruch hebt das Gericht das Urteil vom 22. Mai auf, bei dem Mutter und Tochter zu vier bzw. drei Jahren Haft verurteilt worden waren. Nach Aussagen der Berliner Senatsverwaltung für Frauen, Jugend und Familie hätten die Angeklagten damals den Tathergang nicht aus eigener Sicht schildern dürfen.

»Schale« für Bayern, »Pott« für Borussia

17. Juni. Der letzte Spieltag der Fußball-Bundesliga in der Saison 1988/89 hat für die Entscheidung an der Spitze nur noch statistische Bedeutung: Der FC Bayern München steht bereits als Deutscher Meister fest. Mit 50:18 Punkten sichern sich die Bayern vor dem 1. FC Köln (45:23) zum elften Mal die Meisterschale des DFB. Offen war dagegen bis zuletzt, welcher Klub neben Hannover 96 in die zweite Liga absteigen muß. Trotz ihres Sieges im letzten Spiel trifft es die Stuttgarter Kickers, denen bei Punktgleichheit mit den drei vor ihnen liegenden Teams das katastrophale Torverhältnis zum Verhängnis wird. Als Aufsteiger qualifizieren sich der FC Homburg und Fortuna Düsseldorf.

Eine Woche nach dem Saisonabschluß in der Bundesliga holt sich Borussia Dortmund durch ein überraschend klares 4:1 gegen Werder Bremen in Berlin den DFB-Pokal. Nach dem Schlußpfiff steht ganz Dortmund kopf: Zehntausende feiern ihre Borussia u. a. durch ausdauernde Hupkonzerte. Einige Fans streichen ganze Straßenzüge in den Vereinsfarben Schwarz und Gelb.

Für positive Schlagzeilen sorgte in der abgelaufenen Saison vor allem der angriffslustige Aufsteiger FC St. Pauli, der auf einem nicht erwarteten zehnten Platz landet. Das stets hervorragend gelaunte Publikum bringt dem St.-Pauli-Stadion den Beinamen »Freudenhaus am Millerntor«.

Hinter den Erwartungen zurück blieben besonders die Leistungen der hochkarätig besetzten Teams aus Uerdingen, Frankfurt und Leverkusen, denen langweiliger »Beamtenfußball« vorgeworfen wird. In den europäischen Pokalwettbewerben können sich DFB-Mannschaften dieses Jahr nicht entscheidend in Szene setzen. Den Europapokal der Landesmeister gewinnt der AC Mailand (4:0 gegen Steaua Bukarest), den Pokal der Pokalsieger der FC Barcelona (2:0 gegen Sampdoria Genua) und den UEFA-Pokal der SSC Neapel (3:1 und 3:3 gegen den VfB Stuttgart).

Zum Fußballer des Jahres wählen die 18 Kapitäne der Bundesligavereine und Teamchef Franz Beckenbauer den 23jährigen Mittelfeldspieler Thomas Häßler vom 1. FC Köln. Der kleine Techniker gilt nicht nur bei seinem Verein, sondern auch in der Nationalmannschaft als Entdeckung der Saison.

Enthusiastischer Empfang für die Pokalsieger vor dem Dortmunder Rathaus

Gruppenbild mit Meisterschale: Die Mannschaft des FC Bayern München

Die europäischen Meister und Pokalsieger der Saison 1988/89

Land	Meister	Pokalsieger
Albanien	17 Nentori Tirana	Dinamo Tirana
Belgien	KV Mechelen	RSC Anderlecht
Bulgarien	ZFKA Sredetz Sofia	ZFKA Sredetz Sofia
Dänemark	Bröndby IF	Bröndby IF
Bundesrepublik	Bayern München	Borussia Dortmund
DDR	Dynamo Dresden	Dynamo Berlin
England	FC Arsenal	FC Liverpool
Finnland	HJK Helsinki	Haka Valkeakoski
Frankreich	Olympique Marseille	Olympique Marseille
Griechenland	AEK Athen	Panathinaikos Athen
Irland	Derry City	Derry City
Island	Fram Reykjavik	Valur Reykjavik
Italien	Inter Mailand	Sampdoria Genua
Jugoslawien	Vojvodina Novi Sad	Partizan Belgrad
Luxemburg	Spora Luxemburg	Union Sportive Luxemburg
Malta	Sliema Wanderers	Hamrun Spartans
Niederlande	PSV Eindhoven	PSV Eindhoven
Nordirland	FC Linfield	Ballymena United
Norwegen	Rosenborg Trondheim	Rosenborg Trondheim
Österreich	FC Tirol	FC Tirol
Polen	Ruch Chorzow	Legia Warschau
Portugal	Benfica Lissabon	Belenenses Lissabon
Rumänien	Steaua Bukarest	Steaua Bukarest
Schottland	Glasgow Rangers	Celtic Glasgow
Schweden	Malmö FF	Malmö FF
Schweiz	FC Luzern	Grasshopper Zürich
Sowjetunion	Dnjepr Dnjepropetrowsk	Dnjepr Dnjepropetrowsk
Spanien	Real Madrid	Real Madrid
Tschechoslowakei	Sparta Prag	Sparta Prag
Türkei	Fenerbahce Istanbul	Besiktas Istanbul
Ungarn	Honved Budapest	Honved Budapest
Wales	nicht ausgetragen	Swansea City
Zypern	Omonia Nikosia	Ael Limasol

Arantxa Sanchez entthront Steffi Graf

10. Juni. Die Spanierin Arantxa Sanchez schlägt im Finale der Internationalen Tennis-Meisterschaften von Frankreich in Paris Steffi Graf überraschend in drei Sätzen (7:6, 3:6, 7:5).

Mit einer Dauer von 2:58 Stunden geht das Match als längstes Damenfinale in die Geschichte der French Open ein. Die 17jährige Außenseiterin wächst vor 16 000 begeisterten Zuschauern im Stadion Roland Garros über sich hinaus. Als ihr erster Sieg in einem Grand-Slam-Turnier feststeht, wälzt sie sich vor Freude im roten Sand des Center Court. Die sieggewohnte Steffi Graf erklärt ihre ungewohnten Schwierigkeiten mit einer Magenverstimmung und gibt weiter insistierenden Reportern schließlich gereizt zu verstehen, daß sie ihre Periode habe. Die Presse registriert zufrieden, daß mit Sanchez' Sieg die Eintönigkeit im Damentennis vorerst durchbrochen sei. Dazu trägt auch die 15jährige Jugoslawin Monica Seles bei, die durch ihre hervorragende Leistung der Weltranglistenersten Graf bereits im Halbfinale fast ein Bein gestellt hätte.

Auch im Herrenwettbewerb enden die French Open mit einer Sensation: Der erst 17jährige Michael Chang aus den Vereinigten Staaten schlägt im Finale den Schweden Stefan Edberg in fünf Sätzen.

Bundesligareform wieder vom Tisch

9. Juni. Der Beirat des Deutschen Fußball-Bundes lehnt die von den Profivereinen einen Monat zuvor beschlossene Bundesligareform ab.

Nach dem Reformvorschlag sollten in den beiden Profiligen in Zukunft Hin- und Rückspiele innerhalb einer Woche ausgetragen und ein Gesamtsieger ermittelt werden, der einen zusätzlichen Pluspunkt erhalten hätte. Befürworter der Reform, darunter besonders der Vereinspräsident des VfB Stuttgart, Gerhard Mayer-Vorfelder, erhofften sich von dem neuen Modus eine Stärkung des schwindenden Zuschauerinteresses an der Bundesliga. Reformgegner wie Teamchef Franz Beckenbauer (»Schwachsinn«) und Vertreter der Polizei befürchten u. a. Ausschreitungen emotionsgeladener Fans bei den Rückspielen.

Juli 1989

Mo	Di	Mi	Do	Fr	Sa	So
					1	2
3	4	5	6	7	8	9
10	11	12	13	14	15	16
17	18	19	20	21	22	23
24	25	26	27	28	29	30
31						

1. Juli, Samstag

Den von ZDF, ORF und SRG live übertragenen »Grand Prix der Volksmusik« gewinnt der 13jährige Traunsteiner Stefan Mross mit dem Lied »Heimwehmelodie«.

2. Juli, Sonntag

Der frühere sowjetische Außenminister und Staatspräsident Andrei A. Gromyko stirbt im Alter von 79 Jahren in Moskau. → S. 54

In Griechenland wird eine Übergangsregierung unter der Führung des Konservativen Tzannis Tzannetakis vereidigt. Sie soll bis zu den Neuwahlen im November amtieren. → S. 53

Mit einem 4:1-Erfolg in Osnabrück über den Titelverteidiger Norwegen gewinnt die deutsche Fußball-Nationalmannschaft zum ersten Mal die Europameisterschaft der Damen. → S. 57

3. Juli, Montag

Der Oberste Gerichtshof der USA schränkt in einer umstrittenen Entscheidung das Recht zum Schwangerschaftsabbruch erheblich ein.

4. Juli, Dienstag

Eine führerlose sowjetische MIG 23 überfliegt die DDR, die Bundesrepublik und die Niederlande und stürzt in Belgien ab. Dabei wird ein Mann getötet.

5. Juli, Mittwoch

Im bisher längsten Parteispendenprozeß in der Bundesrepublik verurteilt das Stuttgarter Landgericht den Esslinger Unternehmer Helmut Eberspächer wegen Steuerhinterziehung zu einer Geldstrafe von 140 000 DM.

Oliver North, einer der Hauptakteure der Iran-Contra-Affäre, wird wegen Beihilfe zur Täuschung des Kongresses zu drei Jahren Gefängnis auf Bewährung, einer Geldstrafe und 1200 Stunden Sozialarbeit verurteilt.

6. Juli, Donnerstag

Janos Kádár, bis Mai 1988 fast 32 Jahre lang Chef der ungarischen Kommunistischen Partei, stirbt im Alter von 77 Jahren in Budapest.

7. Juli, Freitag

Das Berliner Verwaltungsgericht gibt einer Klage von sechs Demonstranten statt, die während des Besuchs von US-Präsident Ronald Reagan 1987 zusammen mit rund 600 anderen Menschen teilweise bis zu fünf Stunden im sog. Berliner Polizeikessel eingeschlossen waren.

Auf der ersten Ostblock-Gipfelkonferenz seit 1968 in Rumänien betont der sowjetische Staats- und Parteichef Michail Gorbatschow das Recht eines jeden sozialistischen Staates auf seinen eigenen Weg.

8. Juli, Samstag

Der Peronist Carlos Saul Menem wird als Präsident Argentiniens vereidigt. Der Machtwechsel findet fünf Monate vor dem verfassungsmäßigen Ende der Amtszeit seines Vorgängers Raúl Ricardo Alfonsín statt, der wegen der schweren Wirtschaftskrise vorzeitig zurücktrat (→ 14. 5./S. 40).

9. Juli, Sonntag

Mit einem zweifachen deutschen Sieg enden die 103. Offenen Internationalen Tennismeisterschaften von England in Wimbledon. Titelverteidigerin Steffi Graf schlägt im Endspiel Martina Navratilova, Boris Becker setzt sich im Finale gegen Stefan Edberg durch. → S. 57

10. Juli, Montag

Eine Streikwelle im sibirischen Kusbass-Revier leitet eine Reihe von Demonstrationen auch im Donbass-Revier (Ukraine) ein. Die Arbeiter fordern eine Unabhängigkeit der Gruben, höhere Löhne und bessere soziale Bedingungen. → S. 53

11. Juli, Dienstag

Dockarbeiter in 60 britischen Häfen streiken, um gegen die geplante Abschaffung ihrer lebenslangen Arbeitsplatzgarantie zu demonstrieren.

In verschiedenen Gemeinden Niedersachsens werden zum ersten Mal versuchsweise Konzerte unter dem Motto »Konzertsommer Niedersachsen« veranstaltet.

12. Juli, Mittwoch

Der Seniorenschutzbund »Graue Panther« kündigt auf einer Tagung in München die sechsjährige Zusammenarbeit mit den Grünen auf und gründet eine eigene Partei, »Die Grauen«. Zur ersten Vorsitzenden wird Trude Unruh gewählt. → S. 55

13. Juli, Donnerstag

In Wien werden drei führende kurdische Exil-Politiker ermordet.

14. Juli, Freitag

Paris feiert den 200. Jahrestag der Französischen Revolution. → S. 54

15. Juli, Samstag

In Venedig kommt es anläßlich eines Gastspiels der britischen Rockgruppe »Pink Floyd« zu Auseinandersetzungen zwischen Tausenden von Rockfans und der Polizei. → S. 56

16. Juli, Sonntag

Zum Abschluß des Pariser Wirtschaftsgipfels der sieben führenden westlichen Industrienationen vereinbaren die Staats- und Regierungschefs neue Anstrengungen zur Lösung der Umweltprobleme sowie eine Unterstützung der Reformen im Ostblock.

Der österreichische Dirigent Herbert von Karajan stirbt im Alter von 81 Jahren in Anif bei Salzburg. → 56

Eine Windjammerparade im Hamburger Hafen bildet einen der Höhepunkte des 800. Hafengeburtstags. → S. 55

17. Juli, Montag

Österreich beantragt seine Aufnahme in die EG. → S. 54

18. Juli, Dienstag

Auf dem vor der Elbinsel Neuwerk auf Reede liegenden niederländischen Frachter »Oostzee« schlagen etwa 20 von 4000 Fässern mit der hochgiftigen Chemikalie Epichlorhydrin leck. → S. 55

19. Juli, Mittwoch

Der Staatsratsvorsitzende und KP-Chef Wojciech Jaruzelski wird zum polnischen Staatspräsidenten gewählt.

20. Juli, Donnerstag

In den USA wird eine Studie veröffentlicht, die die Vermutung bestätigt, das Schmerzmittel Aspirin biete Schutz vor Herzinfarkt.

21. Juli, Freitag

Nach dreijährigen Kämpfen unterzeichnen Regierung und Rebellen in Surinam ein Friedensabkommen.

22. Juli, Samstag

Nach vietnamesischem Bombardement fliehen 40 000 Menschen aus einem kambodschanischen Flüchtlingslager in Thailand.

23. Juli, Sonntag

Bei der japanischen Oberhauswahl erleiden die seit 1955 regierenden Liberal-Demokraten schwere Verluste zugunsten der Sozialisten (→ 9. 8./S. 61).

Der 28jährige US-Amerikaner Greg LeMond wird mit 8 sec Vorsprung zum zweiten Mal nach 1986 Sieger der Tour de France. → S. 57

24. Juli, Montag

Die britische Premierministerin Margaret Thatcher (Konservative) bildet ihr Kabinett um und schließt parteiinterne Kritiker aus der Regierung aus. → S. 53

Nach langwierigen Verhandlungen einigt sich Mexiko mit seinen wichtigsten Gläubigerbanken auf einen Teilerlaß seiner Schulden. Die Gesamtschulden des Landes von insgesamt 100 Milliarden Dollar werden um rund 18 Milliarden Dollar abgebaut (→ 17. 8./S. 61).

25. Juli, Dienstag

Das US-Medienunternehmen Time Inc. übernimmt nach Beendigung juristischer Auseinandersetzungen die Warner Communications Inc.. Dadurch entsteht der größte Medienkonzern der Welt.

Mit der Aufführung des »Parsifal« von Richard Wagner beginnen die 78. Bayreuther Festspiele. → S. 56

26. Juli, Mittwoch

Mit der Verdi-Oper »Ein Maskenball« werden die Salzburger Festspiele eröffnet (→ 16. 7./S. 56).

27. Juli, Donnerstag

In Stockholm wird der 42jährige Christer Pettersson des Mordes an dem früheren Ministerpräsidenten Olof Palme für schuldig befunden und zu einer lebenslangen Haftstrafe verurteilt. → S. 54

28. Juli, Freitag

Im Iran wird der bisherige Parlamentspräsident Haschemi Rafsandschani mit 94,1% der abgegebenen Stimmen zum Staatspräsidenten gewählt (→ 3. 6./S. 46).

Ein israelisches Kommando entführt den fundamentalistischen pro-iranischen Schiitenführer Scheich Abdul Karim Obeid aus seinem Haus in Südlibanon und verschleppt ihn nach Israel. → S. 54

Bei der Explosion einer Erdölpipeline in der Nähe von Straßburg wird ein Polizist getötet.

29. Juli, Samstag

In Peking werden 180 000 Bücher beschlagnahmt, die nach Angaben der amtlichen chinesischen Nachrichtenagentur von Verfechtern der »bürgerlichen Liberalisierung« stamm (→ 4. 6./S. 43).

30. Juli, Sonntag

Der Oberste Sowjet von Lettland verabschiedet eine Deklaration über die staatliche Souveränität der baltischen Republik. Danach müssen künftig alle vom Obersten Sowjet der UdSSR beschlossenen Gesetze auch von den Organen der neuen Republik ratifiziert werden (→ 23. 8./S. 60).

31. Juli, Montag

In einer Volksabstimmung sprechen sich 85,7 Prozent der Chinesen für eine Verfassungsreform aus, durch die den Parteien größere Handlungsmöglichkeiten eingeräumt werden.

Auf einen Blick:

Die Zahl der Arbeitslosen in der Bundesrepublik beträgt 1 972 504, das entspricht einer Quote von 7,7% (1988: 8,6%).

Die Verbraucherpreise in der Bundesrepublik liegen um 3% höher als im Juli 1988.

TV-Hit im Juli:

Die höchste Einschaltquote erreicht der ARD-Krimi »Tatort« am 9. 7. (12,74 Mio. Zuschauer = 35%).

Massenstreiks im Bergbau gefährden »Perestroika«

10. Juli. Die Bergarbeiter im sibirischen Kusbass-Kohlerevier treten in einen Streik, der sich in den nächsten Tagen zu einem Massenprotest in allen Bergbaugebieten der UdSSR ausweitet. Der Ausstand, der erst Ende des Monats abebbt, wird von Parteichef Michail Gorbatschow als elementare Bedrohung seiner Politik der Umgestaltung eingestuft.

Auf dem Höhepunkt der Streiks legen allein im größten Bergbaurevier der Sowjetunion, dem Donezbecken in der Ukraine, etwa 300 000 Bergleute die Arbeit nieder. Bis an den Polarkreis im Norden und nach Kasachstan im Süden schwappt die Welle der in der UdSSR noch verbotenen Streiks.

Kundgebung streikender Bergleute in Kemerowo im Kusnezk-Revier; der Ausstand wird in allen Revieren von Massendemonstrationen begleitet.

»Die momentane Situation könnte alles zerstören, was wir zur Zeit machen.« (Michail Gorbatschow am 19. Juli vor dem Obersten Sowjet)

Gorbatschow selbst wendet sich mit drei dramatischen Appellen an die Streikenden. Er fordert sie auf, wieder an die Arbeit zu gehen, um die Reformpolitik nicht zu gefährden, akzeptiert aber die Forderungen der Bergleute als legitim.

Mit den Streiks sind vor allem folgende Forderungen verbunden:

▷ Ökonomische Unabhängigkeit der Bergwerke, die nicht mehr alle Erlöse an das Moskauer Kohleministerium abliefern wollen
▷ Bessere Löhne und Versorgung
▷ Verbesserung der katastrophalen Umweltsituation in den betreffenden Gebieten
▷ Beibehaltung der an den offiziellen Gewerkschaften vorbei eingerichteten Streikkomitees.

Viele Sorten von Lebensmitteln und andere elementare Güter wie Kleidung und Schuhe sind z. B. im Kusbass kaum zu bekommen. In den veralteten Zechen sind während der letzten neun Jahre 10 000 Bergleute bei Arbeitsunfällen getötet worden. Die Verhandlungsführer des Kreml sehen sich bei den direkten Auseinandersetzungen mit den Streikkomitees vor Ort zu weitgehenden Zugeständnissen genötigt. Daraufhin nehmen die Bergleute im August die Arbeit wieder auf. Gorbatschow beziffert die aus dem Streik resultierenden volkswirtschaftlichen Verluste auf 70 Milliarden Rubel (ca. 210 Mrd. DM).

»Ausnahmezustand« trotz Reformen

Nach Ansicht des führenden sowjetischen Wirtschaftswissenschaftlers Leonid Abalkin befindet sich die Wirtschaft der UdSSR in einem dramatischen »Ausnahmezustand«. Die größten Probleme sind:

▷ Das Haushaltsdefizit von 100 Mrd. Rubel (300 Mrd. DM), daraus resultierend, eine beschleunigte Inflation
▷ Die katastrophale Versorgung mit Konsumgütern
▷ Umstellungsschwierigkeiten nach marktwirtschaftlichen Reformen.

Gründe für das steigende Haushaltsdefizit sind u. a. gesunkene Erdölpreise sowie die Folgekosten der Reaktorkatastrophe in Tschernobyl und des Erdbebens in Armenien. Die Versorgungsprobleme gehen auf die jahrzehntelange Forcierung der Schwerindustrie auf Kosten der Konsumgüterproduktion zurück. Für 1990 kündigt die Regierung eine »radikale Wende« der Investitionspolitik an: Erstmals sollen bevorzugt Konsumgüter importiert werden.

Papandreou unter Anklage

2. Juli. In Athen wird eine Übergangsregierung vereidigt. Sie besteht aus der konservativen Partei Nea Dimokratia und dem von den Kommunisten geführten »Bündnis der linken und fortschrittlichen Kräfte«.

Bis zu den Neuwahlen im November will die Koalition unter Führung des konservativen Ministerpräsidenten Tzannis Tzannetakis (62) zahlreiche Affären aufklären, in die Kabinettsmitglieder der ehemaligen Regierungspartei PASOK verwickelt waren. Die PASOK hatte am 18. Juni eine empfindliche Wahlniederlage hinnehmen müssen.

Nachdem die parlamentarischen Untersuchungsausschüsse ihren Bericht vorgelegt haben, beschließt die Volksvertretung, den 70jährigen Ex-Regierungschef Andreas Papandreou (PASOK) vor ein Sondergericht zu stellen. Ihm wird vorgeworfen, ein weitgespanntes Telefonabhörnetz unterhalten zu haben und in den Finanzskandal um den inzwischen verhafteten Bankier Georgios Koskotas verwickelt zu sein.

Ex-Ministerpräsident Papandreou: Im Mittelpunkt zahlreicher Affären

Britisches Ämterkarussell

24. Juli. Die britische Premierministerin Margaret Thatcher (Konservative) bildet zum elften Mal in ihrer zehnjährigen Amtszeit ihr Kabinett um. Wichtigste Veränderung des Revirements, bei dem insgesamt 13 der 21 Kabinettsposten neu verteilt werden, ist die überraschende Entlassung von Außenminister Sir Geoffrey Howe. Zwischen der Premierministerin und Howe hatte es häufiger Meinungsverschiedenheiten über EG-Fragen gegeben. Nachfolger Howes wird der 46jährige John Major, bisher Erster Staatssekretär im Finanzministerium.

Zu einer schweren Krise der Thatcher-Regierung kommt es erneut im Oktober, als der in der Finanzwelt angesehene Schatzkanzler Nigel Lawson zurücktritt. Lawson protestiert mit diesem Schritt gegen die ablehnende Haltung der Premierministerin gegenüber dem Beitritt

Schatzkanzler John Major gilt als »Kronprinz« Margaret Thatchers.

Großbritanniens zum europäischen Währungssystem. Von dem parteiinternen Streit profitiert wiederum John Major, den Thatcher in das wichtigste Ministerium beruft.

»Mister Njet«: Gromyko ist tot

2. Juli. In Moskau stirbt im Alter von 79 Jahren der frühere sowjetische Außenminister Andrei A. Gromyko. Mit einer 28jährigen Amtszeit war Gromyko weltweit dienstältester Außenminister. 1985 trat er zurück und wurde Staatsoberhaupt, bis er

Andrei A. Gromyko gehörte jahrzehntelang zu den führenden Politikern in der UdSSR. Dennoch erhält er kein Staatsbegräbnis.

sich 1988 im Zuge der Perestroika auch aus diesem Amt zurückziehen mußte. Obwohl Gromyko als eisenharter »Mister Njet« galt, der die Ära der »Stagnation« unter Leonid Breschnew repräsentierte, war er es doch, der 1985 den Ausschlag zur Wahl Michail Gorbatschows in das Amt des Generalsekretärs der KPdSU gab.

Österreich sucht Anschluß an die EG

17. Juli. In Brüssel stellt der österreichische Außenminister Alois Mock (ÖVP) einen formellen Antrag auf Mitgliedschaft seines Landes in der Europäischen Gemeinschaft (EG). Die Österreicher verlangen u. a. von der EG, daß die »immerwährende

Der österreichische Außenminister Alois Mock (55) warb bereits 1988 auf Reisen in verschiedene EG-Länder um Sympathien für einen raschen EG-Beitritt seines Landes.

Neutralität« der Alpenrepublik unangetastet bleibt. Der Beitrittsantrag wird von der Sowjetunion kritisiert, die Österreich 1955 unter der Bedingung geräumt hatte, daß der Staat politisch und wirtschaftlich neutral bleibe.
Über den Antrag der Österreicher wird die EG voraussichtlich nicht vor 1993 entscheiden.

Fehlurteil im Prozeß um Palme-Mord

27. Juli. Das Stockholmer Stadtgericht verurteilt den 42jährigen Christer Pettersson wegen Mordes an Ministerpräsident Olof Palme (am 28. 2. 1986) zu lebenslanger Haft.
Im Berufungsverfahren wird Pettersson jedoch am 2. November

Christer Pettersson während der Gerichtsverhandlung. Pettersson kann nach seinem Freispruch mit der höchsten Haftentschädigung in der schwedischen Rechtsgeschichte rechnen.

mangels Beweisen freigesprochen. Das Gericht hält die Identifizierung des Angeklagten durch die Kronzeugin Lisbet Palme nicht für ausreichend. Nach dem Freispruch Petterssons, der sich bereits seit dem 12. Oktober auf freiem Fuß befindet, sind die Aussichten, den Mörder zu finden, nur noch gering, da das Beweismaterial erschöpft ist.

Israel entführt Schiiten-Scheich

28. Juli. Ein israelisches Kommando entführt den Geistlichen Abdel Karim Obeid aus dem Südlibanon und setzt ihn in einem israelischen Gefängnis fest. Obeid ist angeblich einer der Führer der fundamentalistischen Schiitenorganisation Hisbollah.

Der 33jährige Abdel Karim Obeid gilt in Israel als wichtiger geistlicher Führer der Hisbollah im Südlibanon. Er soll auch bei der Entführung des US-Leutnants Higgins am 17. 2. 1988 mitgewirkt haben.

Mit der Aktion verbindet Tel Aviv das Ziel, drei israelische Soldaten und insgesamt 16 westliche Geiseln wieder freizupressen, die von verschiedenen schiitischen Gruppen im Libanon entführt wurden. Am 3. August teilt eine der Gruppen daraufhin mit, den von ihr als Geisel gehaltenen US-Offizier William Higgins zur Vergeltung getötet zu haben.

Gigantisches Monument des Jubiläums: Die Bastille-Oper

Die Nationalfarben auf den Gesichtern junger Franzosen

Feuerwerk über dem Arc de Triomphe

»Vive la Grande Nation«: Paris feiert die Revolution

14. Juli. Unter großem Aufwand finden in Paris die Jubiläumsfeierlichkeiten zum 200. Jahrestag der Französischen Revolution statt. Die Franzosen gedenken an diesem Tag – wie in jedem Jahr – der Erstürmung der Bastille durch die Pariser Bürger, die den Anstoß zu einer politischen Umwälzung von weltgeschichtlicher Dimension gab.

Der auf Repräsentation bedachte Staatspräsident François Mitterrand sorgte bereits seit Jahren dafür, den Feierlichkeiten einen gebührenden Rahmen zu verleihen: Rechtzeitig zum Jubiläum werden die monumentale Volksoper an der Bastille sowie der umgerechnet eine Milliarde DM teure »Arche de la Défense« eingeweiht, in dem parallel

zum Fest der Weltwirtschaftsgipfel der sieben führenden Industrienationen stattfindet. Die Bauwut des Präsidenten hatte in Frankreich allerdings nicht nur Begeisterung hervorgerufen (→ 29. 3./S. 25).
Den Höhepunkt der Feierlichkeiten bildet der farbenfrohe Festumzug am Abend des »Bicentenaire«, von dem französischen Werbefachmann

Jean-Paul Goude als aufwendiges Spektakel mit Folkloregruppen aus aller Welt inszeniert.
Hinter den Kulissen der Feier erhebt sich manche kritische Stimme, die beklagt, daß zuviel Geld für ein Fest verschwendet worden sei, bei dem man die Schrecken der Revolution, wie etwa die Guillotine, komplett ausgespart habe.

Bergungsspezialisten in Schutzanzügen verladen ein Giftfaß.

»Oostzee« verliert 120 Fässer mit Gift

18. Juli. In schwerer See vor Cuxhaven verrutscht auf dem niederländischen Frachter »Oostzee« die Ladung, wobei 120 von 4000 Fässern mit dem hochgiftigen Insektenvernichtungsmittel Epichlorhydrin beschädigt werden.
Rettungstrupps mit säurefesten Neoprenanzügen und Atemschutzgeräten versuchen in den folgenden Wochen, die Ladung zu löschen. Kompetenzstreitigkeiten der Behörden, unzureichende Erfahrung bei der Beseitigung von Giftschäden und ungünstige Wetterverhältnisse ziehen die Bergung jedoch in die Länge.

Senioren gründen Partei der Grauen

12. Juli. Führungsmitglieder des Seniorenschutzbundes »Graue Panther« gründen in München eine neue Partei mit dem Namen »Die Grauen«. Zur Vorsitzenden wird die Bundestagsabgeordnete der Grünen Trude Unruh (64) gewählt.
Die Grauen, die sich für die Belange älterer Menschen einsetzen wollen, sehen auch die Sozial-, Friedens- und Umweltpolitik als Betätigungsfelder an. Anlaß zur Parteigründung sei, so Trude Unruh, der »erschreckende Wahlerfolg der Republikaner«. In dem Bündnis mit den Grünen fühlten sich die »Grauen Panther« nicht mehr vertreten.

Hamburg blickt auf 800 Jahre Hafen zurück

16. Juli. Die »Windjammerparade« fast 200 historischer Segelschiffe, die von den St.-Pauli-Landungsbrücken aus elbabwärts an einigen hunderttausend Zuschauern vorbeiziehen, bildet den Höhepunkt der Feiern zum 800. Hamburger Hafengeburtstag.
Die Segelveteranen, unter ihnen die schönsten und größten Schulschiffe der Welt, können sich wegen des steifen Gegenwindes nicht, wie erhofft, voll aufgetakelt präsentieren. Dafür haben die vielen Schaulustigen Gelegenheit, den »Mastenwald« zu bestaunen, der dem Hafen für kurze Zeit ein nostalgisches Gepräge verleiht.
Der in Hamburg jährlich am 7. Mai zelebrierte Hafengeburtstag beruht zwar auf einem »sanften Hauch von Fälschung« (so die »Frankfurter Allgemeine Zeitung«) der angeblich von Kaiser Barbarossa stammenden Gründungsurkunde, die wahrscheinlich im Jahr 1189 ausgefertigt wurde. Nichtsdestoweniger nutzt der Senat das runde Jubiläum zur

Begleitet von zahlreichen kleineren Schiffen verlassen die Windjammer den Hafen; hier (v. l.) »Großherzogin Elisabeth«, »Sedov« und »Mir«.

ganzjährigen Selbstdarstellung und Werbung für die Hansestadt. Das Geburtstagsprogramm weist insgesamt über 200 Veranstaltungen aus, in die ca. 50 Millionen DM investiert werden. Kritiker werfen den Organisatoren Provinzialismus bei Auswahl und Ausgestaltung der Festivitäten vor. Auch wird bemängelt, daß die eigentlichen Hauptpersonen eines Hafens, die See- und Schauerleute, beim Festtrubel schlicht ignoriert worden seien.

Der Algenteppich ist jeder Mittelmeerromantik abträglich.

Touristen bleiben aus: Der leere Strand von Portonovo di Ancona

Ausbreitung des Algenteppichs schreckt viele Adria-Urlauber ab

Italien, traditionell eines der beliebtesten Reiseziele für deutsche Sonnenhungrige, muß im Sommer 1989 starke Besucherrückgänge verkraften. Schuld daran ist der sich unaufhaltsam ausbreitende »Algenteppich«.
Die Vermehrung der Algen, die insbesondere auf die Belastung der Gewässer mit den Nährstoffen Phosphat, Stickstoff und Nitrat zurückgeführt wird, entwickelt sich zwar auch in der kalten Nordsee, wird aber hauptsächlich in den warmen Gewässern der Mittelmeerländer zu einem Problem. Unterhalb des Algengürtels ist ein Leben von Pflanzen und Tieren nicht mehr möglich.
Die braun-gelbe Masse, die an der Adriaküste auch die Strände berühmter Badeorte wie Riccione, Rimini und Cesenatico nicht verschont, hält viele Italien-Urlauber von diesen Küsten fern. Bundesdeutsche Boulevardzeitungen warten zudem mit Schreckensmeldungen von der angeblichen Giftigkeit der Algen auf, so daß viele italienische Gastronomen von einer Verschwörung der Medien sprechen, die ihnen Umsatzeinbußen von 30 bis 50 Prozent beschert habe.

Die Musikwelt trauert um Karajan

16. Juli. Im Alter von 81 Jahren stirbt der österreichische Dirigent Herbert von Karajan in seinem Haus in Anif bei Salzburg. Der Regisseur, Theater- und Festivalleiter gilt als einer der bedeutendsten Dirigenten des 20. Jahrhunderts.

Karajans Karriere begann 1927 in Ulm, wo der ehrgeizige Dirigent mit »Figaros Hochzeit« debütierte. Die Aufführung des »Fidelio« an der Berliner Staatsoper brachte dem Dreißigjährigen 1938 den Durchbruch. Nach 1945 wegen seiner NSDAP-Mitgliedschaft zunächst mit Auftrittsverbot belegt, konnte Karajan erst 1948 wieder in Salzburg dirigieren. Es folgten Engagements an der Mailän-

P. Domingo (M.) bei der Trauerfeier

der Scala und der Wiener Staatsoper, bis er 1955 zum Chefdirigenten des Philharmonischen Orchesters Berlin auf Lebenszeit ernannt wurde, das er zu einem der weltbesten Ensembles aufbaute. In den 60er Jahren galt der exzentrische und charismatische Meister als »beinahe unumschränkter Beherrscher des musikalischen Europa« (»Neue Zürcher Zeitung«): Gastspiele mit den Berliner und Wiener Philharmonikern führten ihn durch die ganze Welt, er war Leiter der Salzburger Festspiele (1956–60), Direktor der Wiener Staatsoper (1957–64) und Begründer der Salzburger Osterfestspiele (1967).

In den letzten Jahren seines Wirkens geriet Karajan, der es wie kaum ein anderer Dirigent verstand, die Medien für seine Kunst zu nutzen, mehr und mehr ins Schußfeld der Kritik. Persönliche Animositäten und Reibereien mit Sängern, Instrumentalsolisten und den Berliner Philharmonikern waren seinem Ruf abträglich. Der »vermutlich erste und zugleich letzte Repräsentant der absoluten Dirigenten-Allmacht« (»Frankfurter Allgemeine«), der noch kurz vor seinem Tod die Aufführung von Verdis Oper »Ein Maskenball« für die Salzburger Festspiele vorbereitete, hat keinen »musikalischen Erben« hinterlassen (→ 8. 10./S. 84).

Karajan-Vermächtnis: Verdis Oper »Ein Maskenball« in Salzburg 1989

Herbert von Karajan, versunken in die Musik

Der Klangmagier

Der Dirigent Herbert von Karajan faszinierte sein Publikum mit einer Musik, die Perfektionismus mit einer magischen Klangfülle verband. Sein Bemühen, einem großen, stark besetzten Orchester ein Maximum an Klangschönheit abzugewinnen, brachten dem effektbewußten Inszenator, der am Dirigentenpult oft trancehaft entrückt wirkte, jedoch auch den Vorwurf der »blankpolierten Perfektion« (»Frankfurter Allgemeine«) ein.

Schwache Neuinszenierung in Bayreuth

25. Juli. Bei der Eröffnung der 78. Bayreuther Festspiele wird der 70jährige Festspielleiter Wolfgang Wagner vom Premierenpublikum für seine Neuinszenierung des »Parsifal« mit Buhrufen bedacht.

Zuschauern wie Musikkritikern mißfällt bei der Regie des Wagner-Enkels sowohl das Bühnenbild als auch die Personen- und Chorregie, die an die symbolhafte Statuarik des Bayreuther Stils der 50er Jahre anknüpft. Nach den vieldiskutierten Inszenierungen von Patrice Chéreau (»Ring des Nibelungen«) und Harry Kupfer (»Der fliegende Holländer«) in den 70er Jahren wirke Wagners »Parsifal«, so die »Frankfurter Rundschau«, wie eine »kreuzbrave Stadttheaterinszenierung«.

Auch der musikalische Leiter der Aufführung, der US-amerikanische Dirigent James Levine, erhält in der Presse wegen des »Eindrucks zele-

brierter Leblosigkeit« (»Frankfurter Allgemeine«) schlechte Kritiken. Positiv wird dagegen die Leistung der Sänger bewertet. Insbesondere der in der Hauptrolle des Parsifal debütierende US-Amerikaner William Pell und Waltraud Meier als Kundry finden großen Beifall.

Der von Wolfgang Wagner neuinszenierte »Parsifal«; Szenenbild aus dem II. Aufzug mit William Pell (l.) und Waltraud Meier (M.) in den Hauptrollen

Rock macht Venedig zu einer Müllkippe

15. Juli. Auf dem Markusplatz in Venedig gibt die britische Rockgruppe Pink Floyd vor mehr als 200 000 Zuschauern ein 90minütiges Konzert, das als »italienisches Pop-Ereignis des Jahres« vom Fernsehsender RAI live in 23 Länder, darunter auch in die Bundesrepublik, übertragen wird.

Schon 24 Stunden vor dem Konzert belagerten die Musikfans die Lagunenstadt in Scharen. Tausende schliefen unter freiem Himmel, um sich einen Platz für das Konzert zu reservieren. Die venezianische Bevölkerung reagiert mit Entrüstung auf den Massenansturm, der das historische Zentrum Venedigs in eine Müllkippe verwandelt. Die Regierung der Lagunenstadt zieht die Konsequenzen aus der heftigen Kritik an der mangelhaften Organisation des Ereignisses und tritt eine Woche später zurück.

Wimbledon '89: Siege für Graf und Becker

9. Juli. Steffi Graf und Boris Becker gewinnen beide Einzelfinalspiele bei den Internationalen Tennismeisterschaften von England in Wimbledon. Ihre Siege gelten als bislang größter Erfolg für den deutschen Tennissport.

Im Damen-Finale kann Steffi Graf wie im Vorjahr die US-Amerikanerin Martina Navratilova in drei Sätzen schlagen (6:2, 6:7, 6:1). Den ersten Satz gewinnt Graf locker in 31 Minuten. Im zweiten Satz wendet sich das Blatt zugunsten von Navratilova, die energisch angreift und mit Netzattacken und Volleys Erfolg hat. Die bessere Laufstärke der 20jährigen Steffi Graf und zunehmende Nervosität auf seiten von Martina Navratilova verhelfen der Deutschen schließlich zum Gewinn des dritten Satzes und damit zum Turniersieg. Weniger Mühe als Steffi Graf hat unmittelbar im Anschluß an das Damenfinale Boris Becker bei seinem glatten 3:0-Finalsieg über den schwedischen Weltranglistendritten Stefan Edberg. Beim 6:0, 7:6 und 6:4 zeigt Becker eine seiner besten Leistungen auf Rasen. Den Grundstein für den dritten Wimbledonsieg nach 1985 und 1986 legte der 21jährige im Halbfinale, als er in einem dramatischen Match den Tschechen Ivan Lendl, Erster der Weltrangliste, in fünf Sätzen bezwang.

Stolz präsentieren die beiden deutschen Tennisstars ihre Wimbledontrophäen; Steffi Graf vergießt sogar ungewohnte Freudentränen.

Sechs deutsche Finalisten in der Geschichte von Wimbledon

Herreneinzel		Dameneinzel	
1935:	Gottfried von Cramm	1931:	Cilly Aussem*
1936:	Gottfried von Cramm		Hilde Krahwinkel
1937:	Gottfried von Cramm	1936:	Hilde Krahwinkel-Sperling
1967:	Wilhelm Bungert	1987:	Steffi Graf
1985:	Boris Becker*	1988:	Steffi Graf*
1986:	Boris Becker*	1989:	Steffi Graf*
1988:	Boris Becker		
1989:	Boris Becker*	(* = Sieg)	

Hauchdünner Tour-Sieg für Greg LeMond

23. Juli. Mit einem überraschenden Erfolg des US-Amerikaners Greg LeMond (28) endet in Paris die Tour de France. Nur acht Sekunden trennen LeMond im Gesamtklassement vom zweitplazierten Laurent Fignon (Frankreich) – der knappste Sieg in der Geschichte der seit 1903 ausgetragenen Radrundfahrt.

Nach 21 Etappen und 3261 Kilometern galt Fignon vor dem abschließenden Zeitfahren über 24,5 km von Versailles nach Paris bereits als sicherer Sieger: Sein Vorsprung von 50 Sekunden vor LeMond schien auf der kurzen Distanz nicht aufholbar. Doch LeMond, dessen sportliche »Wiederauferstehung« nach einem schweren Jagdunfall im Frühjahr 1987 die große Überraschung ist, straft alle Experten Lügen.

Die Tour 1989 verlief spannend und hochklassig wie seit langem nicht mehr. Besonders der Dreikampf an der Spitze zwischen LeMond, Fignon und Vorjahressieger Pedro Delgado (Spanien) begeisterte die Zuschauer. Delgado hatte am 1. Juli den Tour-Start in Luxemburg um fast drei Minuten verpaßt, wird aber nach einer imponierenden Aufholjagd letztlich doch noch Dritter.

Kopf an Kopf auch in der Endabrechnung: LeMond (l.) und Fignon während der vorletzten Etappe der Tour de France in Aix-Les-Bains

Zuschauer sauer auf ARD und ZDF

Den »historischen deutschen Double-Day« (»Der Spiegel«) in Wimbledon können in der Bundesrepublik nur diejenigen 12,5 Millionen Haushalte am Bildschirm erleben, die den Privatsender RTL plus empfangen. Die öffentlich-rechtlichen Fernsehanstalten haben sich aus der Berichterstattung vom wichtigsten Tennisturnier der Welt ausgeklinkt. Der Grund: Sie wollen ein Zeichen setzen gegen die »Preistreiberei« (SWF-Intendant Willibald Hilf), die den Handel mit den Übertragungsrechten begleitete. Hatten ARD und ZDF im Vorjahr noch für 150 000 DM die Rechte erworben, so erhielt diesmal RTL plus durch eine Zahlung von 5 Millionen DM den Zuschlag. Auf die mögliche billigere Zweitverwertung verzichten die Öffentlich-Rechtlichen, so daß nicht einmal Kurzberichte oder verspätete Zusammenfassungen zu sehen sind. Resultat: ARD und ZDF werden mit Beschimpfungen und Spott eingedeckt. Die private Konkurrenz dagegen reibt sich dank Rekord-Einschaltquoten und -Werbeeinnahmen die Hände.

BRD-Fußballerinnen sind Europameister

2. Juli. Durch ein 4:1 gegen Titelverteidiger Norwegen gewinnt die bundesdeutsche Nationalmannschaft erstmals die Europameisterschaft im Frauen-Fußball.

Im ausverkauften Stadion von Osnabrück können sich die deutschen Spielerinnen deutlich gegen das favorisierte Team aus Norwegen durchsetzen. Zwei Treffer von Linksaußen Ursula Lohn in der ersten Halbzeit legen den Grundstein zu diesem »nie erwarteten Triumph« (Bundestrainer Gero Bisanz). Heidi Mohr und Angelika Fehrmann steuern nach der Halbzeit die restlichen Tore für die DFB-Frauen bei. Sowohl die Leistungen bei der Europameisterschaft als auch die nicht erwartete Zuschauerresonanz deuten nach Meinung von Experten auf ein baldiges Ende des »Mauerblümchendaseins« (»Kicker«) des Frauenfußballs hin.

August 1989

Mo	Di	Mi	Do	Fr	Sa	So
	1	2	3	4	5	6
7	8	9	10	11	12	13
14	15	16	17	18	19	20
21	22	23	24	25	26	27
28	29	30	31			

1. August, Dienstag

Die Zeitungen und Zeitschriften des Axel Springer Verlages verzichten für den Begriff »DDR« auf die Anführungszeichen. Auf Anweisung des inzwischen verstorbenen Verlegers und Konzerngründers Axel Springer sollten die »Tütelchen« den provisorischen Charakter des sozialistischen deutschen Staates verdeutlichen.

2. August, Mittwoch

Der bisherige polnische Innenminister General Cseslaw Kiszczak wird vom polnischen Parlament, dem Sejm, mit 237 gegen 173 Stimmen zum Ministerpräsidenten gewählt (→ 24. 8./S. 60).

3. August, Donnerstag

Die Pläne des Berliner Senats, täglich 36 Flüge von und nach Berlin wegen unzureichend ausgelasteter Maschinen und unnötiger Lärmbelästigung zu streichen, stoßen bei der Bundesregierung auf heftige Kritik.

4. August, Freitag

Unter dem Titel »Aspekte des Revolutionären in der Musik« beginnt das 39. Internationale Jugendfestspieltreffen in Bayreuth.

5. August, Samstag

Das bolivianische Parlament in La Paz wählt den Sozialdemokraten Jaime Paz Zamora zum neuen Staatspräsidenten.

6. August, Sonntag

Die bundesdeutschen Reiter gewinnen die Mannschaftswertung der Dressur-Europameisterschaft in Mondorf (Luxemburg). → S. 64

7. August, Montag

Die Präsidenten von Costa Rica, El Salvador, Guatemala, Honduras und Nicaragua schließen in der honduranischen Stadt Tela ein Abkommen über die Entwaffnung der rund 12 000 nicaraguanischen Contra-Rebellen, die gegen die sandinistische Regierung in Nicaragua kämpfen. Die Entwaffnung soll bis zum 8. Dezember unter internationaler Aufsicht erfolgen.

8. August, Dienstag

Nachdem 130 DDR-Bürger in der Ständigen Vertretung der Bundesrepublik in Ost-Berlin Zuflucht gesucht haben, wird das Gebäude wegen Überfüllung geschlossen (→ 19. 8./S. 59).

Die bundesdeutschen Sportjournalisten wählen den 23jährigen Thomas Häßler (1. FC Köln) zum »Fußballer des Jahres«.

9. August, Mittwoch

In Tokio wird Toshiki Kaifu von Kaiser Akihito zum neuen japanischen Ministerpräsidenten ernannt. → S. 61

Beim Angriff eines Hisbollah-Selbstmordkommandos auf einen israelischen Militärkonvoi in Südlibanon werden die beiden Attentäter und sechs israelische Soldaten getötet.

10. August, Donnerstag

Zwischen Frankfurt am Main und Leipzig richtet die Lufthansa den ersten innerdeutschen Linienflug ein.

11. August, Freitag

Unter dem Titel »Fortschritt 90« stellt die SPD-Programmkommission unter Leitung von Oskar Lafontaine ihre Pläne zu einem ökologisch orientierten Steuersystem vor. → S. 62

12. August, Samstag

In Moskau beginnt ein zweitägiges Rock-Friedensfestival mit rund 80 000 Zuhörern. → S. 63

13. August, Sonntag

Die libanesische Hauptstadt Beirut erlebt die schwersten Kämpfe seit 14 Jahren (→ 23. 9./S. 71).

14. August, Montag

Nach einem erbitterten Streit mit seinem designierten Nachfolger Frederik de Klerk erklärt der südafrikanische Präsident Pieter Willem Botha seinen Rücktritt (→ 6. 9./S. 71).

15. August, Dienstag

Die Bundesbank spricht sich in ihrem Monatsbericht für unterschiedlich hohe Löhne in Nord- und Süddeutschland aus, um »zur Verringerung der strukturellen Ungleichgewichte auf dem Arbeitsmarkt« und damit zum Abbau der Arbeitslosigkeit beizutragen.

16. August, Mittwoch

Der Thorium-Hochtemperaturreaktor (THTR 300) in Hamm-Uentrop wird nach einem Beschluß der nordrhein-westfälischen Landesregierung nicht wieder ans Netz gehen. → S. 62

17. August, Donnerstag

Die philippinische Regierung erwirkt einen Schuldenerlaß nach dem Muster des sog. Brady-Plans. → S. 61

18. August, Freitag

Die nordrhein-westfälischen Behörden geben die Aufdeckung eines neuen Kälbermastskandals bekannt: 3800 Tiere wurden im Münsterland beschlagnahmt. Die Kälber sollen mit einem wachstumsfördernden Hustenmittel behandelt worden sein.

In der kolumbianischen Hauptstadt Bogotá wird der liberale Senator und Präsidentschaftskandidat Luis Carlos Galán von Angehörigen der Drogenmafia erschossen. → S. 61

Der Mexikaner Arturo Barrios läuft in Berlin mit 27:08.23 min einen Weltrekord über 10 000 m. → S. 64

19. August, Samstag

Etwa 900 DDR-Bürger nutzen das »Paneuropäische Picknick« an der Grenze zwischen dem ungarischen Sopron und dem österreichischen Mörbisch zur Flucht in den Westen. → S. 59

20. August, Sonntag

Bei einem Schiffsunglück auf der Themse bei London kommen 50 Menschen ums Leben, als ein Vergnügungsdampfer mit einem Baggerschiff kollidiert.

In Kenia wird der 83jährige Löwenschützer George Adamson von Wilderern ermordet. → S. 63

In Köln verbessert der marokkanische Läufer Said Aouita den Weltrekord über 3000 m auf 7:29,45 min (→ 18. 8./S. 64).

21. August, Montag

Am 21. Jahrestag der Niederschlagung des »Prager Frühlings« durch Truppen des Warschauer Pakts kommt es in Prag zu Demonstrationen für mehr Freiheit in der ČSSR (→ 24. 11./S. 108).

An der ungarisch-österreichischen Grenze wird ein DDR-Bürger beim Versuch, die Grenze zu überschreiten, von ungarischen Grenzsoldaten erschossen. Nach Angaben der Behörden in Budapest handelt es sich um einen Unfall (→ 19. 8./S. 59).

22. August, Dienstag

Der CDU-Vorsitzende, Bundeskanzler Helmut Kohl, gibt bekannt, daß er Generalsekretär Heiner Geißler nicht zur Wiederwahl vorschlagen werde. → S. 62

Die Türkei schließt ihre Grenze zu Bulgarien, um einen weiteren Zustrom von Flüchtlingen zu unterbinden.

Im Münchener Stadtteil Schwabing beschlagnahmt die Polizei mit 650 kg Kokain die bisher größte Menge dieser Droge in der Bundesrepublik. Die Rauschgifthändler werden dem kolumbianischen »Medellin-Kartell« zugerechnet (→ 18. 8./S. 61).

23. August, Mittwoch

Von einer mehrere hundert Kilometer langen Menschenkette wird in den baltischen Republiken Estland, Lettland und Litauen am 50. Jahrestag der Unterzeichnung des Hitler-Stalin-Paktes der Wunsch nach erneuter Unabhängigkeit unterstrichen. → S. 60

24. August, Donnerstag

Der Kandidat des »Bürgerkomitees Solidarität«, Tadeusz Mazowiecki, wird vom polnischen Parlament zum ersten nichtkommunistischen Regierungschef Polens seit mehr als 40 Jahren gewählt. → S. 60

Der Unternehmensverbund des Münchener Filmgroßhändlers Leo Kirch übernimmt den Deutschen Bücherbund vom Stuttgarter Holtzbrinck-Verlag. → S. 63

25. August, Freitag

Zwölf Jahre nach ihrem Start sendet die US-Raumsonde »Voyager 2« Bilder des Planeten Neptun. → S. 64

In Berlin öffnet die Internationale Funkausstellung 1989 ihre Tore. → S. 62

26. August, Samstag

Das SED-Organ »Neues Deutschland« fordert die DDR-Bürger in einer Leserbriefkampagne auf, die Republik nicht zu verlassen (→ 19. 8./S. 59).

27. August, Sonntag

Einen Goldschatz im Wert von rund zwei Milliarden DM entdecken Schatzsucher an Bord eines gesunkenen Schiffes vor der Küste des US-Bundesstaates South Carolina. → S. 63

28. August, Montag

Der Vorstand der Bundesbahn beschließt in Frankfurt, wegen der »angespannten Betriebslage« 6200 neue Mitarbeiter einzustellen.

29. August, Dienstag

Anläßlich des 50. Jahrestages des Kriegsbeginns beginnt in Frankfurt am Main ein zweitägiger deutsch-polnischer Historiker-Kongreß.

30. August, Mittwoch

Das Bundeskabinett beschließt die Entsendung von 50 Beamten des Bundesgrenzschutzes nach Namibia. Sie sollen die Truppen der Vereinten Nationen unterstützen, die dort zur Überwachung der ersten freien Wahlen eingesetzt sind (→ 1. 4./S. 31).

Die Bundesregierung billigt einen Gesetzentwurf, nach dem Käufer eines Autos mit Drei-Wege-Katalysator eine befristete Steuerbefreiung in Höhe von 1100 DM erhalten (→ 9. 6./S. 50).

31. August, Donnerstag

Vor 50 000 begeisterten alten und jungen Fans starten die »Rolling Stones« in Philadelphia nach achtjähriger Pause wieder eine Amerikatournee. Rund 3 Millionen Karten sind bereits verkauft.

Auf einen Blick:

Die Zahl der Arbeitslosen in der Bundesrepublik beträgt 1 940 151, das entspricht einer Quote von 7,5% (August 1988: 8,5%).

Die Verbraucherpreise in der Bundesrepublik liegen um 2,9% höher als im August 1988.

TV-Hit im August:

Die höchste Einschaltquote erreicht der von der ARD wiederholte Spielfilm »Unser Doktor ist der Beste« (11,14 Mio. Zuschauer = 32%).

Größte Massenflucht von DDR-Bürgern seit Mauerbau

19. August. Etwa 900 DDR-Bürger nutzen eine Veranstaltung an der österreichisch-ungarischen Grenze bei Sopron zu einer Flucht in den Westen. Dies ist die größte Massenflucht von DDR-Bürgern seit dem Mauerbau 1961.

Anlaß für eine teilweise Öffnung der Grenze ist ein »Paneuropäisches Picknick«, veranstaltet von dem oppositionellen Ungarischen Demokratischen Forum (UDF) in Zusammenarbeit mit der Paneuropäischen Bewegung, deren Präsident der Europaparlaments-Abgeordnete Otto von Habsburg ist. Laut Einladungsschreiben sollte es »an der Stelle des früheren Eisernen Vorhangs« zu einem »Treffen von Menschen aus verschiedenen europäischen Ländern« kommen. Diese Einladungen zirkulierten unter DDR-Bürgern, die in Ungarn Urlaub machten. Sie wurden vielfach fotokopiert und vor allem in Budapest weitergereicht.

Auch in den folgenden Tagen reißt der Strom der über Ungarn nach Österreich fliehenden DDR-Bürger nicht ab. Trotz einer Verstärkung der ungarischen Grenzposten am 25. August sind es täglich zwischen 200 und 500, denen ein Übertritt gelingt. Unterdessen suchen mehr als 1000 Ausreisewillige Zuflucht in der bundesdeutschen Botschaft in Budapest. Als diese am 14. August wegen Überfüllung geschlossen wird, errichtet der Malteser-Hilfsdienst mehrere Zeltlager für die wachsende Zahl der DDR-Bürger, die nicht mehr bereit sind, in ihre Heimat zurückzukehren. In einer einmaligen humanitären Aktion werden am 24. August 108 Flüchtlinge aus der Botschaft mit Dokumenten des Roten Kreuzes nach Wien ausgeflogen.

Die DDR-Bürger, die in der ungarischen Hauptstadt ausharren müssen, warten auf eine politische Lösung des Ausreiseproblems, um die sich die Budapester Regierung in Verhandlungen mit Ost-Berlin und Bonn bemüht. Mit der Hoffnung auf eine solche Lösung versuchen zahlreiche DDR-Bürger auch, über die ČSSR nach Ungarn und von dort in den Westen zu gelangen. Die ČSSR ist das einzige Land, für das die DDR-Reisenden kein Visum benötigen (→ 11. 9./S. 66).

Die staatlich gelenkte DDR-Presse erwähnt die Massenflucht zunächst mit keinem Wort. Erst als Gerüchte über mögliche Beschränkungen des Reiseverkehrs nach Ungarn kursieren, dementiert das Außenministerium vehement und spricht von »Erfindungen einer seit Wochen andauernden Verleumdungskampagne« gegen die DDR. Die tägliche westliche »Frontberichterstattung« verführe die Menschen und treibe sie »in ein ungewisses Schicksal«.

»Bürger der DDR: Das Beste, was wir tun – unseren guten Kurs fortsetzen« (Schlagzeile des SED-Organs *»Neues Deutschland«* am 27. 8. 1989)

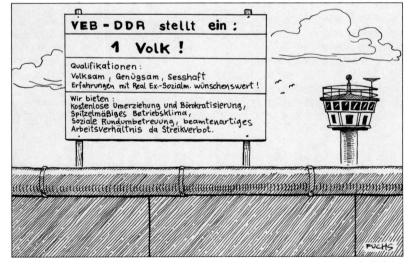

Die DDR leert sich. Staat und Parteispitze werden damit auch zum beliebten Thema von Karikatur und Satire (Peter Fuchs in der Berliner »tageszeitung«).

Seit dem 2. Mai 1989 bauen ungarische Soldaten die Grenzzäune und Beobachtungstürme an der 350 km langen Grenze zu Österreich ab.

Ausreisewillige DDR-Bürger vor der Bonner Botschaft in Budapest

Erste Etappen der Übersiedlerwelle

▷ 2. Mai: Ungarische Grenzsoldaten beginnen mit dem Abbau des »Eisernen Vorhangs« an der Grenze zu Österreich.

▷ 15./31. Juli: Aus Budapest, Prag und Ost-Berlin kommen erste Berichte über den Aufenthalt von DDR-Flüchtlingen in den Bonner Botschaften bzw. in der Ständigen Vertretung in Ost-Berlin.

▷ 8. August: Die mit 130 Zufluchtsuchenden überfüllte Ständige Vertretung der Bundesrepublik in Ost-Berlin wird für den Publikumsverkehr geschlossen.

▷ 13. August: Bonn schließt auch die Botschaft in Budapest, in der sich über 180 DDR-Bürger aufhielten.

▷ 15. August: Die Zahl der Flüchtlinge über die »grüne Grenze« zwischen Ungarn und Österreich wird auf täglich etwa 100 geschätzt. Der Malteser-Hilfsdienst eröffnet in Budapest das erste Lager für DDR-Flüchtlinge.

▷ 19. August: Bei einem Grenzfest in der Nähe von Sopron kommt es zu einer Massenflucht von etwa 900 DDR-Bürgern.

▷ 22. August: Die überfüllte Bonner Botschaft in Prag, in der sich derzeit mehr als 100 DDR-Bewohner aufhalten, wird geschlossen. Die Zahl der nach Österreich Flüchtenden steigt immer schneller. Seit Anfang des Monats wurden mehr als 10 000 Übersiedler registriert.

▷ 24. August: Ungarn läßt 108 DDR-Bürger aus der Botschaft in Budapest mit Rotkreuz-Papieren nach Österreich ausreisen.

▷ 25./31. August: Ungarn bemüht sich in Gesprächen mit Ost-Berlin und Bonn um eine politische Lösung des Flüchtlingsproblems.

▷ 29. August: Bayern richtet sich darauf ein, bis zu 5000 Flüchtlinge in Lagern aufzunehmen (→ 11. 9./S. 66).

»Solidarität« stellt den Regierungschef

24. August. Mit überwältigender Mehrheit wählt das polnische Parlament, der Sejm, Tadeusz Mazowiecki (63) zum Ministerpräsidenten. Der Kandidat des »Bürgerkomitees Solidarität« ist der erste nichtkommunistische Ministerpräsident in einem Staat des Warschauer Pakts.

Mazowiecki, bisher Chefredakteur der Wochenzeitung der Gewerkschaft »Solidarität«, erhält die Stimmen von 378 der 423 anwesenden Parlamentarier. Mit ihm wird ein erklärter Gegner des herrschenden kommunistischen Systems in Polen Regierungschef. Die Voraussetzungen für diese spektakuläre Wende schufen die Parlamentswahlen vom 4. Juni, als die polnische Bevölkerung erstmals ein Drittel der 460 Sitze des Sejm sowie alle 100 Sitze einer neugeschaffenen zweiten Parlamentskammer frei wählen konnte (→ 17. 4/S. 29). Dabei erlitt die kommunistische Polnische Vereinigte Arbeiterpartei (PVAP) eine vernichtende Niederlage, während das »Bürgerkomitee Solidarität«, der politische Arm der seit 1980 existierenden oppositionellen Gewerkschaft, die meisten Stimmen erhielt. Der Weg für die Wahl eines »Solidaritäts«-Kandidaten zum Ministerpräsidenten wurde schließlich durch eine Koalition des Bürgerkomitees mit der Bauernpartei und der Demokratischen Partei freigemacht, die bislang als Satelliten der PVAP galten, nun aber größere Selbständigkeit einfordern.

Im neuen Kabinett Mazowieckis erhält die PVAP noch vier von 23 Ressorts. Die Kommunisten besetzen die Schlüsselpositionen Inneres und Verteidigung und sind somit nach

Der neue Ministerpräsident Mazowiecki ist überzeugter Katholik.

wie vor in die Regierungsverantwortung eingebunden.

In seiner ersten Regierungserklärung kündigt Mazowiecki zahlreiche demokratische Reformen und den Kampf gegen die »katastrophale« Umweltverschmutzung an. Gleichzeitig appelliert er an die Opferbereitschaft der polnischen Bevölkerung zur Überwindung der schwerwiegenden Wirtschaftsprobleme.

In Warschau ausgehängte Wahlergebnisse vom 4. Juni; »Solidaritäts«-Kandidaten gewinnen alle frei wählbaren 160 Sitze im »Sejm« (insgesamt 460 Sitze).

UdSSR: Unruhe und Aufbegehren im Vielvölkerstaat

23. August. Fast zwei Millionen baltische Sowjetbürger erinnern mit einer 650 km langen Menschenkette an den 50. Jahrestag der Unterzeichnung des Hitler-Stalin-Paktes. Dieser legte 1939 den Grundstein für die spätere Annexion der unabhängigen baltischen Staaten durch die UdSSR.

Die Demonstranten fordern, aufgrund der Völkerrechtswidrigkeit des Paktes die Eigenstaatlichkeit der jetzigen Sowjetrepubliken Litauen, Lettland und Estland wiederherzustellen. Inzwischen wertet zwar auch eine Kommission des Obersten Sowjets der UdSSR den deutsch-sowjetischen Vertrag als »internationales Verbrechen«. Der Austritt der baltischen Republiken aus der Sowjetunion wird jedoch von den Führungsgremien weiterhin scharf abgelehnt.

Die baltischen »Volksfronten«, welche die Menschenkette organisierten, gelten als Vorreiter bei den Bestrebungen nach nationaler Autonomie im Vielvölkerstaat UdSSR. Im Zuge von Öffnung und Reformen, aber auch angesichts schwerer sozialer Konflikte begehren viele der ca. 100 sowjetischen Nationalitäten mit eigener Kultur und Sprache auf:

▷ Minderheiten fordern größere Unabhängigkeit innerhalb der Sowjetrepubliken, so z. B. moslemische Abchasen im christlichen Georgien.

▷ Im Kaukasus und Mittelasien wenden sich Einheimische gegen Minderheiten, die in den 40er Jahren hierher zwangsumgesiedelt wurden. In Usbekistan etwa kommt es im Juni zu blutigen Pogromen gegen türkischstämmige Mescheten.

▷ Ein regelrechter Bürgerkrieg tobt zwischen Armenien und Aserbeidschan um die Region Berg-Karabach.

Am 17. August legt die KPdSU ein Konzept zur Lösung des Nationalitätenproblems vor. Darin wird eine »sowjetische Föderation« mit stärkerer Unabhängigkeit der Republiken von Moskau angestrebt.

UdSSR: Entstehung der Unionsrepubliken

1940/44 Annexion der drei baltischen Republiken
LETTLAND
ESTLAND
LITAUEN
WEISSRUSSLAND
MOLDAU 1940/47 von Rumänien
UKRAINE
Moskau
Wolga
Ural
Ob
Irtysch
Jenissej
Lena
RUSSISCHE FÖDERATIVE SOZIALISTISCHE SOWJETREPUBLIK
Kurilen
Süd-Sachalin 1945 von Japan
GEORGIEN
ARMENIEN
ASERBEIDSCHAN
1936: Aufteilung der Transkaukasischen in drei Unionsrepubliken
KASACHSTAN
Tannu Tuwa
1944 an die RSFSR
USBEKISTAN
TURKMENISTAN
KIRGISIEN
TADSCHIKISTAN

0 250 500 750 1000 km

UdSSR bei der Gründung 1922: Russische Föderative Sozialistische Sowjetrepublik (RSFSR), Ukrainische SSR, Weißrussische SSR und Transkaukasische SSR
Später hinzugekommene Gebiete
Heutige Grenzen der Republiken

© Globus/Harenberg

Feldzug gegen Drogenhandel erschüttert Kolumbien

18. August. Der aussichtsreiche kolumbianische Präsidentschaftskandidat Luis Carlos Galán wird bei einer Kundgebung in der Nähe der Hauptstadt Bogotá vermutlich von Killern der Drogen-Mafia erschossen. Der Mord an dem populären Galán ist Ausgangspunkt für einen beispiellosen Feldzug der Regierung gegen die mächtigen »Drogen-Kartelle« Kolumbiens.

Präsident Virgilio Barco Vargas erklärt dem organisierten Rauschgifthandel, der in der Vergangenheit für zahllose Gewalttaten gegen Drogengegner verantwortlich zeichnete, den Krieg und erläßt eine Reihe von Notstandsdekreten. Eines davon ermöglicht die von den Drogenhändlern gefürchtete Auslieferung an die USA als einfachen Verwaltungsakt ohne Gerichtsbeschluß. In den USA sind etwa 80 kolumbianische Drogenhändler angeklagt. Bei Razzien im ganzen Land werden in den folgenden Wochen über 10 000 Personen festgenommen sowie ausgedehnte Ländereien, Flugzeuge, Waffen und Laboratorien der »Drogen-

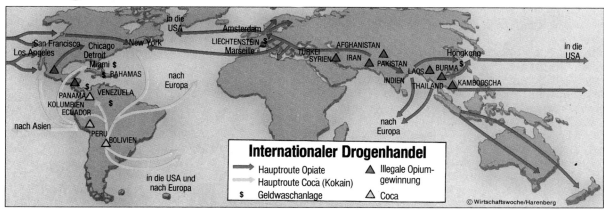

Internationaler Drogenhandel

barone« beschlagnahmt. Der wichtigste der Drogenringe, das sog. Medellin-Kartell, kündigt der Regierung im Gegenzug einen »Kampf bis aufs Blut« an. Es folgen Hunderte von Bombenanschlägen und Attentaten, bei denen zahlreiche Personen getötet oder verletzt werden.

Im internationalen Drogengeschäft, dessen Volumen 1988 mit ca. 1000 Milliarden DM der Hälfte des Bruttosozialprodukts der Bundesrepublik entsprach, spielt Kolumbien eine

Schlüsselrolle. Hier werden die überwiegend in Bolivien und Peru angebauten Kokablätter zu Kokain und »Crack« weiterverarbeitet und die weltweite Verteilung organisiert. Im Zuge des dramatisch zunehmenden Drogenkonsums in den westlichen Industrieländern zeigen besonders die USA ein starkes Interesse an der Eindämmung von Drogenanbau und -handel in Lateinamerika. Sie unterstützen den Feldzug von Präsident Barco mit Waffenlieferungen.

Politiker aus den Herkunftsländern der Drogen betonen dagegen, daß auch die »Konsumentenländer« für die Situation verantwortlich seien. Außerdem werde der Koka-Anbau angesichts sinkender Weltmarktpreise z. B. für Kaffee immer attraktiver. So beklagt sich der kolumbianische Politiker Rodrigo Lloreda: »Wir können nicht gegen das schmutzige Geld kämpfen, wenn uns das saubere weggenommen wird.«

Skandale legen Japans Politik lahm

9. August. Der am Vortag gewählte Präsident der Liberaldemokratischen Partei (LDP), Toshiki Kaifu, wird von Kaiser Akihito zum neuen Ministerpräsidenten Japans erklärt.

Kaifu konnte nur im Unterhaus eine Mehrheit erringen, während sich das Oberhaus für die sozialistische Oppositionsführerin Takoko Doi entschied. Ausschlaggebend für die Wahl des Ministerpräsidenten ist laut Verfassung die Entscheidung des Unterhauses.

Die Tatsache, daß die beiden Häuser seit 41 Jahren zum ersten Mal wieder verschiedene Kandidaten wählen, spiegelt die schwierige Situation wider, vor die sich der 58jährige Kaifu und seine Partei nach mehreren Skandalen und einer erdrutschartigen Niederlage der LDP bei den Oberhauswahlen am 23. Juli gestellt sehen.

In den vergangenen Monaten stürzten bereits zwei LDP-Regierungschefs über verschiedene Affären. Nach nur 18monatiger Amtszeit trat am 2. Juni Ministerpräsident Noboru Takeshita wegen seiner Verwicklung in den seit Monaten eska-

Noboru Takeshita (65): Sturz über Finanzaffäre

Sosuke Uno (67): Rücktritt nach Sexskandal

Toshiki Kaifu (59): Bestechung zugegeben

lierenden Recruit-Skandal zurück. Takeshita mußte zugeben, daß er, wie nahezu die gesamte Führungsschicht der seit 1955 regierenden LDP, Bestechungsgelder des Kommunikationskonzerns Recruit Cosmos angenommen hatte. Takeshitas Nachfolger Sosuke Uno, der als einer der wenigen LDP-Politiker galt, die nicht in den Recruit-Skandal verwickelt waren, stolperte u. a. über eine Sex-Affäre. Dem verheirateten Uno wurde eine Beziehung zu einer Geisha vorgeworfen, die mit peinlichen Enthüllungen an die Öffentlichkeit ging. Der 66jährige trat je-

doch erst nach der verheerenden Wahlniederlage der LDP am 23. Juli zurück, die allerdings auch auf die Einführung der überaus unpopulären dreiprozentigen Mehrwertsteuer am 1. April zurückgeführt wird.

Doch auch mit dem neuen Ministerpräsidenten Kaifu sind die Skandale um die LDP nicht zu Ende: Bereits am 25. August tritt ein Kabinettssekretär Kaifus ebenfalls wegen einer Sex-Affäre zurück, und am 20. Oktober muß Kaifu zusammen mit acht seiner Minister zugeben, Bestechungsgelder von Spielhallenbetreibern entgegengenommen zu haben.

»Brady-Plan« auch für die Philippinen

17. August. Die philippinische Regierung einigt sich mit den Gläubigerbanken des hochverschuldeten Landes auf einen teilweisen Schuldenerlaß nach dem Muster des sog. Brady-Plans.

Das Umschuldungspaket betrifft etwa 1,7 Milliarden der insgesamt über 30 Milliarden Dollar (rund 60 Mrd. DM) Auslandsschulden der Philippinen. Die Philippinen sind nach dem Pilotprojekt Mexiko (Juli 1989) der zweite Staat, in dem der Umschuldungsplan des US-amerikanischen Finanzministers Nicholas Brady vom März 1989 zur Anwendung kommt.

Der Brady-Plan gilt als Hoffnungsschimmer für die mit umgerechnet 2,5 Billionen DM verschuldeten Entwicklungsländer. Insbesondere trägt er erstmals der Tatsache Rechnung, daß viele hochverschuldete Dritte-Welt-Staaten kaum mit ihren Zinszahlungen nachkommen, geschweige denn an einen Abbau ihrer Verpflichtungen denken können. Deshalb sollen die Banken wenigstens zum Teil auf alte Forderungen verzichten.

»Aus« für THTR in Hamm-Uentrop

16. August. Der Thorium-Hochtemperaturreaktor (THTR 300) im westfälischen Hamm-Uentrop wird auf Beschluß der nordrhein-westfälischen Landesregierung stillgelegt. Das Kraftwerk ist bereits seit Oktober 1988 wegen technischer Mängel abgeschaltet.

Zahlreiche technische Pannen im THTR, einst Glanzstück der bundesdeutschen Atomwirtschaft, sowie der bevorstehende finanzielle Zusammenbruch der Betreibergesellschaft HKG sind die Hauptgründe für die Stillegungsbeschluß. Bei Baubeginn in den 70er Jahren hatten der Bund, das Land Nordrhein-Westfalen und die HKG einen Risikobeteiligungsvertrag über 450 Millionen DM abgeschlossen. Da sich der Hochtemperaturreaktor als extrem störanfällig erwies, häufig abgeschaltet werden mußte und auch die technischen Erwartungen nicht erfüllte, weigerte sich die SPD-Landesregierung, das von ihr zuvor massiv geförderte Atomprojekt weiter zu subventionieren. Der Abriß des 4,5 Milliarden teuren Reaktors kann frühestens 20 bis 30 Jahre nach Abklingen der Strahlung vorgenommen werden und wird schätzungsweise weitere 400 Millionen DM kosten.

Die frühere Eintracht besteht nicht mehr: CDU-Chef Helmut Kohl (l.) trennt sich von seinem langjährigen Generalsekretär Heiner Geißler.

Kohl läßt Geißler fallen

22. August. Der CDU-Vorsitzende, Bundeskanzler Helmut Kohl (59), gibt bekannt, daß er den seit 1977 amtierenden CDU-Generalsekretär Heiner Geißler (59) beim Bundesparteitag in Bremen (→ 11.9./S. 69) nicht zur Wiederwahl vorschlagen werde. Nachfolger soll der Bundestagsabgeordnete Volker Rühe (46) werden. Kohl begründet seine Entscheidung mit dem fälligen Generationswechsel in der Parteispitze. Eine Kursänderung werde es nicht geben, da Rühe ein »Mann der Mitte« sei. Politische Beobachter sehen dagegen in

dem offenkundigen persönlichen Zerwürfnis zwischen Kohl und Geißler den eigentlichen Grund für den Sturz des Generalsekretärs. Sowohl von der Basis wie aus Kreisen der CDU-Führung hagelt es Proteste. Rita Süssmuth, Lothar Späth und Ernst Albrecht kritisieren Kohl, weil er seine Entscheidung vollkommen allein getroffen habe. Auch viele Landesverbände bedauern das Ausscheiden Geißlers, der die CDU zu einer modernen Volkspartei umstrukturiert und stets für harte politische Auseinandersetzungen gesorgt hatte.

SPD-Programm fordert Öko-Steuer

11. August. Die SPD-Arbeitsgruppe »Fortschritt 90« unter Vorsitz des stellvertretenden Parteichefs Oskar Lafontaine stellt in Bonn den ersten Teil eines Konzepts vor, das Bestandteil ihres Regierungsprogramms werden soll. Wichtigster Punkt ist die Einführung einer sog. Öko-Steuer, die den Energieverbrauch höher belastet.

Das Konzept verfolgt das Ziel, durch Änderungen des Steuersystems den Energieverbrauch über den Preis zu drosseln und die Umweltbelastungen zu reduzieren. Eine SPD-Regierung würde also die Mineralölsteuer erhöhen, die Rüstungsausgaben senken, den Ausstieg aus der Kernenergie betreiben, ein Tempolimit auf Autobahnen festsetzen und die Landwirtschaft stärker auf den Umweltschutz verpflichten. Ausgeglichen würde die finanzielle Mehrbelastung der Bürger durch die Abschaffung der Kfz-Steuer, die Anhebung der Grundfreibeträge bei der Lohn- und Einkommensteuer, die Erhöhung der Kilometerpauschale sowie durch Ausgleichszahlungen an sozial benachteiligte Gruppen. Sprecher von CDU und FDP kritisieren das Programm als »unsozial« und »nicht finanzierbar«.

HDTV: Hauptattraktion der Berliner Funkausstellung

25. August. In Berlin wird die Internationale Funkausstellung eröffnet, auf der an zehn Tagen 398 Ausstellerfirmen ihre Produkte aus dem Bereich der Unterhaltungselektronik vorstellen.

Im Gegensatz zu früheren Messen, auf denen sensationelle Neuerungen wie Video-Systeme und CD-Technik für Aufsehen sorgten, kann die Elektronikbranche diesmal fast nur Verbesserungen und Weiterentwicklungen des bestehenden Angebots präsentieren. Im Audio-Bereich setzt sich die Digitaltechnik immer weiter durch, so daß es den CD-Player inzwischen als Standgerät, CD-Wechsler, in andere Geräte eingebaut oder tragbar gibt. Digitale Tonbandgeräte (DAT-Recorder) haben nach der Einigung der Industrie über die Kopiersperre mittlerweile Serienreife erlangt. Wirklich neu, aber noch nicht verfügbar ist der Satellitenhörfunk in CD-Qualität.

Im Video-Bereich, dessen Angebots-

palette sich zunehmend erweitert, geht der Trend bei den Camcordern zu kleineren, leichteren und leistungsstärkeren Geräten. So bietet die Hi8-Technik zu einem Preis von 4000 DM gestochen scharfe, kontrastreiche Video-Aufnahmen. Meistdiskutierte Neuheit der Funk-

ausstellung, die 400 000 Besucher anlockt, ist das hochauflösende Fernsehen HDTV (High Definition Television). Es bietet flimmerfreie Bilder in Kinoqualität. Das Bild setzt sich statt wie bisher aus 625 nun aus 1250 Zeilen zusammen und ermöglicht größere Detailschärfe und kräftigere

Farben. Der Ton wird in CD-Qualität wiedergegeben. Obwohl sich die japanischen und europäischen Hersteller solcher Geräte noch nicht auf eine einheitliche Fernsehnorm geeinigt haben, soll HDTV stufenweise ab 1992 in den EG-Ländern eingeführt werden.

Fernsehen total: Beim »Bild-im-Bild« können bis zu 16 Bilder anderer Programme eingeblendet werden.

Fast wie Zeitlupe: Die Unterteilung des TV-Bildes ermöglicht das »Einfrieren« einzelner Szenen als Standbilder.

Rock verbindet Ost und West

12./13. August. *Vor über 70 000 Zuschauern findet im Moskauer Lenin-Stadion das »Moscow Music Peace Festival« statt, bei dem vorwiegend westliche Heavy-Metal-Gruppen wie Bon Jovi, Scorpions und Cinderella ihre sowjetischen Fans begeistern. Im Zuge der »Glasnost«-Politik von Staats- und Parteichef Michail Gorbatschow öffnet sich die Sowjetunion nun auch musikalisch. Das Konzert wird von den Medien in Ost und West als »neues Woodstock der sowjetischen Jugend« gefeiert.*

▷ US-Flagge und Wodkaflasche: Wichtige Fan-Utensilien beim Rockkonzert in Moskau

Goldgräberschatz in 2500 m Tiefe

August. *Die US-amerikanische Schatzsuch-Firma »Columbus America Discovery Group« beginnt mit der Bergung eines der größten Goldfunde, die jemals entdeckt wurden. Der Goldschatz im Wert von umgerechnet etwa zwei Milliarden DM wird aus dem Wrack des Goldgräberschiffs »Central America« gehoben, das 1857 bei einem Hurrican vor der Küste des US-Bundesstaates South Carolina unterging und seine kostbare Fracht in 2500 m Tiefe begrub.*

▷ Der Goldschatz der »Central America«, bei deren Untergang 423 Menschen starben

»Lambada«: Erotik auf dem Parkett

Zum Sommerhit des Jahres 1989 entwickelt sich der südamerikanische Tanz »Lambada«. Enger und schneller als Tango, Mambo oder Dirty Dancing, zeichnet er sich insbesondere durch ein heftiges Rotieren der Hüften aus. Populär wurde der schwierige und anstrengende Tanz, den auch der Deutsche Tanzlehrerverband ins Programm aufnimmt, durch den Hit »Lambada« der französischen Gruppe Kaoma. Deren Single wird in Frankreich an manchen Tagen bis zu 40 000mal verkauft.

▷ Die Lambada-Rhythmen der Gruppe »Kaoma« sorgen für Rotlicht-Atmosphäre.

Filmhändler Kirch kauft Bücherbund

24. August. Die Stuttgarter Verlagsgruppe Georg von Holtzbrinck GmbH verkauft den Deutschen Bücherbund an den Münchener Filmgroßhändler Leo Kirch.

Der bayerische Medienkonzern umfaßte bisher vor allem Unternehmen der Film- und Fernsehbranche. Kirch will den Club-Mitgliedern nicht nur Video-Kassetten, Compact-Discs und Compact-Videos verkaufen, er hofft auch, unter den Bücherbund-Kunden neue Abonnenten für sein Pay-TV-Unternehmen »Teleclub« zu finden. Gegen eine Gebühr bietet »Teleclub« verkabelten Fernsehzuschauern 15 Spielfilme pro Monat.

Der Holtzbrinck-Gruppe war die Unterhaltung des Bücherbundes zu teuer geworden. Nach dem Bertelsmann-Lesering mit 110 Filialen und 1,4 Millionen Mitgliedern ist der Bücherbund zwar der größte Buchclub in der Bundesrepublik, das Clubgeschäft hatte in den letzten Jahren jedoch mit erheblichen Absatzproblemen zu kämpfen. Insbesondere junge Leute wollen sich nicht an die Abnahmepflicht der Buchclubs binden.

Mord an britischem »Löwenvater«

20. August. Im kenianischen Dschungel wird der 83jährige Tierschützer George Adamson von somalischen Wilderern ermordet. Adamson, der im Kora-Reservat, 250 km nördlich von Nairobi, verwaiste Löwenbabys aufzog, wollte Besuchern seines Camps zu Hilfe kommen, die auf der nahegelegenen Flugzeuglandepiste von Banditen überfallen wurden.

Der in Indien geborene Brite war 1924 als Jäger nach Kenia gekommen. Hier entwickelte er sich jedoch zu einem kompromißlosen Tier- und Naturschützer. Zu Beginn der 60er Jahre wurde er durch die Verfilmung des Buches »Born free« (Frei geboren) berühmt. Der Roman, den er zusammen mit seiner Frau Joy verfaßt hatte, schildert das Schicksal einer Löwin.

Da in diesem Jahr bereits sechs Menschen im kenianischen Busch Opfer von Überfällen wurden, befürchtet die Regierung in Nairobi Einbußen für den Tourismus. Dieser aber ist der wichtigste Devisenbringer des Landes.

Raumsonde »Voyager 2« erreicht Neptun

25. August. Nach zwölfjähriger Reise durch das Sonnensystem überfliegt die US-Raumsonde »Voyager 2« den Planeten Neptun in einer Entfernung von 4905 Kilometern. Neptun ist mit 4,4 Milliarden Kilometern zur Zeit der von der Erde am weitesten entfernte Planet.

Um 5.56 Uhr Mitteleuropäischer Sommerzeit erreicht »Voyager 2« die größte Annäherung an Neptun. Die Funksignale der Sonde benötigen vier Stunden und sechs Minuten, ehe sie von den Antennnen des Jet Propulsion Laboratory der US-Raumfahrtbehörde NASA in Pasadena empfangen werden können.

Bereits Wochen zuvor hatte die Raumsonde, die sich mit einer Geschwindigkeit von 98 387 km/h bewegt, Bilder vom Neptun gefunkt. Daraus wurde deutlich, daß der Planet von einem Ring umgeben ist und neben Triton und Neride von sechs weiteren Monden umkreist wird. »Voyager 2« wird nach seinem Vorbeiflug am Neptun das Sonnensystem verlassen und unbegrenzte Zeit das All durchqueren.

Seit seinem Start am 20. August 1977 hat der US-Satellit rund 7,5 Milliar-

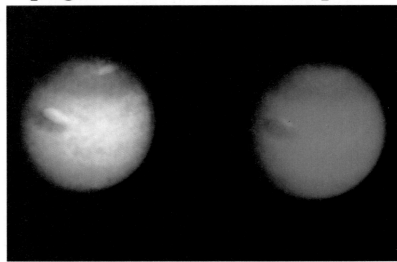

Zweimal Neptun: Die linke Aufnahme von »Voyager« wurde technisch so überarbeitet, daß die Oberflächenstruktur des Planeten erkennbar wird.

den Kilometer zurückgelegt und ist trotz technischer Defekte wie dem Teilausfall des Funkempfängers und Schäden am Bordkraftwerk steuerbar geblieben. Unbeschädigt dürfte dagegen ein Dokument sein, das Zeugnis vom Leben auf der Erde gibt: Eine vergoldete Kupferplatte, die noch eine Milliarde Jahre ab-

spielbar sein soll, hat u. a. Beethovens 5. Sinfonie (»Schicksalssinfonie«) und den Melancholy-Blues von Louis Armstrong gespeichert. Auch der frühere US-Präsident Jimmy Carter und der damalige UNO-Generalsekretär Kurt Waldheim sind mit einer Botschaft an die »galaktischen Zivilisationen« vertreten.

Italienische EM-Schwimmer überzeugen

20. August. In Bonn gehen die 19. Schwimm-Europameisterschaften zu Ende, bei denen die DDR (16 Goldmedaillen) mit Abstand am erfolgreichsten abschneidet.

Über 40 000 Zuschauer verfolgen in fünf Bonner Schwimmbädern die Titelkämpfe, zu deren Höhepunkten die Weltrekorde des Italieners Giorgio Lamberti über 100 m Freistil

(49,24 sec) und des Briten Adrian Moorhouse über 100 m Brust (1:01,49 min) gehören. Besonders die italienischen Schwimmerinnen und Schwimmer überraschen in Bonn positiv: Hinter der DDR und der UdSSR stellen sie die stärkste Mannschaft. Das bundesdeutsche Team erlebt zwar nicht den Einbruch, der nach den schwachen Ergebnissen

bei den Deutschen Meisterschaften in Dortmund zu befürchten war, kann aber nur bedingt überzeugen. Immerhin reicht es trotz Abwesenheit des Medaillengaranten Michael Groß noch zu drei Titeln: Albin Killat gewinnt das Kunstspringen vom Dreimeter-Brett und die 4 × 100-m-Freistilstaffel sowie die Wasserballer bleiben siegreich.

▷ *Nach dem Weltrekord über 100 m Freistil: Europameister Giorgio Lamberti aus Italien ballt triumphierend die Faust.*

▷▷ *Adrian Moorhouse (Großbritannien) auf dem Weg zum zweiten Weltrekord der Meisterschaften über die 100-m-Brust-Distanz.*

Weltrekord glückt dank »Hasenjagd«

18. August. Beim Leichtathletiksportfest in Berlin läuft der Mexikaner Arturo Barrios mit 27:08,23 min Weltrekord über 10 000 m.

Der in den USA lebende 24jährige Leichtathlet verbessert damit die fünf Jahre alte Bestmarke des Portugiesen Fernando Mamede um gut fünf Sekunden. Mit diesem Rekord rückt erstmals die 27-Minuten-Grenze im 10-km-Lauf in greifbare Nähe. Maßgeblichen Anteil am Erfolg haben im Berliner Olympiastadion die beiden »Hasen« des Weltrekordlers. Die Aufgabe dieser Läufer ist es, Barrios die ersten fünf Kilometer zu »ziehen«, um ein gleichmäßig hohes Tempo zu ermöglichen. Fast auf die Zehntelsekunde genau halten sie die Zeitvorgaben ein.

Einen weiteren Lauf-Weltrekord stellt der Marokkaner Said Aouita am 20. August bei einem Leichtathletiksportfest in Köln auf: Er legt die 3000 m in 7:29,45 min zurück, 2,65 sec schneller als der bisherige Rekordhalter Henry Rono aus Kenia. Für seinen Auftritt kassiert der 29jährige Aouita eine Gage von 25 000 Dollar (ca. 48 500 DM).

Im Spaziergang zum Dressur-Titel

6. August. Mit deutlichem Abstand vor der Konkurrenz gewinnen bundesdeutsche Reiter sowohl Einzel- als auch Mannschaftswertung bei der Dressur-Europameisterschaft in Mondorf (Luxemburg).

Olympiasiegerin Nicole Uphoff (22) auf Rembrandt erhält von den fünf Punktrichtern Traumnoten für ihre Vorstellung im Einzelwettbewerb. Auch in der Mannschaftswertung haben die zweit- bzw. drittplazierten Teams der UdSSR und der Schweiz nicht den Hauch einer Chance.

Ähnlich erfolgreich wie die BRD-Sportler im Dressurreiten zeigen sich am 20. August ihre britischen Kollegen bei der Europameisterschaft der Springreiter in Rotterdam. Hier entscheidet John Whitaker auf Milton das Einzelspringen für sich. Bester Bundesdeutscher wird Karsten Huck als Dritter. In der Mannschaftswertung dominiert die britische Equipe ebenfalls das Geschehen, während die deutschen Reiter nur einen enttäuschenden fünften Platz belegen.

September 1989

Mo	Di	Mi	Do	Fr	Sa	So
				1	2	3
4	5	6	7	8	9	10
11	12	13	14	15	16	17
18	19	20	21	22	23	24
25	26	27	28	29	30	

1. September, Freitag

Zum 50. Jahrestag des Kriegsbeginns finden in zahlreichen Städten Europas Feierstunden und Gedenkveranstaltungen statt. → S. 70

Mit dem Wirtschaftsexperten Francisco Rodriguez wird ein enger Gefolgsmann des Armeeoberbefehlshabers General Manuel Antonio Noriega zum Präsidenten Panamas ernannt (→ 7. 5./S. 40).

2. September, Samstag

Die Nicaraguanische Oppositionsunion (UNO), ein Bündnis von 14 Parteien, nominiert die parteilose Verlegerin Violeta Barrios de Chamorro zu seiner Präsidentschaftskandidatin für die am 25. Februar 1990 stattfindenden Wahlen.

3. September, Sonntag

Das Nachrichtenmagazin »Der Spiegel« berichtet, der frühere Berliner Innensenator Heinrich Lummer (CDU) habe jahrelang Kontakte zum Staatssicherheitsdienst der DDR unterhalten und diese verschwiegen. → S. 69

Beim Absturz einer kubanischen Iljuschin-62 M kurz nach dem Start in Havanna kommen alle 113 Passagiere und 13 Besatzungsmitglieder ums Leben. → S. 74

Aus Schloß Charlottenburg in West-Berlin werden zwei wertvolle Spitzweg-Gemälde gestohlen. → S. 75

4. September, Montag

Auf der neunten Gipfelkonferenz der Bewegung der Blockfreien vom 4. bis 7. September in Belgrad erheben die Delegierten Vorwürfe gegen die für die Länder der Dritten Welt ruinöse Finanzpolitik der hochindustrialisierten Staaten.

5. September, Dienstag

Der polnische Arbeiterführer Lech Walesa trifft zu einem viertägigen Besuch in der Bundesrepublik ein. → S. 70

Das ZDF zeigt die erste Folge seiner Pfarrerserie »Mit Leib und Seele«. → S. 75

6. September, Mittwoch

Der niedersächsische Landtagsabgeordnete Kurt Vajen, der mit den rechtsradikalen Republikanern sympathisiert, tritt aus der CDU aus und bringt seine Fraktion damit um die Mehrheit. → S. 69

Bei den Parlamentswahlen in Südafrika kann die regierende Nationale Partei (NP) von Präsident Frederik de Klerk trotz schwerer Verluste ihre absolute Mehrheit behaupten. → S. 71

Ministerpräsident Ruud Lubbers und seine christdemokratische Partei CDA sind die Gewinner der niederländischen Parlamentswahlen.

7. September, Donnerstag

Nach längeren Auseinandersetzungen mit der polnischen KP bildet Ministerpräsident Tadeusz Mazowiecki die Regierung (→ 24. 8./S. 60).

8. September, Freitag

Die DDR-Bürger, die in der Ständigen Vertretung Bonns in Ost-Berlin Zuflucht gesucht hatten, kehren freiwillig in ihre Heimatorte zurück. → S. 66

Bundeswirtschaftsminister Helmut Haussmann (FDP) genehmigt die umstrittene Fusion von Daimler-Benz mit dem Luft- und Raumfahrtkonzern Messerschmitt-Bölkow-Blohm (MBB). → S. 72

9. September, Samstag

In New London (US-Bundesstaat Connecticut) werden sechs Mitglieder der Umweltschutzorganisation Greenpeace festgenommen. Sie hatten versucht, die Einweihungszeremonie für das Atom-U-Boot »Pennsylvania« zu stören.

10. September, Sonntag

Steffi Graf und Boris Becker gewinnen die Einzelfinale der Offenen Tennismeisterschaften der USA in Flushing Meadow. → S. 76

Der Achter aus der Bundesrepublik Deutschland siegt bei den Ruder-Weltmeisterschaften im jugoslawischen Bled. → S. 76

11. September, Montag

Ungarn läßt etwa 10 000 DDR-Bürger nach Österreich ausreisen. → S. 66

In Grünheide bei Ost-Berlin gründet sich die DDR-Reformbewegung »Neues Forum«. → S. 68

Das Wuppertaler Schwurgericht verurteilt die ehemalige Krankenschwester Michaela Roeder wegen Totschlags, fahrlässiger Tötung und Tötung auf Verlangen zu elf Jahren Freiheitsstrafe. → S. 75

Auf dem Bundesparteitag der CDU in Bremen werden der baden-württembergische Ministerpräsident Lothar Späth und der Vorsitzende der CDU-Sozialausschüsse, Ulf Fink, überraschend nicht mehr ins Parteipräsidium gewählt. → S. 69

12. September, Dienstag

Ein führender Funktionär der namibischen Befreiungsorganisation SWAPO, Anton Lubowski, fällt in Windhuk einem politischen Mord zum Opfer (→ 1. 4./S. 31).

13. September, Mittwoch

Der Vorsitzende der kommunistischen Polnischen Vereinigten Arbeiterpartei (PVAP), Mieczyslaw Rakowski, schlägt im polnischen Fernsehen die Bildung einer neuen linken Partei vor.

14. September, Donnerstag

In Frankfurt am Main eröffnet Bundespräsident Richard von Weizsäcker die 53. Internationale Automobilausstellung (IAA). → S. 74

15. September, Freitag

Überraschend lädt die DDR eine SPD-Delegation aus, deren Besuch der Volkskammer für den 18. September verabredet war. Die SED reagiert damit auf SPD-Kritik an der DDR-Führung im Zusammenhang mit der Ausreisewelle (→ 8. 9./S. 66).

16. September, Samstag

In München wird das 156. Oktoberfest eröffnet (→ 1. 10./S. 84).

17. September, Sonntag

Die Evangelisch-Lutherische Landeskirche Schaumburg-Lippe wird auch künftig als einzige der 17 Mitgliedskirchen der Evangelischen Kirche in Deutschland (EKD) keine Pastorinnen zulassen. Dies ist das Ergebnis einer Landessynode zum Thema Frauenordination.

18. September, Montag

Die Gläubigerbanken des hochverschuldeten Handelskonzerns co einigen sich auf ein Sanierungskonzept, das einen Verzicht auf knapp 1,7 Milliarden DM beinhaltet. → S. 72

19. September, Dienstag

Der Papst greift erstmals in den Streit um das Karmelitinnenkloster neben dem ehemaligen Vernichtungslager Auschwitz ein und ordnet an, die Nonnen sollten sich an anderer Stelle niederlassen.

20. September, Mittwoch

Die italienischen Lastwagenfahrer, die eine Woche lang die österreichisch-italienische Grenze blockiert hatten, brechen ihre Protestaktion gegen die von der Regierung angekündigte Begrenzung der österreichischen Durchfahrtgenehmigungen ab. → S. 74

21. September, Donnerstag

In Bogotá wird der Rücktritt der 32jährigen kolumbianischen Justizministerin Monica de Greiff bekanntgegeben. Die Ministerin hatte seit ihrem Amtsantritt im Juli gegen die Kokain-Mafia gekämpft und immer wieder Morddrohungen erhalten (→ 18. 8./S. 61).

22. September, Freitag

Der Hurrikan »Hugo« erreicht die US-amerikanische Ostküste und richtet hier schwere Verwüstungen an. → S. 75

23. September, Samstag

Nach sechs Monaten heftiger Kämpfe verkünden die Bürgerkriegsparteien im Libanon einen Waffenstillstand. → S. 71

24. September, Sonntag

Auf der ersten landesweiten Zusammenkunft von DDR-Reformgruppen in Leipzig einigen sich die mehr als 80 Teilnehmer auf die Demokratiebewegung »Neues Forum« als Dachorganisation (→ 11. 9./S. 68).

In Gesprächen mit US-Außenminister James Baker im US-Bundesstaat Wyoming äußert der sowjetische Außenminister Eduard Schewardnadse die Bereitschaft seiner Regierung zu einer Halbierung der Interkontinentalraketen, ohne den Verzicht der USA auf eine weltraumgestützte Raketenabwehr (SDI) zu verlangen. → S. 71

25. September, Montag

Nach einem abschließenden Bericht der Genfer Untersuchungsrichtern Claude-Nicole Nardin liegen keinerlei Hinweise auf Fremdeinwirkungen beim Tod des ehemaligen schleswig-holsteinischen Ministerpräsidenten Uwe Barschel (CDU) im Jahre 1987 vor.

26. September, Dienstag

Der konservative griechische Abgeordnete Pavlos Bakojannis fällt in Athen einem Attentat der linksextremen Terrororganisation »17. November« zum Opfer.

27. September, Mittwoch

Bundesaußenminister Hans-Dietrich Genscher (FDP) fordert vor der UNO-Vollversammlung in New York die DDR zu Reformen auf.

28. September, Donnerstag

Aus umweltpolitischen Gründen spricht sich die Vorsitzende der Gewerkschaft Öffentliche Dienste, Transport und Verkehr (ÖTV), Monika Wulf-Mathies, für eine Einschränkung des Parkplatzangebots in den Innenstädten aus.

29. September, Freitag

Die alliierten Luftfahrtattachés genehmigen die Streichung von rund sieben Prozent der Flüge von und nach West-Berlin. Der Senat forderte die Kürzung aus Gründen des Umweltschutzes.

30. September, Samstag

Mit Einverständnis der Regierungen der DDR, Polens und der ČSSR dürfen alle DDR-Bürger, die in den deutschen Botschaften in Prag und Warschau Zuflucht gesucht hatten, sofort in die Bundesrepublik ausreisen. → S. 67

Auf einen Blick:

Die Zahl der Arbeitslosen in der Bundesrepublik beträgt 1 880 776, das entspricht einer Quote von 7,3% (September 1988: 8,5%).

Die Verbraucherkosten in der Bundesrepublik liegen um 3,1% höher als im September 1988.

TV-Hit im September:

Die höchste Einschaltquote erreicht die ZDF-Unterhaltungssendung »Wetten, daß . . ?« am 30. 9. (16,60 Mio. Zuschauer = 47%).

Grünes Licht für die Ausreise der Botschaftsflüchtlinge

Die im August (→ 19. 8./S. 59) einsetzende Fluchtbewegung aus der DDR erreicht im September weitere Höhepunkte. Mit weitreichenden Zugeständnissen der DDR-Behörden verlassen 116 Flüchtlinge die Ständige Vertretung der Bundesrepublik Deutschland in Ost-Berlin. Ungarn öffnet die Grenzen für die Ausreise von mehr als 7000 DDR-Bürgern nach Österreich. Immer mehr DDR-Bürger setzen sich auch nach Prag und Warschau ab, wo sie in den bundesdeutschen Botschaften Aufnahme suchen. Obwohl diese Missionen offiziell geschlossen sind, verschaffen sich mehrere tausend Flüchtlinge auf Umwegen Einlaß. In Verhandlungen mit Ost-Berlin und Prag erreicht Bundesaußenminister Genscher am 30. September ihre Ausreise.

8. September:
DDR-Bürger verlassen Ständige Vertretung Bonns in Ost-Berlin

Alle 116 DDR-Bürger, die zum Teil seit mehr als einem Monat Zuflucht in der Ständigen Vertretung der Bundesrepublik Deutschland in Ost-Berlin gefunden haben, um ihre Ausreise zu erzwingen, verlassen das Gebäude und kehren freiwillig in ihre Heimatorte zurück. Ihnen wurde neben Straffreiheit die juristische Betreuung durch den Ost-Berliner Rechtsanwalt und Honecker-Vertrauten Wolfgang Vogel sowie eine wohlwollende Prüfung ihrer Ausreiseanträge zugesichert.

10. September:
Ungarn läßt alle Flüchtlinge in den Westen ausreisen

Die ungarische Regierung gibt bekannt, daß alle im Land befindlichen DDR-Bürger, die seit Wochen in mehreren Lagern auf ihre Übersiedlung in den Westen warten, ausreisen können. Ungarn hatte vorher ein 1969 geschlossenes Abkommen mit der DDR außer Kraft gesetzt, das untersagte, Bürger des jeweils anderen Staates in westliche Länder ausreisen zu lassen. Die DDR reagiert mit scharfen Protesten. Sie wirft Ungarn Vertragsbruch, Einmischung in innere Angelegenheiten und organisierten Menschenhandel vor.

Als um Mitternacht an sechs ungarischen Grenzübergängen nach Österreich die Schlagbäume hochgehen, setzen sich Tausende von DDR-Bürgern mit ihren »Trabants« und »Wartburgs« in Richtung Bayern in Bewegung. Drei Stunden später erreichen die ersten den Grenzübergang Passau-Suben, wo sie 50 DM Begrüßungsgeld und Benzingutscheine erhalten. Hilfsorganisationen, Bundesgrenzschutz und der ADAC haben Anlaufstellen errichtet, an denen die Neuankömmlinge versorgt oder in Zeltstädte und Notaufnahmelager weitergeleitet werden.

30. September:
Außenminister Genscher erreicht Ausreise aus Prag und Warschau

Während sich die Flüchtlingslager in Ungarn leeren, spitzt sich die Situation in den bundesdeutschen Botschaften in Prag und Warschau weiter zu. In der tschechoslowakischen Hauptstadt gelangen bis zum Monatsende über 4000 DDR-Flüchtlinge über den Zaun in das von Polizisten umstellte Missionsgebäude. DDR-Anwalt Wolfgang Vogel sichert ihnen zu, daß sie bei Rückkehr in die DDR innerhalb von sechs Monaten legal ausreisen können. Nur wenige machen jedoch von diesem Angebot Gebrauch.

△ *Mit dem »Trabi« in die Freiheit: Glücklich über die langerwartete Ausreise schwenkt ein junger DDR-Flüchtling schon am österreichisch-ungarischen Genzübergang Klingenbach die bundesdeutsche Fahne.*

◁ *Die Strapazen in der bundesdeutschen Botschaft haben sich gelohnt: Jubelnde DDR-Flüchtlinge verlassen Prag in einem der sechs Sonderzüge der DDR-Reichsbahn in Richtung Bayern. Daß die Fahrtstrecke aus politischen Gründen einen Umweg durch das Gebiet der DDR macht, erfüllt viele zunächst mit Mißtrauen und Angst, zumal sich die Ankunft in Hof um mehr als zwei Stunden verzögert.*

Am Rande der UNO-Vollversammlung in New York gelingt es Bundesaußenminister Hans-Dietrich Genscher (FDP) am 27. September, in Verhandlungen mit den Außenministern der ČSSR und der DDR, Jaromir Johanes und Oskar Fischer, die Ausreise der Flüchtlinge zu erreichen. Am 30. September fliegt Genscher selbst nach Prag, um den Wartenden die Nachricht zu überbringen. Schon in der folgenden Nacht befördern Sonderzüge der DDR-Reichsbahn

über 6000 Menschen in die Bundesrepublik. Bei der Fahrt durch die DDR springen in Dresden einige Fluchtwillige auf die fahrenden Züge auf. Andere werden von der Polizei mit Gewalt daran gehindert. Wenige Stunden später trifft auch der erste Sonderzug aus Warschau in Helmstedt ein. Die Regierung in Ost-Berlin verlangt allerdings, daß die Sonderzüge durch das Gebiet der DDR fahren, um die Ausreise offiziell als »Ausweisung« deklarieren zu können.

Überbringer der Glücksbotschaft: Außenminister Genscher (r.) und Kanzleramtsminister Seiters am Abend des 30. September im Prager Palais Lobkowicz

Genscher beendet Flüchtlingsdrama in Prag

30. September. »Wir sind zu Ihnen gekommen, um Ihnen mitzuteilen, daß heute Ihre Ausreise . . .«, die weiteren Worte von Bundesaußenminister Hans-Dietrich Genscher (FDP) auf dem Balkon der bundesdeutschen Botschaft in Prag gehen im Jubel der mehr als 4000 DDR-Flüchtlinge unter. Mit Sprechchören wie »Freiheit, Freiheit« und »Danke schön« feiern sie das Ende wochenlanger Ungewißheit und bangen Wartens auf ihre Ausreisegenehmigung. Die Situation im Palais Lobkowicz war in den letzten Septembertagen unerträglich geworden. Nach der Schließung der Mission kletterten immer mehr Menschen über den 3,5 m hohen Zaun, der das Botschaftsgelände umgibt. Dort wurden zwar Zelte errichtet, die Zahl der Betten reichte aber nicht aus, so daß in Schichten geschlafen werden mußte. Toiletten und Duschen waren nur in ungenügender Zahl vorhanden, und auch die medizinische Versorgung ließ so zu wünschen übrig, daß mit dem Ausbruch von Ruhr und Typhus gerechnet werden mußte.

Der Ansturm auf die Botschaft nimmt noch einmal zu, als die Nachricht von der Ausreiseerlaubnis bekannt wird. Hunderte von DDR-Bürgern machen sich noch in der Nacht auf den Weg nach Prag, doch viele kommen zu spät: Die Sonderzüge sind abgefahren, die Bonner Botschaft ist von Polizei umstellt.

Mehrere tausend DDR-Flüchtlinge klettern über den Zaun in den Garten der hoffnungslos überfüllten Bonner Botschaft in Prag.

Warum ein Neubeginn?

Wer sind die Menschen aus der DDR, die Risiken und Strapazen auf sich nehmen, die Heimat, ihre Freunde und Eigentum zurücklassen, um in der Bundesrepublik Deutschland wieder ganz von vorn anzufangen? Was sind die Gründe für ihre Flucht und was erwarten sie von ihrer Zukunft? In Zusammenarbeit mit dem Bundesministerium für innerdeutsche Beziehungen führte die Infratest-Kommunikationsforschung dazu Ende August und Anfang September eine repräsentative Telefonbefragung unter Übersiedlern und Flüchtlingen durch.

Wer sind sie?
Mehr als die Hälfte der Übersiedler und Flüchtlinge (56 Prozent) gehören der Altersgruppe der 18- bis 30jährigen an. Nur 12 Prozent sind älter als 40 Jahre. Bezeichnend ist der gute Ausbildungsstand:
▷ 86 Prozent haben eine Lehre absolviert
▷ 16 Prozent besitzen die Hochschulreife
▷ 8 Prozent haben ein Studium abgeschlossen.
Mit 87 Prozent auffallend hoch ist der Anteil der Berufstätigen; von ihnen arbeiteten
▷ 33 Prozent in der Industrie
▷ 18 Prozent im Handel
▷ 25 Prozent auf dem Dienstleistungssektor
▷ 7 Prozent in der Verwaltung
▷ 4 Prozent im Bildungsbereich.
Die Neubürger aus der DDR lebten in ihrer Heimat in relativem Wohlstand: 57 Prozent besaßen einen Farbfernseher, 61 Prozent ein Auto und immerhin 15 Prozent eine »Datscha«, ein Wochenendhäuschen. Die meisten verdienten mit 600 bis 1000 Mark für DDR-Verhältnisse nicht schlecht, 35 Prozent hatten ein noch höheres Einkommen. Der Männeranteil überwiegt deutlich mit 70 Prozent, etwa 40 Prozent der Männer sind ledig.

Warum sind sie gekommen?
Für die Entscheidung, ihre relativ »gesicherte« Existenz in der DDR aufzugeben, ermittelt Infratest eine Vielzahl von Motiven:
▷ Fehlende Meinungsfreiheit und fehlende Reisemöglichkeiten (74 Prozent)
▷ den Wunsch, das Leben nach eigenen Vorstellungen zu gestalten (72 Prozent)
▷ fehlende bzw. ungünstige Zukunftsaussichten (69 Prozent)
▷ die ständige Bevormundung und Gängelung durch den Staat (65 Prozent)
▷ die schlechte Versorgungslage (56 Prozent).
Die Mehrheit der Befragten (73 Prozent) kommt zum ersten Mal in die Bundesrepublik. Von den Flüchtlingen hatten rund 20 Prozent vorher erfolglos einen Antrag auf Übersiedlung gestellt.

Was erwarten sie?
Optimismus und Selbstvertrauen kennzeichnet die Erwartungen der ehemaligen DDR-Bürger in der Bundesrepublik. Fast alle (92 Prozent) sind sich sicher, daß sie einen Lebensstandard erreichen können, der deutlich über DDR-Niveau liegt. 68 Prozent sind davon überzeugt, einen geeigneten Arbeitsplatz zu finden, wobei die meisten einräumen, daß sie sich beruflich fortbilden müssen. Im Privatbereich, bei der Bemühung um neue Freunde und Bekannte, rechnen 57 Prozent nicht mit größeren Problemen.

Wo stehen sie politisch?
Nach den Ergebnissen der Infratest-Umfrage richtet sich das Interesse der Übersiedler vorrangig auf ihren persönlichen und beruflichen Neubeginn. Politische Gesichtspunkte sind zunächst zweitrangig, so daß nur die Hälfte der Befragten Angaben dazu machte. Sympathien bekunden sie zu
▷ 28 Prozent für die CDU/CSU
▷ 10 Prozent für die SPD
▷ 7 Prozent für die rechtsradikalen Republikaner
▷ 5 Prozent für die Grünen
▷ 2 Prozent für die FDP.
Die überwiegende Mehrheit der Befragten (86 Prozent) wünschen eine Wiedervereinigung beider deutscher Staaten, nur vier Prozent lehnen diese ausdrücklich ab. An eine Verwirklichung dieses Wunsches in naher Zukunft glauben allerdings nur acht Prozent, ein Ergebnis, das auch in Umfragen bei Bundesbürgern ermittelt wurde.

In der DDR formiert sich eine vielstimmige Opposition

11. September. In Grünheide bei Ost-Berlin gründen 30 DDR-Regimekritiker die Reformbewegung »Neues Forum«. Es ist die erste landesweite Oppositionsgruppe in der DDR und die größte außerhalb der Evangelischen Kirche.

Das »Neue Forum«, zu dessen Gründern die Ost-Berliner Malerin Bärbel Bohley und der mit Berufsverbot belegte Rechtsanwalt Rolf Henrich gehören, versteht sich als »politische Plattform für die ganze DDR«, die in einem »demokratischen Dialog« öffentlich über Reformen diskutieren will. Innerhalb weniger Tage unterzeichnen mehr als 1500 DDR-Bürger den Gründungsaufruf, darunter auch zahlreiche SED-Mitglieder.

Am 19. September beantragt die Oppositionsgruppe in elf der 15 Bezirke die Zulassung als politische Vereinigung. Das Innenministerium bezeichnet das »Neue Forum« jedoch als »staatsfeindlich« und »illegal« und lehnt eine Zulassung ab. Trotzdem wird das »Neue Forum« am 24. September bei einem Treffen mehrerer Reformgruppen in Leipzig zur Dachorganisation der verschiedenen Untergruppen bestimmt.

Neben dem »Neuen Forum« formieren sich weitere regimekritische Vereinigungen. Am 15. September bilden zwölf Pfarrer, Wissenschaftler und Bürgerrechtler die Bürgerbe-

Diskussionsveranstaltung in der evangelischen Kirche Oberschöneweide in Ost-Berlin; am Podium 2. v. r. Pfarrer Heinrich Busse, r. Bärbel Bohley

wegung »Demokratie jetzt«, die einen »Aufruf zur Einmischung in eigener Sache« veröffentlicht, in der sie die demokratische Umgestaltung der DDR fordert und ihre Kandidatur zu den Volkskammerwahlen ankündigt. Ähnliche Ziele verfolgt die am 2. Oktober gebildete Gruppe »Demokratischer Aufbruch«, die sich insbesondere aus Vertretern der Kirche zusammensetzt. Die am 8. Oktober gegründete Sozialdemokratische Partei (SDP) will sich für eine »ökologisch orientierte soziale Demokratie« ein-

setzen, während die »Böhlener Plattform« für politische Demokratie unter Wahrung einer sozialistischen Wirtschaftsform plädiert.

Protest äußert sich auch zunehmend in öffentlichen Demonstrationen. Insbesondere die Kirchen entwickeln sich zu Treffpunkten der Demokratiebewegung. Zur festen Einrichtung an jedem Montag werden die Friedensgebete in der Leipziger Nikolaikirche, nach denen mehrere tausend Menschen demonstrierend durch die Innenstadt ziehen (→ S. 79).

(→ S. 79)

Jens Reich *(47), Arzt und Molekularbiologe zählt zu den Initiatoren des »Neuen Forums«. Als einer seiner populärsten Vertreter setzt er auf den Dialog mit allen gesellschaftlichen und politischen Kräften des Landes. Reich schließt auch die Zusammenarbeit mit reformwilligen SED-Mitgliedern unter bestimmten Bedingungen nicht aus.*

Bärbel Bohley *(44), Malerin und Grafikerin aus Ost-Berlin, gehört zu den Gründungsmitgliedern des »Neuen Forums«, dessen Sprecherin sie ist. Wegen ihres Engagements in der Friedensbewegung war sie mehrfach in Haft. 1988 wurde die Künstlerin in die Bundesrepublik ausgewiesen, konnte aber nach sechs Monaten in die DDR zurückkehren.*

Rolf Henrich *(45), Rechtsanwalt aus Eisenhüttenstadt, ist ebenfalls ein Oppositioneller der ersten Stunde. Der ehemalige SED-Parteisekretär kritisiert in seinem im April 1989 erschienenen Buch »Der vormundschaftliche Staat« das Versagen des »real existierenden Sozialismus«. Daraufhin wurde er mit Berufsverbot belegt.*

»Neues Forum«: Die Zeit ist reif

Der Gründungsaufruf des »Neuen Forums« hat folgenden Wortlaut (Auszüge):

»In unserem Land ist die Kommunikation zwischen Staat und Gesellschaft offensichtlich gestört. Belege hierfür sind weitverbreitete Verdrossenheit bis hin zum Rückzug in die private Nische oder zur massenhaften Auswanderung.

In Staat und Wirtschaft funktioniert der Interessensausgleich zwischen den Gruppen und Schichten nur mangelhaft . . .

Wir wollen Spielraum für wirtschaftliche Initiative, aber keine Entartung in die Ellenbogengesellschaft. Wir wollen das Bewährte erhalten und doch Platz für Erneuerung schaffen, um sparsamer und weniger naturfeindlich zu leben. Wir wollen geordnete Verhältnisse, aber keine Bevormundung. Wir wollen freie, selbstbewußte Menschen, die doch gemeinschaftsbewußt handeln. Wir wollen vor Gewalt geschützt sein und dabei nicht einen Staat von Bütteln und Spitzeln ertragen müssen . . .

Um all diese Widersprüche zu erkennen, Meinungen und Argumente dazu anzuhören und zu bewerten, . . . bedarf es eines demokratischen Dialogs über die Aufgaben des Rechtsstaates, der Wirtschaft und der Kultur . . .

Wir bilden deshalb gemeinsam eine politische Plattform für die ganze DDR, die es Menschen aus allen Berufen, Lebenskreisen, Parteien und Gruppen möglich macht, sich an der Diskussion und Bearbeitung lebenswichtiger Gesellschaftsprobleme in diesem Land zu beteiligen . . . Allen Bestrebungen, denen das ›Neue Forum‹ Ausdruck und Stimme verleihen will, liegt der Wunsch nach Gerechtigkeit, Demokratie, Frieden sowie Schutz und Bewahrung der Natur zugrunde . . . Wir rufen alle Bürger und Bürgerinnen der DDR, die an einer Umgestaltung der Gesellschaft mitwirken wollen, auf, Mitglieder des ›Neuen Forums‹ zu werden. Die Zeit ist reif.«

Sieg für Kohl – Schlappe für Späth

11. September. Auf dem CDU-Bundesparteitag in Bremen wird Bundeskanzler Helmut Kohl (59) in seinem Amt als Parteivorsitzender bestätigt. Mit 571 Ja-, 147 Nein-Stimmen und 20 Enthaltungen erzielt er das schlechteste Ergebnis in seiner 16jährigen Amtszeit als Bundesvorsitzender der CDU.

Deutlicher entscheiden sich die Delegierten mit 628 Ja- und 76 Nein-Stimmen für Volker Rühe als Nachfolger Heiner Geißlers im Amt des Generalsekretärs. Überraschend werden der baden-württembergische Ministerpräsident Lothar Späth und der Vorsitzende der CDU-Sozialausschüsse, Ulf Fink, nicht wieder in das Parteipräsidium gewählt. Späth, der zuvor als möglicher Nachfolger Kohls gehandelt wurde, verzichtet daraufhin auf eine Kandidatur für den erweiterten Bundesvorstand.

Diese Ergebnisse sind insgesamt eine Bestätigung für Kohl in der parteiinternen Auseinandersetzung um die Person Geißlers. Späth hatte die Entscheidung des Parteivorsitzenden, Geißler nicht wieder für den Posten des Generalsekretärs aufzustellen, kritisiert (→ 22. 8./S. 62). Fink, der dem linken Flügel der CDU zuzurechnen ist, gilt als Vertrauter Geißlers.

Die für den Parteitag erwartete harte Auseinandersetzung zwischen Kohl und Geißler bleibt allerdings aus. Neben den angekündigten umweltpolitischen Fragen bestimmt vor allem die Fluchtwelle aus der DDR die Tagesordnung.

Geißler

△ *Kanzler Kohl (l.) schlägt Heiner Geißler nicht zur Wiederwahl vor. Als Grund führt Kohl Meinungsverschiedenheiten über die Aufgabe des Generalsekretärs an. Geißler betont, er habe es nicht als seine Aufgabe betrachtet, »Valium zu verteilen und alles zu beschönigen«. Außerdem gebe es ein Führungsproblem in der Union.*

◁ *Abgewählt: Baden-Württembergs Ministerpräsident Lothar Späth, ein zweiter prominenter Kohl-Kritiker, fällt bei den Wahlen für die Stellvertreter des Parteivorsitzenden durch. Späth zeigt sich enttäuscht über seine Partei und spricht von einer »Strafaktion« gegen unbequeme Mitglieder.*

Volker Rühe als »Mann der Mitte«

Der neue Generalsekretär der CDU, Volker Rühe (47), wird von Helmut Kohl als »Mann der Mitte« bezeichnet.

Im Gegensatz zu dem früheren Generalsekretär Heiner Geißler ist Rühe keinem bestimmten

Volker Rühe wurde am 25. September 1942 in Hamburg geboren. Während seines Lehrerstudiums trat er 1963 der CDU bei und wurde 1970 Mitglied der Hamburger Bürgerschaft. 1976 wechselte Rühe in den Bundestag.

Flügel der Partei zuzurechnen. Kohl setzt daher auf seine integrative Wirkung. Damit hebt sich der neue Generalsekretär deutlich von seinem Vorgänger ab, der mit seinen Thesen häufig stark polarisierend wirkte. Der Hamburger Rühe ist eher ein »Mann Kohls«.

Rühe war im Bundestag zunächst Obmann im Ausschuß für Bildung und Wissenschaft, ab 1980 Mitglied im Auswärtigen Ausschuß und von 1982 bis Oktober 1989 stellvertretender Fraktionsvorsitzender der CDU/CSU mit Zuständigkeit für den außen- und sicherheitspolitischen Bereich.

Lummer im Zwielicht

3. September. Das Nachrichtenmagazin »Der Spiegel« und die Illustrierte »Stern« veröffentlichen Berichte, wonach der frühere Berliner Innensenator Heinrich Lummer (CDU) jahrelange Kontakte zu Mitarbeitern des Ost-Berliner Ministeriums für Staatssicherheit (MfS) verschwiegen haben soll.

Lummer traf demzufolge seit 1970 häufiger mit DDR-Agenten zusammen und hatte seit 1973 ein Verhältnis mit einer Mitarbeiterin des MfS. Der amtierende Berliner Innensenator Erich Pätzold (SPD) bestätigt, Lummer habe die Kontakte erst eingestanden, als der Verfassungsschutz diese 1982 bereits aufgedeckt hatte. Der Fall wurde bislang vor der Öffentlichkeit geheimgehalten.

Der Senat setzt nach Bekanntwerden der Affäre einen Untersuchungsausschuß ein, der klären soll, ob Lummer geheime Informationen weitergegeben hat und welchen Einfluß er auf den Verfassungsschutz ausgeübt hat, um die Geheimhaltung der peinlichen Angelegenheit zu erreichen.

Heinrich Lummer, geboren am 21. November 1932, war von 1981 bis 1986 Innensenator und Bürgermeister von Berlin. Als Innensenator mußte Lummer im März 1986 aufgrund seiner Verwicklung in eine Finanz- und Schmiergeldaffäre zurücktreten.

Vajen erklärt CDU-Austritt

6. September. Der niedersächsische CDU-Landtagsabgeordnete Kurt Vajen (53), der nach eigenen Angaben »weitestgehend« mit den politischen Zielen der Republikaner übereinstimmt, erklärt den Austritt aus seiner Fraktion. Vajen kommt damit einem Parteiausschluß zuvor.

Der Austritt Vajens bedeutet für die niedersächsische Regierungskoalition aus CDU und FDP einen Verlust ihrer hauchdünnen Mehrheit von einer Stimme. Es entsteht ein Patt zwischen der Koalition und der Opposition aus Sozialdemokraten und Grünen.

Nur einen Tag nach dem Austritt Vajens verhilft der abtrünnige SPD-Abgeordnete Oswald Hoch (53) der Regierung unter Ernst Albrecht je-

Der Landwirt Kurt Vajen, geboren am 15. Mai 1936, wurde 1974 CDU-Bürgermeister im niedersächsischen Brockel. Aufsehen erregte Vajen 1988, als er rechtskräftig wegen Wahlbetrugs verurteilt wurde.

doch wieder zu ihrer Ein-Stimmen-Mehrheit. Hoch erklärt, er wolle mit seinem Fraktionsaustritt gewährleisten, daß »wichtige Gesetzesvorhaben nicht an der Pattsituation scheitern«. Der abtrünnige Abgeordnete stand in Parteikreisen schon länger im Verdacht, mit der CDU zu sympathisieren.

Walesa appelliert an deutsche Wirtschaft

5. September. Auf Einladung des Deutschen Gewerkschaftsbundes (DGB) trifft Lech Walesa zu einem viertägigen Besuch in der Bundesrepublik ein. Der Vorsitzende der polnischen Gewerkschaft »Solidarität« ruft Gewerkschafter, Politiker und Unternehmer zu wirtschaftlicher Unterstützung seines Landes und zu verstärkten deutschen Investitionen in Polen auf.

Walesa überreicht dem nordrhein-westfälischen Ministerpräsidenten Johannes Rau (SPD) eine Liste mit 16 Projekten allein im Raum Danzig, für die er Unterstützung von der Landesregierung in Düsseldorf erwartet. An den Ostausschuß der Deutschen Wirtschaft appelliert der Friedensnobelpreisträger des Jahres 1983, seinem Land schnell zu helfen, um die politischen und wirtschaftlichen Reformen zu stützen (→ 17. 4./S. 29; 24. 8./S. 60). »Pauschale Kreditwünsche« weist der Ausschuß allerdings zurück. Walesa wirft den deutschen Unternehmern daraufhin vor, sich Polen gegenüber »wie Jungfrauen zu zieren«. Obwohl er

Einer von zahlreichen Fototerminen während des Deutschland-Besuchs: In Düsseldorf erhält Walesa (l.) ein symbolisches Paket mit Medikamenten.

keine konkreten Ergebnisse mit nach Hause nehmen kann, wertet Walesa seinen Besuch als »sehr befriedigend«.

Angesichts der nahenden Kommunalwahlen in Nordrhein-Westfalen versuchen Spitzenpolitiker der gro-

ßen Parteien, sich möglichst medienwirksam mit Walesa in Szene zu setzen. Mit Kritik und Spott kommentiert die bundesdeutsche Presse diese »Ranwamserei« (DGB-Funktionär Erwin Kristoffersen) an den populären Polen.

Polen: Reformen bedingen Opfer

Im Oktober legt die neue Regierung ihren Plan für den Übergang zur Marktwirtschaft westlicher Prägung vor. Hier die wichtigsten Programmpunkte:

▷ Stabilisierung der Währung; die augenblickliche Inflationsrate von 50 Prozent monatlich ist für den Warenmangel in Polen mitverantwortlich. Defizite sollen künftig durch Anleihen, nicht mehr durch Geldvermehrung finanziert werden.

▷ Im Zuge einer rigiden Sparpolitik sollen Subventionen abgebaut und das Staatsbudget gekürzt werden.

▷ Die Regierung beginnt mit der Privatisierung von Staatsbetrieben. Ein Sozialversicherungssystem soll die prognostizierten Firmenzusammenbrüche abfedern.

Das Konzept kann nur mit massiver ausländischer Finanzhilfe realisiert werden.

50. Jahrestag des Kriegsbeginns: Streit im Bundestag

1. September. Der Monatsanfang steht sowohl in der Bundesrepublik als auch in Polen im Zeichen der Erinnerung: Beide Staaten gedenken des deutschen Angriffs auf Polen, mit dem am 1. September 1939 der Zweite Weltkrieg begann.

Die Gedenkstunde des Bundestages leitet Kanzler Helmut Kohl (CDU) mit einer Regierungserklärung ein. Er betont, Hitler habe den Krieg »gewollt, geplant und entfesselt, daran gibt es nichts zu deuteln«. An den Warschauer Vertrag von 1970 werde sich die Bundesregierung in »Buchstaben und Geist« halten. Dieser vom damaligen Kanzler Willy Brandt (SPD) ausgehandelte Vertrag zwischen der Bundesrepublik und Polen legt u. a. die »Unverletzlichkeit der bestehenden Grenzen« fest.

Die Gedenkstunde wird überschattet von einem Streit zwischen Regierungskoalition und Opposition um eine gemeinsame Erklärung. Nach einer von konservativen Politikern entfachten mehrwöchigen Debatte um deutsche Gebietsan-

sprüche östlich der jetzigen polnischen Westgrenze fordern SPD und Grüne den Kanzler auf, ausdrücklich auf solche Ansprüche zu verzichten. Dies tat drei Tage zuvor Bundespräsident Richard von Weizsäcker in einer Botschaft an den polnischen Staatspräsidenten Wojciech Jaruzelski. Die Weigerung Kohls, diesem Beispiel zu folgen, stößt

ebenso auf Kritik wie das Zögern des Kanzlers, Polen zu besuchen. Die »Süddeutsche Zeitung« kritisiert, der Kanzler finde sich aus Rücksicht auf national und konservativ gesinnte Wähler zu keiner deutlichen Stellungnahme bereit.

Auf der Westerplatte bei Danzig, wo der deutsche Überfall auf Polen 1939 begann, begeht die polnische Staats-

führung den Jahrestag mit einer Kranzniederlegung. In Warschau bildet ein öffentliches Gebet verschiedener Religionsgemeinschaften den Höhepunkt der Feiern. Auch Nordrhein-Westfalens Ministerpräsident Johannes Rau (SPD) und der Regierende Bürgermeister von Berlin, Walter Momper (SPD), nehmen an Feiern in Warschau teil.

Gedenkveranstaltung im Deutschen Bundestag: Helmut Kohl (am Rednerpult) bei seiner Regierungserklärung

Kranzniederlegung auf der Westerplatte; hinter den Offizieren (v. l.): Mazowiecki, Jaruzelski, Walesa

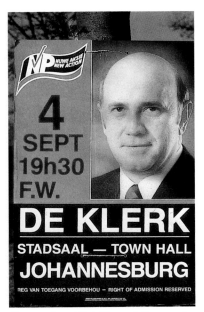

Gegen eine Gleichberechtigung der Schwarzen: Frederik W. de Klerk

De Klerk: Mehrheit trotz Stimmeinbußen

6. September. Bei den Parlamentswahlen in Südafrika verteidigt die regierende Nationale Partei (NP) von Präsident Frederik Willem de Klerk (53) trotz schwerer Verluste ihre absolute Mehrheit. Sowohl die rechtsextreme Konservative Partei (KP) als auch die Liberale Demokratische Partei (LP) erzielen Gewinne. Die schwarze Bevölkerungsmehrheit (67,7%) ist wiederum nicht stimmberechtigt.

Mit dem Verlust von 30 Sitzen verbleiben der NP noch 93 Mandate; die KP erringt 39, die LP 33 Sitze. Die Wahl bringt der NP die stärksten Stimmenverluste seit ihrer Regierungsübernahme 1948. Dieses Ergebnis bewerten politische Beobachter als persönliche Niederlage von Staatspräsident de Klerk, der erst am 15. August 1989 das Amt von Pieter Willem Botha (73) übernommen hat. De Klerk, der bei seinem Amtsantritt Reformen ankündigte, hat nationale und internationale Hoffnungen auf Abschaffung der Apartheid bislang enttäuscht. Die Befreiungsbewegung Afrikanischer Nationalkongreß (ANC) charakterisiert den Botha-Nachfolger als »Apartheidvertreter in neuen Kleidern«. Der Wahltag ist von schweren Unruhen gekennzeichnet. Nach Angaben des schwarzen Bischofs und Bürgerrechtlers Desmond Tutu werden 23 Demonstranten bei Auseinandersetzungen mit der Polizei getötet.

UdSSR beseitigt Abrüstungs-Hindernisse

24. September. Mit einer Reihe von Abrüstungsvereinbarungen beenden die Außenminister der USA und der UdSSR, James Baker und Eduard Schewardnadse, eine zweitägige Begegnung in Jackson Hole (US-Bundesstaat Wyoming). Schewardnadse erklärt erstmals die Bereitschaft seiner Regierung, die Abrüstung bei den strategischen Waffen (Atomwaffen mit einer Reichweite über 5500 km) nicht mehr vom Verzicht der USA auf ihre weltraumgestützte Raketenabwehr (SDI) abhängig zu machen. Die Erfolgsaussichten der im Oktober 1989 beginnenden zwölften Runde über eine Reduzierung der strategischen Atom-Waffen (START) in Genf scheinen nunmehr größer. Ein Verhandlungsergebnis würde die Abrüstungserfolge im Bereich der Chemiewaffen und der konventionellen Streitkräfte ergänzen:

▷ US-Präsident Bush und Schewardnadse schlagen am 24. September auf der UNO-Vollversammlung in New York vor, 80 bzw. 100 Prozent der C-Waffen aus dem Bestand der Supermächte zu vernichten (→ 11. 1./S. 10).

▷ Nach 16jährigem Stillstand bei den Wiener Verhandlungen über

»Cowboy Country« Wyoming: Der Besuch Schewardnadses (r.) bei Baker (l.) gilt als Indiz der »neuen Offenheit« zwischen den Supermächten.

Truppenabbau in Europa (MBFR) gestalten insbesondere die Vorschläge des Warschauer Pakts die im März 1989 begonnenen Nachfolgeverhandlungen in Genf recht hoffnungsvoll: In diese Gespräche über konventionelle Streitkräfte in Europa (KSE) brachten die Pakt-Staaten ein umfangreiches Abrüstungskonzept ein, das ihre von der

NATO kritisierte konventionelle Überlegenheit drastisch beschneiden würde. Demnach sollen beide Militärblöcke u.a. die Zahl ihrer in Europa stationierten Soldaten um 40 bis 50 Prozent auf je 1,35 Millionen reduzieren. Als einseitige Vorleistung will die UdSSR bis 1991 u. a. 500 000 Soldaten aus den Staaten des Warschauer Pakts abziehen.

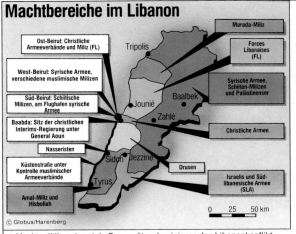

Machtpolitik und soziale Gegensätze dominieren den Libanonkonflikt.

Zerstörte Häuser im überwiegend moslemischen West-Beirut

Nach 14 Jahren Bürgerkrieg schöpft der Libanon wieder Hoffnung

23. September. Ein Waffenstillstand im Libanon beendet die seit Beginn des Bürgerkrieges 1975 schwersten Gefechte, bei denen Hunderte von Menschen ums Leben kamen. Zehntausende flüchteten aus der fast völlig zerstörten Hauptstadt Beirut. Im März 1989 begann der Chef der selbsternannten christlichen Militärregierung, Michel Aoun, seinen »Befreiungskrieg« gegen die im Libanon stationierten Truppen der Regionalmacht Syrien sowie gegen moslemische Milizen. Nach dem Waffenstillstand einigen sich unter Vermittlung der Arabischen Liga libanesische Parlamentarier im saudi-arabischen Taif auf eine Verfassungsreform, die den Moslems im Libanon größeren politischen Einfluß zuerkennt. Am 5. November wählt das Parlament den maronitischen Christen René Mouawad (64) zum neuen Präsidenten. Mit Ausnahme Aouns, der die Wahl nicht anerkennt, kann sich Mouawad auf breite Zustimmung stützen (→ 22. 11./S. 109).

Minister gibt Weg für Fusion von Daimler und MBB frei

8. September. Bundeswirtschaftsminister Helmut Haussmann (FDP) ermöglicht durch eine sog. Minister-Erlaubnis den Zusammenschluß der Daimler-Benz AG mit dem Luft- und Raumfahrtkonzern Messerschmitt-Bölkow-Blohm (MBB). Damit ist der Weg frei für die größte Unternehmensfusion in der Geschichte der Bundesrepublik Deutschland.

Haussmann begründet seine Entscheidung mit der Notwendigkeit, den Bund durch die schrittweise Privatisierung seines Anteils (37,9%) am verlustreichen Airbusprojekt finanziell zu entlasten. Muttergesellschaft des Airbus ist MBB, das sich zu 52 Prozent in Bundesbesitz befindet. Der Airbus wurde seit 1968 mit 10,7 Milliarden DM subventioniert.

Der umstrittene Ministerentscheid wurde notwendig, nachdem sich das Bundeskartellamt am 20. April gegen eine Fusion mit dem Hinweis auf die drohende marktbeherrschende Stellung in den Bereichen Rüstung, Luft- und Raumfahrt sowie LKW-Bau ausgesprochen hatte. Zu den Fusionsgegnern gehören SPD und Grüne, aber auch die Arbeitsgemeinschaft Selbständiger Unternehmer. Sie weisen einerseits auf die für kleinere Firmen bedrohliche Monopolstellung des Riesenkonzerns hin. Andererseits warnen sie vor der Gefahr, daß das entstehende Mammut-Unternehmen nun verstärkt politischen Druck ausüben und finanzielle Bestandsgarantien vom Staat erzwingen könnte.

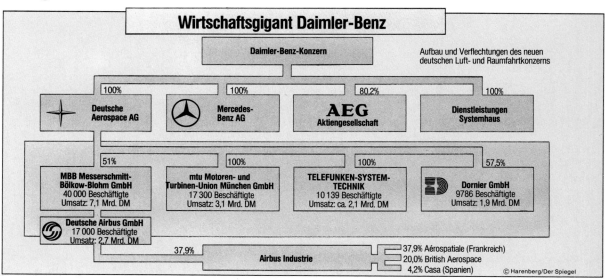

Wirtschaftsgigant Daimler-Benz

Aufbau und Verflechtungen des neuen deutschen Luft- und Raumfahrtkonzerns

Daimler-Benz-Konzern

| 100% | 100% | 80,2% | 100% |
| Deutsche Aerospace AG | Mercedes-Benz AG | AEG Aktiengesellschaft | Dienstleistungen Systemhaus |

| 51% | 100% | 100% | 57,5% |
| MBB Messerschmitt-Bölkow-Blohm GmbH 40 000 Beschäftigte Umsatz: 7,1 Mrd. DM | mtu Motoren- und Turbinen-Union München GmbH 17 300 Beschäftigte Umsatz: 3,1 Mrd. DM | TELEFUNKEN-SYSTEMTECHNIK 10 139 Beschäftigte Umsatz: ca. 2,1 Mrd. DM | Dornier GmbH 9786 Beschäftigte Umsatz: 1,9 Mrd. DM |

Deutsche Airbus GmbH 17 000 Beschäftigte Umsatz: 2,7 Mrd. DM

37,9% — Airbus Industrie — 37,9% Aérospatiale (Frankreich) / 20,0% British Aerospace / 4,2% Casa (Spanien)

© Harenberg/Der Spiegel

Die größten Industrieunternehmen in der Bundesrepublik Deutschland

Umsatz 1988 in Mrd. DM

Zusammen 80,6 Mrd. DM

MBB 7,1 / Daimler Benz / VW 73,5 / Siemens 59,4 / BASF 59,2 / BAYER 43,9 / Bosch 40,5 / VEBA 44,4 / Hoechst 41,0 / Thyssen 29,2 / 27,7

© Harenberg

△ *Die Daimler-Benz AG, das größte deutsche Unternehmen, das auch im Rüstungsbereich hohe Umsätze verzeichnet, schließt sich mit dem Branchenersten MBB zusammen. Zu den nächstgrößten Wehrtechnik-Unternehmen gehören AEG, MTU und Dornier, an denen Daimler-Benz ebenfalls Anteile hält. Der Stuttgarter Konzern muß sich zwar aus Teilen der militärischen Fertigung zurückziehen, doch produzieren Daimler und seine Töchter nach wie vor für alle Waffengattungen. Von MBB kommen die Kampfflugzeuge »Tornado« und später der »Jäger 90«. Daimler liefert Jeeps und Lastkraftwagen, und MTU ist mit Triebwerken für Panzer und Flugzeuge gut im Geschäft.*

Vergleich von coop in letzter Minute abgewendet

18. September. Der finanziell schwer angeschlagene Handelskonzern coop muß nicht Vergleich anmelden. In den frühen Morgenstunden einigen sich in Frankfurt am Main die 143 Gläubigerbanken auf ein Sanierungskonzept, in dem sie auf Forderungen in Höhe von insgesamt 1,7 Milliarden DM verzichten.

Bereits am → 26. Februar 1989 (S. 16) stimmten die Banken einem Sanierungskonzept zu, das der Aufsichtsratsvorsitzende und frühere Bundeswirtschaftsminister Hans Friderichs (FDP) vorgelegt hatte. Die Hoffnung auf eine schnelle Gesundung des Handelsriesen erfüllte sich jedoch nicht. Am 22. August errechneten Wirtschaftsprüfer einen Schulden-

stand von 2,7 Milliarden DM, denen nur 600 Millionen DM als Eigenmittel gegenüberstanden. Da ein Ausgleich dieses Defizits nicht möglich war, stellte Friderichs am 12. September beim Amtsgericht Frankfurt einen Vergleichsantrag.

Die Lieferanten der coop reagierten

Nachdenkliche Gesichter: coop-Aufsichtsratsvorsitzender Hans Friderichs (r.) und Finanzchef Peter Neubert stehen vor der Aufgabe, den mit 2,7 Milliarden DM verschuldeten Konzern vor dem Bankrott zu bewahren.

prompt: Da sie von der bevorstehenden Zahlungsunfähigkeit des Konzerns ausgingen, stellten viele Firmen die Belieferung der Filialen ein. Einige versuchten sogar, bereits gelieferte, aber noch nicht bezahlte Ware aus den Lagern zurückzuholen. Andere gingen dazu über, Barzahlung zu verlangen. Rund 46 000 Beschäftigte in 2200 coop-Läden mußten um ihren Arbeitsplatz fürchten.

Der Forderungsverzicht der Gläubigerbanken bringt den Konzern noch nicht in die Gewinnzone. Mit einer neuen Unternehmensstruktur und einem Kapitalschnitt bei gleichzeitiger Wiederanhebung des Grundkapitals auf 300 bis 350 Millionen DM soll coop saniert werden.

Großunternehmen weiter im Aufwind

Der Europäische Binnenmarkt, der am 1. Januar 1993 in Kraft treten soll, wird die internationale Wettbewerbsstruktur verändern. Auch bundesdeutsche Firmenleitungen überlegen, ob sie durch Fusionen und die Neuordnung von Beteiligungen der Konkurrenz besser gewachsen sind. Die Verbindung von Daimler-Benz und MBB oder der geplante Zusammenschluß von Krupp und Salzgitter sind ebenfalls in diesem Zusammenhang zu sehen.

Wie in den beiden Vorjahren nimmt die Stuttgarter Daimler-Benz AG bei den deutschen Industrieunternehmen die Spitzenstellung ein. Nach der Übernahme von MBB wird der Konzernumsatz eine Größenordnung von 80 Milliarden DM erreichen, wodurch sich der Vorsprung gegenüber den nächstplazierten Siemens und VW um 20 Milliarden DM vergrößert.

Die gute Konjunkturentwicklung äußert sich darin, daß 1988 nur 15 der 100 größten bundesdeutschen Industrie-Unternehmen von Umsatzrückgängen betroffen waren. Die deutlichsten Zuwächse ergaben sich in der Automobilindustrie und ihren Zulieferern, allen voran bei BMW mit 25,7 Prozent. Ein verstärktes Engagement im Ausland schlug insbesondere beim Reifenhersteller Continental mit einem Umsatzplus von 55 Prozent zu Buche. Obwohl sich die Erträge der meisten Großunternehmen auf Rekordniveau bewegen, schlossen fünf von ihnen mit Verlust ab. Besonders Ruhrkohle (– 110 Millionen DM) und Krupp (– 202 Millionen DM) schreiben weiterhin rote Zahlen.

Auch im Handel setzt sich die Konzentration fort. Innerhalb der letzten beiden Jahre wurden 550 Handelsunternehmen – hauptsächlich aus der Lebensmittelbranche – von anderen Firmen übernommen. Mit einem Umsatzzuwachs von 44,5 Prozent kann sich hier die Asko/Massa-Gruppe auf den fünften Platz vorschieben.

Im internationalen Vergleich schafft der US-amerikanische Ford-Konzern mit einem Plus von 29 Prozent einen großen Sprung nach vorn. Besonders auffällig ist der Umsatzanstieg bei dem koreanischen Elektrokonzern Samsung, der sich um 85 Prozent verbessert.

Die 100 größten Industrieunternehmen in der Bundesrepublik Deutschland

Rang 1988	*1987*	Unternehmen	Branche	Umsatz 1988 *in Millionen DM*	*Veränderung in %*	Beschäftigte *1988*
1.	(1.)	Daimler-Benz	Auto/Elektronik	73 495	8,9	338 749
2.	(3.)	Siemens	Elektro	59 374	15,4	353 000
3.	(2.)	VW	Auto	59 221	8,4	252 066
4.	(5.)	Veba	Ener./Öl/Chem.	42 646	10,0	84 715
5.	(4.)	BASF	Chemie	42 449	9,0	134 834
6.	(7.)	Hoechst	Chemie	40 964	10,8	164 527
7.	(6.)	Bayer	Chemie	40 468	9,0	165 700
8.	(9.)	Thyssen	Stahl/Masch.	29 220	3,9	128 690
9.	(10.)	Bosch	Elektro	27 675	9,1	167 780
10.	(8.)	RWE	Energie	25 584	– 1,4	76 298
11.	(12.)	BMW	Auto	24 467	25,7	65 812
12.	(11.)	Ruhrkohle	Bergbau	20 650	1,9	120 341
13.	(15.)	Mannesmann	Maschinen	20 422	22,6	121 782
14.	(14.)	Ford	Auto	19 247	13,1	49 530
15.	(18.)	Opel	Auto	17 462	1,6	52 325
16.	(16.)	Metallgesellschaft	Metall/Anlag.	15 235	14,3	25 1329
17.	(17.)	M.A.N.	Maschinen	14 962	0,0	62 025
18.	(19.)	Krupp	Stahl/Masch.	14 737	4,5	63 391
19.	(22.)	Degussa	Chem./Edelm.	13 605	16,1	32 419
20.	(20.)	Preussag	Energie/Öl	11 425	9,6	25 526
21.	(27.)	IBM Deutschland	Elektronik	11 372	– 1,5	30 712
22.	(26.)	Bertelsmann	Verlag	11 325	23,6	41 961
23.	(31.)	Henkel	Chemie	10 252	10,8	35 943
24.	(21.)	Salzgitter	Stahl/Werft	9 802	19,0	38 020
25.	(30.)	Deutsche Shell	Mineralöl	9 540	– 10,2	3 474
26.	(25.)	VIAG	Holding	9 471	12,2	33 427
27.	(29.)	Ruhrgas	Energie	8 614	– 9,7	8 322
28.	(24.)	Deutsche Philips	Elektro	8 602	0,4	35 100
29.	(32.)	Esso	Mineralöl	8 536	– 11,5	2 626
30.	(40.)	Hoesch	Stahl	8 345	13,7	33 800
31.	(28.)	Deutsche BP	Mineralöl	8 247	– 6,6	5 521
32.	(44.)	Continental	Reifen	7 906	55,1	45 907
33.	(23.)	Feldmühle Nobel	Chem./Pp./Met.	7 901	– 19,4	33 469
34.	(33.)	Deutsche Unilever	Lebensmittel	7 574	5,3	24 053
35.	(35.)	MBB	Flugzeugbau	7 120	16,8	39 886
36.	(34.)	Klöckner	Stahl	6 121	8,0	27 672
37.	(37.)	Bayernwerk	Energie	5 818	1,2	9 561
38.	(36.)	Philipp Holzmann	Bau	5 810	0,2	22 770
39.	(39.)	VEW	Energie	5 755	5,3	7 948
40.	(51.)	ZF-Friedrichshafen	Maschinen	5 570	20,4	32 616
41.	(46.)	Asea Brown Boweri	Elektro	5 467	10,2	34 151
42.	(45.)	Nixdorf	Elektronik	5 347	5,4	31 037
43.	(50.)	Schering	Pharma/Chem.	5 272	12,1	24 685
44.	(38.)	Saarbergwerke	Kohle/Energie	5 224	– 6,1	24 977
45.	(48.)	Deutsche Babcock	Industrieanl.	5 150	6,7	22 451
46.	(53.)	Deutsche Nestlé	Lebensmittel	5 085	4,1	17 161
47.	(47.)	Batig	Holding	4 873	– 0,8	23 842
48.	(n.V.)	Enka	Chemie	4 854	9,0	30 700
49.	(49.)	Hochtief	Bau	4 701	0,0	26 351
50.	(54.)	Linde	Maschinen	4 667	12,9	21 222
51.	(52.)	KHD	Maschinen	4511	0,1	18 751
52.	(43.)	Mobil Oil	Mineralöl	4496	– 14,5	2 140
53.	(57.)	W. C. Heraeus	Metalle	4228	13,4	9 067
54.	(56.)	ITT-Beteiligung	Holding	4158	10,1	21 151
55.	(55.)	Boehringer-Ingelh.	Pharma	4151	7,2	22 206
56.	(41.)	SEL	Elektro	4015	– 24,4	22 459
57.	(58.)	Rütgerswerke	Chemie	4003	8,4	12 660
58.	(56.)	Solvay	Chemie	3841	5,7	11 418
59.	(63.)	Freudenberg	Kunststoffe	3535	10,2	23 500
60.	(61.)	FAG-Kugelfischer	Kugellager	3502	8,5	30 211
61.	(65.)	Beiersdorf	Chemie	3445	11,7	17 998
62.	(62.)	Grundig	Elektro	3428	6,5	19 421
63.	(69.)	PWA	Papier	3423	14,1	10 402
64.	(–)	Procter & Gamble	Chemie	3301	33,0	6 731
65.	(71.)	Merck	Chem./Phar.	3259	9,4	21 017
66.	(67.)	Zeiss-Stiftung	Optik	3256	6,7	31 960
67.	(70.)	Rheinmetall	Masch./Rüst.	3252	8,9	15 465
68.	(77.)	Bilfinger + Berger	Bau	3248	24,7	28 232
69.	(68.)	adidas	Textil	3200	5,0	10 391
70.	(72.)	Deutsche ICI	Chemie	3157	9,2	5 371
71.	(64.)	E.-Vers. Schwaben	Energie	3127	0,1	4 556
72.	(75.)	Wacker	Chemie	3049	11,7	14 029
73.	(73.)	Oetker 1)	Lebensmittel	3000	3,0	8 400
74.	(78.)	Hewlett-Packard	Elektronik	2857	14,3	5 484
75.	(74.)	Axel Springer	Verlag	2843	2,1	11 594
76.	(76.)	Badenwerk	Energie	2711	3,7	3 625
77.	(89.)	Dillinger Hütte	Stahl	2635	25,0	6 005
78.	(84.)	Strabag	Bau	2629	9,4	12 717
79.	(80.)	Du Pont	Chemie	2532	4,1	4 196
80.	(–)	Alusuisse	Aluminium	2530	17,4	8 409
81.	(79.)	Stadtwerke München 1)	Energie	2500	1,0	10 100
82.	(60.)	Porsche	Auto	2482	– 27,2	8 218
83.	(81.)	Bewag	Energie	2409	0,0	7 487
84.	(–)	Miele	Elektro	2400	11,8	12 862
85.	(86.)	Diehl	Uhren/Metall	2380	9,5	14 274
86.	(85.)	Michelin	Reifen	2330	5,3	9 885
87.	(82.)	HEW	Energie	2302	– 1,2	5 490
88.	(93.)	Iveco-Magirus	Fahrzeugbau	2264	13,1	6 816
89.	(–)	Wella	Kosmetik	2214	12,8	13 300
90.	(91.)	Dyckerhoff & Widmann	Bau	2178	4,7	12 623
91.	(97.)	Liebherr	Maschinen	2177	19,8	8 230
92.	(96.)	Saarstahl	Stahl	2139	17,5	9 348
93.	(94.)	VDO	Autozulieferer	2072	6,9	15 252
94.	(87.)	Bauer	Verlag	1964	6,3	8 200
95.	(95.)	Varta	Batterien	1962	7,0	14 061
96.	(–)	Benteler	Stahl/Masch.	1943	15,0	8 873
97.	(–)	Altana	Mischkonzern	1936	8,8	8 695
98.	(90.)	Tchibo	Lebensmittel	1920	– 4,1	3 964
99.	(–)	Norddt. Affinerie	Buntmetalle	1913	25,4	2 933
100.	(92.)	Melitta	Lebensmittel	1912	– 4,5	7 305

Quelle: DIE ZEIT vom 4. 8. 1989; 1) Zahlen von der Redaktion geschätzt; n.V. wegen Umstrukturierung nicht vergleichbar

Die 50 größten Handelsunternehmen in der BRD

Rang 1988	*1987*	Unternehmen	Umsatz 1988 *in Millionen DM*	*Veränderung in %*	Beschäftigte *i. Tsd. 1988*
1.	(2.)	Metro International	35 490	10,9	86,1
2.	(1.)	Tengelmann-Gruppe	35 000	18,6	145,0
3.	(4.)	Rewe-Leibbrand	16 301	3,6	51,1
4.	(3.)	Aldi-Gruppe	15 660	– 17,5	–
5.	(16.)	Asko/Massa-Gruppe	14 604	44,5	28,1
6.	(5.)	Karstadt-Gruppe	13 753	3,6	67,2
7.	(8.)	Stinnes	13 548	13,2	–
8.	(6.)	Rewe-Zentrale	13 322	3,9	0,6
9.	(7.)	Otto-Versand-Gruppe	13 300	9,2	28,5
10.	(13.)	Haniel & Cie.	12 736	22,8	21,0
11.	(10.)	Edeka-Zentrale	11 980	5,9	0,8
12.	(11.)	Klöckner & Co.	11 889	8,9	–
13.	(12.)	Schickedanz-Gruppe	11 840	8,6	39,5
14.	(17.)	Kaufhof	11 662	17,1	42,6
15.	(14.)	co op AG	11 550	11,4	48,8
16.	(9.)	Thyssen Handelsunion	11 026	– 6,6	12,5
17.	(15.)	Aral	9 852	– 2,5	9,3
18.	(18.)	Toepfer-International	9 300	18,8	0,7
19.	(21.)	Raab Karcher	6 988	4,5	10,5
20.	(19.)	Brenninkmeyer	6 700	0,0	–
21.	(20.)	Gedelfi, Köln	6 426	– 2,6	0,9
22.	(22.)	Hertie	6 007	7,8	25,4
23.	(26.)	Helm AG	5 424	23,7	0,9
24.	(27.)	Spar Handels-AG	5 151	26,1	–
25.	(23.)	Baywa	5 021	2,7	10,3
26.	(25.)	Allkauf, Mönchengladbach	4 453	0,8	8,6
27.	(28.)	Horten mit Partnern	3 837	– 4,6	15,7
28.	(34.)	Mannesmann-Handel	3 804	24,4	2,0
29.	(35.)	HKG-Handelsketten-Zentrale, Köln	3 777	41,1	–
30.	(32.)	Lidl & Schwarz, Heilbronn	3 600	16,1	10,0
31.	(30.)	Ferrostaal	3 505	– 2,5	1,6
32.	(37.)	Lekkerland	3 141	7,9	–
33.	(24.)	Otto Wolff Konzern Inland	3 120	2,1	2,8
34.	(33.)	Conoco Mineralöl, Hamburg	3 118	1,5	0,2
35.	(40.)	Gehe Stuttgart	2 878	14,6	2,7
36.	(38)	Wertkauf-Mann-Gruppe	2 800	3,7	–
37.	(42.)	Andreae-Noris-Zahn	2 621	6,2	3,5
38.	(39.)	Salzgitter Stahl, Düsseldorf	2 600	2,2	–
39.	(44.)	Nürnberger Bund, Essen	2 520	0,8	1,0
40.	(31.)	Marquard & Bahls	2 490	– 26,0	0,5
41.	(–)	Nanz-Gruppe, Stuttgart	2 470	23,5	7,7
42.	(–)	Possehl & Co.	2 433	25,3	3,8
43.	(47.)	AVA Allgem. Handelsges. Biel	2 425	10,0	7,6
44.	(41.)	W. & O. Bergmann, Düsseldorf	2 400	– 4,0	–
45.	(46.)	Woolworth	2 329	2,6	13,8
46.	(50.)	Ferd. Schulze, Mannheim	2 192	7,5	1,8
47.	(48.)	Regent-Möbel, Gelsenkirchen	2 150	1,8	0,1
48.	(–)	Nordwest Eisen und Metall	2 145	12,1	–
49.	(45.)	Südfleisch GmbH, München	2 144	– 6,2	1,7
50.	(–)	Kaufring-Zentrale	2 053	3,1	1,4

Quelle: Frankfurter Allgemeine Zeitung vom 22. 7. 1989

Die 50 umsatzstärksten Industrieunternehmen der Welt

Rang 1988	*1987*	Unternehmen	Land	Umsatz 1988 *in Milliarden DM*	*Veränderung in %*
1.	(1.)	General Motors	USA	212,9	+ 19
2.	(4.)	Ford	USA	162,6	+ 29
3.	(3.)	Exxon	USA	139,9	+ 4
4.	(2.)	Royal Dutch/Shell	Großbritannien/NL	137,5	– 8
5.	(5.)	IBM	USA	104,9	+ 10
6.	(7.)	Toyoto Motor	Japan	98,9	+ 8
7.	(9.)	General Electric	USA	86,9	+ 26
8.	(6.)	Mobil	USA	84,8	– 6
9.	(8.)	British Petroleum	Großbritannien	81,2	+ 2
10.	(13.)	Matsushita	Japan	75,4	+ 9
11.	(10.)	Daimler	Bundesrepublik	73,5	+ 9
12.	(19.)	Samsung	Korea	71,7	+ 85
13.	(12.)	Hitachi	Japan	68,2	+ 3
14.	(21.)	Chrysler	USA	62,4	+ 35
15.	(17.)	Fiat	Italien	59,9	+ 15
16.	(18.)	Siemens	Bundesrepublik	59,4	+ 15
17.	(11.)	Texaco	USA	59,0	– 2
18.	(16.)	VW	Bundesrepublik	59,2	+ 8
19.	(15.)	Du Pont de Nemours	USA	57,2	+ 7
20.	(20.)	Unilever	Großbritannien/NL	55,1	+ 12
21.	(25.)	Toshiba	Japan	52,1	+ 6
22.	(22.)	Philips	Niederlande	49,8	+ 6
23.	(14.)	Nissan Motor 2)	Japan	49,3	+ 5
24.	(26.)	Nestlé	Schweiz	48,9	+ 15
25.	(34.)	Honda	Japan	47,8	+ 8
26.	(24.)	Renault	Frankreich	47,5	+ 9
27.	(28.)	Philip Morris	USA	45,5	+ 16
28.	(23.)	Chevron	USA	44,3	– 3
29.	(27.)	BASF	Bundesrepublik	43,9	+ 8
30.	(29.)	Veba 3)	Bundesrepublik	42,6	+ 10
31.	(38.)	NEC	Japan	42,3	+ 14
32.	(36.)	Peugeot	Frankreich	41,0	+ 17
33.	(33.)	Hoechst	Bundesrepublik	41,0	+ 11
34.	(32.)	Bayer	Bundesrepublik	40,5	+ 9
35.	(31.)	CGE	Frankreich	37,7	+ 5
36.	(35.)	Amoco	USA	37,2	+ 5
37.	(30.)	Elf Aquitaine	Frankreich	37,2	– 1
38.	(–)	Mitsubishi Electric	Japan	37,2	+ 15
39.	(37.)	ICI	Großbritannien	36,6	+ 5
40.	(40.)	Occidental Petroleum	USA	34,1	+ 14
41.	(41.)	Procter & Gamble	USA	34,0	+ 14
42.	(39.)	United & Technologies	USA	31,8	+ 5
43.	(43.)	Atlantic Richfield	USA	31,0	+ 8
44.	(42.)	Nippon Steel	Japan	30,1	+ 17
45.	(44.)	RJR Nabisco	USA	29,8	+ 7
46.	(47.)	Boeing	USA	29,8	+ 11
47.	(–)	DOW Chemical	USA	29,3	+ 25
48.	(48.)	Thyssen	Bundesrepublik	29,2	+ 4
49.	(49.)	Volvo	Schweden	27,7	+ 4
50.	(–)	Xerox	USA	28,9	+ 59

Quelle: Süddeutsche Zeitung vom 9. 8. 1989; 2) geschätzt; 3) Umsatz ohne Mineralölsteuer

Deutsche PS-Giganten dominieren IAA

14. September. Schneller, luxuriöser und schadstoffärmer – das ist der Trend bei den Modellen, die bis zum 24. September auf der 53. Internationalen Automobilausstellung (IAA) in Frankfurt am Main präsentiert werden.

Ungeachtet aller Diskussionen über ein Tempolimit sind die Flaggschiffe von BMW und Mercedes die Attraktionen der IAA. Die Münchener Nobelmarke stellt das Coupé BMW 850i vor, das für 135 000 DM einen Zwölf-Zylinder-Motor mit 300 PS und 250 km/h Spitze bietet. Ein höheres Tempo wäre zwar möglich, doch schiebt die Elektronik dem Vorwärtsdrang des Automobilisten einen Riegel vor. Ähnlich straffe Zügel legt auch Mercedes seinem neuen Cabrio 500 SL an, das offenes Fahren mit 326 PS für 125 000 DM ermöglicht. Interessenten müssen allerdings bereit sein, Lieferfristen von mehr als zwei Jahren in Kauf zu nehmen. Etwas bescheidener in Preis und Fahrleistung, aber ebenfalls futuristisch im Styling präsen-

Straßentaugliche Zukunftsstudie von Renault: Der 250-PS-starke Mégane zeichnet sich durch Schiebetüren und einen herausziehbaren Kofferraum aus.

tiert sich der Opel Calibra. Schon die einfachste Version ist schneller als 200 km/h.

Die PS-Inflation drängt das Thema Katalysator etwas in den Hintergrund. Während Mercedes, BMW und Opel sowie Mitsubishi und Re-

nault ausschließlich Autos mit Drei-Wege-Katalysator verkaufen, bieten selbst renommierte Hersteller wie VW und Ford immer noch Autos ohne die sauberste Abgastechnik an. Dafür stellt VW im Golf den ersten Dieselmotor mit Katalysator vor.

High-Tech aus München: Der BMW 850i verfügt über ABS, eine Klimaautomatik mit Partikelfilter sowie Scheibenwischer mit tempoabhängig geregeltem Anpreßdruck.

Perfektion aus Bremen: Mit neuen Vierventil-Motoren und einem der jeweiligen Fahrbahn angepaßten Dämpfungssystem beeindruckt der Mercedes 500 SL.

Sportlichkeit aus Rüsselsheim: Der Opel Calibra, Nachfolger des seit 1975 gebauten Manta, hat mit 0,26 cw den niedrigsten Luftwiderstandsbeiwert aller Serienwagen.

Zukunftsmusik aus Paris: Der Citroën XM bietet technische Finessen wie ein computergesteuertes Fahrwerk, hat aber nicht das avantgardistische Styling seiner Vorgänger.

Italienische Lkw blockieren Brenner

20. September. Nach achttägiger Dauer endet die Blockade von etwa 6000 Lkw-Fahrern am Brenner. Zumeist italienische Fuhrunternehmer und Fahrer hatten ihre Transporter vor den Grenzübergängen zwischen Italien und Österreich quergestellt und den Verkehr zum Erliegen gebracht.

Die Fernfahrer protestieren mit ihrer Aktion gegen die Anordnung des österreichischen Verkehrsministeriums, ab 1. Dezember den Transit zwischen 22.00 Uhr und 5.00 Uhr für Lastzüge über 7,5 Tonnen zu verbieten. Gleichzeitig fordern die »Kapitäne der Landstraße« eine Erhöhung der österreichischen Transitkontingente. Zur Zeit vergibt die Alpenrepublik jährlich 260 000 Durchfahrtgenehmigungen.

Seit längerer Zeit bemüht sich Österreich – auch gegen den Widerstand zahlreicher EG-Staaten –, den Transitverkehr langsam auf die Schiene umzulenken, um insbesondere die Lärmbelästigung zu verringern.

Weltweit schwere Flugzeugunglücke

3. September. Bei dem bisher schwersten Flugzeugunglück in der kubanischen Luftfahrtgeschichte kommen alle 113 Passagiere und 13 Besatzungsmitglieder ums Leben.

Ein Charterflugzeug vom Typ Iljuschin-62 M, überwiegend mit italienischen Passagieren besetzt, rast beim Start in Havanna über die Landebahn hinaus in eine Siedlung. 45 Bewohner des Dorfes werden getötet.

Für Schlagzeilen sorgt am 8. September der Absturz einer norwegischen Chartermaschine etwa 18 Kilometer vor der dänischen Küste in das Skagerrak. Alle 55 Insassen kommen um. Unter ihnen befinden sich 50 Mitarbeiter der norwegischen Reederei Willemsen, die an einer Schiffstaufe in Hamburg teilnehmen sollten. Sie hatten den Flug in ihrer Firma gewonnen, die den Angestellten auf diese Weise für ihren Einsatz danken wollte.

Am 19. September explodiert auf dem Flug vom Tschad nach Paris eine französische Linienmaschine über Niger. Alle 171 Insassen der Maschine kommen bei dem vermutlich durch einen Bombenanschlag verursachten Absturz ums Leben.

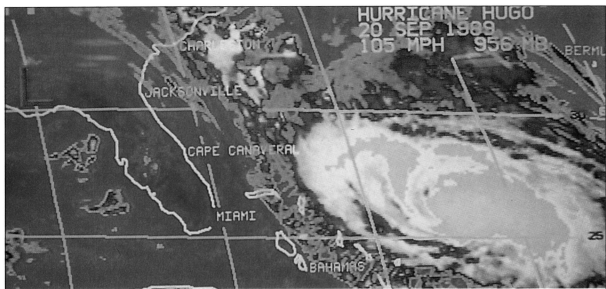

Satellitenaufnahme des Wirbelsturms – hier noch auf Höhe der Bahamas – auf dem Weg zur US-amerikanischen Ostküste

Hurrikan Hugo: Häuser zerfetzt – Bäume entwurzelt – Autos zerstört

22. September. *Mit einer Geschwindigkeit von rund 220 km/h bricht der Hurrikan »Hugo« über Teile der US-amerikanischen Ostküste herein. Die größten Zerstörungen richtet »Hugo« im historischen Kern der Stadt Charleston (Bundesstaat South Carolina) an. Der zehntschwerste Hurrikan dieses Jahrhunderts in* *den USA fordert hier 33 Menschenleben und verursacht einen Sachschaden von mehreren Milliarden Dollar. Zahlreiche Häuser werden regelrecht zerfetzt. Der von peitschenden Regenfällen begleitete Hurrikan hatte bereits eine Woche vorher in der Karibik gewütet und hier 24 Menschen getötet.*

»Der arme Poet« in Berlin gestohlen

3. September. Zwei wertvolle Ölgemälde von Carl Spitzweg werden aus Schloß Charlottenburg in West-Berlin gestohlen. Die beiden Diebe können mit den Bildern »Der arme Poet« und »Der Liebesbrief«, die etwa drei Millionen DM wert sind, unerkannt entkommen.

Nach Angaben des Sprechers der Stiftung Preußischer Kulturbesitz (SPK), Wolfgang Kahlcke, sind die Gemälde nicht versichert. Da die Versicherungsprämien für Kunstwerke »astronomisch hoch« seien, schütze die Stiftung ihre Sammlungen mit Hilfe von Wachleuten. Außerdem untersage die Bundeshaushaltsordnung grundsätzlich die Versicherung von Bundesvermögen. Auch die Kunstwerke anderer deutscher Museen sind gar nicht oder nur teilweise versichert.

Die Stiftung setzt eine Belohnung von 10 000 DM zur Wiederbeschaffung ihrer Bilder aus. Der »Arme Poet« wurde 1976 schon einmal vorübergehend entwendet.

Elf Jahre für »Todesengel«

11. September. Das Wuppertaler Schwurgericht verurteilt die ehemalige Krankenschwester Michaela Roeder (31) wegen Totschlags, fahrlässiger Tötung und Tötung auf Verlangen zu elf Jahren Freiheitsstrafe. Das Gericht folgt damit nicht dem Antrag der Staatsanwaltschaft, die eine lebenslange Haftstrafe wegen Mordes in 15 Fällen gefordert hatte.

Letzter Prozeßtag: Mit regungslosem Gesicht folgt Michaela Roeder der Verhandlung.

Die Zuhörer reagieren auf den Richterspruch teilweise mit Protesten und Empörung. Die Staatsanwaltschaft kündigt Revision an.

Nach Darstellung des Vorsitzenden Richters Rolf Watty führten »emotionales Mitleiden als Ergebnis eines abnormen Prozesses« dazu, daß die Krankenschwester auf der Intensivstation des Wuppertaler Sankt-Petrus-Krankenhauses Ende 1985 fünf Patienten im Alter zwischen 67 und 82 Jahren eine tödliche Medikamentenmischung spritzte. Nicht Heimtücke sei das wesentliche Tatmotiv der Angeklagten gewesen, die wegen der sich häufenden Todesfälle während ihrer Dienstzeit den Spitznamen »Todesengel« hatte. Michaela Roeder sei gerade dadurch aufgefallen, daß sie ihre Arbeit stets besonders gewissenhaft habe erledigen wollen. Das Gericht hält sowohl die Krankenhausleitung als auch die Chefärzte der Intensivstation an der Situation der psychisch und physisch überlasteten Krankenschwester für mitschuldig. Kompetenzstreitigkeiten, mangelnde Präsenz der Ärzte und schlechte technische Ausstattung hätten das Arbeitsklima folgenschwer belastet.

Seelsorge via Bildschirm

5. September. Unter dem Titel »Himmel und Hölle« startet das ZDF zur besten Sendezeit die neue Pfarrerserie »Mit Leib und Seele«.

In 26 Episoden soll Günter Strack als Pfarrer Adam Kempfert die Fernsehzuschauer mit »Humor, Spannung und Gefühl« (ZDF) unterhalten. Nachdem die ARD mit der Sendereihe »Oh Gott, Herr Pfarrer« Ende letzten Jahres die Publikumsgunst gewinnen konnte, setzt damit auch das ZDF auf die neue »geistliche Welle« im Fernsehen. Die ARD wird erst wieder Ende 1990 auf der »Weihwasser-Woge« (»Spiegel«) mitschwimmen. Eine junge evangelische Theologin wird dann mit allerlei zwischenmenschlichen und politischen Problemen zu kämpfen haben.

Als katholischer Pfarrer Kempfert waltet Günter Strack in der Gemeinde einer Provinzstadt seines Amtes. Der evangelische Schauspieler bereitete sich u. a. durch einen Besuch beim Papst auf seine Rolle vor.

Der Weltmeister-Achter: Vom Olympia-Boot, das 1988 in Seoul Gold holte, sind nur noch zwei Ruderer dabei.

Ruder-WM: Gold in der Königsklasse

10. September. Ein Jahr nach dem Gewinn der olympischen Goldmedaille in Seoul siegt der Achter des Deutschen Ruderverbandes (DRV) auch bei den Ruder-Weltmeisterschaften im jugoslawischen Bled.

Das Boot des Leistungszentrums Dortmund, trainiert von dem 33jährigen Ralf Holtmeyer, setzt sich vom Start weg an die Spitze und hat im Ziel einen Vorsprung von einer halben Länge vor den Konkurrenten aus der DDR und Großbritannien.

Der Erfolg des bundesdeutschen Achters vermag die magere Bilanz des DRV allerdings kaum zu überdecken: Außer dem Einer (Rang 5) und dem Doppel-Zweier (Rang 6) qualifiziert sich kein Boot für die Endläufe. Überraschend gewinnen Stefani Werremeier und Ingeburg Althoff (Osnabrück/Dortmund) im Zweier ohne Steuerfrau die Bronzemedaille und sorgen damit bei den Damen für die erste Medaille bei Weltmeisterschaften oder Olympischen Spielen seit fünf Jahren.

Becker und Graf gewinnen US-Open

10. September. Mit einem 7:6-, 1:6-, 6:3- und 7:6-Sieg über den Weltranglisten-Ersten Ivan Lendl (ČSSR) gewinnt Boris Becker erstmals die Offenen Tennismeisterschaften der USA in Flushing Meadow (New York). Bei Temperaturen von 35 °C im Schatten liefern sich die besten Tennisspieler des Jahres auf dem Center Court fast vier Stunden lang ein ausgeglichenes Spiel, in dem sich Becker vor allem in den beiden Tie-breaks schließlich als nervenstärker erweist.

Einen Tag zuvor verteidigte Steffi Graf ihren Titel durch einen Dreisatz-Erfolg (3:6, 7:5, 6:1) gegen Martina Navratilova (USA). Mitte des zweiten Satzes sieht die 32jährige Amerikanerin und Nummer zwei der Computer-Weltrangliste bei einer 4:2-Führung bereits wie die sichere Siegerin aus, bevor zwei Doppelfehler bei eigenem Service die Wende einleiten. Zu einem dramatischen Höhepunkt der Titelkämpfe war es allerdings schon im Halbfinale (3:6, 6:4, 6:2) zwischen Graf und Gabriela Sabatini (Argentinien) gekommen, als Steffi Graf im dritten Satz wegen Muskelkrämpfen mehrmals kurz davor stand, aufzugeben.

Nervenkitzel für Risikobereite: In den Großstädten ist das S-Bahn-Surfen (l.) groß in Mode; der Sprung mit Gummiband (M.) oder Fallschirm (r.) findet ebenso begeisterte Anhänger.

Immer risikoreicher, immer gefährlicher: Die letzten Großstadt-Abenteuer fordern ihren Tribut

In einer Zeit, in der Ozonloch, Atomkraft und Kriege als allgegenwärtige Bedrohung dumpf die Gemüter belasten, suchen immer mehr vor allem junge Menschen das scheinbar kalkulierbare Risiko lebensgefährlicher »Sportarten«.

In Berlin, Hamburg und München findet das S-Bahn-Surfen als Mutprobe mit »geilem feeling« zahlreiche Anhänger unter den Jugendlichen. Mit Händen und Füßen an Tür- oder Fenstergriffen festgeklammert, fahren sie bei Geschwindigkeiten bis zu 120 km/h außen an den S-Bahnzügen mit. Die »Krönung« der Aktion ist der an schwer erreichbarer Stelle angebrachte Schriftzug »tag« aus der Sprühdose. Das aus den USA importierte *»Hobby«, mit dem die Großstadt-Kids der zähen Alltagswirklichkeit für kurze Zeit entfliehen wollen, hat mittlerweile schon mehrere Todesopfer gefordert: Übersehene Betonpfeiler und Signalmasten am Rande der Bahnstrecken machten aus dem Spiel mit dem Tod bitteren Ernst.*

Nicht weniger aufregend ist die neue Bunyi-Jumping-Manie (Bunyi neuseeländ.: Gummiseil). Todesmutig stürzen sich immer mehr Erlebnishungrige, nur von einem Gummiband gehalten, von Brücken und Gebäuden als »menschliches Jo-Jo« in die Tiefe. Den Sprung ins Leere, der 1989 bereits dreimal zum Todessturz wurde, wagt »Zeit«-Chefredakteur Theo Sommer ebenso wie hochrangige französische Regierungsbeamte.

Oktober 1989

Mo	Di	Mi	Do	Fr	Sa	So
						1
2	3	4	5	6	7	8
9	10	11	12	13	14	15
16	17	18	19	20	21	22
23	24	25	26	27	28	29
30	31					

1. Oktober, Sonntag

Bei den Kommunalwahlen in Nordrhein-Westfalen kann die SPD sich mit 42,9% (1985: 42,5%) behaupten. Die CDU erhält nur 37,5% (42,2%), die Grünen 8,3% (8,1%), die FDP 6,5% (4,8%) und die Republikaner 2,3%. → S. 81

In Dänemark können homosexuelle Paare ihre Verbindung in Zukunft staatlich registrieren lassen und damit ähnliche Rechte in Anspruch nehmen wie Ehepaare.

Beim 16. Berlin-Marathon werden zwei Streckenrekorde aufgestellt: Mit 2:10:11 Stunden siegt Alfredo Shahanga (Tansania) bei den Männern; bei den Frauen gewinnt Paivi Tikkanen (Finnland) mit 2:28:45 Stunden.

In München geht das 156. Oktoberfest zu Ende. → S. 84

2. Oktober, Montag

Der Oberste Sowjet verbietet in der UdSSR für die nächsten 15 Monate alle Streiks. In den vergangenen Monaten war es als Reaktion auf Versorgungsschwierigkeiten und im Rahmen von Nationalitätenkonflikten immer wieder zu Arbeitsniederlegungen gekommen (→ 10. 7./S. 53; 23. 8./S. 60).

3. Oktober, Dienstag

In Brüssel wird das Oberhaupt der jüdischen Gemeinde in Belgien, Joseph Wybran, ermordet. Zu der Tat bekennt sich die proiranische Organisation »Soldaten der Gerechtigkeit«.

4. Oktober, Mittwoch

Vor mehr als 30 000 Gläubigen zelebriert Papst Johannes Paul II. in Rom eine Messe für den Frieden im Libanon.

5. Oktober, Donnerstag

Als »vielfach gelungen« bezeichnen Sprecher des Einzelhandels den ersten »langen Donnerstag«. → S. 82

6. Oktober, Freitag

Westlich von Leer in Ostfriesland wird der Emstunnel für den Verkehr freigegeben.

7. Oktober, Samstag

Die offiziellen 40-Jahr-Feiern in der DDR werden von den größten Protestkundgebungen seit dem 17. Juni 1953 begleitet. → S. 78

8. Oktober, Sonntag

Die Berliner Philharmoniker wählen den Italiener Claudio Abbado zu ihrem neuen Chefdirigenten und künstlerischen Leiter. Abbado tritt die Nachfolge des am 16. Juli gestorbenen Herbert von Karajan an. → S. 84

9. Oktober, Montag

Die Roma und Cinti Union (RCU) kritisiert in Bonn scharf die polizeiliche Räumungsaktion eines Zigeunerlagers in Hamburg. Während täglich Tausende von DDR-Bürgern aufgenommen würden, drohe hier die größte Roma-Vertreibungswelle in der Geschichte der Bundesrepublik.

10. Oktober, Dienstag

In Frankfurt wird die 41. Internationale Buchmesse eröffnet, die größte in ihrer Geschichte. Schwerpunktthema ist diesmal Frankreich.

11. Oktober, Mittwoch

Auf ihrem Kongreß in Würzburg beschließt die Gewerkschaft Holz und Kunststoff als erste Gewerkschaft im Deutschen Gewerkschaftsbund, Mitglieder der rechtsextremen Republikaner auszuschließen.

12. Oktober, Donnerstag

Beim Besuch von Papst Johannes Paul II. in der ehemaligen portugiesischen Kolonie Ost-Timor kommt es zu Festnahmen von Demonstranten, die die Unabhängigkeit des 1976 von Indonesien annektierten Landes fordern. → S. 83

13. Oktober, Freitag

Im Hafen von Leningrad trifft erstmals ein Verband der Bundesmarine zu einem Besuch der Sowjetunion ein.

14. Oktober, Samstag

Bei einem ersten landesweiten Treffen der DDR-Oppositionsgruppe »Neues Forum« in Ost-Berlin beschließen die 120 Mitglieder die Herausgabe einer eigenen Zeitung ab November 1989 (→ 11. 9./S. 68).

15. Oktober, Sonntag

In der Frankfurter Paulskirche wird der tschechoslowakische Dramatiker und Bürgerrechtler Václav Havel in Abwesenheit mit dem Friedenspreis des Deutschen Buchhandels ausgezeichnet (→ 20. 10./S. 83).

In Südafrika werden acht schwarze Regimegegner freigelassen, unter ihnen der 77jährige ehemalige Generalsekretär der Anti-Apartheid-Bewegung Afrikanischer Nationalkongreß (ANC), Walter Sisulu, der 25 Jahre in Gefängnissen und Arbeitslagern zugebracht hatte.

16. Oktober, Montag

An den bundesdeutschen Aktienmärkten kommt es zum massivsten Kurseinbruch der Nachkriegsgeschichte. → S. 82

Laut dem in Bonn vorgelegten Jahresbericht des Goethe-Instituts wächst das Interesse des Auslands an der deutschen Sprache nach Jahren der Flaute wieder.

Dies gilt besonders für Frankreich, Italien und die Länder des Warschauer Paktes.

17. Oktober, Dienstag

Bundeskanzler Helmut Kohl (CDU) legt in Bonn den Grundstein für eine neue Kunst- und Ausstellungshalle, die 1993 eröffnet werden soll.

San Francisco und die umliegenden Gebiete in Kalifornien werden vom zweitschwersten Erdbeben in der Geschichte der USA erschüttert. → S. 83

Von Cape Canaveral im US-Bundesstaat Florida startet die US-Raumfähre »Atlantis«. Sie bringt die wegen ihrer Plutonium-Batterien umstrittene Forschungssonde »Galileo« für einen Flug zu den Planeten Venus und Jupiter ins All.

18. Oktober, Mittwoch

Unter dem Druck der Ausreisewelle und der Demokratiebewegung in der DDR tritt der seit 18 Jahren amtierende Staats- und Parteichef Erich Honecker zurück. Zum neuen SED-Chef wird der 52jährige Egon Krenz gewählt. → S. 78

Der australische Senat billigt den nahezu 150 000 Ureinwohnern (Aborigines) die Selbstverwaltung zu.

19. Oktober, Donnerstag

In dem spanischen Atomkraftwerk Vandellos I bei Tarragona kommt es zu einem Brand, den die Internationale Atomenergie-Agentur in Wien als den »schwersten Unfall seit Tschernobyl« bezeichnet. Nach offiziellen Angaben tritt keine Radioaktivität aus.

20. Oktober, Freitag

Mit einem Freispruch des Frankfurter Landgerichts endet ein Prozeß gegen einen Arzt, der 1984 in einer Diskussion vor Frankfurter Schülern behauptet hatte, alle Soldaten seien »potentielle Mörder«. → S. 81

21. Oktober, Samstag

Bei den Weltmeisterschaften der Kunstturner in Stuttgart gewinnt der 27jährige Hannoveraner Andreas Aguilar die Goldmedaille an den Ringen. → S. 84

22. Oktober, Sonntag

Bei den Kommunalwahlen in Baden-Württemberg muß die CDU hohe Verluste hinnehmen. Die Republikaner ziehen in verschiedene Stadtparlamente ein (→ 1. 10./S. 81).

23. Oktober, Montag

Vor Zehntausenden jubelnder Menschen erklärt der amtierende Staatspräsident Matyas Szürös die bisherige »Volksrepublik Ungarn« zu einer Republik. → S. 80

24. Oktober, Dienstag

In Ost-Berlin wird der neue SED-Chef Egon Krenz auch zum Staatsratsvorsitzenden und zum Vorsitzenden des Natio-nalen Verteidigungsrates gewählt (→ 18. 10./S. 78).

25. Oktober, Mittwoch

Einen Anstieg von politisch motivierten Morden registriert der von der Menschenrechtsorganisation amnesty international in London vorgelegte Jahresbericht 1988.

26. Oktober, Donnerstag

Erneut lehnen die Bonner Koalitionsfraktionen einen Vorstoß der Grünen ab, auf Parlamentsvorlagen die Begriffe »Lesben« und »Schwule« anstelle des nach Meinung der Grünen medizinisch klingenden Begriffes »Homosexuelle« zuzulassen.

Die brasilianische Indianerstiftung Funai gibt die Entdeckung eines bisher unbekannten Indianerstammes im Westen des Landes bekannt.

27. Oktober, Freitag

Der DDR-Staatsrat verkündet eine umfassende Amnestie für Flüchtlinge und Demonstranten (→ S. 79).

28. Oktober, Samstag

In Prag löst die Polizei in einem Großeinsatz eine Massendemonstration gegen die Führung des Landes gewaltsam auf. Etwa 10 000 Menschen hatten sich aus Anlaß des 71. Jahrestages der Gründung der ersten tschechoslowakischen Republik auf dem Wenzelsplatz versammelt (→ 24. 11./S. 108).

29. Oktober, Sonntag

Bei den spanischen Parlamentswahlen wird die Sozialistische Arbeiterpartei von Ministerpräsident Felipe González unter Stimmverlusten erneut stärkste Partei.

30. Oktober, Montag

US-Vizepräsident Dan Quayle wirft dem sowjetischen Staats- und Parteichef Michail Gorbatschow vor, Europa »finnlandisieren« und die USA aus Europa verdrängen zu wollen.

31. Oktober, Dienstag

Nach Mitteilung der afghanischen Regierung ist es der Armee gelungen, den Belagerungsring der Rebellen um die Hauptstadt Kabul zu sprengen (→ 15. 2./S. 13).

Auf einen Blick:

Die Zahl der Arbeitslosen in der Bundesrepublik beträgt 1 873 672, das entspricht einer Quote von 7,3% (Oktober 1988: 8%).

Die Verbraucherpreise in der Bundesrepublik liegen um 3,2% höher als im Oktober 1988.

TV-Hit im Oktober:

Die höchste Einschaltquote erreicht der ARD-Krimi »Tatort« am 29. 10. (17,7 Mio. Zuschauer = 46%).

Führungswechsel in der DDR: Krenz ersetzt Honecker

18. Oktober. Angesichts der anhaltenden Massenflucht aus der DDR (→ 19. 8./S. 59; 8. 9./S. 66) und der Zunahme öffentlicher Demonstrationen gegen die Partei- und Staatsführung tritt Erich Honecker (77) nach 18jähriger Amtszeit »aus gesundheitlichen Gründen« als SED-Generalsekretär zurück. Sein Nachfolger wird Politbüromitglied Egon Krenz (52), der am 24. Oktober auch das Amt des Staatsratsvorsitzenden übernimmt.

Der Sturz Honeckers wurde seit mehreren Tagen erwartet, nachdem seit September in zahlreichen Städten der DDR Hunderttausende für mehr Demokratie demonstriert hatten. Das gewaltsame Vorgehen von Kräften der Volkspolizei und der Staatssicherheit verstärkte die Protestbewegung. Am 16. Oktober gingen in Leipzig mehr als 120 000 Menschen auf die Straße. Der Ruf nach Reformen wurde immer lauter und zwang die SED schließlich zum Handeln.

Das SED-Zentralkomitee enthebt außer Honecker auch Joachim Hermann, ZK-Sekretär für Agitation und Propaganda, sowie den für Wirtschaftsfragen zuständigen Günter Mittag ihrer Ämter.

Die Entscheidung, Egon Krenz zum Nachfolger Honeckers zu wählen, wird in der DDR mit Enttäuschung registriert. Krenz gilt als Hardliner und »Kronprinz« des bisherigen SED-Chefs. Bei seiner Wahl zum Staatsratsvorsitzenden und Vorsitzenden des Nationalen Verteidigungsrates am 24. Oktober in der Volkskammer gibt es erstmals 26 Gegenstimmen und 26 Enthaltungen. Hunderttausende von DDR-Bürgern demonstrieren gegen diese Ämterhäufung.

In seiner ersten Rede als Staatsoberhaupt (→ S. 79) bittet Egon Krenz die DDR-Bevölkerung eindringlich, im Lande zu bleiben und sich an den geplanten Veränderungen zu beteiligen. Er bedauert Übergriffe der Sicherheitsorgane gegen Demonstranten und bekräftigt den Willen der SED zum Dialog. Das nächste Gesetzesvorhaben werde eine neue Reiseregelung sein, und auch eine Reform des Wahlrechts werde geprüft. Die positive Resonanz auf diese Versprechen bleibt jedoch aus. Am gleichen Abend ziehen mehrere tausend Menschen vor den Amtssitz des Staatsratsvorsitzenden und rufen in Sprechchören: »Egon, Deine Wahl nicht zählt, denn Dich hat nicht das Volk gewählt«.

Erich Honecker (77) widersetzte sich bis zuletzt politischen Reformen, die in anderen Ostblockstaaten mit den Begriffen Glasnost und Perestroika gekennzeichnet sind. »Den Sozialismus in seinem Lauf hält weder Ochs noch Esel auf«, bekräftigte Honecker noch kurz vor seiner Entmachtung, doch verkannte er die neuen Realitäten in der DDR. Spätestens nach seiner schweren Operation im September glitten ihm die Fäden der Macht aus der Hand. Unter dem Druck der öffentlichen Proteste opferte die in Bedrängnis geratene SED den kranken Staats- und Parteichef. Zu sehr verband sich der Name des Ulbricht-Nachfolgers, der 1961 den Bau der Berliner Mauer geleitet hatte, mit starrem Ideologiedenken und wirtschaftlicher Stagnation.

Egon Krenz (52) soll das Machtmonopol der SED sichern, gleichzeitig aber durch Reformen der Ausreisewelle und den Protesten Einhalt gebieten. Der examinierte Lehrer, der als Funktionär in FDJ und SED Karriere machte, genießt allerdings nur wenig Vertrauen bei der Bevölkerung. Als »Kronprinz« Honeckers trug er dazu bei, Ansätze von Kritik im Keim zu ersticken. So war er als Leiter der Kommunalwahlen am 7. Mai 1989 für die offenkundige Manipulation der Stimmergebnisse verantwortlich. Das Massaker chinesischer Truppen am 4. Juni in Peking verteidigte Krenz als notwendigen Akt zur Wiederherstellung der Ordnung. Auch die Übergriffe der Sicherheitsorgane auf Demonstranten am 7. Oktober liegen in seinem Verantwortungsbereich.

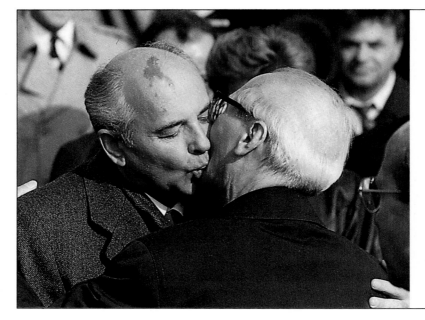

Erich Honeckers letzter Auftritt

7. Oktober. *Während das 40jährige Staatsjubiläum der DDR mit der üblichen Militärparade auf der Ost-Berliner Karl-Marx-Allee gefeiert wird, demonstrieren ein paar Straßen weiter Tausende gegen die SED-Führung. Mit brutaler Härte geht die Polizei gegen die Protestierenden vor, die Gefängnisse sind bald überfüllt. Der sowjetische Staats- und Parteichef Michail Gorbatschow fordert die Regierenden unverhohlen zu Reformen auf: »Wer zu spät kommt, den bestraft das Leben.«*

◁ Der vorletzte Bruderkuß: Erich Honecker (r.) begrüßt Michail Gorbatschow in Ost-Berlin.

Massenproteste zwingen SED zu Reformbereitschaft

Zurückhaltung in der Bundesrepublik und im westlichen Ausland, lautstarker Protest in der DDR – die Reaktionen auf die Wahl von Egon Krenz zum Nachfolger von Erich Honecker sind skeptisch bis ablehnend. Während Bundeskanzler Helmut Kohl (CDU) wie die meisten seiner Bonner Kollegen abwarten will, »ob der neue Mann für eine neue Politik steht«, haben die meisten DDR-Bürger ein klares Bild von dem neuen SED-Chef. Krenz, bislang als entschiedener Reformgegner ausgewiesen, weckt nur wenig Hoffnung auf Veränderungen. Die Teilnehmer der immer größer werdenden Demonstrationen zwingen die SED zu der Erkenntnis, daß ein bloßes Auswechseln von Personen nicht genügt. Gefordert sind konkrete politische Maßnahmen.

Die Hoffnung der SED, mit der Ablösung Honeckers und der Berufung von Krenz an die Spitze von Partei und Staat die zunehmende Protestwelle einzudämmen, erfüllt sich nicht. Die Oppositionsgruppe »Neues Forum« (→ 11. 9./S. 68) zweifelt am Reformwillen des neuen SED-Chefs; die Demonstrationen für Demokratie und Freiheit nehmen weiterhin zu.

Sprecher des »Neuen Forums« sehen in der Ankündigung von Krenz, den Führungsanspruch der SED aufrechtzuerhalten, eine Absage an eine demokratische Umgestaltung des Staates. Sein Wille zu einer »Wende« sei wenig glaubhaft, da er noch Tage zuvor eine kompromißlose Haltung gegenüber der Opposition eingenommen habe. Auch der frühere Bischof von Berlin-Brandenburg, Albrecht Schönherr, hält Vertrauen für unangebracht. »Der Mann ist bekannt für das, was er in der Vergangenheit getan hat.« Weitaus drastischer charakterisiert den 1976 aus der DDR ausgebürgerte Liedermacher Wolf Biermann den wenig beliebten SED-Politiker: »Krenz ist der versoffene FDJ-Veteran, der Jubelperser des Politbüros, der optimistische Idiot – Egon Krenz, das ewig lachende Gebiß.«

Bereits einen Tag nach seiner Wahl zum SED-Chef wirbt Egon Krenz in einem Gespräch mit den evangelischen Bischöfen um Zusammenarbeit bei seinen Reformbestrebungen. Von den Arbeitern eines Werkzeugmaschinen-Kombinats in Ost-Berlin muß er sich scharfe Kritik wegen der täglichen Versorgungsmängel anhören. Immer mehr Menschen schließen sich den Demonstrationszügen in vielen Städten der DDR an und fordern freie Wahlen sowie die Entlassung der alten SED-Führungsmannschaft.

Augenfälligste Veränderung seit dem »Machtwechsel« ist das neue Selbstverständnis der DDR-Medien. Das SED-Zentralorgan »Neues Deutschland« druckt erstmals auf mehreren Seiten kritische Leserbriefe. Das DDR-Fernsehen läßt Oppositionelle ausführlich zu Wort kommen. Selbst Chefkommentator Karl-Eduard von Schnitzler, mit seinem »Schwarzen Kanal« seit 29 Jahren Speerspitze der SED-Propaganda, muß seinen Sessel räumen. Der Druck auf die SED nimmt jedoch trotz dieser noch vor sechs Monaten für völlig unmöglich gehaltenen Reformen weiter zu. Die Evangelische Kirche der DDR fordert am 22. Oktober bei der sächsischen Landessynode in Dresden eine Korrektur des SED-Machtmonopols. Am 23. Oktober treten mehrere hundert Beschäftigte des Elektroanlagewerks »Wilhelm Pieck« aus der Einheitsgewerkschaft FDGB aus und gründen die unabhängige Gewerkschaft »Reform«. Schließlich verhandelt die SED sogar mit Vertretern des »Neuen Forums«.

Doch selbst der Erlaß einer Amnestie für Flüchtlinge und Demonstranten sowie die Ankündigung eines Reisegesetzes, das jedem DDR-Bürger Westreisen bis zu 30 Tagen jährlich erlaubt, dämmt die Protestwelle nicht ein. Mehrere hunderttausend Menschen gehen in den letzten Oktobertagen für mehr Demokratie und bessere Versorgungsbedingungen auf die Straße.

24. Oktober in Leipzig: Der Vorwurf des Wahlbetrugs im Zusammenhang mit den Kommunalwahlen im Mai klebt an dem Nachfolger Honeckers.

Parolen der Demonstranten

Originalität und Mut kennzeichnen die landauf, landab wiederholten Parolen und Spruchbänder bei den Demonstrationen:
»Keine Lizenz für Egon Krenz«
»Vergiß die sieben Geißlein nicht, wenn Egon von Reformen spricht«
»Vorschlag für den 1. Mai: Die Führung zieht am Volk vorbei«
»Pässe für alle – Laufpaß für die SED«
»Stasi in die Produktion«
»Eure Politik war und ist zum Davonlaufen«
»Lügen haben kurze Beine – Egon zeig, wie lang sind Deine«
»Demokratie unbekrenzt«
»Keine Macht für niemand«
»Privilegien für alle«
»Keinen Ego(n)ismus.

SED-Chef Krenz: »Wir halten die Macht fest zum Besten unseres Volkes!«

In einer ersten Fernsehansprache nach seiner Wahl zum SED-Generalsekretär umreißt Egon Krenz am 18. Oktober ein politisches Programm, das kaum Bereitschaft zu Reformen erkennen läßt:
». . . Wir haben in den vergangenen Monaten die gesellschaftliche Entwicklung in unserem Lande in ihrem Wesen nicht real genug eingeschätzt und nicht rechtzeitig die richtigen Schlußfolgerungen gezogen. Mit der heutigen Tagung werden wir eine Wende einleiten, werden wir vor allem die politische und ideologische Offensive wieder erlangen . . .
Als Partei der Arbeiterklasse wenden wir uns an die Arbeiterinnen und Arbeiter dieses Landes, an die führende Klasse unserer Gesellschaft, sich mit uns den Aufgaben der weiteren Stärkung des Sozialismus zu stellen . . . Unser Programm ist die Ausgestaltung der sozialistischen Gesellschaft, ihre fortwährende Erneuerung. Da gibt es keinen Stillstand, darf es keinen geben. Der Sozialismus ist keine abgeschlossene, er ist eine revolutionäre Gesellschaftsordnung . . .
Mehr als hunderttausend – darunter nicht wenige junge Leute sind aus unserem Land weggegangen. Das ist ein weiteres Symptom für die entstandene komplizierte Lage. Ihren Weggang empfinden wir als großen Aderlaß . . . Das Politbüro hat der Regierung« den Vorschlag unterbreitet, einen Gesetzesentwurf über Reisen ins Ausland vorzubereiten . . .
Mehr denn je sind jetzt feste politische Standpunkte und die kämpferische Haltung jedes Kommunisten gefragt, um die Politik unserer Partei an jedem Arbeitsplatz und im Wohngebiet offensiv zu vertreten . . .
Unsere Macht ist die Macht der Arbeiterklasse und des ganzen Volkes unter Führung der Partei. Wir haben sie erstritten nicht um unser selbst willen, sondern für das Wohl des Volkes. Wir halten sie fest und werden sie von den Kräften der Vergangenheit nicht antasten lassen, nicht um unser selbst willen, sondern zum Besten unseres Volkes . . .«

Langer Donnerstag bleibt weiterhin umstritten

5. Oktober. Nach mehr als drei Jahrzehnten dürfen die Läden in der Bundesrepublik donnerstags erstmals bis 20.30 Uhr geöffnet bleiben. Diese Verlängerung der Öffnungszeit geht zu Lasten der »langen Samstage«, die in Zukunft von April bis September um jeweils zwei Stunden gekürzt werden.

Angelockt von zahlreichen Werbemaßnahmen drängen sich vor allem in den Fußgängerzonen der Großstädte die Käufer. Nicht alle Geschäfte sind jedoch an diesem ersten Donnerstag geöffnet. Eine endgültige Bilanz will der Einzelhandel frühestens Anfang 1990 ziehen. Schon jetzt wird Kritik laut, daß von dem ursprünglich geplanten Dienstleistungsabend nur wenig übrig geblieben sei, da nur vereinzelt Behörden und Kreditinstitute einen verlängerten Service anbieten.

Die Neuregelung des Ladenschlusses, die vom Bundestag im Juni verabschiedet wurde, hat in den letzten Monaten zu heftigen Konfrontationen zwischen Regierungskoalition und Gewerkschaften geführt, die eine Verlängerung der Öffnungszeiten monatelang mit bundesweiten Streikaktionen zu torpedieren versuchten.

Angestellte des Einzelhandels protestieren gegen die Arbeitszeitverlängerung.

Für längere Öffnungszeiten

Die Bundesregierung und die Verbraucherverbände betonen immer wieder folgende Argumente:
▷ Vor allem Berufstätige haben endlich Gelegenheit, ohne große Hetze einzukaufen
▷ Es werden neue Teilzeitarbeitsplätze geschaffen
▷ Innenstädte und Fußgängerzonen sind nun auch abends belebt
▷ Die Bundesrepublik nähert sich damit den im allgemeinen längeren Öffnungszeiten in Europa an.

Gegen längere Öffnungszeiten

Besonders die Gewerkschaften, z. T. aber auch der Einzelhandel kritisieren den Dienstleistungsabend:
▷ Es werden keine neuen Arbeitsplätze geschaffen; statt dessen müssen die Verkäufer mit erheblicher Mehrbelastung rechnen
▷ Kleine Betriebe werden benachteiligt, da sie keine zusätzlichen Angestellten finanzieren können
▷ Eine Verkürzung der umsatzstarken langen Samstage wirkt sich nachteilig auf die Bilanzen aus.

»Ladenschlußlicht« Bundesrepublik

Im Vergleich mit dem europäischen Ausland gehört die Bundesrepublik trotz des neu eingeführten Dienstleistungsabends immer noch zu den »Ladenschlußlichtern« (»Süddeutsche Zeitung«) Europas. Die Unterschiede innerhalb Europas sind extrem: Während die Läden in Irland bereits um 17 Uhr schließen, haben die Portugiesen teilweise bis Mitternacht Zeit zum Einkaufsbummel.

Ladenschluß in Europa

Land	Uhrzeit
Irland	17.00 (Do bis 21.00)
Dänemark	17.30 (+6 Std. je Woche)
Niederlande	18.00 (Do od. Fr bis 21.00)
Österreich	18.00 – 18.30
BR Deutschland	18.30 (Do bis 20.30)
Schweiz	18.30 – 19.00 (bis 2 × pro Woche bis 21.00)
Großbritannien	20.00 (im Winter bis 18.00)
Norwegen	20.00
Belgien	20.00 (Fr bis 21.00)
Italien	20.00 (reg. unterschiedl.)
Portugal	24.00 (reg. unterschiedl.)
Frankreich	keine Begrenzung
Schweden	keine Begrenzung
Spanien	keine Begrenzung

Erneut »schwarzer Montag« an deutschen Aktienbörsen

16. Oktober. Nach panikartigen Wertpapierverkäufen von Kleinanlegern verzeichnen die acht bundesdeutschen Wertpapierbörsen den größten Kurssturz der Nachkriegsgeschichte. Der Deutsche Aktienindex (DAX) fällt innerhalb eines Tages um fast 13 Prozent, stabilisiert sich aber im Laufe der Woche wieder auf höherem Niveau. Ausgelöst wurde die Krise am Freitag, den 13. Oktober, durch einen Krach an der New Yorker Börse.

Nach Berechnungen der »Börsen-Zeitung« kostet der Kurseinbruch die betroffenen Aktionäre in der Bundesrepublik an einem einzigen Tag ein Vermögen von rund 70 Milliarden DM. Waren es am »schwarzen Montag« vor zwei Jahren (19. 10. 1987) besonders Großanleger, die ihre Aktien im großen Stil abstießen, so lösten diesmal Kleinaktionäre durch Panikverkäufe den Einbruch aus. Besonders denjenigen unter ihnen, die ihre Aktien auf Kredit erworben hatten, saß nach dem

Kurssturz in New York »die Angst im Nacken« (»Frankfurter Allgemeine Zeitung«). Experten geben den Banken eine Mitschuld an den Ereignissen, weil sie die Kleinanleger schlecht beraten hätten.

Das Absacken des amerikanischen Dow-Jones-Index, des weltweit am meisten beachteten Kursbarometers, fiel am 13. Oktober mit 6,9 Prozent re-

lativ glimpflich aus. Unmittelbarer Auslöser war hier eine Spekulation mit sog. Ramsch-Aktien, als der Aufkauf der Fluglinie United Airlines mit geborgtem Geld durch die Angestellten des Unternehmens platzte. Als daraufhin der Dow-Jones-Index fiel, bekam die Kursentwicklung an allen bedeutenden Wertpapierbörsen auf der ganzen Welt einen Knick.

Weder der »Mini-Crash« an der Wall Street noch der Kurseinbruch in Frankfurt, Tokio, London und anderswo werden freilich als Indiz für volkswirtschaftliche Probleme gewertet. Im Gegensatz zum legendären New Yorker Börsenkrach vom Oktober 1929, der eine Weltwirtschaftskrise auslöste, liegen die Ursachen jetzt nicht in einer instabilen Konjunktur. Sie werden vielmehr auf einer psychologischen Ebene gesucht. Auch im Vergleich zum »schwarzen Montag« im Oktober 1987 fallen die jetzigen Einbrüche gemäßigt aus, obwohl die Kurse zunächst steiler fallen. Eine mehrmonatige Talfahrt wie 1987 kann dieses Mal vermieden werden.

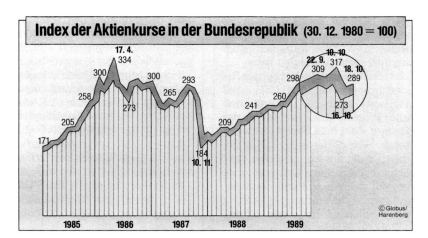

Index der Aktienkurse in der Bundesrepublik (30. 12. 1980 = 100)

»(Die Banken) haben es bisher nicht verstanden, dem Kleinanleger klarzumachen, daß Vollmond über New York oder Freitag, der 13., mit dem Wert ihrer deutschen Aktie nichts zu tun hat.« (»Der Spiegel«)

Zwei verunglückte Autos auf der Bay Bridge; die Bilder vom Einsturz der Brücke stammen von einem zufällig filmenden Video-Amateur.

Die Wohnhäuser des Marina-Distrikts von San Francisco wurden im Gegensatz zu den Wolkenkratzern des Finanzviertels schwer beschädigt.

Schweres Erdbeben trifft abermals San Francisco

17. Oktober. Um 17.04 Uhr Ortszeit werden Nordkalifornien und die Bucht von San Francisco von dem schwersten Erdbeben seit der Katastrophe von 1906 heimgesucht. Die größten Schäden richtet das Beben, dessen Stärke auf der Richter-Skala mit 7,0 gemessen wird, im historischen Marina-Stadtviertel San Franciscos an.

Allein 34 der mehr als 60 Todesopfer fordert der Einsturz eines 1,5 Kilometer langen Straßenabschnitts der doppelstöckigen Interstate Autobahn 880, wo zahlreiche Autofahrer unter Tonnen von Beton begraben werden. Die 53 Jahre alte Bay Bridge zwischen San Francisco und Oakland bricht auf 15 Metern Länge ein. Für US-amerikanische Wissen-

schaftler kommt das Erdbeben, das einen Schaden von rund zehn Milliarden Dollar anrichtet, nicht überraschend. Seit langem ist bekannt, daß die kalifornische Westküste in einer gefährdeten Zone liegt: Hier erstreckt sich parallel zur Pazifikküste die sog. San-Andreas-Verwerfung, die eine Trennungslinie zwischen der amerikanischen und der pazifi-

schen Erdkrustenplatte bildet. Da sich die beiden Erdschollen langsam gegeneinander bewegen, entstehen Spannungen, die sich immer wieder entladen. Das Epizentrum des jüngsten Bebens liegt unter der Bergspitze des Loma Prieta (»dunkler Hügel«) in der Nähe der südlich von San Francisco gelegenen Küstenstadt Santa Cruz.

Preisverleihungen ohne die Preisträger

20. Oktober. In Darmstadt verleiht die Deutsche Akademie für Sprache und Dichtung dem bundesdeutschen Schriftsteller Botho Strauß den mit 60 000 DM dotierten Georg-Büchner-Preis.

In seiner Laudatio bezeichnet der Schweizer Regisseur Luc Bondy den 44jährigen Autor, dessen Dramen zu den meistgespielten modernen deutschen Stücken gehören, als »Dramatiker, der das gegenwärtige Theater am Leben erhält und erneuert hat«. Bondy, der die Abwesenheit seines Freundes Strauß mit »Scheuheit« begründet, hat erst im Februar mit der Uraufführung des Strauß-Dramas »Die Zeit und das Zimmer« an der Berliner Schaubühne viel Applaus geerntet.

Wenige Tage vor der Darmstädter Preisverleihung wird der tschechoslowakische Schriftsteller und Bürgerrechtler Václav Havel in Frankfurt am Main mit dem Frie-

denspreis des Deutschen Buchhandels (25 000 DM) geehrt. Seine Abwesenheit hat andere Gründe als die seines Kollegen Strauß: Die Prager Behörden haben ihm keine

Ausreisegenehmigung erteilt. Die Verleihungsurkunde bezeichnet das Werk des 53jährigen Autors als »lebendigen Ausdruck des Widerstands und der Hoffnung«.

Viel Prominenz bei der Frankfurter Preisverleihung an Havel (v. l.): Volker Hauff, Maximilian Schell, Walter Wallmann und Richard von Weizsäcker

Unruhen begleiten Papst in Ost-Timor

12. Oktober. In Ost-Timor (Indonesien) kommt es am Rande einer von Papst Johannes Paul II. zelebrierten Messe zu Unruhen mit Festnahmen und Toten. Mit Spruchbändern wie »Papst, rette Ost-Timor« fordern Demonstranten die Unabhängigkeit des Inselteils von Indonesien.

Die ehemalige portugiesische Kolonie, deren Einwohner zum größten Teil Katholiken sind, wurde 1976 von dem moslemischen Indonesien gewaltsam annektiert. Wiederholt kam es zu blutigen Zusammenstößen zwischen der Besatzung und einheimischen Widerstandtruppen.

Der Abstecher, den Papst Johannes Paul II. während seines fünftägigen Indonesienaufenthaltes nach Ost-Timor macht, ist umstritten. Kritiker werfen dem Papst vor, auf diese Weise die Annexion der Sundainsel durch Indonesien indirekt zu billigen. Offiziell wird die indonesische Herrschaft weder vom Vatikan noch von den Vereinten Nationen anerkannt.

»O' zapft is«: Auch Milchbubis werden heuer gut bedient.

Wies'n-Wirte zapfen Milch

1. Oktober. *Nach zweiwöchigem Rummel schließt das Münchener Oktoberfest seine Pforten, und die Veranstalter können Bilanz ziehen. »Echtes« Bier war auch diesmal das beliebteste Getränk, rd. 5,1 Millionen Maß gingen über die Theke. Schlager waren in diesem Jahr jedoch auch alkoholfreies Bier und Milch. München liegt damit voll im Trend: Alkoholfreie Getränke werden immer beliebter.*

Antwort des Satiremagazins »Titanic« auf Batman: »Genschman«

Fledermaus-Film ein Flop

26. Oktober. *Zum 50. Geburtstag der Comic-Kultfigur »Batman« läuft in der Bundesrepublik der gleichnamige Film des US-Regisseurs Tim Burton an. Der Streifen über den Kampf des guten Fledermausmannes gegen das Böse in der Welt spielte in den USA Rekordbeträge ein. Die aufwendige Werbekampagne führt in der Bundesrepublik nicht zum gewünschten Erfolg: Der Film wird ein Flop.*

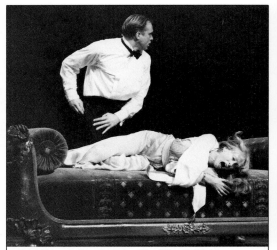

Ulrich Tukur als Prinz Hamlet und Ilse Ritter als Königin

Bogdanov-Debüt in Hamburg

28. Oktober. *Vom Theaterpublikum lebhaft begrüßt, von der Kritik jedoch nur zögernd gelobt, gibt der neue Intendant des Deutschen Schauspielhauses in Hamburg, Michael Bogdanov, sein Debüt mit Shakespeares Tragödie »Hamlet«. Der 50jährige Brite machte sich in seiner Heimat einen Namen mit seinen politischen Shakespeare-Inszenierungen. Bogdanov ist Nachfolger von Peter Zadek.*

Abbado tritt das Erbe Karajans an

8. Oktober. In geheimer Abstimmung wählen die Berliner Philharmoniker den italienischen Dirigenten Claudio Abbado (56) überraschend zum Nachfolger ihres am → 16. Juli (S. 56) verstorbenen Chefdirigenten Herbert von Karajan.

Der gebürtige Mailänder, der u. a.

Claudio Abbado (* 26. 6. 1933) zeichnet sich durch seine Vorliebe für Neue Musik und eine besonders erfolgreiche Zusammenarbeit mit dem musikalischen Nachwuchs aus.

Musikdirektor der Wiener Staatsoper und Hauptdirigent der Wiener Philharmoniker ist, galt vor der Wahl als Außenseiter. Zu seinen Konkurrenten zählten Dirigenten von Weltrang wie Leonard Bernstein, James Levine und Lorin Maazel, der nach seiner Niederlage Ende Oktober die weitere Zusammenarbeit mit den Berliner Philharmonikern aufkündigt.

Brandauer setzt sich selbst in Szene

19. Oktober. In den bundesdeutschen Kinos läuft der Film »Georg Elser – Einer aus Deutschland« an, in dem Klaus Maria Brandauer nicht nur die Hauptrolle spielt, sondern auch zum ersten Mal Regie führt.

Mit den konstrastvoll dunklen Bildern des Kameramannes Lajos Kol-

Dem deutsch-österreichischen Schauspieler Klaus Maria Brandauer (* 22. 6. 1944) gelang 1981 mit dem Film »Mephisto« von Istvan Szabó der internationale Durchbruch.

tai schildert Brandauers Film das Schicksal des eigenbrötlerischen Hitler-Attentäters Georg Elser, dessen Bombenanschlag am 8. November 1939 im Bürgerbräukeller nur scheiterte, weil Hitler den Bierkeller vorzeitig verließ. Die Kritik lobt Brandauers verhaltenes Spiel, mit dem er Elser, der 1945 im KZ Dachau ermordet wurde, ein Denkmal setze (»Süddeutsche Zeitung«).

Prost gewinnt WM am grünen Tisch

22. Oktober. Das vorletzte Rennen um die Formel-1-Weltmeisterschaft 1989, der Große Preis von Japan, endet in Suzuka mit einem Eklat. Titelverteidiger Ayrton Senna (Brasilien), der als erster über die Ziellinie fährt, wird wegen eines Regelverstoßes von der Rennleitung disqualifi-

Alain Prost (*24. 2. 1955) gewinnt zum dritten Mal in seiner Karriere den WM-Titel in der Formel 1. Im Gegensatz zu seinem Hauptrivalen Senna gilt der Franzose als äußerst umsichtiger Fahrer.

ziert. Nach einer Kollision mit seinem schärfsten Konkurrenten um die Weltmeisterschaft, dem McLaren-Teamgefährten Alain Prost (Frankreich), ließ sich der Brasilianer von Streckenposten zurück auf die Strecke schieben. Wenige Tage später bestätigt der Internationale Automobil-Verband (FIA) die Disqualifikation. Damit ist Prost vorzeitig Formel-1-Weltmeister.

Ringe-Gold für Andreas Aguilar

21. Oktober. Zum Abschluß der 25. Kunstturn-Weltmeisterschaften in Stuttgart sorgt Andreas Aguilar aus Hannover für eine Sensation: Im Gerätefinale an den Ringen siegt er nach einer umstrittenen Kampfrichter-Entscheidung vor dem DDR-Turner Andreas Wecker und holt erst-

Andreas Aguilar (27), Graphik-Design-Student, turnt seit Jahren auf internationalem Niveau. 1987 und im April 1989 wurde er jeweils EM-Dritter an den Ringen. Verschiedene Verletzungen warfen ihn jedoch immer wieder aus der Bahn.

mals seit dem Sieg von Eberhard Gienger 1974 eine Goldmedaille für den Deutschen Turner-Bund.

Sportlich steht die Stuttgarter Veranstaltung, die von einer schweren Verletzung der Puertoricanerin Adriana Duffy überschattet wird, ganz im Zeichen der sowjetischen Turner und Turnerinnen. Sie erringen insgesamt neun von 14 möglichen Goldmedaillen.

November 1989

Mo	Di	Mi	Do	Fr	Sa	So
		1	2	3	4	5
6	7	8	9	10	11	12
13	14	15	16	17	18	19
20	21	22	23	24	25	26
27	28	29	30			

1. November, Mittwoch

Beim Kentern eines Schiffes vor der Küste des südostnigerianischen Bundesstaates Akwa Ibom ertrinken etwa 200 Menschen. Das Boot war nach offiziellen Angaben völlig überladen mit Waren und Passagieren.

2. November, Donnerstag

Der prominente Bundestagsabgeordnete und Mitbegründer der Grünen Otto Schily tritt aus seiner Partei aus und kündigt an, er werde in die SPD eintreten. → S. 106

3. November, Freitag

Nachdem das griechische Umweltministerium am 2. November Smogalarm ausgelöst hat, wird für Athen ein totales Fahrverbot verhängt.

4. November, Samstag

Auf der bisher größten Kundgebung in der DDR protestieren in Ost-Berlin etwa eine Million Menschen für demokratische Reformen und gegen das Machtmonopol der SED. → S. 86

5. November, Sonntag

Die Parlamentswahlen in Griechenland bringen für keine Partei eine absolute Mehrheit. Der Vorsitzende der konservativen Nea Dimokratia, Kostas Mitsotakis, kündigt für die nächsten Wochen die Bildung einer Minderheitsregierung an (→ 2. 7./S. 53).

6. November, Montag

Bei den Wahlen zur Verfassunggebenden Versammlung in Namibia erhält die Befreiungsbewegung SWAPO 57 Prozent der Stimmen. → S. 109

7. November, Dienstag

Die Regierung der DDR unter Ministerpräsident Willi Stoph tritt zurück. Einen Tag später wird der zu Reformen bereite Dresdner SED-Bezirkschef Hans Modrow als neuer Ministerpräsident nominiert (→ 13. 11./S. 102).

Die Regierungskoalition in Bonn beschließt, für den Bau von Sozialwohnungen in den nächsten vier Jahren acht Milliarden DM auszugeben. Das ist fast doppelt soviel wie ursprünglich geplant. → S. 107

Zum ersten Mal in der Geschichte der USA wird mit dem Demokraten Douglas Wilder (58) in Virginia ein Schwarzer zum Gouverneur eines Bundesstaates gewählt. Erstmals auch erhält New York mit dem Republikaner David Dinkins (62) einen schwarzen Bürgermeister. → S. 110

8. November, Mittwoch

Das Zentralkomitee der SED wählt in Ost-Berlin ein neues Politbüro. → S. 103

Mit einer Eilentscheidung stoppt der Hessische Verwaltungsgerichtshof in Kassel die geplante gentechnische Produktion von Humaninsulin bei der Frankfurter Firma Hoechst. → S. 107

9. November, Donnerstag

In der Nacht zum 10. November öffnet die DDR-Führung die Grenzen zur Bundesrepublik und nach West-Berlin. → S. 88

Bundeskanzler Helmut Kohl (CDU) trifft zu einem sechstägigen Besuch in Warschau ein. → S. 106

Chinas Spitzenpolitiker Deng Xiaoping tritt als Vorsitzender der mächtigen zentralen Militärkommission zurück und gibt damit sein letztes öffentliches Amt ab. Nachfolger wird KP-Chef Jiang Zemin (→ 5. 6./S. 45).

10. November, Freitag

Aufgrund der historischen Ereignisse in der DDR unterbricht Bundeskanzler Helmut Kohl (CDU) seinen Polenbesuch und fliegt am Nachmittag nach West-Berlin. → S. 94

Der bulgarische Parteichef Todor Schiwkow wird von Petar Mladenow als Vorsitzender der Kommunistischen Partei abgelöst. → S. 109

11. November, Samstag

Volksfeststimmung in West-Berlin, Staus an den Übergängen von der DDR zum Bundesgebiet sowie mit DDR-Bürgern überfüllte Stadtzentren in Schleswig-Holstein, Niedersachsen, Hessen und Bayern prägen das Wochenende nach der Öffnung der Westgrenze durch die DDR. → S. 100

In El Salvador startet die rechtsextreme Regierung eine militärische Großoffensive gegen die Guerillaorganisation FMLN. → S. 110

12. November, Sonntag

Die Regierung von Honduras kündigt an, sie werde die auf ihrem Gebiet stationierten Contraverbände entwaffnen. Die rechte Widerstandsbewegung kämpft teilweise von Honduras aus gegen die sandinistische Regierung in Nicaragua.

Auf Kundgebungen in rund 150 Städten der USA demonstrieren mehr als eine Million Menschen für die Beibehaltung des legalen Schwangerschaftsabbruchs. → S 110

13. November, Montag

Bei der ersten geheimen Abstimmung in der DDR-Volkskammer wählt das Parlament mit dem Vorsitzenden der Demokratischen Bauernpartei, Günther Maleuda, zu seinem neuen Präsidenten. SED-Politbüromitglied Hans Modrow wird am selben Tag zum Ministerpräsidenten gewählt. → S. 102

8. November, Mittwoch (Fortsetzung)

Regierungstreue Truppen töten in Sri Lanka die drei Führer der singhalesischen Befreiungsfront. → S. 110

In Genf wird der größte Teilchenbeschleuniger der Welt eingeweiht. Die spektakulärste europäische Forschungsanlage hat einen Umfang von 27 Kilometern. → S. 107

14. November, Dienstag

Der Oberste Sowjet der UdSSR verabschiedet eine Deklaration zur »vollen politischen Rehabilitierung« der von Stalin deportierten Sowjet-Deutschen.

15. November, Mittwoch

Mit einem 2:1 gegen Wales schafft die bundesdeutsche Fußball-Nationalmannschaft in Köln die Qualifikation für die Weltmeisterschaft 1990 in Italien. → S. 111

16. November, Donnerstag

In seiner Regierungserklärung vor dem Bundestag in Bonn sagt Bundeskanzler Helmut Kohl der DDR wirtschaftliche Hilfe zu, macht diese jedoch von einem »grundlegenden Wandel des politischen und wirtschaftlichen Systems« abhängig (→ S. 105).

17. November, Freitag

Der neue Ministerpräsident der DDR, Hans Modrow (SED), stellt in Ost-Berlin sein erstes Kabinett vor (→ 13. 11./S. 102).

18. November, Samstag

Durch ein 2:2 gegen Borussia Dortmund setzt sich der deutsche Fußball-Meister FC Bayern München an die Tabellenspitze und erringt den inoffiziellen Titel des »Herbstmeisters«.

19. November, Sonntag

Auf dem Perspektivenkongreß der Grünen in Saarbrücken spricht sich eine deutliche Mehrheit für eine rot-grüne Regierungszusammenarbeit aus. Uneinigkeit herrscht darüber, ob dies in einer Koalition mit der SPD oder durch die Tolerierung einer SPD-Minderheitsregierung geschehen soll (→ 2. 11./S. 106).

20. November, Montag

Bei der Eröffnung des Parteitags der Kommunistischen Partei Rumäniens in Bukarest lehnt Staats- und Parteichef Nicolae Ceausescu in einer über dreistündigen Rede jegliche Reformen ab. → S. 109

21. November, Dienstag

Kanzleramtsminister Rudolf Seiters (CDU) berät in Ost-Berlin mit Ministerpräsident Hans Modrow und Staats- und Parteichef Egon Krenz Möglichkeiten bundesdeutscher Wirtschaftshilfe für die DDR (→ S. 105).

22. November, Buß- und Bettag

Der libanesische Präsident René Mouawad wird in Beirut bei einem Bombenanschlag getötet. → S. 109

8. November (Fortsetzung, Spalte 4)

Bei den Wahlen zum indischen Parlament muß die regierende Kongreß-Partei von Premierminister Rajiv Gandhi schwere Verluste hinnehmen. → S. 110

23. November, Donnerstag

Die Vollversammlung der Vereinten Nationen in New York verurteilt die Bundesrepublik Deutschland, weil sie dem Apartheidregime in Südafrika Zugang zu U-Boot-Plänen deutscher Firmen verschafft habe.

24. November, Freitag

Die gesamte Führung der Tschechoslowakischen Kommunistischen Partei tritt zurück. → S. 108

25. November, Samstag

Bei einem Überfall kurdischer Separatisten auf ein Dorf im Südosten der Türkei werden 21 Menschen getötet.

26. November, Sonntag

Bei einer Volksabstimmung in der Schweiz kommt keine Mehrheit für die Abschaffung der Milizarmee zustande. → S. 107

27. November, Montag

Unter der Leitung des oppositionellen »Bürgerforums« findet in der Tschechoslowakei ein zweistündiger Generalstreik für freie Wahlen statt (→ 24. 11./S. 108).

28. November, Dienstag

In einer Regierungserklärung vor dem Bundestag schlägt Bundeskanzler Helmut Kohl (CDU) die Schaffung einer »bundesstaatlichen Ordnung« für beide deutsche Staaten vor. → S. 104

29. November, Mittwoch

Fünf ehemalige Aufsichtsräte des Handelskonzerns co op, darunter der Aufsichtsratsvorsitzende Alfons Lappas, werden unter dem Vorwurf der Untreue und der Bilanzfälschung verhaftet (→ 26. 2./S. 16; 18. 9./S. 72).

30. November, Donnerstag

Der Vorstandssprecher der Deutschen Bank, Alfred Herrhausen, wird in Bad Homburg vermutlich von Terroristen der Rote Armee Fraktion durch einen Bombenanschlag getötet. → S. 107

Auf einen Blick

Die Zahl der Arbeitslosen in der Bundesrepublik beträgt 1 949 680, das entspricht einer Quote von 7,6% (November 1988: 8,1%).

Die Verbraucherkosten in der Bundesrepublik liegen um 2,9% höher als im November 1988.

TV-Hit im November

Die höchste Einschaltquote erreicht die ZDF-Unterhaltungsserie »Wetten, daß . . .?« am 4. 11. (19,2 Mio. Zuschauer = 48%).

Eine Million Menschen demonstrieren in Ost-Berlin für

4. November. Bei der größten Massendemonstration in der Geschichte der DDR fordern rund eine Million Menschen auf dem Alexanderplatz in Ost-Berlin sofortige politische Reformen, insbesondere freie Wahlen und die Abschaffung des Machtmonopols der SED. Auf der Kundgebung, die von mehreren prominenten Künstlern angemeldet und von der Bezirksleitung in Ost-Berlin genehmigt wurde, sprechen neben Vertretern verschiedener Oppositionsgruppen mit ihnen sympathisierende Künstler sowie Repräsentanten der SED-Führung. Das DDR-Fernsehen überträgt die dreistündige Abschlußveranstaltung direkt und ohne vorherige Ankündigung. Der Kommentator endet mit den Worten: »Das Volk hat seine Sprache wiedergefunden!«

Bereits am frühen Morgen versammeln sich in Ost-Berlin Hunderttausende von Bürgern aus allen Teilen der DDR, die an der zwei Wochen zuvor angemeldeten Demonstration teilnehmen wollen. Der vereinbarte Treffpunkt, der Platz vor dem Gebäude der amtlichen Nachrichtenagentur ADN, kann die unüberschaubare Menschenmenge nicht mehr aufnehmen, so daß sich der Protestzug schon 40 Minuten vor dem geplanten Beginn in Bewegung setzen muß. Seinen Weg haben die Organisatoren mit Bedacht gewählt: Mit Tausenden von Transparenten marschieren die Teilnehmer die vier Kilometer lange Strecke am Palast der Republik vorbei, wo die Volkskammer ihren Sitz hat, über den Marx-Engels-Platz zum Amtssitz des Staatsratsvorsitzenden Egon Krenz und schließlich bis zum Alexanderplatz. Die Treppen zur Volkskammer und die Wand des Staatsratsgebäudes pflastern die Demonstranten mit Parolen, die sie auf Tapeten geschrieben haben – eine Anspielung auf den am Vortag abgelösten Chefideologen Kurt Hager, der Reformen wie die in der Sowjetunion mit dem Hinweis abgelehnt hatte, man müsse seine Wohnung nicht neu tapezieren, nur weil der Nachbar sein Haus renoviere. Entschlossenheit, Unerschrockenheit und auch Humor kennzeichnen viele der von den Demonstranten mitgeführten Spruchbänder:

»Alle Macht dem Volke – nicht der SED«
»Neue Wahlen für neuen Weg«
»Das Volk sind wir – gehen sollt ihr«
»Rechtssicherheit spart Staatssicherheit«
»Jetzt geht es nicht um Bananen, sondern um die Wurst«
»Sozialismus ja – SED nein«
»Blumen statt Krenze«
»Demokratie – jetzt oder nie«
»Die Wahrheit geht auf die Straße, und die SED hinkt hinterher«
»Pluralismus statt Parteienmonarchie«
»Gegen Panzer und Betonköpfe«
»Keine Kosmetik, sondern Reformen«
»Die Demokratie in ihrem Lauf halten auch nicht Ochs und Esel auf«.

Die Angst vor politischer Verfolgung ist einem neuen politischen Selbstbewußtsein gewichen: Die sonst allgegenwärtigen Beamten der Polizei und des Staatssicherheitsdienstes halten sich im Hintergrund, sind jedoch in massiver Stärke aufgeboten. Zu einem Eingreifen ihrerseits besteht kein Anlaß: Keiner der Demonstranten denkt an gewaltsame Aktionen. Rund 600 Schauspieler, Bühnenbildner und Maler sind mit der Polizei eine Art »Sicherheitspartnerschaft« eingegangen. Als freiwillige Ordner tragen sie auf grün-gelben Schärpen die Aufschrift »Keine Gewalt«. Auch sie brauchen bei dem durchgehend friedlichen Verlauf der Veranstaltung nicht einzuschreiten. Die Befürchtungen der Sicherheitsorgane, die Demonstranten könnten vor das Brandenburger Tor ziehen, erweisen sich als grundlos. Das Thema Wiedervereinigung wird auf keinem Plakat und in keiner Rede aufgegriffen.
Bei der vom Fernsehen direkt übertragenen Abschlußkundgebung auf dem Alexanderplatz sprechen 26 meist prominente Persönlichkeiten.

△ *Das DDR-Fernsehen hat eine neue Aufgabe: Früher in erster Linie als Propagandainstrument eingesetzt, besinnen sich Redakteure und Kcamerateams jetzt auf ihre Informationspflicht und übertragen direkt und ohne Voranmeldung eine Kundgebung, auf der in aller Offenheit der Rücktritt der alten Elite gefordert wird. Selbst die Kommentatoren im Rundfunk und im SED-Zentralorgan »Neues Deutschland« begleiten die Demonstration wohlwollend.*

◁ *Das hat Ost-Berlin noch nicht erlebt: Bei der größten von unabhängigen Gruppen organisierten Demonstration in der Geschichte der DDR versammeln sich rund eine Million Menschen auf dem Alexanderplatz, um für Reise-, Meinungs- und Versammlungsfreiheit zu demonstrieren. Die Forderungen auf den Transparenten und in den Redebeiträgen beziehen sich insbesondere auf die Zulassung der Oppositionsgruppe »Neues Forum«, die Abschaffung des SED-Machtmonopols und die Durchführung freier Wahlen.*

reiheit und Demokratie

Die zentrale Forderung der Oppositionellen ist die Verwirklichung der in der DDR-Verfassung garantierten Meinungs-, Presse- und Versammlungsfreiheit. Schriftsteller wie Stefan Heym und Christoph Hein kritisieren die gesellschaftliche Entwicklung in der DDR, für die der abgelöste Staats- und Parteichef Erich Honecker mitverantwortlich sei. Hein: »Es entstand eine Gesellschaft, die wenig zu tun hatte mit dem Sozialismus. Von Bürokratie, Demagogie, Bespitzelung, Machtmißbrauch und auch Verbrechen war und ist diese Gesellschaft gekennzeichnet.« Seine Kollegin Christa Wolf faßt ihre Vision von einem neuen Staat in dem Satz zusammen: »Stellt euch vor, es ist Sozialismus, und keiner geht weg.« Großen Beifall erhält auch die 78jährige Schauspielerin Steffi Spira: »Ich wünsche mir für meine Urenkel, daß sie aufwachsen ohne Fahnenappell, ohne Staatsbürgerkunde ... Aus Wandlitz [exklusiver Wohnbezirk der SED-Prominenz] machen wir ein Altersheim.«
Nicht alle Redner stoßen auf eine un-

geteilt positive Resonanz. Der Vorsitzende der Liberaldemokraten (LDPD), Manfred Gerlach, findet mit seiner Forderung nach Rücktritt der Regierung zwar Zustimmung, doch muß der ehemalige Honecker-Vertraute, vielfach als »Wendehals« bezeichnet, auch Pfiffe einstecken. Noch lauter wird das Pfeifkonzert bei der Rede des früheren Spionagechefs Markus Wolf, als dieser den Staatssicherheitsdienst in Schutz nimmt. Den schwersten Stand hat der Berliner SED-Chef Günter Schabowski, der durch Pfiffe und Buh-Rufe mehrfach am Weiterreden gehindert wird.
Während zur gleichen Zeit wie in Ost-Berlin auch in anderen Städten der DDR über 100 000 Menschen für demokratische Reformen demonstrieren, verlassen Zehntausende die DDR über die offene Grenze zur ČSSR. Die Mahnung des Pfarrers Friedrich Schorlemmer auf der Kundgebung in Ost-Berlin, »bleibt doch hier, jetzt brauchen wir buchstäblich jeden und jede«, erreicht diese Mitbürger nicht mehr.

»... als habe einer die Fenster aufgestoßen«

Aus der Rede von Stefan Heym:
»Es ist, als habe einer die Fenster aufgestoßen. Nach all den Jahren der Stagnation, der geistigen, wirtschaftlichen, politischen, nach den Jahren von Dumpfheit und Mief, von Phrasengewäsch und bürokratischer Willkür, von amtlicher Blindheit und Taubheit – welche Wandlung! Vor noch nicht vier Wochen die schon gezimmerte Tribüne hier um die Ecke mit dem Vorbeimarsch, dem bestellten, vor den Erhabenen. Und heute, heute ihr, die ihr euch aus eigenem freiem Willen versammelt habt, für Freiheit und Demokratie und für einen Sozialismus, der des Namens wert ist.
In der Zeit, die hoffentlich jetzt zu Ende ist, wie oft kamen da die Menschen zu mir mit ihren Klagen ... Einer schrieb mir, und der Mann hat recht: Wir haben in diesen letzten Wochen unsere Sprachlosigkeit überwunden und sind jetzt dabei, den aufrechten Gang zu erlernen.«

Aus der Rede von Christa Wolf:
»Mit dem Wort Wende habe ich meine Schwierigkeiten. Ich seh' da ein Segelboot, der Kapitän ruft: Klar zur Wende. Weil der Wind sich gedreht hat oder ihm ins Gesicht bläst. Und die Mannschaft duckt sich, wenn der Segelbaum über das Boot fegt. Aber stimmt dieses Bild noch? Stimmt es noch in dieser täglich vorwärts treibenden Lage? Ich würde von revolutionärer Erneuerung sprechen. Revolutionen gehen von unten aus. Unten und oben wechseln die Plätze in dem Wertesystem. Und dieser Wechsel stellt die sozialistische Gesellschaft vom Kopf auf die Füße. Wir sehen die Bilder der immer noch Weggehenden und fragen uns: Was tun, und hören als Echo die Antwort: Was tun? Das fängt jetzt an, wenn aus den Forderungen Rechte, also Pflichten werden: Untersuchungskommission, Verfassungsgericht, Verwaltungsreformen. Viel zu tun, und alles neben der Arbeit.«

△ Zielscheibe heftiger Kritik ist Staats- und Parteichef Egon Krenz. Ihm, dem langjährigen Kronprinzen Erich Honeckers, traut die Bevölkerung nicht zu, daß er wirklich einen politischen Neubeginn einleiten will.

◁ Hoffnung, Sarkasmus, Bitterkeit, aber auch Humor kennzeichnen die Spruchbänder der Demonstranten auf dem Alexanderplatz. An ihrem entschiedenen Willen zu politischen Veränderungen lassen sie keinen Zweifel aufkommen. Vielstimmig bringen die Teilnehmer der Kundgebung zum Ausdruck, daß ihre Geduld mit dem herrschenden System erschöpft ist und daß nun nicht mehr die SED, sondern das Volk der DDR die politischen Entscheidungen treffen muß.

9. November 1989: Die Mauer in Berlin

Die DDR öffnet ihre Grenze nach Westen. Mauer und Stacheldraht trennen nicht mehr. Für die Menschen in beiden Teilen Deutschlands beginnt eine neue Ära. Stationen eines historischen Tages:

18.57 Uhr
Schabowski informiert Presse

Gelangweilt einen Zettel hervorkramend, beantwortet SED-Politbüromitglied Günter Schabowski in einer vom DDR-Fernsehen live übertragenen Pressekonferenz die Frage nach Maßnahmen der Regierung gegen die Ausreisewelle: »Etwas haben wir ja schon getan. Ich denke, Sie kennen das. Nein? Oh, Entschuldigung. Dann sage ich es Ihnen.« Darauf verliest Schabowski stokkend jenen Beschluß des DDR-Ministerrats, der wenige Minuten später von der Nachrichtenagentur ADN verbreitet wird und in aller Welt wie eine Bombe einschlägt:

»Privatreisen nach dem Ausland können ohne Voraussetzungen (Reiseanlässe und Verwandtschaftsverhältnisse) beantragt werden ... Die zuständigen Abteilungen Paß und Meldewesen der Volkspolizeikreisämter in der DDR sind angewiesen, Visa zur ständigen Ausreise unverzüglich zu erteilen ... Ständige Ausreisen können über alle Grenzübergangsstellen der DDR zur BRD beziehungsweise zu Berlin (West) erfolgen.« (Beschluß des DDR-Ministerrats vom 9. 11. 1989)

20.00 Uhr
Gerüchte kursieren in Ost-Berlin

In Ost-Berlin scheint niemand so recht zu begreifen, was diese Mitteilung tatsächlich bedeutet. Die Grenzübergänge nach West-Berlin sind zu dieser Stunde fast so menschenleer wie sonst auch. Allmählich breiten sich jedoch Gerüchte aus, der Übergang an der Bornholmer Straße sei offen.

21.00 Uhr
Andrang an den Kontrollstellen

Das Bild hat sich völlig gewandelt. Eine unüberschaubare Menschenmenge wartet vor den Kontrollstellen in der Invalidenstraße, der Sonnenallee und der Bornholmer Straße darauf, nach Westen durchgelassen zu werden. Einige von ihnen werden abgefertigt, sofern sie Reisepapiere besitzen.

22.00 Uhr
Sternfahrt zur Grenze

Wie bei einer Sternfahrt steuern Tausende von DDR-Bürgern in ihren Trabis und Wartburgs auf die Grenzübergänge zu. Der Druck wächst. Viele Ost-Berliner strecken ihre Personalausweise durch die Eisengitter den Wachtposten entgegen und verlangen den Ausreisestempel. Nur schleppend vollzieht sich die Abfertigung.

23.14 Uhr
Die Schlagbäume öffnen sich

Die Grenztruppen sind dem Ansturm nicht mehr gewachsen. Ein Hauptmann gibt den Befehl, die Schlagbäume zu öffnen. Tausende stürmen auf West-Berliner Gebiet.
An den Sektorenübergängen spielen sich bewegende Szenen ab. Fremde Menschen fallen einander in die Arme und weinen. DDR-Autos fahren durch ein Spalier von jubelnden West-Berlinern. Die meisten können noch gar nicht begreifen, was sie erleben: Immer wieder sind die Rufe »Es ist unfaßbar«, »Daß ich das noch erleben darf« oder schlicht berlinerisch »Ick gloob, ick spinne« zu hören.
Auf beiden Seiten des Brandenburger Tores versammeln sich Tausende von Menschen. Unbehelligt von den Grenzpolizisten überwinden sie die Absperrungen und klettern auf die Mauerkrone. Viele haken sich unter und singen »So ein Tag, so wunderschön wie heute«.
Die meisten spontanen Besucher aus dem Ostteil der Stadt zieht es jedoch woanders hin: »Wo geht's denn hier zum Ku'damm?« lautet die am häufigsten gestellte Frage. Innerhalb kürzester Zeit sind die Straßen der City hoffnungslos verstopft.

3.30 Uhr
Brandenburger Tor wieder zu

West-Berliner Bereitschaftspolizei und Ost-Berliner Grenzposten riegeln den Zugang zum Brandenburger Tor ab, durch das die Berliner für einige Stunden ungehindert gehen konnten. Die letzten der rund 50 000 Besucher strömen nach Ost-Berlin zurück. Erstmals stauen sich Trabis kilometerlang auf West-Berliner Gebiet.

wird nach 28 Jahren durchbrochen

△ Der Berliner Ku'damm, das 3,5 km lange »Schaufenster des Westens«, ist in der Nacht zum 10. November Ziel zahlreicher Bürger aus Ost-Berlin.

▽ Begeisterte Berliner haben die Straße des 17. Juni vor dem Brandenburger Tor kurzerhand umbenannt in Straße des 9. November.

Freudentänze auf der Mauerkrone

9./10. November. Ganz Berlin ist aus dem Häuschen. Die Welt scheint nicht mehr dieselbe zu sein wie noch vor wenigen Stunden. Am Grenzübergang Bornholmer Straße geschieht das bisher Unfaßbare: Unter dem Jubel Tausender hebt sich einer der Schlagbäume, die den Osten und den Westen Berlins 28 Jahre voneinander getrennt haben.

Die Freude beiderseits der Mauer kennt keine Grenzen. Wildfremde Menschen fallen einander in die Arme. Nur Hartgesottene können in dieser klaren Herbstnacht die Tränen zurückhalten. Ein junger Mann ruft: »Ist das ein Märchen? Das ist wohl der Anfang der Freiheit und fast zu schön, um wahr zu sein.«

In dieser Nacht geht Berlin nicht schlafen. Die ganze Stadt ist auf den Beinen. An der Mauer und in den Straßen spielen sich Volksfestszenen ab. Kneipiers spendieren Lokalrunden. Mit dem russischen Sekt der »Ossies« und dem französischen Champagner der »Wessies« stoßen die Spree-Athener auf die »Nacht des Jahrhunderts« an.

△ Im Überschwang der Gefühle steigen viele auf die Mauer, um die Öffnung der Grenzen in luftiger Höhe mit Sekt zu feiern.

△ Uniformierte wie der »Vopo« (r.) beschränken sich in dieser Nacht aufs Zuschauen.

▽ Eine Lehrerin hat sogar ihre Schulklasse zum Willkommensgruß mobilisiert

△ Spontan demonstrieren viele Menschen auf den Straßen Berlins mit der schwarz-rot-goldenen Fahne.

▽ Eines der ersten DDR-Autos, das noch in der Nacht zum 10. November unter dem Jubel der Berliner die Grenze passiert.

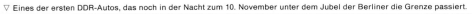

»Das deutsche Volk war das glücklichste Volk der Welt«

Die Öffnung der Berliner Mauer, die zu diesem Zeitpunkt kaum jemand für möglich gehalten hat, trifft auch die Bonner Politiker völlig unvorbereitet. Bundeskanzler Helmut Kohl (CDU) hält sich seit dem Nachmittag des 9. November zu einem sechstägigen offiziellen Besuch in Polen auf. Der Bundestag berät am Abend des gleichen Tages das Vereinsförderungsgesetz. Auch die Bewohner der DDR ahnen nichts von der Entscheidung, welche die von Ost nach West bisher nahezu undurchlässige Grenze überflüssig macht. Doch die Nacht vom 9. auf den 10. November verändert das Bewußtsein der Deutschen, nicht nur in Berlin. Der Parteienstreit wird ausgesetzt, das Bekenntnis zur Freiheit aller Deutschen eint vorübergehend die politischen Lager.

9. November, 21.08 Uhr
Bundestag singt Nationalhymne
Im Bonner Bundestag, der vor halbleerem Plenum über das neue Vereinsförderungsgesetz debattiert, tikkern die Eilmeldungen der Nachrichtenagenturen aus den Fernschreibern: »Die DDR öffnet ihre Grenzen nach Westen.« Der CSU-Abgeordnete Karl-Heinz Spilker, nächster auf der Rednerliste, verliest den im »Wasserwerk« versammelten Abgeordneten eine der Agenturmeldungen: »Ab sofort können DDR-Bürger direkt über alle Grenzstellen zwischen der DDR und der Bundesrepublik ausreisen.« Minutenlanger Beifall erfüllt den Plenarsaal. Bundestagsvizepräsidentin Annemarie Renger (SPD) unterbricht die Sitzung um 20.20 Uhr, die Parlamentarier scharen sich um die Fernsehschirme in der Lobby. Die Fraktionsvorsitzenden von CDU/CSU, SPD und FDP, Alfred Dregger, Hans-Jochen Vogel und Wolfgang Mischnick, schließen ihre Beratungen über die Aufnahme von DDR-Übersiedlern vorzeitig ab. Um 20.45 Uhr tritt Kanzleramtsminister Rudolf Seiters (CDU) vor den Bundestag und würdigt die Öffnung der Grenzen als Schritt von überragender Bedeutung. Ihm schließen sich Vogel, Dregger, Helmut Lippelt (Die Grünen) und Mischnick mit ähnlichlautenden Erklärungen ihrer Fraktionen an. Nach der Rede Mischnicks stimmen drei Unionsabgeordnete die Nationalhymne an – bis auf einige Parlamentarier von SPD und Grünen singen alle Abgeordneten die dritte Strophe des Deutschlandliedes. Auf Antrag der SPD-Fraktion wird die Sitzung um 21.10 Uhr vorzeitig geschlossen.

9. November, 23.50 Uhr
Kohl vor der Presse in Warschau
Bundeskanzler Helmut Kohl (CDU), der erst am Nachmittag zu einem sechstägigen offiziellen Besuch in Polen eingetroffen ist (→ 9. 11./S. 106) und die Nachricht aus Berlin während des Abendessens mit Ministerpräsident Tadeusz Mazowiecki erfahren hat, stellt sich im Warschauer Hotel Marriott den Fragen der Journalisten. Ein Abbruch des Polen-Besuches komme wegen der besonderen Bedeutung seiner Reise, welche die Versöhnung zwischen Polen und Deutschen unterstreichen soll, nicht in Frage. Kohl betont gegenüber den Journalisten: »Wenn ich schon jetzt nicht in Deutschland bin, dann ist gerade Warschau der richtige Ort.«
Am nächsten Morgen gibt Kohl seine Entscheidung bekannt, doch für einen Tag in die Bundesrepublik zurückzukehren: »Das freiheitsliebende polnische Volk wird Verständnis dafür haben, daß ich in dieser Aufbruchstimmung der Deutschen in Ost und West heute nachmittag meinen Besuch unterbrechen werde. Ich will am Samstagabend, wenn nichts Ungewöhnliches passiert, nach Polen zurückkehren.« Kurzfristig beschließt Kohl, vor der Sondersitzung des Bundeskabinetts am Samstagvormittag zunächst nach Berlin zu fliegen. Da seine Bundeswehrmaschine nicht in Berlin landen darf, muß er einen Umweg über Hamburg machen, um von dort mit einem US-amerikanischen Flugzeug in die alte Reichshauptstadt gebracht zu werden.

Im Ausland Freude und Gelassenheit

Die Nachricht von der Öffnung der DDR-Grenze nach Westen sorgt auch im Ausland für Überraschung. Die Reaktionen sind durchweg positiv, doch gibt es auch vorsichtige Warnungen, die Öffnung der Mauer bereits als ersten Schritt zu einer Wiedervereinigung beider deutscher Staaten zu betrachten.

USA: Ein dramatisches Ereignis
Mit ungewöhnlicher Zurückhaltung reagiert US-Präsident George Bush in einer Pressekonferenz auf die neue Situation: »Dies ist ein dramatisches Ereignis für Ostdeutschland und natürlich für die Freiheit.« Von einem Reporter auf seine kühle Reaktion angesprochen betont Bush: »Selbstverständlich bin ich mal begeistert. Aber ich bin nun mal kein emotionaler Typ. Oh, ich bin hocherfreut, wie ich auch zuletzt über viele andere Entwicklungen hocherfreut gewesen bin.« Für eine Wiedervereinigung ist es nach Ansicht von Bush »viel zu früh«, und indirekt appelliert er an die DDR-Bewohner, im eigenen Land zu bleiben: »Diese Deutschen lieben ihr Land. Vielleicht werden eine Menge von ihnen, die sich eingesperrt fühlen und sich nicht bewegen konnten, jetzt sagen: Nun können wir uns rühren, aber wäre es nicht besser, an den Reformen, die in unserem Land stattfinden, teilzunehmen?«

Sowjetunion: Keine Sensation
Auch in der UdSSR sind die Stellungnahmen durch Zurückhaltung geprägt. Außenminister Eduard Schewardnadse bezeichnet die Öffnung der Mauer als eine »richtige, kluge und weise Entscheidung«. Sein Sprecher Gennadi Gerassimow spielt die Bedeutung des Ereignisses herunter: »Es war keine Sensation für uns ... Wir sind der Ansicht, daß es ein souveräner Akt der Regierung einer souveränen Republik ist.« Die Frage der Wiedervereinigung sei noch nicht entschieden, denn die Grenze bestehe weiter, »wenn auch einige zu glauben scheinen, sie habe aufgehört zu existieren«.

Großbritannien: Großer Tag
Uneingeschränkt positiv sehen britische Spitzenpolitiker die Öffnung der Grenze in Deutschland. Premierministerin Margaret Thatcher erklärt gegenüber Journalisten: »Dies ist ein großer Tag für die Freiheit. Jetzt muß die Berliner Mauer fallen. Aber erstmal muß ein echtes Mehrparteiensystem entstehen in der DDR.« Für David Owen, Parteiführer der Sozialdemokraten, ist »die Wiedervereinigung eine unvermeidliche Folge der Ereignisse dieser Tage«. Er habe keinen Zweifel, »daß die tief verwurzelte Demokratie der Bundesrepublik dafür sorgen wird, daß diese Wiedervereinigung niemand in Ost und West bedrohen kann«.

Frankreich: Einheit notwendig
Vorbehaltlose Zustimmung findet die Öffnung der Grenzen bei französischen Politikern. Ministerpräsident Michel Rocard betont, daß es in Europa keine wirkliche Sicherheit gebe, solange das deutsche Volk mit sich uneins sei: »Die Zeit arbeitet immer für die Freiheit.« Sein Amtsvorgänger Jacques Chirac fordert sogar die Wiedervereinigung: »Wir können keine Europäer sein, wenn wir Europa nur mit einem Teil Deutschlands aufbauen wollen.«

10. November, 9.30 Uhr
Momper hält Antrittsrede
Der Zufall will es, daß der Regierende Bürgermeister von Berlin, Walter Momper (SPD), am Morgen nach der Öffnung der Mauer seine Antrittsrede als Präsident des Bundesrates in Bonn zu halten hat. Leicht verspätet und etwas atemlos erklärt er den Vertretern der Bundesländer: »Ich möchte meine Antrittsrede mit einem ungewöhnlichen Geständnis beginnen: Ich habe heute nacht nicht geschlafen – und viele von ihnen sicher auch nicht.
Wer diese Nacht in Berlin erlebt oder diese Nacht am Fernsehschirm verfolgt hat, der wird den 9. November 1989 nie vergessen. Gestern nacht war das deutsche Volk das glücklichste Volk auf der Welt. Es war der Tag des Wiedersehens zwischen den Menschen aus beiden Teilen Berlins. Es war die Nacht, in der die Mauer ihren trennenden Charakter verloren hat. Das Volk der DDR hat sich diese Freiheit auf der Straße erkämpft – und es hat gestern zum ersten Mal diese Freiheit gefeiert – zusammen mit den West-Berlinern auf dem Kurfürstendamm und auf dem Alexanderplatz.

Der Bundestag singt das Deutschlandlied

Ungewöhnliche Reaktion auf ein ungewöhnliches Ereignis: Als die Sitzung des Bundestages wegen der Ereignisse in Berlin von Bundestagsvizepräsidentin Annemarie Renger (SPD) vorzeitig beendet wird, stimmen die Unionsabgeordneten Hermann Josef Unland, Franz Sauter und Ernst Hisken spontan die Nationalhymne an. Alle Parlamentsmitglieder erheben sich von ihren Sitzen, und bis auf wenige Abgeordnete von SPD und Grüne singen sie »Einigkeit und Recht und Freiheit«. Dergleichen wird sonst vom Protokoll vorgegeben, jetzt eint die Freude über die Öffnung der Mauer alle politischen Lager. Viele Augen richten sich in diesem Moment auf Willy Brandt, der zur Zeit des Mauerbaus Regierender Bürgermeister von Berlin war, und nun, von einigen Abgeordneten umarmt, tief bewegt den Bundestag verläßt.

◁ Spontane Freudenkundgebung: Die Bundestagsabgeordneten erheben sich zur Hymne.

28 Jahre – seit dem 13. August 1961 – haben wir diese Stunde ersehnt und erhofft. 28 Jahre lang sind Menschen an der Mauer erschossen worden oder elend gestorben, nur weil sie über die Grenze wollten. Jetzt, in der Stunde der Freude, wollen wir der Opfer gedenken.

Hohe Lasten und große Probleme werden auf alle Länder der Bundesrepublik Deutschland zukommen, das wissen wir wohl. Aber wenn wir nie vergessen, welches Leid diese Mauer verursacht hat und wenn wir uns stets die glücklichen Gesichter und die Freude von gestern abend in Erinnerung rufen, dann werden wir diese Herausforderung gemeinsam meistern und unserer Verantwortung als Landesregierungen gerecht werden.«

10. November

Bonn: Jubel über Grenzöffnung

In der Bundeshauptstadt herrscht hektische Betriebsamkeit. Parallel zur Sitzung des Bundesrates treten die Fraktionen des Bundestages zu Sondersitzungen zusammen, um die neue Situation in Berlin und an der Grenze zur DDR zu beraten. In ungewohnter Einigkeit bringen die Spitzenpolitiker der im Bundestag vertretenen Parteien ihre Freude über

die offene Grenze zum Ausdruck. Kanzleramtsminister Rudolf Seiters (CDU) erklärt: »Der Schritt, zu dem sich die DDR veranlaßt sah, unterstreicht in beeindruckender und elementarer Weise, daß der Wille zur Freiheit auf Dauer stärker ist als jeder staatliche Zwang.« Der SPD-Vorsitzende Hans-Jochen Vogel bezeichnet den 9. November 1989 als »historisches Datum«: An diesem Tag ist der 13. August 1961, der Tag des Mauerbaus, annulliert worden. CDU/CSU-Fraktionschef Alfred Dregger faßt in nahezu banal klingenden Worten zusammen, was den

Bewohnern der DDR 28 Jahre lang verwehrt wurde: »Sie können bleiben, sie können zurückgehen, und sie können wiederkommen.« Der Hamburger Erste Bürgermeister Henning Voscherau (SPD) kommentiert: »Das ist eine konsequente Lösung, die die Bürger in der DDR mit der Stunde der Wahrheit konfrontiert – daß nämlich der Grund zu flüchten glaubhaft weggefallen ist. Jetzt müssen freie Wahlen und die Aufgabe des SED-Machtmonopols hinzukommen.«

FDP-Generalsekretärin Cornelia Schmalz-Jacobsen bewertet die

Tragweite des Ereignisses so: »Dies ist eine historische Stunde für die Menschen in Deutschland. Wir müssen uns darauf einstellen, daß viele DDR-Bürger die Möglichkeit zur Reise und Ausreise wahrnehmen werden.« Ihr Parteichef, Otto Graf Lambsdorff, sieht den Abschluß einer Epoche: »Das ist faktisch das Ende von Mauer und Stacheldraht.« Die Fraktionssprecherin der Grünen, Antje Vollmer, bekennt: »Ich freue mich wie verrückt.«

10. November

DDR-Opposition: Positives Signal

Genugtuung über die Öffnung der Grenzen, aber auch die Gewißheit, daß durch die neue Reisefreiheit die Probleme ihres Landes nicht gelöst sind, kennzeichnen die Reaktionen der Oppositionsgruppen in der DDR. Die Mitbegründerin des »Neuen Forums«, Bärbel Bohley, bezeichnet im West-Berliner Fernsehsender RIAS die Öffnung der Grenzen als ersten Beweis für die Ernsthaftigkeit des Reformwillens der Staats- und Parteiführung. Sie sei überzeugt, »daß das der einzige Schritt war dafür, daß hier Veränderungen stattfinden sollen«. Jetzt könne die Mauer »auch aus den Köpfen der Menschen« verschwinden.

Weizsäcker: »Tiefer historischer Einschnitt«

Bundespräsident Richard von Weizsäcker erwarb sich als Regierender Bürgermeister von Berlin zwischen 1981 und 1984 Anerkennung von allen Seiten. Bevor er am 12. November West-Berlin einen Besuch abstattet und in der Kaiser-Wilhelm-Gedächtniskirche spricht, nimmt er am Tag nach der Grenzöffnung in Bonn zu den Ereignissen des 9. November 1989 Stellung:

»Die für uns Deutsche so bewegenden Stunden der letzten Nacht bedeuten einen tiefen historischen Einschnitt in die Nachkriegsgeschichte. Sie zeigen aber auch, wie schon die vorangegangenen Entwicklungen, daß Frei-

heit auf Dauer nicht eingemauert werden kann.

Respekt und Hochachtung gilt den vielen Menschen, die bei aller Bewegung besonnen geblieben sind und Ausbrüche nicht zugelassen haben. In diesem Sinne gilt es nun, mit Verantwortungsbewußtsein und Augenmaß Schritt für Schritt einen Zustand zu erreichen, in dem die Menschen hüben und drüben in Freiheit und Würde miteinander leben können.«

Begegnung einer völlig neuen Art: Ost-Berliner Grenzpolizisten trauen sich noch nicht, den freundlichen Händedruck eines »Mauerstürmers« zu erwidern.

Die Mauer als Steinbruch: Ein Grenzsoldat bekommt über den Zaun ein Stück jenes Bauwerks gereicht, das er zuvor mit der Waffe beschützen mußte.

10. November, 6.00 Uhr
Andrang an den Meldestellen

Vor den Volkspolizei-Kreisämtern in vielen Städten der DDR bilden sich lange Schlangen von Menschen, die sich das nach offiziellen Angaben notwendige Visum für Privatreisen nach West-Berlin besorgen wollen. Einige Leute warten hier bereits seit den späten Nachtstunden, um bei der Öffnung der Behörden um acht Uhr die ersten zu sein. Fotografen legen Sonderschichten ein, um die Reiselustigen mit Paßfotos für ihren Antrag zu versorgen.

10. November, 8.00 Uhr
Friedliche Invasion aus dem Osten

Mit den Schlangen vor den Meldestellen wächst die Ungeduld der Wartenden. Auch wenn jede Behörde stündlich rund 250 Reisegenehmigungen ausfertigt, dem ungeheuren Andrang sind sie nicht gewachsen. Volkspolizisten teilen den Wartenden mit, für Kurzbesuche sollten sie sofort an die Grenze fahren.

Die Nachricht verbreitet sich wie ein Lauffeuer, Tausende drängen sich an den Übergangsstellen. Die übernächtigten Grenzpolizisten winken die jubelnden Menschen nur noch müde durch.

An den Grenzübergängen Invalidenstraße, Bornholmer Straße und Sonnenallee strömen die Massen unkontrolliert in den Westteil der Stadt. Die Trabants und Wartburgs fahren durch ein Spalier klatschender Zuschauer, die begeistert mit Fäusten auf die Autodächer trommeln. Durch die offenen Fenster werden Sekt, Blumen und nicht selten Geld gereicht. Die Euphorie kennt keine Grenzen.

Hauptanziehungspunkt ist wie in der Nacht zuvor der Kurfürstendamm. Hier gibt es kaum noch ein Durchkommen, da selbst ganze Schulklassen und Arbeitsbrigaden aus der DDR den Boulevard bevölkern. Rund um die Gedächtniskirche ist innerhalb kürzester Zeit alles

Freundlichkeit überwindet auch höchste Mauern: Der DDR-Grenzposten freut sich über die Rose, die ihm von einer Berlinerin gereicht wird.

von Trabis zugeparkt. Bevorzugte Ziele sind vor allem die Kaufhäuser, hier insbesondere die Radio- und Fernsehabteilungen. Die berühmte »Freßetage« im KaDeWe lockt Tausende von Besuchern an.

Warteschlangen gibt es nicht nur in Ost-Berlin. Um die 100 DM Begrüßungsgeld zu bekommen, bilden sich lange Reihen von Wartenden vor den zwölf West-Berliner Bezirksämtern.

10. November, 17.00 Uhr
Kundgebung in West-Berlin

Mehrere zehntausend Menschen versammeln sich zu einer Kundgebung vor dem Rathaus Schöneberg. Neben dem Regierenden Bürgermeister Walter Momper (SPD) und Bundesaußenminister Hans-Dietrich Genscher (FDP) erhält der SPD-Ehrenvorsitzende Willy Brandt, zur Zeit des Mauerbaus 1961 Regierender Bürgermeister in Berlin, den stärksten Beifall: »Die Ereignisse in der Nacht zum Freitag haben bestätigt, daß die widernatürliche Trennung Deutschlands keinen Bestand hat ... Wir sind jetzt in einer Situation, wo wieder zusammenwächst, was zusammengehört.« Bundeskanzler Helmut Kohl (CDU), der wegen der Entwicklung in der DDR am Nachmittag seinen Besuch in Polen unterbrochen hat, kann sich nur mit Mühe gegen lautstarke Proteste Gehör verschaffen. Seine Schlußworte – »Es geht um Deutschland, es geht um Einigung und Recht und Freiheit. Es lebe ein freies deutsches Vaterland, ein freies einiges Europa« – gehen in einem gellenden Pfeifkonzert unter.

Ministerpräsident Johannes Rau (r.) am Nachmittag des 9. November bei Egon Krenz

Zum Schluß die Nationalhymne (v. l.): Genscher, Brandt und Momper vor dem Rathaus Schöneberg

Helmut Kohl verläßt verärgert die Kundgebung in Schöneberg, bei der er lautstark ausgepfiffen wurde.

»Ein Teil der Nachkriegsordnung fällt auseinander«

In dem Bewußtsein, Zeuge eines historischen Prozesses zu sein, bewertet die internationale Presse ausführlich die Vorgänge des 9. November in Berlin. Übereinstimmend wird die Öffnung der Mauer als unumkehrbar angesehen. Viele Kommentatoren zeigen sich davon überzeugt, daß mit diesem Tag die Nachkriegsgeschichte beendet ist und eine neue Phase der deutschen Geschichte begonnen hat. Allen bewußt ist auch die Tatsache, daß die beiden deutschen Staaten nun ihren Platz in Europa neu definieren müssen.

»Frankfurter Rundschau«
»Die Mauer wurde überwunden, einfach so, weil in der logischen Folge eines von unten erzwungenen Umbaus der DDR sich die Mär vom existenzgarantierenden antifaschistischen Schutzwall in Luft aufgelöst hat, weil das SED-Regime die Bürger nicht mehr daran hindern kann, dorthin zu gehen, wohin sie wollen und können. Die Szenen im nächtlichen Berlin, diese Mischung aus Freude und Taumel, dieser überwältigende und bewegende Direktvollzug des fundamentalen Rechts, frei zu ziehen, zeigte unwiderlegbar, was die Ost-Berliner Machthaber in all den Jahren ihrem Volk angetan haben.«

»Frankfurter Allgemeine Zeitung«
»Den 9. November 1989 wird niemand mehr vergessen ... Die Welt hat sich verändert. Die Nachkriegsgeschichte scheint beendet zu sein ... Was jetzt geschieht, gibt es nicht umsonst. Die Westdeutschen müssen begreifen, daß sie die Ereignisse nicht einfach mit interesselosem Wohlgefallen beobachten können.«

»Süddeutsche Zeitung«
»Über Deutschland weht der Mantel der Geschichte. Ein Teil der Nachkriegsordnung, eng verbunden mit dem Kalten Krieg wie die NATO und der Warschauer Pakt, fällt allmählich auseinander; ein anderer Teil wie die Europäische Gemeinschaft gewinnt an Dynamik. Der Platz Deutschlands in der entstehenden neuen Ordnung ist noch undeutlich, aber die Geschichte entscheidet möglicherweise schneller über die deutsche Frage, als Gorbatschow noch vor kurzem annahm.«

»Die Zeit«
»In den Herzen der Deutschen läuten die Glocken. Die Nation lebt, ihr Zusammengehörigkeitsgefühl ist ungebrochen; die größte Wiedersehensfeier des 20. Jahrhunderts hat es aller Welt kundgetan. Die Mauer steht noch, aber sie ist vielfältig durchlöchert, ein Bauwerk auf Abbruch ... Selbst jene, die sich mit einem Deutschland zu zweit nicht abfinden mögen, sind sich darüber im klaren, daß die Einheit bestenfalls am Ende einer langen Entwicklung kommen wird, die eben erst begonnen hat; daß sie nicht unter Bedingungen zustande kommen darf, die uns von jenen Ankerketten in der Atlantischen und der Europäischen Gemeinschaft losreißen, an denen wir Halt und Schutz gefunden haben ...«

»Neue Allgemeine Zeitung« (Wien)
»Über Nacht ist Ost-Berlin über den vielleicht dunkelsten Schatten seiner Geschichte gesprungen. Nichts kann wohl die Unumkehrbarkeit der ›Oktoberrevolution‹ 1989 stärker belegen als diese Entscheidung. Seit gestern ist die Mauer nicht mehr Grenze, sondern Denkmal.«

»Le Figaro« (Paris)
»Deutschland wird wieder ein Land mit 80 Millionen Menschen werden, bei weitem das leistungsfähigste und stärkste in Europa. Es wird der Hauptpartner Rußlands werden, das Deutschland am nötigsten hat. Das Gleichgewicht zwischen Frankreich und Deutschland, das zu Beginn des europäischen Aufbaus geschaffen und das recht und schlecht beibehalten wurde, wird zerbrechen. Man wird ein anderes finden müssen.«

»Le Soir« (Brüssel)
»Ohne Mauer, das gekidnappte Europa verläßt sein 28jähriges Ghetto ... Das schrecklichste Symbol des Kalten Krieges in Europa bleibt (vorläufig) erhalten, aber von nun an allein als Touristenattraktion.«

»Diario 16« (Madrid)
»Die Wiedervereinigung weckt Argwohn. Nach drei Jahrzehnten intensiver Forderungen an die DDR, die Grenzen für Ausreisende

zu öffnen, wird das von Moskau aus mit Hilfe des Perestroika-Sturms in die Berliner Mauer gerissene Loch das Vertrauen der westlichen Großmächte in ihren Bonner Verbündeten erschüttern und die alte Furcht vor einem vereinigten großen Deutschland auferstehen lassen.«

»The Times« (London)
»Die Ironie des jüngsten verzweifelten Schrittes der DDR-Führung ist, daß die Mauer eigentlich gebaut wurde, um den kommunistischen Teil der deutschen Nation intakt und in Knechtschaft zu halten, daß sie jedoch jetzt geöffnet wird, um den Exodus aufzuhalten.«

»New York Times«
»Sie tanzten, weil der tragische Zyklus von Katastrophen, der Europa zuerst vor 75 Jahren erschütterte, zu dem zwei Weltkriege, der Holocaust und der Kalte Krieg gehörten, sich endlich dem Ende zu nähern scheint ...«

»Jediot Acharonot« (Jerusalem)
»Checkpoint Charlie, der schreckliche, schmale, zwischen Stacheldraht gedrängte und mit Maschinengewehren bewachte Grenzübergang, wird in einen Treffpunkt des Friedens und des Dialogs zwischen beiden Teilen des deutschen Volkes verwandelt. Die Realität entwickelt sich schneller als jede Phantasie. Adieu Mauer.«

Einheit Deutschlands wieder auf der Tagesordnung

Die Öffnung der Berliner Mauer und die Veränderungen im politischen System der DDR markieren einen tiefen Einschnitt in der deutschen Nachkriegsgeschichte. Über die Zukunft Deutschlands wird neu nachgedacht, doch nicht jeder sieht die offenen Grenzen und die daraus resultierenden Folgen uneingeschränkt positiv. Strittig ist, ob die Bundesrepublik Deutschland und die DDR wieder eine staatliche Einheit bilden sollten und welche politischen und wirtschaftlichen Konsequenzen damit verbunden wären. Einig sind sich jedoch namhafte Vertreter aus Politik, Kultur und Kirche in ihrer Warnung vor unüberlegten Entscheidungen und der Einschätzung, daß die Menschen in der DDR selbst über ihre Zukunft entscheiden müssen.

»Wir sollten nicht den demokratischen Oberlehrer spielen wollen«

Der Historiker Golo Mann nimmt in einem Gespräch mit der Tageszeitung »Die Welt« zu einer Wiedervereinigung beider deutscher Staaten Stellung:

». . . Ich habe [das Wort »Wiedervereinigung«] eigentlich nicht sehr gerne. Selbstverständlich würden unter veränderten Umständen die Beziehungen zwischen beiden deutschen Staaten positiver werden . . . Und das könnte dann in 20, 25 Jahren eigentlich von alleine, nicht auf Bismarcksche Weise mit allen möglichen Mogeleien und Gewalttätigkeiten, zu einem Zusammenwachsen führen . . . Für eine mit Trompetentrara gefeierte Wiedervereinigung bin ich nun wirklich nicht. Beide Staaten können, die DDR von einer grundfalschen Ideologie befreit, aber immer noch als selbständiger Staat mit interessanten Leistungen und atmosphärisch in vielem von der Bundesrepublik unterschieden, zusammen existieren und allmählich einander näherkommen. Das würde ich für das Wünschenswerte halten.

Was man tut, muß man – glaube ich – vor allem zurückhaltend und taktvoll machen. Man darf nicht als Antiprophet kommen, um eine falsche Religion zu zerstören. Die demokratische Befreiung kann nur von den Menschen selbst ausgehen. Wir können da wenig tun, und wir dürfen es auch nicht. Wir sollten nicht den demokratischen Oberlehrer spielen wollen, das ist selbstgefällig. So gut ist die bundesdeutsche Demokratie auch wieder nicht, wenn ich sie beispielsweise mit der Schweizer vergleiche. Es gibt mir in Deutschland viel zu viel Obrigkeitsstaat.

Von einem anderen Weg will ich reden. Es gibt Dinge, die die Vitalität der beiden Staaten betreffen. Sie sollten, ja müßten eigentlich gemeinsam gemacht werden. Ich gebe einige Beispiele: Die Rettung der Ostsee, Umweltschutz, Zusammenarbeit bei der Sicherung gemeinsamen Kulturguts . . .

Die Zukunft der Deutschen ist zuallererst Sache der deutschen Nation. Sie ist heute stark und reich und frei genug dazu. Und sie ist auch historisch-politisch erfahren, um das auf rechte Weise und mit Geduld hinzubringen. Wenn morgen in den Pariser Zeitungen stünde, Kohl und Krenz haben die Wiedervereinigung für das Jahr 1991 vereinbart, was gäbe das für eine große Aufregung und großen Schrecken . . . Wenn aber mit dem gemeinsamen europäischen Markt alles gut geht und sich keine furchtbaren Komplikationen einstellen, könnte ich mir schon vorstellen, daß die Furcht vor . . . einer immer enger werdenden Verbindung zwischen den beiden deutschen Staaten, nicht mehr so stark ist wie heute . . .«

»Einheit durch Selbstbestimmung: Es gibt mehr als einen Weg«

Der frühere Bundeskanzler Willy Brandt (SPD) mahnt in der Wochenzeitung »Die Zeit« zur Besonnenheit bei der Lösung der deutschen Frage:

». . . Bei aller Mäßigung: Die Charta der Vereinten Nationen und die Schlußakte von Helsinki gelten auch für die Europäer in deutschen Landen. Dabei mag viel davon abhängen, daß wir – auf deutscher Seite – uns hinsichtlich der Ausgestaltung nationaler Einheit nicht verheddern. Wodurch und auf welche Weise das bisherige, sich jetzt wesentlich verändernde Verhältnis zwischen den beiden Staaten abgelöst wird, warum sollten wir das jetzt buchstabieren wollen? Wir brauchen es nicht. Die Zweistaatlichkeit zum Dogma zu erheben, ist allerdings ebensowenig überzeugend, wie im vergrößerten Nationalstaat die einzige Ableitung aus dem Auftrag des Grundgesetzes – genauer: dessen Präambel – zu erblicken. Einheit durch Selbstbestimmung ist der uns von den Verfassungsvätern übertragene Auftrag. Ihn zu erfüllen, gibt es – auch im Verständnis vieler Landsleute in der DDR – mehr als einen Weg. Ihn zu vernachlässigen, würde uns als nationales und europäisches Versagen angekreidet werden . . .

Was wird jetzt von uns in der Bundesrepublik erwartet? Zunächst gilt es, uns selbst und unseren Partnern immer noch einmal klarzumachen, daß eine gute Lösung für unser Volk nur eine solche Sache ist, welche nicht in Konflikt gerät mit den europäischen Verpflichtungen der Bundesrepublik Deutschland – und welche sich einfügt in den Prozeß, der vom Zusammenwachsen der Teile Europas handelt. In unserem Verhältnis zum anderen Teil Deutschlands kann es nicht darum gehen, die Zahl der erhobenen Zeigefinger zu erhöhen, sondern die Bereitschaft zu sinnvoller Hilfe und weitreichender Kooperation konkret und überzeugend zu vertreten . . .

Es hatte vitale Bedeutung, daß wir ein radikales, womöglich unumkehrbares Auseinandergleiten der getrennten Familien und Volksteile nicht zugelassen haben . . .

Unsere Bereitschaft zum Ausgleich und zum Mittun beim neuen Beginn wird jetzt auf die Probe gestellt. Dies ist nicht die Zeit für überzogenen Parteienpatriotismus, sondern – ohne unterschiedliche Meinungen zu übertünchen – für ein sachliches Zusammenrücken all derer, denen die deutschen Interessen gleichermaßen am Herzen liegen. Die Form der Tische, an denen man miteinander über das Wohl der Nation berät, ist ziemlich schnuppe.«

»Das raubt uns die innere Seelenruhe«

Günter Krusche, Generalsuperintendent für Berlin der Evangelischen Kirchen in Berlin-Brandenburg, hält Veränderungen innerhalb der DDR für vordringlich:

»Was sich in dieser Nacht in West-Berlin abgespielt hat, ist seit 28 Jahren so unvorstellbar, daß die meisten DDR-Bürger, besonders die Berliner, keine innere Seelenruhe bewahren können.« Die Menschen in der DDR schwankten immer noch zwischen Vertrauen und Mißtrauen. Von größter Wichtigkeit sei es nun, daß die DDR-Staatsführung das Vertrauen ihrer Bürger erwerbe. Dazu gehört in erster Linie ein »neuer Geist« in der Schule und die Einführung des Wehrersatzdienstes. Vor allem die Ankündigung freier Wahlen, ein neues Wahlgesetz und ein fester Wahltermin könnte die Glaubwürdigkeit der Reformpolitiker unter Beweis stellen. Bisher seien die Menschen in der DDR davon ausgegangen, daß ihre Stimme ohnehin nicht zähle. Sie hätten die Konsequenz daraus gezogen, indem sie das Land verließen.

Die Ausreisewelle werde sich zunächst voraussichtlich noch fortsetzen, da viele nicht die Konsequenzen der vom SED-Regime betriebenen Mißwirtschaft mittragen wollten. Wenn die Menschen aber das Gefühl bekämen, daß ihre Stimme doch zählt und sie gebraucht werden, würden sie ein neues Bewußtsein entwickeln. Dadurch könnte sich auch die »Mentalität des Wohlstandsbürgers« ändern, die durch die andauernden Versprechen der Regierung herangezüchtet worden sei: »Die Bürger meinten, sie bräuchten nur die Hände aufzuhalten. Ich denke, jetzt muß ein Verantwortungsgefühl wachsen, daß man nicht mehr genießen kann, als man ehrlich erwirtschaftet hat.«

Leipzig, 14. November: Bei den Demonstrationen für demokratische Reformen tauchen immer häufiger auch Forderungen nach der Wiedervereinigung auf.

»Eine Alternative zum Freibeuterstaat BRD«

Der DDR-Schriftsteller Stefan Heym äußert sich in einem »Spiegel«-Essay ablehnend zur Wiedervereinigung:

». . . Reden wir über die Einheit. Tatsache ist, zwei kapitalistische deutsche Staaten sind nicht vonnöten. Die Raison d'être der Deutschen Demokratischen Republik ist der Sozialismus, ganz gleich in welcher Form, ist, eine Alternative zu bieten zu dem Freibeuterstaat mit dem harmlosen Namen Bundesrepublik. Einen anderen Grund für die Existenz eines ostdeutschen Separatstaates gibt es nicht; nur als militärisches Vorfeld zu dienen den Marschällen der Sowjetunion ist Nonsens im Zeitalter atomarer Totalvernichtung . . .

Tatsache ist ferner, daß die stalinistische Wirtschaft, die hinter der Mauer so lange im Schwange war, nunmehr bankrott ist; bankrott ist der Staat, und ob er sich, dem Baron von Münchhausen ähnlich, an seinem eigenen Haarzopf aus dem Sumpf zu ziehen imstande sein wird, ist zu bezweifeln.

Bleibt als Retter, da die Sowjets ihre eigenen Probleme zu bewältigen haben, nur der Westen, insbesondere die Bundesrepublik, die so lange just

auf diesen Moment gewartet und das Ihrige dazu getan hat, ihn irgendwann endlich herbeizuführen. Doch wär's nicht eher naheliegend, daß man dort die Arme verschränkt und lächelnd abwartet, bis der schon halbtote Kadaver alle viere von sich streckt, um ihn danach auszuschlachten? Derartige Gedanken werden gedacht; aber auch andere, von anderen Leuten. War nicht die Stabilität Europas, die all die schönen demokratischen Entwicklungen im Osten – in Polen, der Sowjetunion, Ungarn, der DDR und der ČSSR – erst auslöste, begründet auf der Existenz zweier deutscher Staaten? Was für eine Stabilität würde das denn wohl sein mit einem neuen Großdeutschland, dieses beherrscht von Daimler-Messerschmitt-Bölkow-Blohm und der Deutschen Bank? Und wie weit wär's von da bis zu der Forderung nach den Grenzen Großdeutschlands von 1937, und nach noch erweiterten Grenzen darüber hinaus? Und das mit der Atombombe im Köcher? . . .

Wenn alles weiter so schleift wie bisher, wenn auf dem Gebiet, das wirklich zählt, bei Wirtschaft und Währung, sich nicht wirklich Entscheidendes ändert, wird der Tag kommen, da die Arbeiter der Versprechungen müde sein werden und die Betriebe verlassen und sagen: Mag der Nächstbeste den Krempel übernehmen. Wer dieser Nächstbeste wäre, ist hinreichend klar . . . Die Uhr läuft.«

»Eine Revolution ohne importierte Theorie«

Der bundesdeutsche Schriftsteller Martin Walser bewertet die Vorgänge in der DDR uneingeschränkt positiv:

Daß in Deutschland eine Revolution erstmals von Erfolg gekrönt ist, stellt für Martin Walser den erfreulichsten Aspekt des November 1989 dar. Der Schriftsteller betont die positiven Charakteristika dieser Revolution: Sie komme »ohne importierte Theorie« aus und markiere das Ende der Nachkriegszeit und des Kalten Krieges. Walser: »Wir sind jetzt friedfertig.« Die Lösung für praktische Probleme, wie etwa die Unterbringung zahlreicher DDR-Bürger in der Bundesrepublik, hält Walser für nicht so gravierend. Nur sei es wichtig, »daß wir mit unseren Landsleuten vollkommen solidarisch sind«. In Anspielung auf Michail Gorbatschows Modell vom »Europäischen Haus« plädiert der Autor dafür, zunächst das »deutsche Zimmer« einzurichten. Es sei Zeit, »sich zu freuen, daß Deutschen auch einmal Geschichte gelingt«.

»Wir wünschen uns nicht den dicken Geldsack«

Rainer Eppelmann, Gründungsmitglied der Oppositionsgruppe »Demokratischer Aufbruch«, steht der staatlichen Einheit Deutschlands reserviert gegenüber:

»Ob die Anerkennung ihrer Staatsbürgerschaft eine entscheidende Forderung der DDR-Bürger ist, möchte ich bezweifeln. Ich weiß bloß, daß die Regierenden in unserem Land dies immer wieder gefordert haben, um ihrer eigenen Selbstdarstellung willen. Ich habe kein Plakat mit dieser Forderung bei der großen Demonstration auf dem Alexanderplatz [am 4. November in Ost-Berlin] gesehen.

Zur gegenwärtigen Zeit ist [die Wiedervereinigung] kein Thema. Ein deutscher Alleingang zur staat-

»Folgt der Rhetorik das richtige Handeln?«

Schriftsteller Günter Grass befürchtet den Vorrang von Einheitsbestrebungen vor demokratischen Reformen:

Die plötzlichen und überraschenden Ereignisse an der Grenze zwischen Ost- und Westberlin erinnerten an das Gefühl der Ohnmacht und Wut, die der Bau der Mauer am 13. August 1961 hervorgerufen habe. Die Proteste seien nie verstummt, und jetzt werde sich zeigen, »ob der jahrzehntelangen Rhetorik von den Brüdern und Schwestern auch entsprechendes politisches Handeln folgen wird.« Die Öffnung der Mauer und die offenkundige Schwäche der DDR-Führung lasse ein »vorschnelles Wiedervereinigungsgeschrei« befürchten. Die Hoffnungen der neuen Oppositionsgruppen in der DDR, einen demokratischen, aber auch von der Bundesrepublik unabhängigen Staat aufzubauen, würden von »Maximalforderungen« nach der deutschen Einheit überdeckt und dadurch möglicherweise zunichte gemacht.

lichen Einheit würde die von vielen gewünschte europäische Lösung nur erschweren. Am schlimmsten wäre, wenn bei dem Bemühen, für mehr Freiheit und Demokratie in einem Teil Deutschlands Sorge zu tragen, die Angst der Europäer vor den Deutschen wieder wachsen würde. Das wäre für uns und für Europa fast tödlich.

Das Schreien auf dem Marktplatz ist sicher nicht hilfreich. Und Ratschläge geben vor der Fernsehkamera auch nicht. Und der dicke Geldsack mit der Aufforderung ›Macht was damit‹ ist auch nicht das, was wir uns jetzt wünschen. Es kann nicht angehen, daß Herr Kohl sagt: Wenn ihr Reformen macht, unterstützen wir euch. Das finde ich nicht fair. Die einzige Möglichkeit besteht darin, Reformprozesse behutsam zu unterstützen, auch durch wirtschaftliche Zusammenarbeit zum Vorteil beider Seiten, etwa auf dem Gebiet des Umweltschutzes.«

Die Mauer: Symbol deutscher Teilung

Mit der Öffnung der Mauer am → 9. November (S. 88) endet ein bedrükkendes Kapitel deutscher Geschichte. Es begann vor 28 Jahren, am 13. August 1961, mit der Absperrung der Grenze zwischen den Ost- und den Westsektoren Berlins durch Stacheldraht und Sperrzäune.

Die damalige DDR-Führung unter dem 1. Sekretär der SED und Staatsratsvorsitzenden Walter Ulbricht hielt den Bau des »antifaschistischen Schutzwalls« für erforderlich, weil sie den wirtschaftlichen und politischen Zusammenbruch ihres Staates befürchtete. Von September 1949 bis August 1961 hatten insgesamt 2,6 Millionen Menschen den sog. Arbeiter- und Bauernstaat verlassen. Unter ihnen befanden sich viele qualifizierte Arbeitskräfte, die im Wirtschaftsleben der DDR eine empfindliche Lücke hinterließen.

Den Mauerbau leitete der für Sicherheitsfragen zuständige ZK-Sekretär Erich Honecker. Proteste der alliierten Westmächte, die erst zwei Tage nach Beginn der Baumaßnahme erhoben wurden, konnten nicht verhindern, daß die DDR Ost- und West-Berlin immer stärker voneinander isolierte. Die Sperranlagen wurden in den folgenden Jahren auf ganzer Länge der innerdeutschen Grenze zwischen Ostsee und Bayrischem Wald zu einem unüberwindlichen Hindernis perfektioniert. Hinter einer 4 Meter hohen und rund 1393 Kilometer langen Wand aus Betonplatten und Metallgitterzäunen befand sich ein System von Sperranlagen bis weit in die DDR hinein, in dessen Bereich auf jeden Flüchtenden ohne Vorwarnung geschossen wurde. Kontakt- und Signalzäune sowie Wachttürme erweckten den Eindruck eines Gefängnisses.

Trotz der ausgeklügelten Konstruktion wagten zahlreiche DDR-Bürger die Flucht in den Westen. Bis 1989 überwanden rund 41 000 von ihnen die Sperranlagen. Mehr als 78mal endete der Fluchtversuch jedoch allein in Berlin tödlich. Das letzte Todesopfer an der Mauer war ein 22jähriger, der am 6. Februar 1989 erschossen wurde (→ 16. 2./S. 15).

Die Ereignisse des 9. November hinterlassen eine Ruine, die an die jahrzehntelangen Repressionen eines menschenverachtenden Staates und an zahllose menschliche Tragödien erinnern wird.

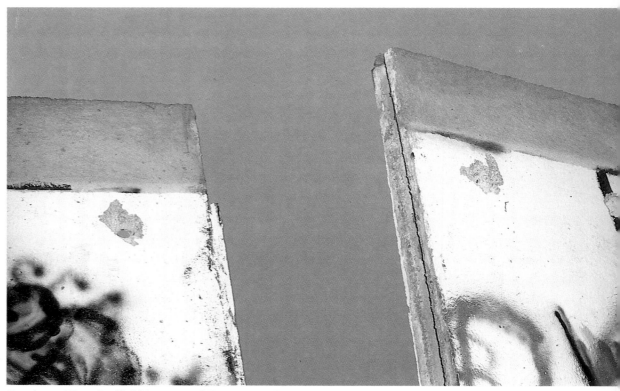

Potsdamer Platz: Preßlufthämmer und Kräne setzen der Mauer zu. Rund um Berlin reißen Bausoldaten Mitte November den Betonwall an verschiedenen Stellen ein, um insgesamt neun neue Grenzübergänge zu schaffen.

August 1961: Bewaffnete Volkspolizisten überwachen die Arbeiten an der neuen Grenzanlage.

Ein Volksarmist überspringt den Stacheldraht.

Deutsche Wertarbeit à la Walter Ulbricht

Die Mauer, von Planern und Konstrukteuren oftmals als »bestes Grenzsicherungssystem der Welt« gepriesen, bestand noch 1963 nur aus einfachen Hohlblocksteinen, die mit schweren Fahrzeugen durchbrochen werden konnten. Bis 1976 wurde die innerstädtische Grenzbefestigung immer weiter perfektioniert: Die zweiteiligen Betonsockel dieser Mauer der vierten Generation sind so abschüssig, daß Flüchtlinge mit den Füßen keinen Halt finden.

Die abgerundeten Mauerkronen sind so dick, daß Arme sie nicht umfassen können.

Fast alle an die Mauer angrenzenden Häuser wurden abgerissen, um Grenzsoldaten ein freies Blick- und Schußfeld zu verschaffen. Nach Jahren unbeugsamer Härte demontiert die DDR jetzt ein Bauwerk, dem der damalige Staats- und Parteichef Erich Honecker noch vor einigen Wochen eine 100jährige Zukunft prophezeit hatte.

Dieses Foto bewegte die ganze Welt

15. 8. 1961. Dieses Bild ging um die Welt: Ein junger DDR-Soldat ergreift die letzte Gelegenheit, in den freien Teil Berlins zu gelangen. Er ist der erste von vielen Volksarmisten, die in den nächsten Tagen – trotz drohender Erschießung wegen Fahnenflucht – den Sprung in den Westen wagen.

Neue Einigkeit: Der Menschenandrang bei der Eröffnung des Grenzübergangs am Potsdamer Platz läßt DDR-Grenzsoldaten (Mitte) und West-Berliner Polizisten (außen) zusammenrücken.

Stück für Stück fällt die Mauer: Mit Hammer und Meißel stemmen sich viele ein Souvenir aus dem bröckelnden »Schutzwall«.

Täter und Opfer: Vopos transportieren den toten Peter Fechter ab.

Kennedy (3. v. r.) wirft am Brandenburger Tor einen Blick über die Mauer.

Ausstiegsloch eines Fluchttunnels in der Bernauer Straße

Die unmenschliche Grenze

17. 8. 1962. Wie grausam die Teilung Berlins ist, wird schon bald nach Errichtung der ersten Sperranlagen deutlich. Am 17. August 1962 stirbt der 18jährige Peter Fechter, von Kugeln der DDR-Grenzsoldaten durchsiebt, im Schatten der Mauer. Er ist das 38. Todesopfer. Da sich die West-Berliner Polizisten nicht in den sowjetischen Sektor vorwagen und die DDR-Grenzposten ihrerseits Angst haben, vom Westen aus beschossen zu werden, bleibt der um Hilfe schreiende Mann hinter dem Stacheldraht liegen. Jede Hilfe kommt zu spät. Volkspolizisten tragen den Toten schließlich zurück nach Ost-Berlin.

Kennedy: »Ich bin ein Berliner!«

26. 6. 1963. Zwei Jahre nach dem Mauerbau bereiten Hunderttausende von West-Berlinern dem US-Präsidenten John F. Kennedy einen begeisterten Empfang. Von ihm erhoffen sie sich Unterstützung für den eingeschlossenen Westteil der Stadt. Sein Versprechen, sich weiterhin für ein freies Berlin einzusetzen und sein emphatisches Bekenntnis »Ich bin ein Berliner!« erwecken die Hoffnung, die Vereinigten Staaten würden nun alles daransetzen, den Mauerbau rückgängig zu machen. Diese Erwartung erfüllt sich jedoch nicht: Kennedy sieht die Mauer als stabilisierenden Faktor, der die Eckwerte der westlichen Berlin-Politik nicht verletzt.

Mit Todesmut in die Freiheit

3.–5. 10. 1964: Auch in den Jahren nach dem Mauerbau hielt die Fluchtbewegung an. Zunächst reichte noch ein mutiger Sprung aus dem Fenster eines der grenznahen Häuser in die Sprungtücher der West-Berliner Feuerwehr, um den westlichen Teil der Stadt zu erreichen. Doch mit der Verbesserung der Sperranlagen mußten sich die zur Flucht entschlossenen DDR-Bürger ausgefallenere Lösungen ausdenken. Viele versteckten sich unter Sitzbänken, in Kofferräumen von Autos. Andere gruben sich lange Tunnel. Beim größten Unternehmen dieser Art kroch 1964 ein halbes Hundert Ost-Berliner 145 Meter unter Tage in die Freiheit.

Per Trabi in den Westen

11. November. Nach Öffnung der deutsch-deutschen Grenze nutzen etwa drei Millionen DDR-Bürger das Wochenende zu einem Kurzbesuch in der Bundesrepublik. 20 000 von ihnen kehren danach nicht wieder in ihre Heimat zurück. Sie siedeln über.

Von Freitagabend bis Sonntagmittag vergeben die DDR-Behörden über 4 Millionen Visa für Privatreisen in den Westen. Im gleichen Zeitraum werden 10 144 Genehmigungen für die ständige Ausreise erteilt. Wie bereits am Freitag, dem ersten Tag der Öffnung, werden die Besucher aus dem anderen Teil Deutschlands mit Begeisterung empfangen. An den Grenzübergängen in die Bundesrepublik bilden sich kilometerlange Schlangen. Mit Hupkonzerten und graublauem Zweitakterqualm drücken die Trabant-Fahrer dem Wochenende ihren Stempel auf. Am Übergang Helmstedt, neben Duderstadt Brennpunkt des Geschehens, kommt es zu einem Rückstau von 60 Kilometern in die DDR hinein. 17 Stunden Fahrtzeit müssen auf der Transitstrecke zwischen Berlin und Westdeutschland in der Regel in Kauf genommen werden.

Im Grenzverkehr zwischen Ost- und West-Berlin herrschen ebenfalls chaotische Zustände: Aufgrund des unüberschaubaren Besucherstroms passieren viele Ost-Berliner die Grenze lediglich mit ihrem Personalausweis oder sogar ohne Kontrolle. Zur Entlastung öffnet die DDR mehrere neue Übergänge, u. a. am Potsdamer Platz, dem »alten Herzen Berlins«, wie der Regierende Bürgermeister Walter Momper ihn nennt. Der Potsdamer Platz ist zugleich Schauplatz der ersten offiziellen Begegnung zwischen den beiden Bürgermeistern der geteilten Stadt, Walter Momper und Erhard Krack: Unter dem Beifall Tausender Menschen besiegeln sie mit einem Händedruck in der Mitte des Mauerdurchbruchs die neuen nachbarschaftlichen Beziehungen.

Der Straßenverkehr in West-Berlin bricht unter der Lawine von Wartburgs und Trabis ebenso zusammen wie das städtische Nahverkehrsnetz. Auf dem Ku'damm machen Ost- wie West-Berliner die Nacht zum Tage und feiern bei Volksfeststimmung die unvorhergesehenen Ereignisse.

Verzögerungen ergeben sich bei der Auszahlung des Begrüßungsgeldes.

In allen Teilen der Bundesrepublik beschließen Banken, Sparkassen und Bundespost, neben den jeweiligen Stadtverwaltungen die Auszahlung der 100 DM zu übernehmen. Die üblichen Öffnungszeiten sind an diesem Wochenende außer Kraft gesetzt, viele Angestellte der Geldinstitute leisten Überstunden. Trotzdem warten die Besucher aus der DDR häufig mehrere Stunden diszipliniert in endlosen Schlangen auf die sog. Bargeldhilfe. In zahlreichen Städten geht den Stadtkassen sogar kurzfristig das Geld aus: Braunschweig und Lübeck müssen sich deshalb bei Banken und Kaufhäusern Millionenbeträge leihen.

Ebenso schnell reagiert der Einzelhandel auf den unerwarteten Besucherstrom und dessen Bedürfnisse; an den Kassen wird auch Ost-Mark in Zahlung genommen, in Schleswig-Holstein, Niedersachsen und Bayern passen die Geschäfte die Ladenschlußzeiten der profitablen Umsatzlage an. Angesichts schmaler Portemonnaies können sich DDR-Besucher aber nicht jeden Wunsch erfüllen. Besonders gefragt sind Südfrüchte, Lebensmittel, Transistorradios, Spielwaren und Sportbekleidung. Viele begnügen sich indes in den Spezialgeschäften für Unterhaltungselektronik und Computer mit dem bloßen Anschauen des westlichen Warenangebots.

Manche grenznahen Städte sind dem Ansturm nicht gewachsen. Die 52 000 Seelen zählende bayerische Kleinstadt Hof verzeichnet nach Auskunft von Oberbürgermeister Dieter Döhla an diesem Wochenende »mindestens ebenso viele Besucher in unserer Stadt, wie wir Einwohner haben«. Hier wie vielerorts sperrt die Polizei den gesamten Innenstadtbereich für den Autoverkehr und erklärt ihn zur Fußgängerzone. Tausende, die über Nacht bleiben, werden am Samstagabend in der Nibelungenhalle untergebracht oder schlafen in ihren Autos.

Sogar Großstädte wie Frankfurt und Mainz werden vom Andrang der Besucherscharen aus Leipzig, Weimar und Eisenach völlig überrascht. Nach stundenlangem Warten auf die Auszahlung des Begrüßungsgeldes stehen die kauflustigen DDR-Bürger hier meist enttäuscht vor verschlossenen Türen. Zum Ausgleich öffnet Frankfurt wenigstens seine Freizeiteinrichtungen.

Kaffee zum Dumping-Preis: Zur Feier des Tages akzeptieren viele westdeutsche Geschäftsleute auch DDR-Mark, die für sie an sich kaum Wert hat.

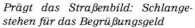

Prägt das Straßenbild: Schlangestehen für das Begrüßungsgeld

Grenzübergang bei Ratzeburg: Zonengrenzschilder werden abmontiert.

Eine unüberschaubare Menschenmenge steht vor einer Paß- und Meldebehörde der Volkspolizei in Ost-Berlin an, um ein Visum für den Besuch in der Bundesrepublik zu erhalten. Der große Ansturm veranlaßt die Behörden der DDR am 10. November, die Visumspflicht fallenzulassen. Fast ohne Kontrollen geht es über die Grenze.

Weil am 11. 11. gerade die närrische Zeit beginnt, begrüßt die Lübecker Karne-valsgesellschaft die Besucher aus der DDR mit Schunkelliedern.

Auf DDR-Autobahnen ein ungewohntes Bild: Endlose Trabi-Schlangen und Staus an den Grenzübergangsstellen in die Bundesrepublik. Noch gedrängter als hier am Grenzübergang Wartha geht es in Helmstedt/Marienborn zu. Dort reicht am »ersten« Wochenende der Rückstau von DDR-Fahrzeugen, die in Richtung Westen unterwegs sind, zeitweise bis zu 60 Kilometer in die DDR hin-ein. Auch am folgenden Wochenende ist der Andrang groß. Danach erobern sich die Bundesbürger ihre Läden zum samstäglichen Vorweihnachtseinkauf langsam wieder zurück. Ein Grund: Den DDR-Besuchern geht das Geld ebenso aus wie vorher schon mancher westdeutschen Stadt.

Beschwerlicher Heimweg: Bei der Rückkehr in die DDR ergeht es den Kurzbe-suchern nicht anders als westlichen Autofahrern an Urlaubswochenenden.

Westdeutsche Kaufhäuser locken an: Besonders ge-fragt sind preiswerte Uhren, Schmuck, Kosmetikar-tikel und elektronische Geräte.

Ein West-Berliner Bekleidungsgeschäft heißt die Be-sucher aus dem Ostteil der Stadt, die ungläubig das Warenangebot bestaunen, willkommen.

Nach Jahrzehnten der Zensur und Diktatur sind die Erzeugnisse der freien Presse an diesem Zeitungs-stand eine heiß begehrte Ware.

Hans Modrow zum Ministerpräsidenten gewählt

13. November. Mit nur einer Gegenstimme wählt die DDR-Volkskammer das 61jährige SED-Politbüromitglied Hans Modrow zum neuen Ministerpräsidenten. Die Wahl wurde notwendig, nachdem die gesamte Regierung mit Willi Stoph an der Spitze am 7. November zurückgetreten ist.

Modrow, bisher SED-Bezirkschef von Dresden, gehört zu den wenigen Parteigrößen, die in der Bevölkerung über Rückhalt verfügen. In der Vergangenheit eckte der Wirtschaftsexperte bei der SED-Führung häufig mit eigenwilligen Reformvorschlägen an.

Vier Tage nach seiner Wahl stellt Modrow sein Koalitionskabinett vor. Der neuen Regierung gehören nur noch 28 statt der bisher 43 Minister an, darunter drei Frauen. Mit 16 Ministern beansprucht die SED nach wie vor die »führende Rolle im Staat«, die restlichen Regierungsmitglieder stellen die Liberal-Demokratische Partei Deutschlands (LDPD), die CDU, die National-Demokratische Partei Deutschlands (NDPD) sowie die Demokratische Bauernpartei Deutschlands (DBD). Zum Stellvertreter Modrows und Chef im neugeschaffenen Ministerium für Kirchenfragen wird der CDU-Vorsitzende Lothar de Maizière ernannt. Ebenfalls neu eingerichtet werden die Ministerien für Arbeit und Löhne sowie für Tourismus. An die Stelle des Ministeriums für Staatssicherheit, unter Erich Mielke jahrzehntelang für die Überwachung der DDR-Bevölkerung verantwortlich, tritt ein Amt für nationale Sicherheit.

In seiner Regierungserklärung skizziert Hans Modrow die dringlichsten Aufgaben der neuen DDR-Führung: »Die Wirtschaft der DDR aus der Krise zu führen, ihr Stabilität zu verleihen und Wachstumsimpulse zu geben, ist jetzt die wichtigste Aufgabe der Regierung ... Nur ein ökonomisch starker Staat kann viel für die Bürger tun. Nur ein wirtschaftlich potenter Staat kann ökologischen Fortschritt erreichen. Nur durch wirtschaftliche Effizienz kann der Lebensstandard erst einmal gehalten und, wenn wir das Nötige geleistet haben, auch gehoben werden.« Neben Veränderungen auf dem Wirtschaftssektor seien »Reformen des politischen Systems« notwendig, »verbunden mit gesetzgebe-

Modrow am Rednerpult: Der Hoffnungsträger der SED bei seiner Regierungserklärung in der Volkskammer

rischen Schritten, um Rechtsstaatlichkeit und Rechtssicherheit zu stärken«. Dazu gehörten ein Reisegesetz ebenso wie ein neues Wahl- und Mediengesetz.

Volkskammerpräsident gewählt
Mit der am selben Tag stattfindenden Wahl des Vorsitzenden der Demokratischen Bauernpartei Deutschlands (DBD), Günther Maleuda, zum Präsidenten der Volkskammer setzt die DDR ihren Weg der politischen Öffnung fort. Der Nachfolger des SED-Politikers Horst Sindermann erhält bei der Stichwahl 246 von 477 abgegebenen Stimmen. Sein Konkurrent, Manfred Gerlach von der Liberaldemokratischen Partei Deutschlands, kommt

auf 230 Stimmen; eine Stimme ist ungültig. Bei dieser ersten geheimen Abstimmung im DDR-Parlament hat die SED keinen eigenen Kandidaten nominiert, die meisten ihrer Abgeordneten stimmen allerdings für Maleuda. Dessen Wahl überrascht, weil der 58jährige Agrarwissenschaftler bisher politisch kaum hervorgetreten ist.

Premiere in der Volkskammer: In geheimer Abstimmung wird der promovierte Wirtschaftswissenschaftler Günther Maleuda zum neuen Parlamentspräsidenten gewählt. Der Chef der Bauernpartei betont den »eigenständigen Beitrag« seiner Partei zur Erneuerung in der DDR. Die Bauernpartei, zuvor im Bündnis mit der SED, habe das Potential, »in aller Tiefe am Umbruch mitzuarbeiten«.

Alte SED-Garde wird demontiert

8. November. Auf seiner 10. Tagung wählt das Zentralkomitee (ZK) der SED ein neues Politbüro, nachdem dieses Gremium am Vormittag erstmals in der Geschichte der DDR geschlossen zurückgetreten ist.

Das neue Politbüro, eigentliches Machtzentrum der DDR, wird um zehn Mitglieder verringert. Ihm gehören jetzt nur noch elf Spitzenfunktionäre an.

Zu der »alten Garde« der zurückgetretenen Funktionäre zählen drei der wichtigsten Repräsentanten der Honecker-Ära: Erich Mielke (81) Minister für Staatssicherheit, Kurt Hager (77), Chefideologe der SED, sowie Hermann Axen (73), ZK-Sekretär für internationale Beziehungen. Bereits am 18. Oktober hatten Honeckers treue Vasallen – der Sekretär für Wirtschaft des ZK, Günter Mittag (63), und Joachim Herrmann (61), verantwortlich für Agitation und Propaganda – ihre Posten in Politbüro und ZK aufgeben müssen (→ S. 105).

Während der Sitzung des ZK demonstrieren Tausende Ost-Berliner SED-Mitglieder vor dem Gebäude. Mit dem Motto »Wir sind die Partei« bestreiten die Demonstranten dem ZK die Legitimation, ein neues Politbüro zu wählen. In den nächsten Tagen fordern erneut Hunderttausende von DDR-Bürgern, den Führungsanspruch der SED aus der Verfassung zu streichen.

Auf Druck der Öffentlichkeit und mehrerer Fraktionen beruft das Präsidium der Volkskammer für den 13. November eine Sondersitzung ein, um über die Lage in der DDR zu beraten. Diese Sitzung wird zum öffentlichen Tribunal für die »mächtigen Männer von einst« (»Frankfurter Allgemeine Zeitung«). So müssen sich die ehemalige Vorsitzende des Ministerrats, Willi Stoph, und Erich Mielke den Abgeordnetenfragen nach Amtsmißbrauch und ihrer politischen Verantwortung stellen. Mielke, der jahrzehntelang für die Überwachung der Bürger zuständig war, wird dabei von den Abgeordneten ausgelacht für seine Behauptung, das Ministerium für Staatssicherheit habe »einen außerordentlich hohen Kontakt mit allen werktätigen Menschen überall«. Stoph übernimmt die Verantwortung für die Vernachlässigung seiner verfassungsmäßigen Pflichten.

Auf Transparenten rufen die Leipziger Bürger zu einem wirklichen Neubeginn in der DDR auf.

DDR-Opposition: »Wer uns mal belog, kann nicht führen den Dialog«

Auch nach Einführung der Reisefreiheit und Absetzung altgedienter Parteifunktionäre finden in Leipzig und vielen anderen Städten der DDR fast täglich Demonstrationen statt. Neben der Forderung nach freien Wahlen und der Abschaffung des SED-Machtmonopols wird allmählich auch der Ruf nach Wiederherstellung der deutschen Einheit laut.

In Leipzig beteiligen sich am 13. November – dem Tag, an dem Hans Modrow zum neuen Ministerpräsidenten gewählt wird – über 200 000 Menschen an der traditionellen Montags-Demonstration. Lautstark fordert die Menge hier wie andernorts einen Volksentscheid zur Änderung der DDR-Verfassung, die den Führungsanspruch der SED in Artikel 1 festschreibt. In Parolen wie »Wer uns mal belog, kann nicht führen den Dialog« manifestiert sich das tiefe Mißtrauen der Bevölkerung gegenüber der Staatspartei. Vor allem der Staatsratsvorsitzende und SED-Generalsekretär Egon Krenz ist Zielscheibe der Kritik. Die Menge fordert immer wieder den Rücktritt des als »Wendehals«, »Wahlfälscher« und »Freund des chinesischen Terrors« bezeichne-

ten Krenz. Auf die zunehmend aggressivere Haltung der Bevölkerung gegenüber der Partei weisen zahlreiche SED-Abgeordnete in der Volkskammer hin. Sie berichten, Parteimitglieder seien in der Öffentlichkeit »angepöbelt, bedroht und mißhandelt« worden.

SED-Demonstranten fordern einen Sonderparteitag.

Die SED reagiert auf das offene Mißtrauen vorwiegend mit »Gesichtskosmetik«: Im Laufe des Monats treten alle 15 SED-Bezirkssekretäre zurück oder werden abgewählt. Die DDR-Volkskammer setzt darüber hinaus Ausschüsse ein, die Amtsmißbrauch, Korruption und persönliche Bereicherung von Funktionären aufdecken sollen. Für den 1. Dezember beruft das Parlament eine »geschlossene Plenartagung« ein, auf der über die Verantwortung der alten Staats- und Parteiführung diskutiert werden soll.

Der von der neuen Führungsmannschaft um Hans Modrow vorangetriebene »Prozeß der Selbstreinigung« verliert durch fast täglich neu aufgedeckte Fälle von Korruption an Glaubwürdigkeit. Viele Bürger kritisieren die ihrer Meinung nach zu lasch betriebene Aufklärung der kriminellen Machenschaften. Deshalb organisieren sich im ganzen Land Bürgerkomitees, die belastende Dokumente sichern und die Vernichtung von Beweismaterial zu verhindern suchen. Doch vielfach kommen sie zu spät: Belastende Dokumente sind vorsorglich bereits im Reißwolf verschwunden.

10-Punkte-Plan: Vom Staatenbund zum Bundesstaat

28. November. Erstmals seit Öffnung der Berliner Mauer am → 9. November (S. 88) und den unmittelbar darauf einsetzenden Diskussionen um die Zukunft der beiden deutschen Staaten legt Bundeskanzler Kohl ein erstes Konzept vor: Dem Deutschen Bundestag präsentiert er einen Zehn-Punkte-Plan, der für eine Übergangsphase »konföderative Strukturen« zwischen beiden deutschen Staaten und schließlich sogar eine »Förderation, das heißt eine bundesstaatliche Ordnung in Deutschland« vorsieht. Nach anfangs – von den Grünen abgesehen – breiter innenpolitischer Zustimmung gehen SPD und FDP wieder auf Distanz zu diesem Plan. Das Ausland, vorher nicht informiert, reagiert skeptisch bis ablehnend.

Helmut Kohl (CDU) begrüßt die von DDR-Ministerpräsident Hans Modrow vorgeschlagene, bislang aber nicht präzisierte »Vertragsgemeinschaft«. Darüber hinaus schlägt er konkretere Schritte auf dem Weg zu einer »bundesstaatlichen Ordnung in Deutschland« vor: Ein gemeinsamer Regierungsausschuß, gemeinsame Fachausschüsse und ein gemeinsames parlamentarisches Gremium sollen in einem Übergangsstadium die Grundlage für den geplanten Bundesstaat schaffen. Während dieses Übergangsstadiums würden sich die beiden deutschen Staaten in einem gemeinsamen Staatenbund, einer sog. Konföderation, befinden. Einen zeitlichen Rahmen will Kohl bewußt nicht setzen. Bedingung für die Konföderation soll aber die Existenz einer durch freie, gleiche und geheime Wahlen demokratisch legitimierten Regierung in der DDR sein.

Weitere Punkte im Vorschlagskatalog des Kanzlers sind u. a.:
▷ Sofortige Unterstützung im humanitären Bereich, etwa in der medizinischen Versorgung.
▷ Eine grundlegend erweiterte Zusammenarbeit mit der DDR unter der Bedingung eines »unumkehrbaren« Wandels.
▷ Einbettung des deutschen Einigungsprozesses in die gesamteuropäische Entwicklung.

Kohl überrascht mit seinen Ausführungen nicht nur die Opposition von SPD und Grünen, sondern auch den Koalitionspartner FDP und die CDU/CSU-Fraktion. Mit niemand hatte der Kanzler seinen Plan abgestimmt, bevor er ihn dem Parlament vorlegte – auch mit den Verbündeten in Europa und den USA nicht. Dessenungeachtet stimmen außer den Grünen zunächst alle Bundestagsfraktionen dem Zehn-Punkte-Plan spontan zu. Der außenpolitische Sprecher der SPD-Fraktion, Karsten Voigt, sieht in Übereinstimmung mit Fraktionschef Hans-Jochen Vogel »keine konzeptionellen Differenzen« zu den Vorstellungen der SPD: »Dieser Plan ist auch unser Plan.« Lediglich Jutta Oesterle-Schwerin von den Grünen gibt zu bedenken, daß die Zusammenlegung von Staaten weder ökologische noch soziale Probleme löse. Kohl wolle die DDR »heim ins Reich« holen. Die Grünen bleiben bei ihrer Politik der Zweistaatlichkeit.

Schon am 29. November rückt die SPD von ihrer uneingeschränkt positiven Haltung zum Kanzler-Plan wieder ab. Die Zustimmung zu einer gemeinsamen Entschließung im Bundestag über die zehn Punkte will die Fraktion nun an einen elften Punkt koppeln: Die Garantie für die polnische Westgrenze. Diese ohnehin von der Opposition erhobene Forderung hält die SPD jetzt für um so dringlicher, als eine deutsche Wiedervereinigung namentlich in Polen die Frage aufwirft, welche Grenzen dieses Deutschland eigentlich haben würde. Die CDU lehnt es ab, eine entsprechende Garantie in die beabsichtigte Entschließung einzubeziehen. Ebendies fordern nunmehr aber auch die Delegierten des »Kleinen Parteitags« der FDP am 3. Dezember in Celle.

Die Reaktionen in der DDR auf Kohls Plan reichen von vorsichtiger Zustimmung bis zu Kritik an der ihm innewohnenden Tendenz zur »Vereinnahmung«. Insbesondere Repräsentanten unabhängiger Oppositionsgruppen, z. B. Pfarrer Rainer Eppelmann vom »Demokratischen Aufbruch«, lehnen den Plan Kohls als verfrüht ab. Die Wiedervereinigung stehe nicht auf der Ta-

»Bereit, noch einen entscheidenden Schritt weiterzugehen«

Auszüge aus dem Zehn-Punkte-Plan über die Zukunft der beiden deutschen Staaten, den Bundeskanzler Helmut Kohl am 28. November 1989 den Abgeordneten des Deutschen Bundestages vorlegt:

»Erstens: . . . Die Bundesregierung ist zu sofortiger konkreter Hilfe dort bereit, wo diese Hilfe jetzt benötigt wird . . . Wir wissen auch, daß das Begrüßungsgeld, das wir jedem Besucher aus der DDR einmal jährlich zahlen, keine Lösung für die Finanzierung von Reisen sein kann . . . Wir sind . . . bereit, für eine Übergangszeit einen Beitrag zu einem Devisenfonds zu leisten. Voraussetzung dafür ist allerdings, daß der Mindestumtausch bei Reisen in die DDR entfällt . . .

Zweitens: Die Bundesregierung wird die bisherige Zusammenarbeit mit der DDR in allen Bereichen fortsetzen, die den Menschen auf beiden Seiten unmittelbar zugute kommen . . . Besonders wichtig ist eine Intensivierung der Zusammenarbeit im Bereich des Umweltschutzes . . .

Drittens: Ich habe angeboten, unsere Hilfe und unsere Zusammenarbeit umfassend auszuweiten, wenn ein grundlegender Wandel des politischen und wirtschaftlichen Systems in der DDR verbindlich beschlossen und unumkehrbar in Gang gesetzt wird. ›Unumkehrbar‹ heißt für uns, daß sich die DDR-Staatsführung mit den Oppositionsgruppen auf eine Verfassungsänderung und auf ein neues Wahlgesetz verständigt . . . Das Machtmonopol der SED muß aufgehoben werden . . . Die bürokratische Planwirtschaft muß abgebaut werden . . . Wirtschaftlichen Aufschwung kann es nur geben, wenn sich die DDR für westliche Investitionen öffnet, marktwirtschaftliche Bedingungen schafft und privatwirtschaftliche Betätigungen ermöglicht . . .

Viertens: Ministerpräsident Modrow hat in seiner Regierungserklärung von einer Vertragsgemeinschaft gesprochen. Wir sind bereit, diesen Gedanken aufzugreifen . . .

Fünftens: Wir sind aber auch bereit, noch einen entscheidenden Schritt weiterzugehen, nämlich konföderative Strukturen zwischen beiden Staaten in Deutschland zu entwickeln mit dem Ziel, danach eine Föderation, das heißt eine bundesstaatliche Ordnung in Deutschland zu schaffen. Das setzt zwingend eine demokratisch legitimierte Regierung in der DDR voraus . . . [Dann] eröffnen sich völlig neue Perspektiven. Stufenweise können neue Formen institutioneller Zusammenarbeit entstehen und ausgeweitet werden. Ein solches Zusammenwachsen liegt in der Kontinuität deutscher Geschichte. Staatliche Organisation in Deutschland hieß immer Konföderation und Föderation . . . Wie ein wiedervereinigtes Deutschland aussehen wird, weiß heute niemand. Daß aber die Einheit kommen wird, wenn die Menschen in Deutschland sie wollen – dessen bin ich sicher.

Sechstens: . . . Die künftige Architektur Deutschlands muß sich einfügen in die künftige Architektur Gesamteuropas . . .

Siebtens: Die Europäische Gemeinschaft ist jetzt gefordert, mit Offenheit und Flexibilität auf die reformorientierten Staaten Mittel-, Ost- und Südosteuropas zuzugehen . . . Hierbei ist die DDR selbstverständlich eingeschlossen: . . . Wir können uns für die Zukunft bestimmte Formen der Assoziierung vorstellen . . .

Achtens: Der KSZE-Prozeß ist und bleibt Herzstück dieser gesamteuropäischen Architektur und muß energisch vorangetrieben werden . . .

Neuntens: Die Überwindung der Trennung Europas und der Teilung Deutschlands erfordert weitreichende und zügige Schritte in der Abrüstung und Rüstungskontrolle . . .

Zehntens: . . . Die Wiedervereinigung, das heißt, die Wiedergewinnung der staatlichen Einheit Deutschlands, bleibt das politische Ziel der Bundesregierung . . .«

DDR-Wirtschaft – veraltet und unproduktiv

Helmut Kohl: Spontane Zustimmung zu seinem Plan im Bundestag

gesordnung. Eine von dem Schriftsteller Stefan Heym vorgestellte Resolution 30 namhafter DDR-Bürger plädiert dafür, die DDR als sozialistische Alternative zur Bundesrepublik zu entwickeln.

Das internationale Echo auf den Zehn-Punkte-Plan ist reserviert:

▷ UdSSR: Außenamtssprecher Gennadij Gerassimow hebt das Urteil des Bundesverfassungsgerichts von 1972 hervor, nach dem Deutschland bis zu einem Friedensvertrag rechtlich in den Grenzen von 1937 weiterbesteht. Ohne eine Aufgabe dieser Position bestehe bei einer Wiedervereinigung die Gefahr des Revanchismus.

▷ USA: Außenminister James Baker hält eine Wiedervereinigung nur als langfristige Entwicklung für realistisch. Der dann entstehende Staat müsse im übrigen der NATO angehören.

▷ Frankreich: Verstimmung darüber, daß Kohl weder ihn noch die anderen Alliierten vorab über den Plan informierte, kennzeichnet die Reaktion von Staatspräsident François Mitterrand. Vor allem in Frankreich fragt man sich, ob die Bundesrepublik nun ihre Westbindung einschränken oder gar aufgeben will.

▷ Polen: Hier steht die Sorge um den Bestand der Oder-Neiße-Grenze als Polens Westgrenze im Vordergrund. Lech Walesa, Chef der Gewerkschaft »Solidarität«: »An den Grenzen in Europa darf sich nichts ändern.«

Die Wende in der DDR rüttelt nicht nur an den politischen Strukturen des Landes, sondern führt auch zu größerer Transparenz in den ökonomischen Verhältnissen. Die wirtschaftliche Bestandsaufnahme, die mit der gesellschaftlichen Öffnung einhergeht, fällt selbst für viele Abgeordnete der Volkskammer erschreckend aus: Jahrzehntelange Geheimhaltung und Frisierung von Wirtschaftsdaten, wofür nun vor allem der ehemalige SED-Wirtschaftsstratege Günter Mittag verantwortlich gemacht wird (→ 8. 11./S. 103), haben selbst politischen »Insidern« den Blick auf die Realität verstellt. Aber auch offensichtliche Mißstände werden erst jetzt in breiter Form in der DDR debattiert. Die wichtigsten Problemfelder:

▷ Gravierende Mängel in der zentralen Planung; je nach politischem Standort wird das System der Zentralverwaltungswirtschaft selbst in Frage gestellt.

▷ Veraltete, extrem umweltschädliche Produktionsanlagen sowie der allgemeine Verfall der Infrastruktur.

▷ Währungs- und Devisenprobleme, die sich im Zuge der Öffnung zur Bundesrepublik vorerst verschärfen.

▷ Arbeitskräftemangel, der sich durch den Übersiedlerstrom dramatisch zuspitzt.

Planwirtschaft unter Beschuß

Das System einer zentral geplanten Wirtschaft stellt für die meisten Politiker und Wirtschaftsfachleute in der Bundesrepublik das Grundübel der DDR-Ökonomie dar. Hier sehen sie die wesentliche Ursache für qualitativ minderwertige Produkte, für den Warenmangel in vielen Bereichen und für die schlechte Motivation vieler Werktätiger, denen der Leistungsanreiz einer zunächst am Gewinn orientierten Marktwirtschaft fehle.

DDR-Ökonomen stimmen mit ihren westlichen Kollegen zwar weitgehend in der Beschreibung der mißlichen Situation überein, machen aber nicht unbedingt das Wirtschaftssystem als solches dafür verantwortlich. Ein Betriebsdi-

rektor aus Brandenburg: »In der DDR wurde niemals eine echte Planwirtschaft organisiert. Sie kann sich deshalb im Grunde genommen überhaupt nicht disqualifiziert haben.« Das Problem liege vielmehr darin, daß die Pläne ohne Ankopplung an die realen Bedürfnisse entstanden seien.

Veraltet und umweltschädlich

Fest steht, daß die in 224 Kombinaten organisierten 3600 Betriebe in der DDR überwiegend unrentabel arbeiten. Nur in einzelnen »Inseln«, z. B. im Bereich der Hochtechnologie, bringt die DDR-Wirtschaft international diskutable Spitzenleistungen.

Völlig überaltert sind namentlich viele der insgesamt 14 Kombinate und 100 Betriebe der chemischen Industrie, die allein 23% der gesamten Warenprodukton der DDR erwirtschaften. Gerade diese wichtige Branche trägt massiv zur Umweltverschmutzung bei. Investitionen für eine saubere Produktion blieben bislang fast überall aus. Wegen des ebenfalls veralteten Telekommunikationsnetzes müssen DDR-Bürger jahrelange Wartezeiten für private Fernsprechanschlüsse in Kauf nehmen. Verfall aufgrund ausbleibender Investitionen rückt besonders in Form der verrottenden Altbauten vieler Städte ins Blickfeld. Egon Krenz zeigt sich bei einem Rundgang durch Leipzig »tief betroffen« davon, wie die Stadt »in den vergangenen Jahren durch die Zentrale vernachlässigt worden ist«.

DDR-Mark nicht konvertierbar

Das Währungsgefüge der DDR basiert darauf, daß die Mark nicht konvertierbar ist, also nicht gegen westliche Währungen eingetauscht werden kann. Nach Öffnung der Grenzen zur Bundesrepublik gerät die Mark in Turbulenzen: Durch den ausnahmsweise möglichen Umtausch in DM sackt ihr Wert gegenüber dem bundesdeutschen Geld ins Bodenlose. Spekulanten, darunter nach Angaben des DDR-Zolls viele Polen, kaufen preiswerte – weil hochsubventionierte – Waren in Ost-Berlin, verkaufen sie mit extremen Gewinnspannen im Westen der Stadt

und tauschen das Geld zurück in DDR-Mark. Um einem »Ausverkauf« der DDR vorzubeugen, setzt die Regierung am 24. November Kaufbeschränkungen und Ausfuhrverbote für bestimmte Waren in Kraft.

Arbeitskräfte weden knapp

Der Massenexodus von Zehntausenden Arbeitskräften in die Bundesrepublik reißt tiefe Lücken besonders im Dienstleistungsbereich der DDR-Wirtschaft: Busfahrer im öffentlichen Nahverkehr, Lehrer an den Schulen und Ärzte sowie Pflegepersonal in den Krankenhäusern fehlen an allen Ecken und Enden. In der Produktion greift die DDR ohnehin bereits auf 85 000 ausländische Arbeitskräfte – über 53 000 allein aus Vietnam – zurück. Die Demonstrationsparole »Stasi in die Produktion« verweist neben der Kritik an bürokratischen »Wasserköpfen« in Geheimdienst und Verwaltung auch auf den Aderlaß in der personalaufwendig arbeitenden DDR-Produktion.

Weitere Perspektiven unklar

In seiner Regierungserklärung am 17. November kündigt Ministerpräsident Hans Modrow eine Verringerung der zentralen Planung und eine größere Eigenständigkeit der Betriebe an. Das Leistungsprinzip soll »mehr und mehr« durchgesetzt werden. Mit der Europäischen Gemeinschaft strebe die DDR »kooperative Beziehungen« an. Grundsätzlich will Modrow aber am Prinzip einer sozialistischen Planwirtschaft festhalten.

Wie der Ministerpräsident artikulieren auch die meisten DDR-Reformgruppen eher unklare Vorstellungen von einer künftigen Wirtschaftsordnung. So wird zwar eine Demokratisierung der Wirtschaftsstruktur und Privateigentum an Produktionsmitteln, gleichzeitig aber die Beibehaltung staatlicher Planung gefordert.

Für den problematischen Übergang auf dem Weg zu einer stärker marktwirtschaftlichen Ordnung bieten sich »Joint Ventures« an, d. h. Gemeinschaftsprojekte von Unternehmen aus dem Osten und dem Westen.

Polen: Kohl-Besuch von Pannen begleitet

9. November. Bundeskanzler Helmut Kohl trifft zu einem sechstägigen Staatsbesuch in Polen ein. Er muß seine Visite wegen der Ereignisse in der DDR am 10. November jedoch für 24 Stunden unterbrechen, weil seine Anwesenheit in Bonn und Berlin erforderlich ist.

Neben Gesprächen mit Polens Ministerpräsident Tadeusz Mazowiecki

stehen Handlungen von symbolischem Charakter im Mittelpunkt des Kanzlerbesuchs, der vor allem der deutsch-polnischen Aussöhnung dienen soll: In Warschau legt Kohl Kränze am Grab des Unbekannten Soldaten und am Denkmal für den Ghettoaufstand von 1943 nieder. Beim Besuch des ehemaligen Konzentrationslagers in Auschwitz

Nach der Tischrede des Kanzlers (2. v. l.) am ersten Besuchsabend; es applaudieren u. a.: Tadeusz Mazowiecki (3. v. l.) und Hans-Dietrich Genscher (r.).

begleitet Heinz Galinski, Vorsitzender des Zentralrats der Juden in Deutschland, den Bundeskanzler. Zum Höhepunkt der Visite wird eine Friedensmesse im niederschlesischen Kreisau. Der bis 1945 deutsche, seitdem polnische Ort ist als Symbol des antifaschistischen Deutschland für die Messe auserkoren worden. Hier traf sich während der NS-Herrschaft ein Widerstandskreis um den Grafen Helmuth James von Moltke.

Mit einer gemeinsamen Erklärung der beiden Regierungschefs geht der Staatsbesuch am 14. November zu Ende. Darin sichert die Bundesregierung Polen Unterstützung bei der Bewältigung der wirtschaftlichen Probleme des Landes zu. Warschau will der deutschen Minderheit in Polen größere Rechte einräumen.

Eine Reihe von Problemen und Unstimmigkeiten, die teilweise schon im Vorfeld des Besuchs für Streit sorgten, belasten die Kanzler-Visite:

▷ Der von Kohl geplante Besuch auf dem Annaberg verärgert die Gastgeber, die darin eine unangemessene Reminiszenz an den deutsch-polnischen Konflikt um Oberschlesien nach dem Ersten Weltkrieg sehen. Erst am 2. November lenkt Kohl ein und nimmt die Messe in Kreisau als Ersatz in sein Programm auf.

▷ Eine von Polen gewünschte eindeutige Stellungnahme des Kanzlers zur Unantastbarkeit der Oder-Neiße-Linie als polnischer Westgrenze bleibt aus.

▷ Heinz Galinski weigert sich, Kohl am Samstag, dem jüdischen Sabbat, nach Auschwitz zu begleiten. Ein Eklat wird durch die Verlegung des Gedenkbesuchs auf Dienstag vermieden.

▷ Eine Äußerung von Regierungssprecher Hans Klein (CSU), der von den »Interessen des internationalen Judentums« spricht, ruft Entrüstung hervor, weil Klein sich damit des NS-Sprachgebrauchs bediene.

Die liberale Presse in der Bundesrepublik kritisiert die Kanzlerreise wegen ihrer »schlimmen Pannen« (»Die Zeit«). Polnische Zeitungen üben vor allem Kritik an der Passivität der deutschen Seite in der Frage einer Entschädigung für ehemalige polnische Zwangsarbeiter. Der Besuch findet in Polen ansonsten eine überwiegend positive Resonanz.

Streit um Polens Westgrenze

Kohl und Mazowiecki betonen in ihrer gemeinsamen Erklärung, der 1970 zwischen der Bundesrepublik und Polen geschlossene Warschauer Vertrag bilde die Grundlage für die Beziehungen zwischen den beiden Staaten. Mit diesem Vertrag erkannte die Bundesrepublik die als Resultat des Zweiten Weltkriegs entstandene Oder-Neiße-Linie als Westgrenze Polens an. Viele CDU-Politiker und die Vertriebenenverbände weigern sich gleichwohl, einen Verzicht auf ehemals deutsche Gebiete jenseits der Oder-Neiße-Grenze auszusprechen. Deshalb wünschte sich die polnische Seite anläßlich seines Besuchs ein klärendes Wort vom Kanzler, das noch einmal die Unantastbarkeit der vorhandenen Grenzen in Europa betonen sollte. Kohl sprach dieses Wort nicht.

Die in der Bundesrepublik wiederentflammte Debatte um die polnische Westgrenze begann im Sommer, als der CSU-Vorsitzende Theo Waigel bei einem Schlesiertreffen deutsche Ansprüche auf Gebiete jenseits von Oder und Neiße anmeldete. In seiner Botschaft zum 50. Jahrestag des Kriegsbeginns (→ 1. 9./S. 70) erinnerte Bundespräsident Richard von Weizsäcker dagegen an die verbindliche Zusage der Bundesrepublik, »jetzt und in Zukunft keinerlei Gebietsansprüche gegen Polen zu erheben«. Dieser Formulierung mochte sich der Bundestag einen Tag später nicht anschließen. Der Standpunkt vieler konservativer Abgeordneter: Die Bundesrepublik allein kann keine verbindliche Aussage zur polnischen Westgrenze machen, weil sie nicht für das ganze Deutschland sprechen kann. Außerdem müsse die Festlegung von Grenzen einem Friedensvertrag vorbehalten bleiben. Liberale Kritiker fordern klare politische Aussagen.

Frustrierter Schily verläßt die Grünen

2. November. Otto Schily, Bundestagsabgeordneter der Grünen, gibt auf einer Pressekonferenz in Bonn den Austritt aus seiner Partei bekannt. Gleichzeitig kündigt der 58jährige Rechtsanwalt und Mitbegründer der Grünen die Niederlegung seines Bundestagsmandats und den Übertritt zur SPD an.

Schily begründet seinen Schritt, der u. a. von dem SPD-Politiker Peter Glotz unterstützt wurde, mit einer zunehmenden Entfremdung von den Grünen und mit dem Fortbestehen des »destruktiven« Einflusses der »Fundamentalisten« auf die Politik dieser Partei. In seiner Austrittserklärung führt Schily einen Beschluß des nordrhein-westfälischen Parteitags Ende Oktober an, der eine dritte Bundestagskandidatur unmöglich macht. Schily, der »seriöse Star der Grünen« (»Spiegel«), führt dies als »letzten Punkt einer facettenreichen Entscheidung« an.

Bei den Sozialdemokraten hofft Schily, der nun die Ansicht vertritt, daß nur mit dieser Partei Reformpolitik im ökologischen Sinne gemacht werden könne, auf eine baldige Rückkehr in den Bundestag: Bereits am 29. November wählt ihn der SPD-Unterbezirksparteitag München-Land zum Bundestagskandidaten. Schilys Austritt überrascht die Grünen in einer Phase der Annäherung an die SPD. Am 19. November spricht sich die Partei in Saarbrücken für eine rot-grüne Regierungszusammenarbeit aus.

Von den Grünen enttäuscht: Gründungsmitglied Otto Schily

RAF-Attentat auf Bankier Herrhausen

30. November. Die Ermordung des Vorstandssprechers der Deutschen Bank, Alfred Herrhausen, durch ein Bombenattentat der Rote Armee Fraktion (RAF) in Bad Homburg löst in der gesamten Bundesrepublik Bestürzung aus.

Die Bombe, die durch eine Lichtschranke gezündet wird, trifft den gepanzerten Wagen des 59jährigen Bankmanagers sekunden- und metergenau: Die dem Mercedes vorausfahrenden bzw. folgenden Begleitfahrzeuge bleiben unbeschädigt. Herrhausen ist auf der Stelle tot. Sein Fahrer Jakob Nix kann mit erheblichen, aber nicht lebensgefährlichen Verletzungen geborgen werden. Die Bombe tötet Herrhausen, der sich auf dem Weg zu seinem Arbeitsplatz in der Frankfurter City befindet, in unmittelbarer Nähe seiner Wohnung.

Die Polizei findet in der Nähe des Tatortes ein Selbstbezichtigungs-Schreiben eines Kommandos »Wolfgang Beer« mit RAF-Symbolen. Am 3. Dezember gibt die Bundesanwaltschaft in Karlsruhe bekannt, es seien mindestens drei RAF-Terroristen – unter ihnen vermutlich der seit Jahren mit Haftbefehl gesuchte Christoph Seidler (31) – an dem Mordanschlag beteiligt gewesen. Am 5. Dezember geht ein Bekennerschreiben der RAF bei verschiedenen Nachrichtenagenturen ein, das die Tat mit der wirtschaftlichen Macht der Deutschen Bank begründet.

Die Ermordung Herrhausens ist ein Indiz dafür, daß die RAF, anders als von den Sicherheitsbehörden nach dem Abbruch des Hungerstreiks der RAF-Häftlinge im Mai (→ 1. 2./S. 15) vermutet, nicht auf gewalttätige Aktionen verzichtet. Ein Beamter des Bundeskriminalamtes kommentiert die erneute Aktivität: »Es sieht so aus, als wollten [sie] uns beweisen: Wir können, wenn wir wollten, uns ausnahmslos jeden herausgreifen und erledigen.«

Ein Polizeibeamter vermißt den Tatort in Bad Homburg. Der 2,8 Tonnen schwere gepanzerte Mercedes ist von der RAF-Bombe völlig zerstört.

Wirtschaftslenker und Vordenker

Als Vorstandssprecher der Deutschen Bank gehörte Alfred Herrhausen zu den prominentesten und mächtigsten Bankiers des Landes. Aufsichtsratsmandate bei Großunternehmen wie Daimler-Benz, Lufthansa und Veba machten ihn zu einem der einflußreichsten Wirtschafts-

Alfred Herrhausen (* 13. 3. 1930), der bereits mit 37 Jahren in Vorstandsetagen aufrückte, setzte sich u. a. auch für die Fusion von Daimler-Benz und Messerschmitt-Bölkow-Blohm ein.

führer. Mit strategischem Weitblick setzte er sich erfolgreich für die Deutsche Bank ein, bezog aber auch zu internationalen Wirtschaftsfragen Position. So forderte er früh einen teilweisen Schuldenerlaß der westlichen Gläubigerbanken für die Dritte Welt (→ 17. 8./S. 61).

Acht Milliarden für Wohnungsbau

7. November. Die Bundesregierung beschließt ein Wohnungsbauprogramm, nach dem bis 1993 acht Milliarden DM in den Bau von 400 000 Sozialwohnungen fließen sollen. Angesichts der akuten und durch die hohe Zahl von Aus- und Übersiedlern noch zunehmenden Wohnungsnot geht das Programm deutlich über das ursprünglich geplante Volumen von 4,5 Milliarden DM hinaus. Der studentischen Wohnungsnot will die Regierungskoalition durch die Bereitstellung von 300 Millionen DM für 20 000 Studentenwohnheim-Plätze begegnen. Die Länder sollen noch einmal die gleiche Summe aufbringen.

Von verstärkten steuerlichen Anreizen erhofft sich Bonn Impulse für den privaten Mietwohnungsbau. Verschlechterungen des Mieterschutzes in Form von Zeitmietverträgen, wie von der FDP gefordert, soll es nicht geben. Zeitmietverträge werden allerdings in Ausnahmefällen zugelassen.

Vorläufiges »Aus« für Gentechnik

8. November. Der Hessische Verwaltungsgerichtshof stoppt per Eilentscheidung die unmittelbar bevorstehende Inbetriebnahme der bundesweit ersten gentechnischen Anlage bei der Frankfurter Hoechst AG. Hier soll unter Verwendung von gentechnisch veränderten Bakterien eine Vorstufe für Humaninsulin gewonnen werden.

Das Gericht begründet seine Entscheidung mit dem Fehlen gesetzlicher Regelungen für den Bereich Gentechnologie: »Solange der Gesetzgeber die Nutzung der Gentechnologie nicht ausdrücklich zuläßt, dürfen gentechnische Anlagen – unabhängig von der Bewertung ihrer Gefährlichkeit im Einzelfall – nicht errichtet und betrieben werden.« Unmittelbar nach Bekanntwerden des Betriebsverbotes, das nur durch Beschwerde beim Bundesverfassungsgericht anfechtbar ist, kündigt Hoechst die sofortige Einstellung der Bauarbeiten an der fast fertigen Produktionsanlage an.

Rasante Teilchen unter den Alpen

13. November. Wissenschaftler aus aller Welt weihen den in der Nähe des Genfer Sees gelegenen Teilchen-Beschleuniger »LEP« (Large Electron-Positron Collider) ein. Mit 27 km Umfang ist der teils auf französischem, teils auf schweizerischem Gebiet liegende unterirdische Beschleunigerring für Elementarteilchen die größte Anlage dieser Art.

In der Tunnelkonstruktion zirkulieren Elektronen und ihre positiv geladenen Gegenstücke, Positronen, mit annähernder Lichtgeschwindigkeit. Prallen sie zusammen, zerfallen diese Elementarteile in sog. Quarks. Dies sind die kleinsten bekannten Teile, aus denen sich alle weitere Materie aufbaut. Bislang sind fünf Arten von Quarks bekannt. Das von der Theorie ermittelte sechste Quark hofft man durch die Experimente am LEP finden zu können. Das 1,5 Milliarden DM teure europäische Gemeinschaftsprojekt gilt von nun an als »Mekka der Physiker« (»Frankfurter Rundschau«).

»Denkzettel« für Schweizer Armee

26. November. In der Schweiz sprechen sich bei einer Volksabstimmung über den Fortbestand der Armee 35,5% der knapp 3 Millionen Wähler für eine Abschaffung der bisher als unantastbar geltenden Verteidigungsstreitmacht aus.

In diesem Votum spiegelt sich die Haltung vieler Schweizer wider, die davon ausgehen, daß die Existenz einer Armee in einer Zeit der Entspannung zwischen Ost und West überflüssig sei. Die bewaffnete Neutralität der Schweiz wird damit jedoch nicht ernstlich in Frage gestellt, da die Mehrheit der Wähler (64,4%) für die Armee stimmt. Immerhin beginnt die Schweizer Regierung jetzt über eine Militärreform nachzudenken. Bereits einen Tag nach diesem »Warnschuß für die Schweizer Armee« (»Frankfurter Allgemeine Zeitung«) kündigt der Bundesrat in Bern an, den waffenlosen Militärdienst zu verlängern, der bisher nur auf Probe bis zum Jahresende eingeführt wurde.

»Perestroika« macht auch vor der ČSSR nicht halt

24. November. Genau eine Woche nachdem die Polizei eine große Kundgebung auf dem Prager Wenzelsplatz blutig niedergeknüppelt hat, tritt unter dem Druck erneuter Massendemonstrationen die gesamte Führung der tschechoslowakischen Kommunistischen Partei (KPČ) zurück.

Während das Präsidium des Zentralkomitees tagt, spricht Alexander Dubček – über 20 Jahre lang als Symbolfigur des »Prager Frühlings« von 1968 offiziell verfemt – zu den auf dem Wenzelsplatz versammelten Menschen. Der Prozeß der Veränderung, der den Warschauer Pakt erschüttert, erreicht nun auch die ČSSR.

Mit Parteichef Milos Jakes muß einer derjenigen Politiker den Hut nehmen, die als Repräsentanten der »Normalisierung« galten, nachdem Warschauer-Pakt-Truppen die Reformversuche von 1968 erstickt hatten. Unter dem Jubel von mehreren hunderttausend Menschen fordert der seinerzeitige Reformer Dubček die Ostblockstaaten dazu auf, den Einmarsch von 1968 für rechtswidrig zu erklären, soweit sie dies noch nicht getan haben.

Vom Regimefeind zum Verhandlungspartner: Václav Havel (l.) beim Händedruck mit Ministerpräsident Adamec

Prag am 21. August 1968: Hilflose Bürger umringen in der Innenstadt einen sowjetischen Panzer.

1968: Panzer zermalmen »Prager Frühling«

Mit der Ablösung von Antonín Novotny als Parteichef der KPČ durch Alexander Dubček beginnt im Januar 1968 eine Phase der Reformen in der ČSSR. Die KP selbst plädiert für Meinungs- und Versammlungsfreiheit und pocht im übrigen auf Nichteinmischung der *»sozialistischen Bruderländer«. Die UdSSR toleriert diese Entwicklung nicht: In der Nacht vom 20. auf den 21. August 1968 machen die Panzer von fünf Warschauer-Pakt-Staaten dem »Prager Frühling« ein blutiges Ende. Es folgen 21 Jahre der »Normalisierung«.*

Der Wandel in der ČSSR steht in unmittelbarem Zusammenhang mit den auf täglich über 200 000 Personen anwachsenden Dauerdemonstrationen in Prag, aber auch in anderen Städten des Landes wie Preßburg und Bratislava. Als Sprachrohr der massenhaften Opposition bildet sich das »Bürgerforum«, ein Zusammenschluß verschiedener regimekritischer Gruppen, dessen Sprecher der Schriftsteller Václav Havel ist (→ 20. 10./S. 83). Der renommierte Dramatiker saß noch bis Mai wegen Teilnahme an einer illegalen Demonstration in Haft. Den Forderungen des Bürgerforums kommt die Staats- und Parteispitze in entscheidenden Punkten nach:

▷ Ministerpräsident Ladislav Adamec beginnt den direkten Dialog mit dem Bürgerforum.

▷ Das Parlament in Prag beschließt, die führende Rolle der Kommunistischen Partei aus der Verfassung zu streichen.

▷ Adamec stellt die Bildung einer Koalitionsregierung unter Einbeziehung nichtkommunistischer Politiker ebenso wie freie Wahlen in Aussicht.

▷ Eine Amnestie für alle politischen Gefangenen tritt in Kraft.

▷ Reisebeschränkungen fallen weg, die Grenzanlagen nach Österreich werden abgebaut.

▷ Die KPČ revidiert ihre bisherige Sprachregelung, nach der die Ereignisse von 1968 als »Konterrevolution« bezeichnet wurden.

Trotz der raschen Änderungen bleibt Mißtrauen. So kritisiert Havel das neue ZK-Präsidium als »neo-stalinistische Mannschaft«.

Geschichte im Zeitraffertempo

Schneller noch als in Ungarn, Polen und der DDR gerät die Kommunistische Führung der ČSSR in Not:

▷ 17. 11.: Brutal geht die Polizei gegen eine Demonstration auf dem Wenzelsplatz vor.

▷ 19. 11.: Aus den verschieden Oppositionsgruppen des Landes formiert sich das »Bürgerforum«.

▷ 20. 11.: Über eine Woche lang werden stets neue Rekord-Teilnehmerzahlen von Demonstrationen gemeldet. Die Polizei hält sich bewußt zurück.

▷ 21. 11.: Ministerpräsident Adamec empfängt erstmals den Sprecher des Bürgerforums, Václav Havel.

▷ 24. 11.: Das ZK-Präsidium der KPČ tritt komplett zurück.

▷ 27. 11.: Alle politischen Gefangenen werden freigelassen. Von einem zweistündigen Generalstreik berichtet das ČSSR-Fernsehen live.

▷ 29. 11.: Das Machtmonopol der KPČ wird aus der Verfassung gestrichen. Die Regierung kündigt umfassende Reformen an.

Sofia: Schiwkow gestürzt

10. November. Der dienstälteste Parteichef eines Ostblockstaates, Todor Schiwkow, wird als Vorsitzender der Bulgarischen Kommunistischen Partei (BKP) von Petar Mladenow abgelöst. Mladenow gilt als Reformbefürworter.

Schiwkow verliert am 17. November auch sein Amt als Staatsratsvorsitzender an den 53jährigen bisherigen Außenminister. Dem Wandel an der Partei- und Staatsspitze ging ein Machtkampf im Politbüro, dem

35 Jahre stand Todor Schiwkow (78), gelernter Buchhändler, an der Spitze der Bulgarischen Kommunistischen Partei, 18 Jahre lang war er Staatsoberhaupt.

obersten Entscheidungsgremium der BKP, voraus. Nicht zuletzt aufgrund der wohlwollenden Haltung der Sowjetunion kann Mladenow diesen Machtkampf gegen den Stalinisten Schiwkow, den »alle haßten« (so der Sprecher einer bulgarischen

Oppositionsgruppe, Petko Simeonoff), für sich entscheiden. Mladenow leitet umgehend Reformschritte ein:

▷ Zulassung bislang illegaler oppositioneller Gruppen
▷ Erlaubnis von Demonstrationen
▷ Abschaffung des Verbots regierungskritischer Propaganda
▷ Avisierung freier Wahlen
▷ Einsetzung einer Kommission, die Korruptionsvorwürfe gegen die bisherige Führung unter Schiwkow untersuchen soll.

Gleichzeitig betont Mladenow allerdings seine Absicht, am sozialistischen Gesellschaftssystem und der führenden Rolle der KP festzuhalten. Ähnlich tiefgreifende Veränderungen wie in Polen oder Ungarn lehnt er ab.

Auf der bisher größten Demonstration in Bulgarien, bei der am 18. November fast 100 000 Menschen in Sofia zusammenkommen, können Menschenrechts- und Umweltschutzgruppen ihre Forderungen erstmals offen präsentieren. Obenan steht der Ruf nach dem Ende von Zensur, polizeilicher Unterdrückung und Korruption sowie die Freilassung politischer Häftlinge.

Ein Bild aus alten Tagen (Mai 1988): G. Husak, T. Schiwkow, E. Honecker, M. Gorbatschow, N. Ceausescu, W. Jaruzelski und J. Kádár (v. l.)

Ceauşescu stellt sich stur

20. November. Rumänien bleibt das letzte stalinistische Bollwerk unter den Staaten des Warschauer Pakts. In seiner über dreistündigen Eröffnungsrede vor dem 14. Parteitag der rumänischen KP läßt Staats- und Parteichef Nicolae Ceauşescu keine Anzeichen von Reformwillen erkennen.

Das 71jährige selbsternannte »Genie der Epoche« beschwört weiter die »goldene Zukunft des Kommunismus« in seinem Land, das zu den ärmsten Europas zählt. Ceauşescu ist in Osteuropa zunehmend isoliert: Die »Bruderländer« sind nur noch durch zweitrangige Delegationen in Bukarest vertreten.

Ratlosigkeit nach Attentat

22. November. 17 Tage nach seiner Wahl zum Staatsoberhaupt des Libanon fällt René Mouawad einem Attentat zum Opfer.

In einer dichtbevölkerten Straße im Westsektor von Beirut zerreißt eine Sprengladung die gepanzerte Limousine des 64jährigen Präsidenten. Mit ihm kommen weitere 23 Menschen ums Leben. Als Drahtzieher des Anschlags wird der Oberbefehlshaber der Streitkräfte, Michel Aoun, vermutet, der die Wahl Mouawads nicht anerkannte und selbst die Macht im Land beansprucht. Aoun bestreitet allerdings, mit der Tat etwas zu tun zu haben. Zwei Tage nach dem Attentat wählt das libanesische Parlament Elias Hrawi (63) zum Nachfolger des Ermordeten. Wie sein Vorgänger will Hrawi die Beschlüsse für eine Verfassungsreform und eine graduelle Lösung in der Frage der syrischen Besatzung des Libanon umsetzen (→ 23. 9./S. 71). General Aoun verweigert auch Hrawi seine Anerkennung, der Aoun daraufhin des Postens als

Oberbefehlshaber enthebt. Viele Libanesen erwarten nun eine neue Runde des gerade abflauenden Bürgerkriegs. Zahlreiche Bewohner verlassen vorsichtshalber Beirut.

Zerstörte Hoffnung: Mouawad leistete am 5. November den Amtseid.

Namibia zur Freiheit bereit

6. November. Unter Aufsicht der Vereinten Nationen (UNO) finden in Namibia die Wahlen zur Verfassunggebenden Versammlung statt. Deren Aufgabe ist die Ausarbeitung eines Staatsgrundgesetzes, mit der die letzte Kolonie Afrikas am 1. April 1990 unabhängig werden soll.

Bei der ersten freien Abstimmung in dem seit 74 Jahren von Südafrika beherrschten Land erhält die Befreiungsbewegung South West African People's Organization (SWAPO) um Sam Nujoma mit 57% der Stimmen 41 von 72 Sitzen im Verfassungskonvent. Die gemäßigte Demokratische Turnhallen-Allianz kommt auf 30% der Stimmen und 22 Mandate. Damit hat die SWAPO knapp die Zweidrittel-Mehrheit verfehlt, die es ihr ermöglicht hätte, ihre sozialistisch geprägten Vorstellungen kompromißlos durchzusetzen.

Mehrere hundert Beobachter aus aller Welt und Tausende von Beamten, Soldaten und Polizisten der Vereinten Nationen überwachen die mit Kosten von einer bis zwei Millarden

DM teuersten Wahlen in der Geschichte der Menschheit. Einem Wahlbetrug soll auf diese Weise wirksam vorgebeugt werden.

Die Verfassunggebende Versamm-

SWAPO-Führer Sam Nujoma (* 12. 5. 1929) hat als Führer der stärksten politischen Gruppierung in Namibia gute Aussichten, erster Staatschef des Landes zu werden.

lung nimmt am 21. November in Windhuk ihre Beratungen auf. Gleichzeitig ziehen die letzten südafrikanischen Soldaten aus Namibia ab. Beides zusammen bedeutet einen weiteren Schritt auf dem Weg zur Unabhängigkeit des Landes, die am → 1. April (S. 31) mit einem Waffenstillstand zwischen der SWAPO und Südafrika eingeleitet wurde. Aber dieser Weg ist steinig.

Bewohnern der umkämpften Arbeiterviertel San Salvadors bleibt nur noch die Flucht; links ein Regierungssoldat

Keine Kampfpause für das Rote Kreuz: Beherzte Sanitäter versuchen, Verletzte aus dem Kampfgebiet zu retten.

Wahlen in Indien: Ende einer Ära?

22. November. Bei den fünftägigen Wahlen zum neuen indischen Parlament, dem 9. Lok Sabha, kann keine der großen Parteien – weder die Kongreßpartei noch die aus fünf Gruppierungen bestehende Nationale Front, noch die rechtsgerichtete Bharatiya-Janata-Partei (BJP) – die absolute Mehrheit für sich gewinnen. Damit muß erstmals in der Geschichte des Landes eine Koalitionsregierung gebildet werden.

Großer Verlierer der von blutigen Ausschreitungen begleiteten Wahlen, bei denen rund 350 Millionen Inder stimmberechtigt waren, ist die Kongreß-Partei unter Premierminister Rajiv Gandhi. Sie büßt mit 200

Rajiv Gandhi (* 20. 8. 1944) hat in der indischen Bevölkerung die Sympathien verloren, die ihn nach der Ermordung seiner Mutter Indira 1984 noch stützten.

Sitzen die Hälfte ihrer Mandate ein. Die Abwendung der Mehrzahl der Wähler von Gandhi spiegelt die Enttäuschung der Inder über die verfehlte Wirtschafts- und Personalpolitik des Premiers wider, weist aber auch auf die Entrüstung der Bevölkerung über die Verwicklung Gandhis in den Bestechungsskandal um den schwedischen Rüstungskonzern Bofors hin.

Gandhi zieht am 29. November die Konsequenzen aus seiner Wahlniederlage und tritt zurück. Damit scheint die 42 Jahre dauernde Nehru-Gandhi-Dynastie beendet zu sein. Gandhis Großvater, Jawaharlal Nehru, hatte 17 Jahre, seine Mutter, Indira Gandhi – mit vierjähriger Unterbrechung – 15 Jahre lang regiert. Er selbst war seit 1984 an der Macht. Neuer Ministerpräsident wird am 2. November der Führer des Oppositionsbündnisses der Nationalen Front, Vishwanath Pratap Singh. Seiner aus linken wie extrem rechten Parteien bestehenden Minderheitsregierung geben Beobachter jedoch keine lange Lebensdauer. Mit ihrem Votum gegen das Establishment unter Gandhi haben die Inder gleichzeitig die politische Instabilität gewählt.

El Salvador: Luftwaffe gegen Guerilla

11. November. Nach dem Scheitern von Verhandlungen mit der rechtsextremen Regierung El Salvadors (→ 19. 3./S. 23) startet die Guerillaorganisation FMLN (»Nationale Befreiungsfront Farabundo Marti«) eine militärische Großoffensive. Präsident Alfredo Cristiani läßt die Armee hart zurückschlagen: Bis die Kämpfe Ende des Monats abflauen, werden rund 3000 Menschen getötet bzw. schwer verletzt.

Die Hauptstadt San Salvador steht im Zentrum der Rebellen-Vorstöße. Die Guerilla greift u. a. den Präsidentenpalast und Armeekasernen an. In

kurzer Zeit kann sie mehrere Stadtviertel, vor allem dichtbesiedelte Arbeiterwohngebiete, unter ihre Kontrolle bringen. Kurzfristig besetzen Guerilleros auch ein Luxushotel, in dem u. a. US-Militärberater der salvadorianischen Regierung untergebracht sind.

Mit Luftangriffen, bei denen offenbar auch Phosphor-Brandbomben abgeworfen werden, versucht die Armee, die Guerillakämpfer aus den Wohnvierteln zu vertreiben. Dabei sterben zahlreiche Zivilisten. Internationale Proteste löst der Mord an sechs katholischen Geistlichen auf

dem Gelände der katholischen Universität von San Salvador aus. Als Urheber der Morde werden die paramilitärischen »Todesschwadronen« vermutet, die eng verknüpft sind mit der ultrarechten »Arena«-Partei des Präsidenten. Das Regime verdächtigt die Kirche, mit der Guerilla zusammenzuarbeiten.

Die Kämpfer der FMLN wollen nur unter der Bedingung einer Militär- und Justizreform die Waffen niederlegen und sich ins zivile politische Leben eingliedern. Außerdem verlangen sie Prozesse gegen Mitglieder der Todesschwadronen.

Auch Weiße wählen in den USA schwarz

7. November. Schwarze Politiker erringen in den USA Wahlerfolge von historischer Bedeutung: In New York City wird mit David Dinkins erstmals ein Schwarzer Bürgermeister; im südlichen Bundesstaat Virginia wählen die Bürger Douglas Wilder zum Gouverneur.

Der 62jährige Dinkins löst Edward Koch an der Spitze der größten US-Stadt ab. Ebenso wie seine schwarzen Bürgermeister-Kollegen in rund 300 weiteren US-Städten gehört er der Demokratischen Partei an. Dinkins gilt als »Stimme der Versöhnung« (»Süddeutsche Zeitung«) angesichts eskalierender Rassenkonflikte und zunehmender sozialer Unterschiede. Noch bedeutsamer ist die Wahl Wilders. In keinem der 50 Bundesstaaten wurde bislang ein Schwarzer Gouverneur.

Frauen für Recht auf Abtreibung

12. November. Mehr als eine Million Menschen demonstrieren in rund 150 Städten der USA für das geltende Recht auf legalen Schwangerschaftsabbruch.

Die Demonstranten wenden sich gegen Versuche, die seit 1973 bestehende Möglichkeit zur legalen Abtreibung wieder abzuschaffen. Die Tendenz dazu erblicken sie u. a. in einem Urteil des Obersten Gerichtshofes vom Juli, das den einzelnen Bundesstaaten erlaubt, die Abtreibungspraxis massiv einzuschränken. Mit den in der Organisation »Pro Life« zusammengeschlossenen Abtreibungsgegnern sympathisiert auch US-Präsident George Bush. Bei lokalen bzw. regionalen Wahlen spielte das Thema 1989 eine wichtige Rolle: Durchweg siegten die Abtreibungs-Befürworter.

Sri Lanka: Militär erschießt Rebellen

13. November. Innerhalb von 24 Stunden töten regierungstreue Truppen in Sri Lanka das Führungstrio der singhalesischen Volksbefreiungsfront (JVP), die sich mit der Regierung unter Präsident Ramasinghe Premadasa einen blutigen Kampf liefert (→ Anhang »Kriege und Krisenherde«).

Die JVP organisiert seit August 1987 eine großangelegte Terrorkampagne gegen die Regierung Sri Lankas, um gegen die Beschränkung der nationalen Souveränität des Landes durch indische Besatzungstruppen zu protestieren.

Die Bevölkerung reagiert erleichtert auf die Liquidierung der Rebellenführer, deren marxistisch-leninistischer Organisation über 5000 Morde zur Last gelegt werden. An der Börse von Colombo steigen die Kurse.

Qualifikation für Italien geschafft

15. November. Vor 60 000 Zuschauern im Stadion von Köln-Müngersdorf nimmt die bundesdeutsche Fußball-Nationalmannschaft die letzte Hürde auf dem Weg zur Weltmeisterschaft 1990 in Italien.

Mit einem verdienten, aber bis zur 90. Minute hart umkämpften 2:1-Sieg gegen Wales schafft die Elf von Teamchef Franz Beckenbauer erst im letzten Spiel der Gruppe 4 die Qualifikation. Die wegen ihrer Härte und Kampfkraft gefürchteten Waliser gehen in der 11. Minute überraschend in Führung. In der 25. Minute gelingt den Deutschen durch Rudi Völler (AS Rom) jedoch der Ausgleich. Drei Minuten nach der Pause erzielt Thomas Häßler (1. FC Köln) den spielentscheidenden Treffer nach einer Flanke seines Kölner Mannschaftskameraden Pierre Littbarski.

In der Abschlußtabelle der Gruppe 4 belegt die Bundesrepublik hinter den Niederlanden, die in der Endabrechnung 10:2 Punkte aufweisen, mit 9:3 Punkten den zweiten Rang. Insgesamt beteiligten sich 32 europäische Mannschaften, die in sieben

Jürgen Klinsmann scheitert am walisischen Torhüter Southall. Der Stürmer ist vor allem in der ersten Halbzeit stets torgefährlich.

Gruppen 13 Teilnehmer für Italien ermittelten. Das Team des Gastgebers steht automatisch als Teilnehmer fest. Aus Lateinamerika werden fünf Mannschaften bei der WM antreten, aus Afrika bzw. Asien vier. Den erstmals bei einer WM vertretenen USA – Gastgeber der WM 1994 – werden unter allen Teilnehmern die geringsten Chancen eingeräumt.

Die Stationen der WM-Qualifikation führten für das Team der Bundesrepublik über Finnland, Wales und die Niederlande:

31. 8. 1988:	Finnland – BRD 0:4
19. 11. 1988:	BRD – Niederlande 0:0
26. 4. 1989:	Niederlande – BRD 1:1
31. 5. 1989:	Wales – BRD 0:0
4. 10. 1989:	BRD – Finnland 6:1
15. 11. 1989:	BRD – Wales 2:1

Leichtes Los für Beckenbauer-Team

Die WM-Gruppen nach der Auslosung am 9. Dezember in Rom (in Klammern die Spielorte):

Gruppe A:
▷ Italien, Österreich, USA, ČSSR (Rom, Florenz)

Gruppe B:
▷ Argentinien, Kamerun, UdSSR, Rumänien (Neapel, Bari)

Gruppe C:
▷ Brasilien, Schweden, Costa Rica, Schottland (Turin, Genua)

Gruppe D:
▷ BRD, Jugoslawien, Vereinigte Arabische Emirate, Kolumbien (Mailand, Bologna)

Gruppe E:
▷ Belgien, Südkorea, Uruguay, Spanien (Verona, Udine)

Gruppe F:
▷ England, Irland, Holland, Ägypten (Cagliari, Palermo)

Eröffnungsspiel: Argentinien – Kamerun (8. Juni, Mailand)
Finale: 8. Juli in Rom.

Fernsehen: Politik ohne Chancen gegen »König Fußball«

In vielen bundesdeutschen Fernsehhaushalten bringt »König Fußball« Spannung in den tristen Herbstmonat November. Mehr als 17 Millionen Zuschauer lockt allein die Übertragung des Weltmeisterschafts-Qualifikationsspiels Deutschland – Wales vor die Mattscheibe. Rund zehn Millionen Fußballfans schalten sich auch bei den UEFA- und DFB-Pokalspielen Anfang November ein.

Neben den großen Fußballereignissen sind es die aufwendigen Shows wie »Wetten, daß ...?« (ZDF 4. 11./19,21 Mio. Zuschauer) oder »Verstehen Sie Spaß?« (ARD 25. 11./16,22 Mio. Zuschauer), die eine große Fernsehgemeinde an sich binden können. Überhaupt neigt die Masse der Zuschauer leichter Unterhaltungskost zu, wie z. B. den Fernsehserien »Die schnelle Gerdi« oder »Mit Leib und Seele« (→ 5. 9./S. 75). Dagegen sind anspruchsvollere Fernsehspiele oder politische Informationssendungen weitaus weniger beliebt.

Abenteuer im Taxi
Zu den unterhaltsamen »Rennern« dieses Herbstes gehört die Serie »Die schnelle Gerdi« (ZDF). Rasanter Mittelpunkt der Geschichte um eine Münchener Taxifahrerin ist die österreichische Schauspielerin Senta Berger, deren Mann, Michael Verhoeven, für den Fernsehfilm gleichermaßen als Drehbuchautor und Regisseur verantwortlich zeichnet.

Jagd auf Judenmörder
Ben Kingsley – durch den Kinofilm »Gandhi« weltberühmt – verkörpert in dem zweiteiligen Spielfilm »Recht, nicht Rache« den jüdischen Architekten Simon Wiesenthal. In erschütternden Bildern zeichnet der Film das Schicksal Wiesenthals nach, der zwölf Konzentrationslager überlebte und sich nach 1945 der Verfolgung der Judenmörder widmete.

»Waterkant-Gate«
Ein »heißes Eisen« packt die ARD am 29. November mit ihrem politischen Fernsehspiel »Die Staatskanzlei« (NDR/WDR) an. Halb szenisch, halb dokumentarisch versucht Regisseur Heinrich Breloer die Affäre um den ehemaligen schleswig-holsteinischen Ministerpräsidenten Uwe Barschel – gespielt von Roland Schäfer (Foto) – nachzuerzählen.

Die doppelte Judy
Zu später Stunde bietet das ZDF seinen Zuschauern am 5. November mit dem Psychothriller »Besuch« spannende 45 Minuten. Zwei Schwestern, beide gespielt von Judy Winter, liefern sich bei diesem Regiedebüt von Cordula Trantow einen Psychokampf mit tödlichem Ausgang. Von der Kritik wird der Film sowohl gelobt als auch verrissen.

Korrupte SED-Spitze unter Druck – die Wut wird größer

Korruption, Amtsmißbrauch, persönliche Bereicherung – die Wut der DDR-Bevölkerung über die Herrschaftspraxis der mehr als 40 Jahre regierenden SED nimmt durch immer neue Enthüllungen von Tag zu Tag zu. Hochrangige SED-Funktionäre und ehemalige Regierungsmitglieder werden verhaftet, ihr luxuriöser Lebensstil durch die DDR-Medien einer breiten Öffentlichkeit offengelegt. Hochrangige SED-Mitglieder fürchten um ihre Sicherheit.

2. Dezember. In der DDR-Volkskammer in Ost-Berlin kommt es zu tumultartigen Szenen, als die Ergebnisse des Untersuchungsausschusses bekannt werden, der Amtsmißbrauch, Korruption und persönliche Bereicherung der abgelösten Staats- und Parteiführung untersucht hat. In den folgenden Tagen erläßt die Generalstaatsanwaltschaft Haftbefehl gegen die Mächtigen von einst: ZK-Wirtschaftssekretär Günter Mittag, Gewerkschaftschef Harry Tisch sowie zwei SED-Bezirkssekretäre werden unter dem Vorwurf festgenommen, Volkseigentum und Volkswirtschaft geschädigt zu haben. Ministerpräsident Willi Stoph, der Minister für Staatssicherheit, Erich Mielke, sowie die Politbüromitglieder Günther Kleiber und Werner Krolikowski müssen ebenfalls hinter Gitter. Der erkrankte frühere Staats- und Parteichef Erich Honecker wird unter Hausarrest gestellt.

Kein Tag vergeht, ohne daß neue Enthüllungen über den privaten Luxus führender SED-Männer verbreitet werden. Am 1. Dezember verschaffen sich aufgebrachte Bürger und Journalisten in dem Ort Nossentiner Hütte Zugang zu einem komfortablen Gästehaus Honeckers, dem Jagdhaus Drewitz. Das schilfgedeckte Wohnhaus mit zwei Etagen und fünf Appartements ist mit Fußbodenheizung, massiven Holzvertäfelungen sowie Schwimmbad und Sauna ausgestattet. Auf dem Dach sorgen zwei Parabolspiegel für den Empfang westlicher Fernsehsender. Zum Jagdhaus gehört ein 11 500 Hektar großes Jagdrevier, das dem SED-Chef vorbehalten war.

Auch andere SED-Prominente waren leidenschaftliche Jäger. Willi Stoph verfügte über ein Jagdrevier von 8000 Hektar, in seinem Jagdhaus war an Luxusgütern westlicher Herkunft kein Mangel. Harry Tisch, Günter Mittag, Horst Sindermann und andere Prominente besaßen ebenfalls noble Landsitze und nutzten ihr exklusives Jagdrecht in mehr als 30 Staatsjagden und Sonderjagdgebieten.

Täglich berichten die Zeitungen über Fälle persönlicher Bereicherung der SED-Oberen. Für die Töchter Günter Mittags sowie für die Söhne von Werner Krolikowski, Günter Kleiber und Willi Stoph wurden Häuser auf Staatskosten errichtet. Dem Sohn von Kleiber standen jahrelang kostenlos Testwagen von Skoda und Wartburg zur Verfügung, und der ehemalige Erfurter SED-Bezirkssekretär Gerhard Müller ließ sich für 700 000 Mark ein Jagdhaus errichten – der Bau der Zufahrtsstraße kostete noch einmal 1,1 Millionen Mark.

Die Öffnung des bisher für Besucher und Presse streng abgeriegelten Berliner Prominentenviertels Wandlitz, in dem 23 Politbüro- und Regierungsmitglieder komfortabel residierten, hatte bereits im November für beträchtliches Aufsehen gesorgt. Der feudale Lebensstil der SED-Prominenz, von der LDPD-Zeitung »Der Morgen« mit den Worten kommentiert »Sie predigten öffentlich Wasser und tranken heimlich Wein«, bringt die SED um den letzten Rest ihrer Glaubwürdigkeit. Parteimitglieder in Betrieben und Behörden werden öffentlich angegriffen, Selbstmorde örtlicher SED-Sekretäre sind keine Ausnahmefälle. Aufrufe zu Ruhe und Besonnenheit werden nötig, um Akte der Selbstjustiz zu verhindern.

Demonstranten in Ost-Berlin sehen den früheren Staats- und Parteichef Erich Honecker, der unter Hausarrest steht, schon hinter Gefängnismauern.

Krumme Geschäfte auf höchste Anweisung

Die Beweise für illegale Geschäfte führender SED-Mitglieder häufen sich: In Kavelstorf bei Rostock wird am 1. Dezember bei der Versandfirma Imes GmbH ein Lager mit Waffen entdeckt, die in den Nahen Osten, nach Afrika und Lateinamerika verschifft werden sollten.

Die Firma Imes unterstand dem ehemaligen Staatssekretär im Außenhandelsministerium, Alexander Schalck-Golodkowski. Seine Abteilung »Kommerzielle Koordinierung« (KoKo), die ein Geflecht von offiziellen und inoffiziellen Handelsfirmen steuerte, sollte Devisengewinne für die DDR erzielen. Provisionsgeschäfte und Finanztransaktionen, Schmuggel mit Alkohol oder Parfum sowie Waffenhandel brachten jährlich sieben bis zwölf Milliarden DM ein.

Davon wurden rund 1,5 Milliarden DM an den Staat abgeführt, der Verbleib der restlichen Devisen ist nicht vollständig geklärt. Sicher ist jedoch, daß Schalcks Abteilung den Staatssicherheitsdienst finanziert und die SED-Prominenz mit Luxusgütern versorgt hat.

Wichtigster Devisenbeschaffer

Alexander Schalck-Golodkowski (57), der sich aus der DDR abgesetzt hat und sich seit dem 4. Dezember in West-Berlin in Untersuchungshaft befindet, galt als »graue Eminenz« der DDR-Wirtschaft und unterstand dem ZK-Sekretär Günter Mittag. Der auch bei bundesdeutschen Wirtschaftspartnern geschätzte Staatssekretär war für knapp die Hälfte der DDR-Deviseneinnahmen verantwortlich und führte noch einen Tag vor seiner Flucht Verhandlungen mit der Bundesregierung in Bonn.

»Runder Tisch« will »Stasi« abschaffen

7. Dezember. Nach Polen (→ 17. 4./ S. 29) und Ungarn (→ 23. 10./S. 80) hat jetzt auch die DDR ihren »Runden Tisch«, ein Forum der verschiedenen gesellschaftlichen Kräfte zur Überwindung der Krise im Land. Beim ersten offiziellen Zusammentreffen in Ost-Berlin einigen sich Vertreter von Regierungsparteien und Oppositionsgruppen auf freie Wahlen am 6. Mai 1990, die Ausarbeitung einer neuen Verfassung und die Auflösung des Staatssicherheitsdienstes (»Stasi«).

Von der organisierten DDR-Opposition erscheinen u. a. Repräsentanten der Gruppen »Neues Forum« und »Demokratie Jetzt« am »Runden Tisch«, der diesmal viereckig ist. Auch Vertreterinnen des zunächst nicht berücksichtigten Unabhängigen Frauenverbandes nehmen an den Verhandlungen teil, zu denen die Kirchen der DDR eingeladen haben. Die 33 Delegierten wollen keine parlamentarische oder Regierungsfunktion ausüben, wohl aber in alle wichtigen Entscheidungen einbezogen werden. Man versteht sich »als Bestandteil der öffentlichen Kontrolle« bereits eingeleiteter Reformen. Spektakulärster Beschluß des

»Runden Tisches« ist der Appell zur Auflösung der Stasi, die unter ziviler Kontrolle geschehen soll. Für den Wahltermin 6. Mai 1990 plädieren 22 Delegierte. Die übrigen bevorzugen einen späteren Termin, um den neugegründeten Parteien mehr Zeit einzuräumen. Die Ausarbeitung einer neuen Verfassung soll sofort beginnen. Über den Entwurf soll ein Volksentscheid befinden.

Am 18. Dezember findet eine weitere Gesprächsrunde statt, bei der vor allem Forderungen nach einer stärkeren Kontrolle der Regierung Modrow laut werden.

Modrow (l.) begrüßt Kohl auf dem Flughafen Dresden-Klotzsche.

Auch Staatsoberhaupt nimmt teil

Zwar sitzt Manfred Gerlach (zur Kamera gewendet) als Chef der Liberaldemokratischen Partei (LDPD) am »Runden Tisch«, einen Tag zuvor wurde er aber auch gleichzeitig Staatsoberhaupt der DDR: Der 61jährige folgte dem zurückgetretenen Egon Krenz am 6. Dezember als Staatsratsvorsitzender nach (→ S. 113). Skeptischen Oppositionellen gilt Gerlach als »Wendehals«, der einst gute Kontakte zu Ex-SED-Chef Erich Honecker pflegte. Der Liberaldemokrat betont dagegen, daß er sich schon im Juni dieses Jahres für Reformen eingesetzt und »dabei einige Beulen« geholt habe.

Brandenburger Tor ist wieder offen

22. Dezember. Unter dem Jubel von mehreren tausend Berlinern wird am Brandenburger Tor, dem Wahrzeichen der Stadt, ein Grenzübergang für Fußgänger eröffnet. Bundeskanzler Helmut Kohl (CDU), DDR-Ministerpräsident Hans Modrow (SED) sowie der Regierende Bürgermeister von West-Berlin, Walter Momper (SPD) und sein Ost-Berliner Kollege Erhard Krack (SED) nehmen an dem feierlichen Akt teil. Kohl und Modrow vereinbarten die Öffnung am 19. Dezember.

Der Öffnung des Brandenburger Tores kommt eine hohe symbolische Bedeutung zu. Das zwischen 1788 und 1791 entstandene Bauwerk wurde nach dem Mauerbau 1961 zum Sinnbild für die Einheit der Deutschen. Nach dem 9. November 1989 hatten Tausende von Menschen unablässig die Öffnung verlangt.

Streit um deutsche Einheit

11. Dezember. Bei den Massendemonstrationen in verschiedenen Städten der DDR werden die Rufe nach einer Wiedervereinigung immer lauter. Insbesondere in Leipzig kommt es zwischen Gegnern und Befürwortern der deutschen Einheit zu einem aggressiven Parolenkrieg. Innerhalb der Protestbewegung, bisher geeint durch die Kritik am eigenen System, beginnt sich ein Riß abzuzeichnen.

Besonders spannungsgeladen ist die Atmosphäre in Leipzig. Hier skandieren Gruppen von Demonstranten immer wieder »Deutschland, einig Vaterland«. Anderen Oppositionellen, die vor »großdeutschen Gefühlen« warnen, schlägt ein Pfeifkonzert entgegen. Studenten der Karl-Marx-Universität, auf deren Transparenten u. a. zu lesen ist »Wir lassen uns nicht BRDigen«, müssen sich böse Beschimpfungen anhören.

Enttäuscht von dieser Umwandlung der friedlichen Montagsdemonstrationen in nationalistische Kundgebungen bleiben immer mehr Linksintellektuelle aus Friedens- und Kirchenkreisen zu Hause. Ihr Ziel ist ein demokratischer Sozialismus in einer selbständigen DDR. In Leipzig, wo noch vor einigen Wochen rund eine halbe Million Menschen demonstrierten, sind am 12. Dezember nur noch etwa 100 000 Bürger auf den Straßen. Unter ihnen sind diejenigen in der Überzahl, die dem zweiten deutschen Staat keine Überlebenschance geben wollen. Nach Ansicht von politischen Beobachtern handelt es sich dabei überwiegend um Arbeiter. Nach 40 Jahren harter, aber fruchtloser Arbeit unter dem SED-Regime versprechen sie sich von der Wiedervereinigung beider deutschen Staaten in der Hauptsache wirtschaftliche Vorteile.

Dresden feiert Kohl euphorisch

19. Dezember. Mit stürmischem Jubel begrüßen mehrere tausend Menschen Bundeskanzler Helmut Kohl (CDU) zu seinem ersten offiziellen DDR-Besuch in Dresden. Kohl trifft hier zum ersten Mal DDR-Ministerpräsident Hans Modrow (SED), um mit ihm über eine engere und langfristigere Zusammenarbeit zwischen den beiden deutschen Staaten zu beraten.

Neben dem Plan einer sog. Vertragsgemeinschaft, die ein dichtes Netz von Vereinbarungen auf allen Gebieten, insbesondere aber im wirtschaftlichen Bereich, umfaßt, geben die beiden Regierungschefs nach einem zweistündigen Gespräch u. a. folgende konkreten Beschlüsse bekannt:

▷ Die Öffnung des Brandenburger Tores für den Fußgängerverkehr noch vor Weihnachten

▷ Die Befreiung des innerdeutschen Reiseverkehrs von Visum und Zwangsumtausch bereits zum 24. Dezember (→ 5. 12./S. 118)

▷ Die Freilassung politischer Gefangener in der DDR möglichst noch vor Weihnachten.

In einer kurzen Rede nennt Kohl die Wiedervereinigung als das Ziel seiner Politik, »wenn die Geschichte es zuläßt«. Die Kundgebungsteilnehmer, die sich für einen eigenständigen politischen Weg der DDR einsetzen, müssen von der Polizei geschützt werden vor einer fanatischen Menge, die lautstark immer wieder ein vereintes Deutschland verlangt.

Der Dresdener Oberbürgermeister Wolfgang Berghofer (SED), mit dem Kohl am zweiten Tag seines Besuches zusammentrifft, bewertet den Kanzlerbesuch als »historisch« für die deutsch-deutschen Beziehungen.

Europa im Mittelpunkt des »Seegipfels«

2. Dezember. Zum 16. Ost-West-Gipfel seit 1955 treffen sich auf der Mittelmeerinsel Malta die Präsidenten der USA und der UdSSR, George Bush und Michail Gorbatschow.
Im Interesse eines »friedlichen, demokratischen Wandels« in Osteuropa bietet Bush dem sowjetischen Präsidenten an, durch wirtschaftliche Hilfe dessen Reformpolitik zu unterstützen. Angesichts der Debatte um eine deutsche Wiedervereinigung betonen Bush und Gorbatschow die Wichtigkeit dauerhafter,

unverletzlicher Grenzen in Europa. Ein Abkommen über die Reduzierung strategischer Atomwaffen (Atomwaffen mit einer Reichweite über 5500 km) fassen die beiden Staatschefs innerhalb der nächsten sieben Monate ins Auge.
Das kurzfristig vereinbarte Treffen sollte eigentlich auf zwei Kriegsschiffen vor der Küste Maltas stattfinden. Wegen des stürmischen Wetters berät man aber letztlich an Bord des am Ufer vertäuten sowjetischen Passagierdampfers »Maxim Gorki«.

Maßgebend für das Zustandekommen des »Kennenlern-Gipfels« (Bush) war eine grundlegende Änderung der amerikanischen Einstellung zu den Reformen in der UdSSR. Erst in den letzten Monaten hat die Bush-Administration ihre diesbezügliche Skepsis aufgegeben. Statt dessen verbreitet sie nunmehr Optimismus, »ein für allemal den Kalten Krieg zu beenden«. Diese Absicht findet ihren Niederschlag auch in der angekündigten Beschneidung des US-Militärhaushalts.

Ursprünglich als Tagungsort vorgesehen: Das US-amerikanische Kriegsschiff »Belknap« vor Malta.

Bush (l.) und Gorbatschow, hier bei der Pressekonferenz, treffen sich im Juni 1990 in Washington wieder.

Neue ČSSR-Regierung: Kommunisten in der Minderheit

10. Dezember. Ministerpräsident Marian Čalfa bildet erstmals seit 1948 eine überwiegend nichtkommunistische Regierung in der ČSSR. Er entspricht damit den Forderungen der Oppositionsbewegung. Nach der Vereidigung des neuen Kabinetts tritt mit Staatspräsident Gustav Husak die »letzte Symbolgestalt des poststalinistischen Regimes« (»Süddeutsche Zeitung«) von ihrem Amt zurück.
Nur noch zehn der 21 Regierungsmitglieder gehören nunmehr der kommunistischen Partei (KPČ) an. Dazu zählt der als Reformer geltende Ministerpräsident Čalfa und einer seiner beiden Stellvertreter, Valtr Komárek, den auch das oppositionelle »Bürgerforum« unterstützt (→ 24. 11./S. 108). Er befürwortet marktwirtschaftliche Reformen in der ČSSR. Außenminister Jiri Dienstbier und der zweite Vizepremier, Jan Carnogursky, wurden wegen ihres Engagements für die Bürgerrechte bis vor kurzem noch ver-

folgt und mit Berufsverboten belegt. Der KPČ bleibt mit dem Verteidigungsministerium nur noch ein Schlüsselressort.
Der radikalen Umformung der Exekutive, die als politischer Neubeginn

im ganzen Land mit Glockenläuten und Schlüsselklingeln begrüßt wird, ging anhaltender Protest der Opposition voraus. Eine erste Regierungsumbildung am 3. Dezember lehnte das Bürgerforum ab, weil das

Kabinett weiterhin kommunistisch dominiert blieb, obwohl der Führungsanspruch der KPČ bereits aus der Verfassung gestrichen wurde. Unter dem Druck von Demonstrationen und der Androhung eines Generalstreiks trat Ministerpräsident Ladislav Adamec am 7. Dezember ab und machte den Weg frei für neue Verhandlungen über die Regierungsbildung unter Leitung des Regierungssprechers Čalfa.
Nach dem Rücktritt von Staatspräsident Husak herrscht zunächst Unklarheit über die Modalitäten zur Wahl eines neuen Präsidenten. Noch vor Weihnachten wird der Kandidat des Bürgerforums, der Schriftsteller Václav Havel als Staatspräsident nominiert. Alexander Dubček wird als Parlamentspräsident vorgeschlagen. Die Kommunistische Partei kündigt eine Untersuchung gegen Husak und 31 führende Funktionäre des alten Regimes an. Der ehemalige ZK-Sekretär Bilak wurde vom Parteitag aus der KPČ ausgeschlossen.

Vertreter einer neuen ČSSR Hand in Hand: Alexander Dubček (l.) und Václav Havel auf dem Weg zu einer Kundgebung des Bürgerforums

US-Truppen intervenieren in Panama

20. Dezember. Die Spannungen zwischen Panama und den USA entladen sich in einer militärischen Konfrontation. Um 1 Uhr morgens (Ortszeit) greifen in der Kanalzone stationierte US-Truppen, unterstützt von direkt aus den USA eingeflogenen Einheiten, panamaische Militäreinrichtungen an. Der Machthaber Panamas, General Manuel Antonio Noriega, kann sich zunächst der Gefangennahme entziehen und flüchtet am 25. Dezember in die Botschaft des Vatikans.

Eine Stunde nach Beginn der mit Panzern, Flugzeugen und Hubschraubern durchgeführten Angriffe rechtfertigt der Sprecher des Weißen Hauses in Washington, Marlin Fitzwater, das Eingreifen der USA. Ziel der Operation sei unter anderem die Festnahme von General Noriega, der sich am 16. Dezember zum Präsidenten hatte wählen lassen und anschließend den USA den Krieg erklärte. Er ist von einem US-Gericht des Rauschgiftschmuggels angeklagt. US-Präsident George Bush erklärt in einer Fernsehansprache, die Intervention sei nötig geworden, »um das Leben von 35 000 Amerikanern in Panama zu schützen, den demokratischen Prozeß wiederherzustellen und die Unverletzlichkeit der Kanalverträge zu sichern.«

Der militärische Widerstand von Noriegas Einheiten gegen die US-Truppen

Den USA ein Dorn im Auge: Panamas Machthaber, General Noriega

pen hält sich unerwartet lange. Schon am ersten Tag und in der folgenden Nacht kommen bei Straßenkämpfen mehr als 200 Menschen, darunter zahlreiche Zivilisten, ums Leben. Auf Noriega, der über den Regierungssender verbreiten läßt, er werde bis zum Tod gegen die »US-amerikanischen Invasoren« kämpfen, setzt die US-Regierung ein Kopfgeld von einer Million US-Dollar aus. Unmittelbar nach Beginn der Angriffe läßt sich Oppositionsführer Guillermo Endara zum Präsidenten vereidigen und wird von den USA sofort anerkannt. Endara hatte bei den Wahlen am → 7. Mai (S. 40) vermutlich die meisten Stimmen erhalten, doch war die Wahl von Armeechef Noriega annulliert worden.

Die Intervention der USA in Panama stößt im Ausland auf ein geteiltes Echo. Während in den NATO-Staaten Verständnis für das Eingreifen geäußert wird, sprechen die Sowjetunion und die Mehrheit des Weltsicherheitsrates in New York von einer Verletzung des Völkerrechts.

Brasilien wählt neuen Präsidenten

17. Dezember. Der 40jährige Fernando Collor de Mello gewinnt die ersten direkten Präsidentschaftswahlen in Brasilien seit 1960.

Nach Auszählung von 82,5% der Stimmen hat der für die konservative »Partei des Nationalen Wiederaufbaus« (PRN) kandidierende Collor mit 52,4% einen uneinholbaren Vorsprung gegenüber seinem sozialistischen Gegner Luis Inácio Lula da Silva. Der Millionär Collor gilt als Kandidat der Wirtschaft und der ausländischen Gläubigerbanken des hochverschuldeten Landes. Im Wahlkampf versprach er, gegen Korruption und die Inflation von jährlich über 1000% zu kämpfen. Der von der Kirche unterstützte Lula prangerte die Armut breiter Bevölkerungsschichten und die ungleiche Einkommensverteilung an.

Der erste demokratische Präsident Brasiliens nach dem Ende der Militärdiktatur (1964–1985), José de Ribamar Sarney, kam 1985 nach indirekten Wahlen ins Amt.

Hongkong weist »Boat People« aus

12. Dezember. Trotz internationaler Proteste beginnt die Regierung der britischen Kronkolonie Hongkong mit der zwangsweisen Rückführung von Bootsflüchtlingen (»Boat People«) nach Vietnam.

In ihrer Heimat erwartet die 51 Heimkehrer ein ungewisses Schicksal, auch wenn die kommunistische Regierung Straffreiheit zugesagt hat und von der Kronkolonie für die Wiedereingliederung der Flüchtlinge pro Kopf umgerechnet rund 1100 DM erhält.

Mit dieser umstrittenen Maßnahme will die Regierung des übervölkerten Hongkong den angewachsenen Flüchtlingsstrom der vorwiegend aus wirtschaftlichen Gründen emigrierenden Vietnamesen begrenzen. Seit Juli 1988 kamen 43 900 Immigranten. In anderen asiatischen Ländern wie Malaysia oder den Philippinen werden die Vietnamesen seit langem kurzerhand abgeschoben. Hongkong gibt jetzt seine bisher tolerante Haltung auf, nachdem die USA, Frankreich und Australien eine Entlastung der Kronkolonie durch eine Aufnahme der Vietnamesen in ihren Ländern abgelehnt haben.

Präsidentin Aquino in Not

7. Dezember. Auf den Philippinen endet eine sechstägige Militärrevolte gegen die Regierung von Präsidentin Corazon Aquino mit der Rückkehr der rund 3000 rebellierenden Soldaten in ihre Kasernen.

Der sechste Putschversuch in der knapp vierjährigen Amtszeit Aquinos beleuchtet schlaglichtartig die ungelösten Probleme des Landes. Die angegriffene Staatschefin muß

sich, nachdem sie US-Streitkräfte gegen die Rebellen zu Hilfe rief, von linken und nationalistischen Gegnern vorwerfen lassen, eine Marionette der USA zu sein. In der Armee mehren sich die Gegner der Präsidentin, die 1986 den Diktator Ferdinand Marcos zum Rücktritt gezwungen hatte. Die Wirtschaft steckt in einer schweren Krise, und in der Bevölkerung wächst die Unzufriedenheit.

Philippinische Rebellen kehren – immer noch bis an die Zähne bewaffnet – nach dem Scheitern des blutigen Putsches in ihre Kasernen zurück.

Chilenen wählen Putsch-General ab

14. Dezember. Der Christdemokrat Patricio Aylwin gewinnt die ersten freien Präsidentschaftswahlen in Chile seit 1970. Der 71jährige übernimmt im März 1990 das Amt von Augusto Pinochet Ugarte, der 1973 mit einem Militärputsch an die Macht gelangte.

Als Vertreter eines Oppositionsbündnisses, dessen Spektrum konservative bis marxistische Gruppen umfaßt, erreicht Aylwin mit 55,2% der abgegebenen Stimmen die absolute Mehrheit. Pinochets Wunschkandidat, sein ehemaliger Finanzminister Hernan Büchi, bringt es auf 29,4%, der unabhängige Unternehmer Francisco Javier Errazuriz auf 15,4%. Die Wahlbeteiligung liegt bei 93%.

Aylwin will zwar die neoliberale Wirtschaftspolitik Pinochets beibehalten, ihre sozialen Folgen allerdings – die Verelendung breiter Bevölkerungsschichten – durch höhere Sozialausgaben abmildern.

Die Wahlen wurden möglich, nachdem sich im Oktober 1988 55% der Bevölkerung per Referendum gegen eine weitere achtjährige Amtszeit des Generals Pinochet ausgesprochen hatten.

SPD beschließt neues Parteiprogramm

20. Dezember. In West-Berlin geht ein dreitägiger Parteitag der SPD zu Ende, auf dem das Godesberger Programm von 1959 durch ein neues Grundsatzprogramm abgelöst wird. Auf dem Kongreß, der ursprünglich in Bremen stattfinden sollte, jedoch kurzfristig nach Berlin verlegt wurde, stand zunächst die Deutschlandpolitik im Mittelpunkt. Der SPD-Ehrenvorsitzende Willy Brandt warnte in einer mit großem Beifall bedachten Rede vor einem Rückfall in den »Vorkriegs-Nationalismus«,

betonte andererseits: »Noch so große Schuld einer Nation kann nicht durch eine zeitlos verordnete Spaltung getilgt werden.«
In der »Berliner Erklärung« beschließt die SPD, »auf einen Zustand des Friedens in Europa hinzuwirken, in dem das deutsche Volk in freier Selbstbestimmung seine Einheit wiedererlangt.«SPD-Chef Hans-Jochen Vogel fordert ein Sofortprogramm in Milliardenhöhe, um den Demokratisierungsprozeß in der DDR wirtschaftlich abzusichern.

Mit großer Mehrheit verabschiedet der Parteitag ein neues Grundsatzprogramm. Zentrale Bedeutung kommt dem Konzept der »Wirtschaftsdemokratie« zu, in der »gesellschaftliche Ziele Vorrang vor den Zielen privatkapitalistischer Kapitalverwertung« haben sollen. Die »ökologische Erneuerung« soll durch ein grundsätzliches Umdenken in der Wirtschafts- und Umweltpolitik erreicht werden. In dem Kapitel »Zukunft der Arbeit« fordert die SPD eine Arbeitszeitverkürzung in Richtung auf die 30-Stunden-Woche, wobei die Arbeit an Samstagen nicht zur Regel werden soll.
In einer frei gehaltenen programmatischen Rede, vielfach als »Durchbruch für seine Kanzlerkandidatur« bewertet, ruft der stellvertretende Parteivorsitzende Oskar Lafontaine dazu auf, »die soziale Gerechtigkeit in beiden deutschen Staaten zu organisieren.« Die Frage der Einheit sei dabei zweitrangig: »Die Lage der sozialen Gerechtigkeit ist immer vorrangig gegenüber der Idee, wie zukünftige Staaten zu schaffen seien . . . Hier ist die Archillesverse der Konservativen, hier können wir sie jagen.« Die Einheit der Menschen, nicht die staatliche Einheit müsse im Mittelpunkt sozialdemokratischer Politik stehen.

Willy Brandt, Integrationsfigur der SPD, wird von den Delegierten und Gästen des Parteitages wie Lew Kopelew (2. v. r.) stürmisch gefeiert.

Mannesmann erhält Mobilfunk-Lizenz

7. Dezember. Bundespostminister Christian Schwarz-Schilling (CDU) erteilt der Mannesmann-Mobilfunk GmbH die Lizenz für Errichtung und Betrieb des privaten Mobilfunk-Netzes D 2. Das Unternehmen sei unter den zehn Bewerbern das »be-

Mit der Vergabe der Mobilfunk-Lizenz durch Postminister Schwarz-Schilling hat die Post im Bereich des Fernmeldewesens private Konkurrenz bekommen.

ste und fähigste« gewesen, begründet der Minister seine Entscheidung auf einer Bonner Pressekonferenz. Mannesmann soll bis 1991 parallel zur Bundespost ein Telefonsystem errichten, das mittels digitaler Funksignale drahtloses Telefonieren von jedem Ort der Bundesrepublik aus ermöglicht. Da das bundesdeutsche Mobilfunknetz im Verbund mit 18 anderen europäischen Ländern in Betrieb gehen wird, können die Inhaber der handlichen Mobilfunk-Telefone fast ganz Europa direkt anwählen.

Zwangsumtausch fällt weg

5. Dezember. Die DDR schafft den Zwangsumtausch für Bundesbürger und West-Berliner ab, der 25 DM pro Tag betragen hatte. Auch die Visumspflicht entfällt. Die Regelung soll am 1. Januar 1990 in Kraft treten (→ 19. 12./S. 115). Dies vereinbaren Kanzleramtsminister Rudolf Seiters (CDU) und DDR-Ministerpräsident Hans Modrow (SED) in Ost-Berlin. Weiterhin wird die Einrichtung eines Devisenfonds beschlossen.
Seiters gibt bekannt, daß die Bundesregierung von 1990 an das Begrüßungsgeld in Höhe von 100 DM an DDR-Bürger nicht mehr auszahlen werde. Statt dessen dürfen Reisende 200 DM in der DDR erwerben. Von diesem Betrag wird die eine Hälfte im Verhältnis 1:1 und die andere im Verhältnis 1:5 in DM umgetauscht. Der Devisenfonds hat ein Volumen von etwa drei Milliarden DM. Die DDR und die Bundesrepublik zahlen jeweils 750 Millionen DM ein. Dar-

über hinaus steuert die Bundesregierung die 1,5 Milliarden bei, die eine weitere Zahlung des Begrüßungsgeldes gekostet hätte. Seiters betont, daß durch diese Regelungen »erstmals seit 45 Jahren völlige Freizügigkeit in Deutschland geschaffen« werde.

Vertrauensvolles Verhandlungsklima: Seiters (l.) bei Modrow

Bundeswehr wird kleiner

6. Dezember. Das Bundeskabinett beschließt, die Friedensstärke der Bundeswehr von 1995 an um 75 000 auf 420 000 Soldaten zu reduzieren.
Nach Angaben von Bundesverteidigungsminister Gerhard Stoltenberg (CDU) könne die Truppenstärke auf weniger als 400 000 Mann verringert werden, wenn es 1990 bei den Abrüstungsverhandlungen über konventionelle Waffen in Wien zu Ergebnissen komme. Mit dieser sog. Öffnungsklausel wird der Streit zwischen der FDP und Stoltenberg beigelegt, der sich gegen eine weitergehende Truppenreduzierung ausgesprochen hatte. Darüber hinaus werde bei einem Verhandlungserfolg in Wien die für 1992 vorgesehene Verlängerung des Grundwehrdienstes von 15 auf 18 Monate entfallen.
Den Oppositionsparteien SPD und Grüne gehen die Pläne Stoltenbergs nicht weit genug. In der Bundestagsdebatte am 7. Dezember werfen sie

Bundesverteidigungsminister Gerhard Stoltenberg (CDU) gilt als Gegner einer drastischen Reduzierung der Truppenstärke. Er will weitere Schritte von der Entwicklung der Staaten des Warschauer Pakts abhängig machen.

dem Bundesverteidigungsminister vor, nur halbherzige Ansätze und keine ernsthafte Perspektive in Richtung Abrüstung entwickelt zu haben. Sein Konzept sei in erster Linie eine Reaktion auf die abnehmende Zahl von Wehrpflichtigen und die knappen Haushaltsmittel. Die SPD schlägt vor, bereits ab 1990 einen zwölfmonatigen Grundwehrdienst einzuführen und die Bundeswehr langfristig auf 250 000 Soldaten zu beschränken. Die Grünen halten sogar eine neunmonatige Wehrpflicht für ausreichend.

Die Nobelpreisträger während der feierlichen Zeremonie in Stockholm (v. l.): Ramsey (Physik/USA), Dehmelt (Physik/USA), Paul (Physik/BRD), Altman (Chemie/Kanada), Cech (Chemie/USA), Bishop (Medizin/USA), Varmus (Medizin/USA), Cela (Literatur/Spanien) und Haavelmo (Wirtschaft/Norwegen)

China protestiert gegen Friedensnobelpreis für Dalai Lama

10. Dezember. *In Oslo und Stockholm werden die mit umgerechnet 838 000 DM dotierten Nobelpreise verliehen. Für seine Beiträge zur gewaltlosen Lösung von Konflikten erhält der Dalai Lama, das im indischen Exil lebende geistliche und politische Oberhaupt der Tibeter, in der norwegischen Hauptstadt den Friedensnobelpreis. China, dessen Truppen Tibet seit 1950 besetzt halten, bezeichnete die Preisvergabe als »Einmischung in die inneren Angelegenheiten«. Die Nobelpreise für Literatur, Medizin, Physik, Chemie und Wirtschaftswissenschaften überreicht der schwedische König Carl XVI. Gustaf im Stockholmer Konzerthaus. Unter den Preisträgern befindet sich auch der bundesdeutsche Physiker Wolfgang Paul (76).*

Transrapid-Projekt beschlossene Sache

20. Dezember. Das Bundeskabinett beschließt in Bonn, die erste Anwendungsstrecke für die Magnetschwebebahn Transrapid zwischen den Flughäfen Düsseldorf und Köln/Bonn zu bauen.

Der Transrapid soll in den 90er Jahren auf der ca. 54 Kilometer langen Strecke jährlich 20,5 Millionen Passagiere mit einer Reisegeschwindigkeit von 400 km/h transportieren. Damit können die beiden Flughäfen verkehrstechnisch zu einem Großflughafen Nordrhein-Westfalen zusammengeschlossen werden. Zusätzlich wird für eine Entlastung der Autobahnen der Rhein-Ruhr-Region gesorgt.

Bundesforschungsminister Heinz Riesenhuber erklärt am 21. Dezember auf einer Pressekonferenz in Bonn, daß die Bundesregierung sich von der Magnetbahn eine wesentliche Verbesserung des Gesamtverkehrssystems – insbesondere auch in bezug auf zukünftige Ost-West-Verbindungen – verspricht.

Am 21. Dezember gibt die Landesregierung von Nordrhein-Westfalen bekannt, daß sie das Projekt nicht mitfinanzieren werde, da sie es für ein reines Prestigeobjekt halte. Das Bundeskabinett hatte seine Genehmigung jedoch an eine Beteiligung des Landes gebunden.

Vogts wird Bundestrainer

1. Dezember. Berti Vogts (42) wird nach der Weltmeisterschaft 1990 neuer Fußball-Bundestrainer. Auf einer Pressekonferenz am Sitz des Deutschen Fußball-Bundes (DFB) in Frankfurt gibt der jetzige Teamchef Franz Beckenbauer gleichzeitig seinen Rücktritt nach der WM in Italien bekannt.

Während seiner aktiven Zeit als Fußballprofi bei Borussia Mönchengladbach und als 96facher Nationalspieler galt der designierte Bundestrainer als eisenharter Verteidiger ohne technische Ambitionen. Seit zehn Jahren erfolgreich als DFB-Nachwuchstrainer tätig, legt Vogts mittlerweile mehr Wert auf die spielerischen Elemente des Fußballs.

Der »Kaiser« und der »Terrier«: Beckenbauer (l.) und Vogts

Ehrung in Abwesenheit

2. Dezember. Steffi Graf wird zum vierten Mal hintereinander, Boris Becker zum dritten Mal nach 1985 und 1986 als »Sportler des Jahres« geehrt. Den zweiten Platz belegen der Turner Andreas Aguilar (→ 21. 10./S. 84) und die Dressurreiterin Nicole Uphoff (→ 6. 8./S. 64).

Zur Mannschaft des Jahres haben die deutschen Sportjournalisten den Ruder-Achter gewählt, der 1989 die Weltmeisterschaft gewann (→ 10. 9./S. 76).

Nur die Ruderer nehmen bei der Siegerehrung in Baden-Baden ihre Trophäen selbst in Empfang. Becker spielt beim Masters-Turnier in New York, Graf läßt sich wegen Krankheit entschuldigen. Auch das Daviscup-Team der Bundesrepublik, das auf Platz zwei der Mannschaftswertung gelandet ist, kommt nicht zur Preisverleihung, die mithin »wie eine Hochzeit ohne Braut und Bräutigam« (»Die Welt«) über die Bühne geht.

2. Daviscup-Sieg für Becker & Co.

17. Dezember. Nach 1988 gewinnt die Mannschaft des Deutschen Tennisbundes zum zweiten Mal den Daviscup, die wertvollste Team-Trophäe im Tennis. Im Finale bleiben die Deutschen in Stuttgart mit 3:2 gegen Schweden siegreich.

Die Neuauflage des letztjährigen Finales von Göteborg beginnt für die deutsche Mannschaft wenig hoffnungsvoll: Carl-Uwe Steeb unterliegt im Eröffnungseinzel in fünf Sätzen gegen Mats Wilander 7:5, 6:7, 7:6, 2:6, 3:6. Das zweite Einzel gewinnt Boris Becker problemlos mit 6:2, 6:2 und 6:4 gegen Stefan Edberg und gleicht damit zum 1:1 aus. Die Vorentscheidung fällt im Doppel: Nach einem ausgeglichenen Match und mit einigem Glück behalten Boris Becker/Eric Jelen gegen Anders Jarryd/Jan Gunnarsson mit 7:6, 6:4, 3:6, 6:7 und 6:4 knapp die Oberhand. Im folgenden Einzel läßt Becker dann Mats Wilander nicht den Hauch einer Chance. Das 6:2, 6:0, 6:2 – für den Weltklassemann Wilander beinahe eine Demütigung – sichert dem deutschen Team bereits den Daviscup. Die Niederlage von Steeb gegen Edberg im letzten Match (2:6, 4:6) ist dank Beckers voraufgegangenem »Tennis in Perfektion« (»Süddeutsche Zeitung«) nur noch Formsache.

Freudentaumel im geeinten Berlin

24. Dezember. Berlin ist wieder der Mittelpunkt Deutschlands. An den Tagen zwischen dem Weihnachtsfest und Neujahr erlebt die ehemalige Reichshauptstadt einen Ansturm unvergleichlichen Ausmaßes, der Freudentaumel kennt keine Grenzen.

Die Öffnung des Brandenburger Tores (→ 22. 12./S. 115) und die neue Freizügigkeit bei Reisen in die DDR erwecken bei Hunderttausenden von Bundesbürgern einen gemeinsamen Wunsch: Dabeisein ist alles. Schon Tage vor dem Fest sind alle Hotels in beiden Teilen Berlins restlos ausgebucht, lange Autoschlangen bewegen sich Tag für Tag sternförmig auf die Stadt zu. Der Senat ruft die Berliner dazu auf, Privatunterkünfte zur Verfügung zu stellen, um alle Besucher aufzunehmen.

Rumänien: Freiheit erkämpft – Ceaușescu hingerichtet

25. Dezember. Der rumänische Staats– und Parteichef Nicolae Ceaușescu, am 22. Dezember durch einen Volksaufstand gestürzt, wird zusammen mit seiner Frau Elena von einem Militärgericht zum Tode verurteilt und hingerichtet. Mit der Revolution in Rumänien, die nur eine Woche gedauert hat, verschwindet das letzte stalinistische Regime innerhalb des Warschauer Paktes von der Bildfläche. Im Gegensatz zu Ungarn, der Tschechoslowakei und der DDR, wo der politische Umbruch ohne Blutvergießen vollzogen wurde, kostet der erzwungene Abgang des Ceaușescu-Regimes Tausenden von Menschen das Leben. Der dem Diktator ergebene Sicherheitsdienst Securitate überzieht das Land mit einem grausamen Bürgerkrieg.

15. Dezember
Gewaltsames Vorgehen gegen friedliche Demonstranten

Ausgangspunkt der Revolution in Rumänien ist ein Vorfall am Abend des 15. Dezember, als in der westrumänischen Stadt Temesvar eine Menschenmenge Polizisten an der Festnahme eines regimekritischen Pfarrers hindern will. Zehntausende hindern die Geheimpolizei Securitate an der Festnahme des Geistlichen, und in Sprechchören machen die Demonstranten mit der Rufen »Gebt uns Brot« und »Wir haben Hunger« auf die katastrophale Versorgungslage in Rumänien aufmerksam. Polizei und Armee treiben die Menschenmenge mit Wasserwerfern auseinander.

Am Tag darauf versammeln sich die Menschen erneut in Temesvar und Arad und erheben lautstark Forderungen nach der Absetzung des Ceaușescu-Regimes. Die Armee eröffnet das Feuer. Offenbar wahllos schießen bewaffnete Kräfte in die demonstrierende Menge, wobei auch zahlreiche Kinder getötet werden. Panzer rollen über Menschen hinweg. Soldaten machen mit aufgepflanztem Bajonett Jagd auf Demonstranten. Aus tieffliegenden Kampfhubschraubern feuern MG-Schützen auf flüchtende Menschen. Soldaten, die den Schießbefehl verweigern, werden von ihren Vorgesetzten standrechtlich erschossen. Nach Augenzeugenberichten werden über 5000 Menschen niedergemetzelt. Die 300 000 Einwohner zählende Stadt Temesvar wird völlig verwüstet.

Armee und Polizei gelingt es nicht, das Land unter Kontrolle zu halten. Am 19. Dezember werden die Grenzen zum Ausland völlig geschlossen und die Unruhestädte mit Soldaten und Panzern abgeriegelt. In Arad rufen Arbeiter am 20. Dezember den Generalstreik aus. Die Regierung verhängt über die westrumänische Provinz Timis den Ausnahmezustand. Die Protestwelle weitet sich auch auf die Hauptstadt Bukarest aus. In der Nacht zum 21. Dezember fallen hier die ersten Schüsse. Eine Jubelveranstaltung zur Unterstützung Ceaușescus am 21. Dezember schlägt in eine Protestveranstaltung um, worauf das rumänische Fernsehen die Übertragung der Rede kurz unterbricht. Anschließend läßt Ceaușescu Panzer und MG-Schützen gegen die Demonstranten vorgehen.

18. Dezember
Staatsbesuch im Iran soll Normalität vortäuschen

Scheinbar unbeeindruckt von den regierungsfeindlichen Demonstrationen in seinem Land reist Staats- und Parteichef Nicolae Ceaușescu zu einem dreitägigen Besuch in den Iran, um Wirtschaftsverträge abzuschließen. Seine Frau Elena, auch nach dem Protokoll zweitstärkste politische Kraft, reist entgegen sonstiger Gewohnheit nicht mit, sondern behält die kritische innenpolitische Lage von der Hauptstadt Bukarest aus im Auge. Ceaușescu selbst bezeichnet in Teheran die Lage in seinem Land als »gut, stabil und ausgewogen.«

22. Dezember
Ceaușescu nach Sturm auf den Präsidentenpalast gestürzt

Das rumänische Volk läßt sich auch durch die unvorstellbare Gewalt von Armee und Sicherheitsdienst Securitate nicht mehr in seinem Freiheitsdrang behindern. Schon in der Nacht ziehen Studenten durch die Straßen von Bukarest und fordern »Weg mit Ceaușescu«. In den Morgenstunden solidarisieren sich die Arbeiter in der Hauptstadt mit den Demonstranten und kündigen einen Generalstreik an. Mehr und mehr Menschen strömen aus den Außenbezirken von Bukarest in die Innenstadt, deren Kern – mit dem ZK-Gebäude und dem Präsidentenpalast – von Sicherheitskräften abgeriegelt ist. Abermals eröffnet die Securitate mit Maschinengewehren das Feuer auf die Menge. Dann geschieht Unerwartetes: Soldaten aber auch einige Mitglieder der Securitate laufen zu den Demonstranten über. Die Schüsse verstummen.

Die Stimmung in der Hauptstadt und in der Armee war vollends gegen das Ceaușescu-Regime umge-schlagen, nachdem Radio Bukarest am Morgen den angeblichen Selbstmord von Verteidigungsminister Vasile Milea gemeldet hatte. Er war für die tagelangen Proteste verantwortlich gemacht und als Verräter an Ceaușescu bezeichnet worden. Unter Berufung auf den Generalstab der rumänischen Armee hieß es später, in Wirklichkeit sei Mileas ermordet worden, weil er den Befehl zum Rückzug erteilt hatte und die Soldaten aufgefordert hatte, nicht auf die Bevölkerung zu schießen. Einige Stunden später ist der Platz vor dem Präsidentenpalast mit Hunderttausenden gefüllt. Staats- und Parteichef Ceaușescu und seine Frau Elena treten – von Sicherheitsbeamten umrahmt – auf den Balkon. Doch der Diktator kommt nicht dazu, vor der aufgebrachten Menge eine Rede zu halten, denn gegen die Rufe »Nieder mit Ceaușescu« kommt er nicht an. Elena Ceaușescu zieht ihren Mann von den Mikrofonen weg, und beide verschwinden hinter den Balkontüren. Kurze Zeit später startet ein Hubschrauber vom Dach des Präsidentenpalastes. Bei den Demonstranten bricht ein unbeschreiblicher Jubel aus.

22. Dezember
Demokratische Oppositionelle füllen Machtvakuum

Nach der Flucht des Diktators, die er vom Flughafen Titu in einem Wagen fortsetzt, wird die Macht von der »Front für das Wohl des Vaterlandes« unter Führung des ehemaligen Außenministers Corneliu Manescu übernommen. Der 73jährige gehört zu einer Gruppe ehemals hochgestellter Mitglieder der Kommunistischen Partei, die als Gegner Ceaușescus unter Hausarrest standen. Die Rundfunk- und Fernsehsender in Bukarest werden von den Demonstranten besetzt. Der Dichter Mircea Dinescu verkündet vor den Fernsehkameras: »Der Tyrann ist gestürzt . . . Gott hat Rumänien gerettet, nach 25 Jahren der Diktatur ist Rumänien wieder frei.« Am 26. Dezember wird eine Regierung gebildet, die bis zu den ersten freien und geheimen Wahlen amtieren soll.

23. Dezember
Securitate kämpft weiter – Massaker an der Bevölkerung

Die Ceaușescu ergebenen Einheiten der berüchtigten Sicherheitspolizei Securitate setzen den Kampf gegen Armee und Bevölkerung mit unerbittlicher Grausamkeit fort. Auf Balkonen und Hausdächern verschanzt, schießen sie wahllos um sich. Nach Berichten der jugoslawischen Nachrichtenagentur Tanjug werden sie von syrischen und libyschen Söldnern unterstützt. Den rund 70 000 Angehörigen des Securitate stehen 170 000 Soldaten der rumänischen Armee gegenüber. Besonders außerhalb von Bukarest geraten Ceaușescus Schergen in Bedrängnis und reißen viele unschuldige Menschen mit in den Tod. In Temesvar, wo die Securitate nach Agenturberichten 12 000 Menschen umgebracht hat, finden vorrückende Armeeeinheiten versengte Leichen von Frauen und Männer, deren zum Teil gräßlich verstümmelte Körper an Händen und Füßen mit Stacheldraht gefesselt waren. Hier haben die Getreuen Ceaușescus auch 45 Kinder nach dem Besuch eines Puppentheaters erschossen, mehrere Krankenhäuser mit schweren Waffen angegriffen und das Trinkwasser vergiftet.

25. Dezember
Ceaușescu und seine Frau von der Armee hingerichtet

Der mittlerweile von Soldaten in einem Panzerwagen gefangengenommene Nicolae Ceaușescu und seine Frau Elena werden von einem Militärgericht zum Tode verurteilt und hingerichtet. Sie werden für schuldig befunden, für den Tod von 60 000 Menschen verantwortlich zu sein. Sie hätten die rumänische Wirtschaft ruiniert und mehr als eine Milliarde US-Dollar ins Ausland geschafft. Am 26. Dezember zeigt das Fernsehen einen zweistündigen Bericht über den Prozeß, in dem die Grausamkeiten des Ceaușescu-Regimes nach 24jähriger Diktatur noch einmal deutlich werden. Der Tod des Diktators kann die Betroffenheit und die erlittenen Schmerzen jedoch nicht auslöschen.

Anhang

Regierungen Bundesrepublik Deutschland, DDR, Österreich, Schweiz 1989

Neben den Staatsoberhäuptern der Bundesrepublik Deutschland, der DDR, Österreichs und der Schweiz sind in der Zusammenstellung die einzelnen Kabinette des Jahres 1989 in chronologischer Reihenfolge enthalten. Hinter den Namen der wichtigsten Regierungsmitglieder steht in Klammern der Zeitraum ihrer Tätigkeit.

Bundesrepublik Deutschland

Staatsform:
  Parlamentarisch-demokratische Bundesrepublik
Bundespräsident:
  Richard von Weizsäcker (seit 1984)

3. Kabinett Kohl, Koalition von CDU/ CSU und FDP (seit 12. 3. 1987)
Bundeskanzler:
  Helmut Kohl (CDU; seit 1982)
Vizekanzler und Außenminister:
  Hans-Dietrich Genscher (FDP; seit 1974)
Inneres:
  Friedrich Zimmermann (CSU; seit 1982), Wolfgang Schäuble (CDU; seit 13. 4. 1989)
Finanzen:
  Gerhard Stoltenberg (CDU; seit 1982), Theo Waigel (CSU; seit 13. 4. 1989)
Wirtschaft:
  Helmut Haussmann (FDP; seit 1988)
Justiz:
  Hans A. Engelhard (FDP; seit 1982)
Ernährung, Landwirtschaft und Forsten:
  Ignaz Kiechle (CSU; seit 1983)
Innerdeutsche Beziehungen:
  Dorothee Wilms (CDU; seit 1987)
Arbeit und Sozialordnung:
  Norbert Blüm (CDU; seit 1982)
Verteidigung:
  Rupert Scholz (CDU; seit 1988), Gerhard Stoltenberg (CDU; seit 13. 4. 1989)
Jugend, Familie und Gesundheit:
  Ursula Lehr (CDU; seit 1988)
Verkehr:
  Jürgen Warnke (CSU; seit 1987), Friedrich Zimmermann (CSU; seit 13. 4. 1989)
Umwelt, Naturschutz und Reaktorsicherheit:
  Klaus Töpfer (CDU; seit 1987)
Post- und Fernmeldewesen:
  Christian Schwarz-Schilling (CDU; seit 1982)
Raumordnung, Bauwesen, Städtebau:
  Oscar Schneider (CSU; seit 1982), Gerda Hasselfeldt (CSU; seit 13. 4. 1989)
Forschung und Technologie:
  Heinz Riesenhuber (CDU; seit 1982)
Bildung und Wissenschaft:
  Jürgen W. Möllemann (FDP; seit 1987)
Wirtschaftliche Zusammenarbeit:
  Hans Klein (CSU; seit 1987), Jürgen Warncke (CSU; seit 13. 4. 1989)
Kanzleramt:
  Rudolf Seiters (seit 13. 4. 1989)
Die Ministerpräsidenten der deutschen Bundesländer
Baden-Württemberg:
  Lothar Späth (CDU; seit 1978)
Bayern:
  Max Streibl (CSU; seit 1988)
Bremen:
  Klaus Wedemeier, Erster Bürgermeister (SPD; seit 1985)
Hamburg:
  Henning Voscherau, Erster Bürgermeister (SPD; seit 1988)
Hessen:
  Walter Wallmann (CDU; seit 1987)
Niedersachsen:
  Ernst Albrecht (CDU; seit 1976)
Nordrhein-Westfalen:
  Johannes Rau (SPD; seit 1978)
Rheinland-Pfalz:
  Carl-Ludwig Wagner (CDU; seit 1988)
Saarland:
  Oskar Lafontaine (SPD; seit 1985)
Schleswig-Holstein:
  Björn Engholm (SPD; seit 1988)
Berlin (West):
  Walter Momper (SPD; seit 16. 3. 1989)

Deutsche Demokratische Republik

Staatsform:
  Sozialistische Republik
Staatsratsvorsitzender:
  Erich Honecker (1976 – 25. 10. 1989), Egon Krenz (25. 10. – 6. 12. 1989), Manfred Gerlach (seit 6. 12. 1989)
Ministerrat (bis 7. 11. 1989)
Vorsitz:
  Willi Stoph (SED)
Vorsitzender der Staatlichen Vertragsgerichte:
  Manfred Flegel (NDPD)
Justiz:
  Hans-Joachim Heusinger (SED)
Materialwirtschaft:
  Wolfgang Rauchfuß (SED)
Umweltschutz und Wasserwirtschaft:
  Hans Reichelt (DBD)
Staatliche Planungskommission:
  Gerhard Schürer (SED)
Post- und Fernmeldewesen:
  Rudolph Schulze (CDU)
Ständige Vertreter der DDR im Rat für Gegenseitige Wirtschaftshilfe:
  Günter Kleiber (SED)
  Horst Sölle (SED)
Wissenschaft und Technik:
  Herbert Weiz (SED)

Ministerien (bis 7. 11. 1989)
Verkehrswesen und Generaldirektor der Deutschen Reichsbahn:
  Otto Arndt (SED)
Außenhandel:
  Gerhard Beil (SED)
Geologie:
  Manfed Bochmann (SED)
Hoch- und Fachschulwesen:
  Hans-Joachim Böhme (SED)
Handel und Versorgung:
  Gerhard Briksa (SED)
Leichtindustrie:
  Werner Buschmann (SED)
Inneres und Chef der Deutschen Volkspolizei:
  Friedrich Dickel (SED)
Auswärtige Angelegenheiten:
  Oskar Fischer (SED)
Werkzeug- und Verarbeitungsmaschinenbau:
  Rudi Georgi (SED)
Glas- und Keramikindustrie:
  Karl Grünheid (SED)
Leiter des Amtes für Preise beim Ministerrat:
  Walter Halbritter (SED)
Finanzen:
  Ernst Höfner (SED)
Kultur:
  Hans-Joachim Hoffmann (SED)

Volksbildung:
  Margot Honecker (SED)
Bauwesen:
  Wolfgang Junker (SED)
Präsident der Staatsbank:
  Horst Kaminski (SED)
Nationale Verteidigung:
  Heinz Keßler (SED)
Schwermaschinen- und Anlagenbau:
  Hans-Joachim Lauck (SED)
Land-, Forst-, Nahrungsgüterwirtschaft:
  Bruno Lietz (SED)
Gesundheitswesen:
  Klaus Thielmann (SED)
Elektrotechnik und Elektronik:
  Felix Meier (SED)
Staatssicherheit:
  Erich Mielke (SED)
Kohle und Energie:
  Wolfgang Mitzinger (SED)
Leiter des Amtes für Jugendfragen beim Ministerrat:
  Hans Sattler (SED)
Erzbergbau, Metallurgie und Kali:
  Kurt Singhuber (SED)
Vorsitzender des Komitees der Arbeiter- und Bauerninspektion:
  Albert Stief (SED)
Allgemeiner Maschinen-, Landmaschinen- und Fahrzeugbau:
  Gerhard Tautenhahn (SED)
Bezirksgeleitete Industrie und Lebensmittelindustrie:
  Udo-Dieter Wange (SED)
Chemische Industrie:
  Günter Wyschkowsky (SED)

Ministerrat (ab 15. 11. 1989)
Vorsitz:
  Hans Modrow (SED)
Ministerien:
Wirtschaft:
  Christa Luft (SED)
Örtliche Staatsorgane:
  Peter Moreth (LDPD)
Kirchenfragen:
  Lothar de Maizière (CDU)
Staatliche Planungskommission:
  Gerhard Schürer (SED)
Schwerindustrie:
  Kurt Singhuber (SED)
Maschinenbau:
  Karl Grünheid (SED)
Leichtindustrie:
  Gunter Halm (NDPD)
Post- und Fernmeldewesen:
  Klaus Wolf (CDU)
Verkehrswesen:
  Heinrich Scholz (SED)
Handel und Versorgung:
  Manfred Flegel (NDPD)
Bauwesen und Wohnungswirtschaft:
  Gerhard Baumgärtel (CDU)
Land-, Forst- und Nahrungsgüterwirtschaft:
  Hans Watzeck (DBD)
Umweltschutz und Wasserwirtschaft:
  Hans Reichelt (DBD)
Wissenschaft und Technik:
  Klaus-Peter Budig (LDPD)
Finanzen und Preise:
  Uta Nickel (SED)
Arbeit und Löhne:
  Hannelore Mensch (SED)
Außenwirtschaft:
  Gerhard Beil (SED)
Auswärtige Angelegenheiten:
  Oskar Fischer (SED)
Nationale Verteidigung:
  Theodor Hoffmann (SED)
Justiz:
  Hans-Joachim Heusinger (LDPD)
Bildung und Jugend:
  Wilfried Poßner (SED)

Kultur:
  Dietmar Keller (SED)
Gesundheits- und Sozialwesen:
  Klaus Thielmann (SED)
Tourismus:
  Bruno Benthien (LDPD)
Nationale Sicherheit:
  Wolfgang Schwanitz (SED)

Generalsekretär der SED:
  Erich Honecker (1971 – 18. 10. 1989), Egon Krenz (18. 10. – 6. 12. 1989), Gregor Gysi (seit 9. 11. 1989; Funktion umbenannt in »Vorsitzender der SED«)

Österreich

Staatsform:
  Parlamentarisch-demokratische Bundesrepublik
Bundespräsident:
  Kurt Waldheim (seit 1986)

2. Kabinett Vranitzky, Koalition von SPÖ und ÖVP (seit 20. 1. 1987)
Bundeskanzler:
  Franz Vranitzky (SPÖ; seit 1986)
Vizekanzler und Bundesminister für Föderalismus und Verwaltungsreform:
  Alois Mock (Vizekanzler, ÖVP; 1986 – April 1989)
  Josef Riegler (ÖVP; seit 24. 4. 1989)
Äußeres:
  Alois Mock (ÖVP; seit 1986)
Inneres:
  Karl Blecha (SPÖ; 1983 – Januar 1989)
  Franz Löschnak (SPÖ; seit Februar 1989)
Finanzen:
  Ferdinand Lacina (SPÖ; seit 1986)
Wirtschaft:
  Robert Graf (ÖVP; 1987 – April 1989)
  Wolfgang Schüssel (ÖVP; seit 24. 4. 1989)
Justiz:
  Egmont Foregger (parteiunabhängig, seit 1987)
Verteidigung:
  Robert Lichal (ÖVP; seit 1987)
Wissenschaft und Forschung:
  Hans Tuppy (ÖVP; bis April 1989)
  Erhard Busek (ÖVP; seit 24. 4. 1989)
Arbeit und Soziales:
  Alfred Dallinger (SPÖ; 1980 – März 1989)
  Walter Geppert (SPÖ; seit 10. 3. 1989)

Schweiz

Staatsform:
  Republik
Bundespräsident:
  Jean-Pascal Delamuraz (FDP; 1989)
Vizepräsident:
  Arnold Koller (CVP; 1989)
Bundeskanzler:
  Walter Buser (SPS; seit 1981)
Auswärtige Angelegenheiten:
  René Felber (SPS; seit 1988)
Finanzen:
  Otto Stich (SPS; seit 1984)
Inneres:
  Flavio Cotti (CVP; seit 1987)
Justiz und Polizei:
  Elisabeth Kopp (FDP; 1984 – 12. 1. 1989), Arnold Koller (CVP; seit 13. 2. 1989)
Verkehr und Energiewirtschaft:
  Adolf Ogi (SVP; seit 1988)
Volkswirtschaft:
  Jean-Pascal Delamuraz (FDP; seit 1984)
Militär:
  Arnold Koller (CVP; 1987 – Februar 1989), Kaspar Villiger (FDP; seit 13. 2. 1989)

Staatsoberhäupter und Regierungschefs 1989

Die Einträge zu sämtlichen souveränen Staaten des Jahres 1989 informieren über die Staatsform, Titel, Namen und Regierungszeiten von Staatsoberhaupt und Regierungschef. Über bewaffnete Konflikte und Unruhegebiete, auf die hier nicht näher eingegangen wird, informiert der Anhang »Kriege und Krisenherde 1989« gesondert. Regierungen der Bundesrepublik Deutschland, der DDR, Österreichs und der Schweiz s. S. 120.

Afghanistan
Volksrepublik
Staatsoberhaupt: Mohammed Nadschibullah (seit 1987)
Ministerpräsident: Sultan Ali Kischtmand (seit 20. 7. 1989)

Ägypten
Republik
Präsident: Muhammad Husni Mubarak (seit 1981)
Ministerpräsident: Atef Sedki (seit 1986)

Albanien
Sozialistische Volksrepublik
Präsident: Ramiz Alia (seit 1982)
Ministerpräsident: Adil Carcani (seit 1982)

Algerien
Demokratische Volksrepublik
Präsident: Benjedid Schadli (seit 1979)
Ministerpräsident: Kasdi Merbah (seit 1988)

Andorra
Fürstentum
Staatsoberhaupt: Bischof von Urgel/Spanien, Juan M. Alanis, und der französische Staatspräsident François Mitterrand
Regierungschef: Josep Pintat Solans (seit 1984)

Angola
Sozialistische Volksrepublik
Staatsoberhaupt und Regierungschef: José Eduardo dos Santos (seit 1979)

Antigua und Barbuda
Parlamentarische Monarchie
Staatsoberhaupt: Königin Elisabeth II., vertreten durch Generalgouverneur Sir Wilfred E. Jacobs
Regierungschef: Vere Cornwall Bird (seit 1981)

Äquatorialguinea
Siehe Guinea (Äquatorial-)

Arabische Emirate
Föderation von sieben Emiraten
Staatsoberhaupt: Said Ibn Sultan An Nahajan (seit 1971)
Regierungschef: Raschid Bin Said al Maktum (seit 1979)

Argentinien
Bundesrepublik
Präsident und Regierungschef: Raúl Alfonsín (1983 – 5. 7. 1989), Carlos Saul Menem (seit 8. 7. 1989)

Äthiopien
Demokratische Volksrepublik
Präsident: Mengistu Haile Mariam (seit 1977)
Ministerpräsident: Fikre Selassie Wegederesse (seit 1987)

Australien
Parlamentarische Monarchie

Staatsoberhaupt: Königin Elisabeth II., vertreten durch Generalgouverneur Sir Ninian Martin Stephen
Ministerpräsident: Robert James Lee Hawke (seit 1983)

Bahamas
Parlamentarische Monarchie
Staatsoberhaupt: Königin Elisabeth II., vertreten durch Generalgouverneur Sir Henry Taylor
Ministerpräsident: Lynden O. Pindling (seit 1967)

Bahrain
Emirat
Präsident: Isa Bin Sulman Al Chalifa (seit 1961)
Ministerpräsident: Chalifa Bin Sulman Al Chalifa (seit 1970)

Bangladesch
Präsidiale Volksrepublik
Präsident: Hussain Muhammed Ershad (seit 1983)
Ministerpräsident: Moudud Ahmed (seit 1988)

Barbados
Parlamentarische Monarchie
Staatsoberhaupt: Königin Elisabeth II., vertreten durch Generalgouverneur Sir Hugh Worell Springer
Ministerpräsident: Erskine Sandiford (seit 1987)

Belau
Präsidiale Republik
Der Unabhängigkeitserklärung des US-Treuhandgebiets haben USA und UNO formell noch nicht zugestimmt.
Präsident und Ministerpräsident: Ngiratkel Etpison (seit 1988)

Belgien
Königreich
König: Baudouin I. (seit 1951)
Ministerpräsident: Wilfried Martens (seit 1981)

Belize
Parlamentarische Monarchie
Staatsoberhaupt: Königin Elisabeth II., vertreten durch Generalgouverneurin Minita E. Gordon
Ministerpräsident: Manuel Esquivel (seit 1985)

Benin
Sozialistische Volksrepublik
Präsident und Regierungschef: Mathieu Kérékou (seit 1972)

Bhutan
Konstitutionelle Erbmonarchie
Staatsoberhaupt: König Jigme Singye Wangchuk (seit 1972)
Regierungschef: Ministerrat und Königlicher Rat

Birma
Sozialistische Republik

Staatspräsident (Vorsitzender des Staatsrats) und Regierungschef: Saw Maung (seit 1988)

Bolivien
Präsidiale Republik
Präsident und Regierungschef: Victor Paz Estenssoro (1985 – 3. 8. 1989), Jaime Paz Zamora (seit 5. 8. 1989)

Bophuthatswana
Siehe Südafrika

Botswana
Präsidiale Republik
Präsident und Regierungschef: Quett K. J. Masire (seit 1980)

Brasilien
Bundesrepublik
Präsident und Regierungschef: José di Ribamar Sarney (seit 1985)

Brunei
Sultanat
Staatsoberhaupt und Regierungschef: Sultan Muda Hassanal Bolkiah Muizzaddin Waddaulah (seit 1967)

Bulgarien
Sozialistische Volksrepublik
Staatsoberhaupt (Vorsitzender des Staatsrats): Todor Schiwkow (1971 – 9. 11. 1989), Petar Mladenow (seit 17. 11. 1989)
Regierungschef (Vorsitzender des Ministerrats): Georgij Atanasow (seit 1986)

Burkina Faso
Präsidiale Republik
Staatsoberhaupt und Regierungschef: Blaise Compaoré (seit Oktober 1987)

Burundi
Präsidiale Republik
Staatsoberhaupt: Pierre Buyoya (seit 1987)
Regierungschef (Vorsitzender des Militärkomitees): Adrien Sibomana (seit 1989)

Chile
Präsidiale Republik
Staatspräsident und Regierungschef: Augusto Pinochet Ugarte (seit 1973), ab 11. 3. 1990: Patricio Aylwin Azócar

China
Volksrepublik
Präsident: Yang Shangkun (seit 1988)
Ministerpräsident: Li Peng (seit 1987)

China (Taiwan)
Republik
Präsident: Lee Teng-hui (seit 1988)
Regierungschef: Yu Kuo-hua (1984 – Mai 1989), Lee Huan (seit Mai 1989)

Ciskei
Siehe Südafrika

Costa Rica
Präsidiale Republik
Staatsoberhaupt und Regierungschef: Oscar Arias Sanchez (seit 1986)

Cuba
Siehe Kuba

Dänemark
Konstitutionelle Monarchie
Staatsoberhaupt: Königin Margrethe II. (seit 1972)
Ministerpräsident: Poul Schlüter (seit 1982)

Dominica
Parlamentarische Republik
Staatsoberhaupt: Clarence A. Seignoret (seit 1985)
Ministerpräsident: Mary Eugenia Charles (seit 1980)

Dominikanische Republik
Präsidiale Republik
Staatsoberhaupt und Regierungschef: Joaquín Balaguer (seit 1986)

Dschibuti
Präsidiale Republik
Staatsoberhaupt: Hassan Gouled Aptidon (seit 1977)
Regierungschef: Barakat Gourad Hamadou (seit 1987)

Ecuador
Präsidiale Republik
Staatsoberhaupt und Regierungschef: Rodrigo Borja Cevallos (seit 1988)

Elfenbeinküste
Präsidiale Republik
Staatsoberhaupt und Regierungschef: Félix Houphouët-Boigny (seit 1960)

El Salvador
Präsidiale Republik
Präsident und Regierungschef: Alfredo Cristiani Buirkard (seit 1. 6. 1989)

Fidschi
Republik
Präsident und Regierungschef: Ratu Sir Penaia Ganilau (seit 1987)

Finnland
Parlam.-demokr. Republik
Präsident: Mauno Koivisto (seit 1982)
Ministerpräsident: Harri Holkeri (seit 1987)

Frankreich
Parlam.-demokr. Republik
Staatspräsident: François Mitterrand (seit 1981)
Ministerpräsident: Michel Rocard (seit 13. 5. 1988)

Gabun
Präsidiale Republik
Staatsoberhaupt: Omar Bongo (seit 1967)
Ministerpräsident: Léon Mébiame (seit 1981)

Gambia
Präsidiale Republik
Staatsoberhaupt und Regierungschef: Dawda Kairaba Jawara (seit 1970)

Ghana
Präsidiale Republik
Staatsoberhaupt und Regierungschef (Vorsitzender des Nationalen Verteidigungsrats): Jerry John Rawlings (seit 1981)

Grenada
Parlamentarische Monarchie
Staatsoberhaupt: Königin Elisabeth II., vertreten durch Generalgouverneur Sir Paul Scoon
Ministerpräsident: Herbert Blaize (seit 1984)

Griechenland
Parlam.-demokr. Republik
Staatsoberhaupt: Christos Sartsetakis (seit 1985)
Ministerpräsident: Andreas Papandreou

(1981 – Juli 1989), Tzannis Tzannetakis (2. 7. 1989 – November 1989), Xenophon Zolotas (seit 23. 11. 1989)

Großbritannien und Nordirland
Konstitutionelle Monarchie
Staatsoberhaupt: Königin Elisabeth II. (seit 1952)
Premierministerin: Margaret Thatcher (seit 1979)

Guatemala
Präsidiale Republik
Präsident und Regierungschef: Vinicio Cerezo Arévalo (seit 1986)

Guinea
Präsidiale Republik
Staatsoberhaupt und Regierungschef: Lansana Conté (seit 1984)

Guinea (Äquatorial-)
Präsidiale Republik
Staatsoberhaupt und Regierungschef: Teodoro O. Nguema Mbasogo (seit 1979)

Guinea-Bissau
Republik
Staatsoberhaupt (Präsident des Staatsrats) und Regierungschef: João Bernardo Vieira (seit 1980)

Guyana
Präsidiale Republik
Staatsoberhaupt: Hugh Desmond Hoyte (seit 1985)
Ministerpräsident: Hamilton Green (seit 1985)

Haiti
Präsidiale Republik
Staatspräsident und Regierungschef: Generalleutnant Prosper Avril (seit 1988)

Honduras
Präsidiale Republik
Präsident und Regierungschef: José Azcona Hoyo (seit 1986)
1990: Rafael Leonardo Callejas

Indien
Demokr.-parlam. Bundesrepublik
Staatsoberhaupt: Ramaswamy Venkatamaran (seit 1987)
Ministerpräsident: Rajiv Gandhi (1984 – 29. 11. 1989), Vishwanath Pratap Singh (seit 2. 12. 1989)

Indonesien
Präsidiale Republik
Präsident und Regierungschef: Kemusu Suharto (seit 1967)

Irak
Sozialistische Präsidialrepublik
Präsident und Regierungschef: Saddam Hussein al-Takriti (seit 1979)

Iran
Islamische Republik
Staatspräsident und Regierungschef: Ali Akbar Haschemi Rafsandschani

Irland
Parlamentarische Republik
Staatspräsident: Patrick Hillery (seit 1976)
Ministerpräsident: Charles Haughey (seit 1987)

Island
Parlamentarische Republik
Präsidentin: Vigdís Finnbogadóttir (seit 1980)

Ministerpräsident: Steingrimur Hermannsson (seit 1988)

Israel
Parlamentarische Republik
Präsident: Chaim Herzog (seit 1983)
Ministerpräsident: Itzhak Schamir (seit 1986)

Italien
Parlamentarische Republik
Staatsoberhaupt: Francesco Cossiga (seit 1985)
Ministerpräsident: Ciriaco de Mita (1988 – 19. 5. 1989), Giulio Andreotti (seit 23. 7. 1989)

Jamaica
Parlamentarische Monarchie
Staatsoberhaupt: Königin Elisabeth II., vertreten durch Generalgouverneur Sir Florizel Augustus Glasspole
Regierungschef: Edward Deaga (1980 – 1989), Michael Manley (seit 10. 2. 1989)

Japan
Parlamentarische Monarchie
Staatsoberhaupt: Kaiser Akihito (seit 8. 1. 1989)
Ministerpräsident: Noboru Takeshita (1987 – April 1989), Sosuke Uno (April 1989 – August 1989), Toshiki Kaifu (seit 9. 8. 1989)

Jemen-Nord
Islamische Republik
Präsident: Ali Abdullah Saleh (seit 1978)
Regierungschef: Abdel Al-Aziz Abdel Al Ghani (seit 1983)

Jemen-Süd
Sozialistische Volksrepublik
Staatsoberhaupt (Vorsitzender des Obersten Volksrats): Haidar Abu Bakr al-Attas (seit 1986)
Ministerpräsident: Jasin Said Numan (seit 1986)

Jordanien
Konstitutionelle Monarchie
Staatsoberhaupt: König Hussein II. (seit 1952)
Ministerpräsident: Said al-Rifai (1985 – April 1989), Marschall Said Ibn Shaker (seit 27. 4. 1989), Mudar Badran (seit 5. 12. 1989)

Jugoslawien
Sozialistische Bundesrepublik
Staatsoberhaupt (jährlich wechselnd): Janez Drnovsek
Ministerpräsident: Ante Markovic (seit 16. 3. 1989)

Kamerun
Präsidiale Republik
Präsident und Regierungschef: Paul Biya (seit 1982)

Kamputschea
Sozialistische Volksrepublik
Staatspräsident: Heng Samrin (seit 1981)
Ministerpräsident: Hun Sen (seit 1985)

Kanada
Parlamentarische Monarchie
Staatsoberhaupt: Königin Elisabeth II., vertreten durch Generalgouverneurin Jeanne Sauvé
Ministerpräsident: Brian Mulroney (seit 1984)

Kap Verde
Republik

Staatspräsident: Aristides M. Pereira (seit 1975)
Ministerpräsident: Pedro Verona R. Pires (seit 1975)

Katar
Emirat
Staatsoberhaupt: Scheich Chalifa bin Hamad Ath (seit 1972)
Regierungschef: Scheich Chalifa Ben Hamad al-Thani (seit 1971)

Kenia
Präsidiale Republik
Staatspräsident und Regierungschef: Daniel Arap Moi (seit 1978)

Kiribati
Präsidiale Republik
Präsident und Regierungschef: Jeremia Tabai (seit 1979)

Kolumbien
Präsidiale Republik
Staatspräsident und Regierungschef: Virgilio Barco Vargas (seit 1986)

Komoren
Islamische Bundesrepublik
Präsident und Regierungschef: Ahmed Abdallah Abderemane (seit 1978 bzw. 1985)

Kongo
Volksrepublik
Präsident: Denis Sassou-Nguesso (seit 1979)
Ministerpräsident: Ange Edouard Pongui (seit 1984)

Korea (Nordkorea)
Kommunistische Volksrepublik
Präsident: Kim Il Jung (seit 1982)
Regierungschef (Vorsitzender des Administrativen Rats): Yon Hyong Muk (seit 1988)

Korea (Südkorea)
Präsidiale Republik
Staatspräsident: Roh Tae Woo (seit 1988)
Ministerpräsident: Kang Young Hoon (seit 1988)

Kuba
Sozialistische Republik
Staats- und Regierungschef: Fidel Castro Ruz (seit 1959)

Kuwait
Emirat
Staatsoberhaupt: Emir Dschabir Al Ahmad Al Dschabir As Sabah (seit 1978)
Regierungschef: Scheich Saad al-Abdallah al-Salim Al Sabah (seit 1978)

Laos
Sozialistische Volksrepublik
Präsident: Phoumi Vongvichit (seit 1986)
Ministerpräsident: Kaysone Phomvihan (seit 1975)

Lesotho
Konstitutionelle Monarchie
Staatsoberhaupt: König Motlotlehi Moshoeshoe II. (seit 1960)
Regierungschef: Justin Lekhanya (seit 1986)

Libanon
Parlamentarische Republik
Staatsoberhaupt: René Mouawad (5. 11. – 22. 11. 1989), Alias Hrawi (seit 24. 11. 1989)
Ministerpräsident: Selim al-Hoss (seit

1987), Michel Aoun (seit 1988 Chef einer konkurrierenden Übergangsregierung)

Liberia
Präsidiale Republik
Staatsoberhaupt und Regierungschef: Samuel Kanyon Doe (seit 1980)

Libyen
Sozialistische Volksrepublik
Staatsoberhaupt: Mufta-al-Usta Omar (seit 1984; de facto Muammar Al Gaddhafi)
Regierungschef: Omar Mustafa al-Muntasir (seit 1987)

Liechtenstein
Parlamentarische Monarchie
Staatsoberhaupt: Fürst Franz Josef II. (seit 1938, Wahrnehmung der Geschäfte seit 1984 durch Erbprinz Hans Adam)
Regierungschef: Hans Brunhart (seit 1978)

Luxemburg
Parlamentarische Monarchie
Staatsoberhaupt: Großherzog Jean (seit 1964)
Regierungschef: Jacques Santer (seit 1984)

Madagaskar
Sozialistische Republik
Staatsoberhaupt: Didier Ratsiraka (seit 1975)
Ministerpräsident: Victor Ramahatra (seit 1988)

Malawi
Präsidiale Republik
Staats- und Regierungschef: Hastings Kamuzu Banda (seit 1974)

Malaysia
Konstitutionelle Wahlmonarchie
Staatsoberhaupt: Sultan Mahmud Iskandar (1984 – April 1989), Azlan Muhibbuddin Shah (seit 26. 4. 1989)
Ministerpräsident: Mahatir bin Mohammad (seit 1981)

Malediven
Präsidiale Republik
Staatsoberhaupt und Regierungschef: Maumoon Abdul Gayoom (seit 1978)

Mali
Präsidiale Republik
Staatsoberhaupt und Regierungschef: Moussa Traoré (seit 1968)

Malta
Parlamentarische Republik
Staatspräsidentin: Agatha Barbara (1982 – April 1989), Vincent Tabone (seit 4. 4. 1989)
Ministerpräsident: Edward Fenech Adami (seit 1987)

Marokko
Konstitutionelle Monarchie
Staatsoberhaupt: König Hassan II. (seit 1961)
Ministerpräsident: Azzedine Laraki (seit 1986)

Marshall-Inseln
Republik
Staatsoberhaupt: Amata Kabua (seit 1986)
Die Marshall-Inseln sind seit 1986 begrenzt unabhängig, gelten formell jedoch als UNO-Treuhandgebiet und sind nur von den USA als selbständig anerkannt.

Mauretanien

Präsidiale Republik
Staatsoberhaupt und Regierungschef: Maaouiya Ould Sid' Ahmed Taya (seit 1984)

Mauritius

Parlamentarische Monarchie
Staatsoberhaupt: Königin Elisabeth II., vertreten durch Sir Veerasamy Ringado (seit 1986)
Ministerpräsident: Anerod Jugnauth (seit 1982)

Mexiko

Präsidiale Bundesrepublik
Staatsoberhaupt und Regierungschef: Carlos Salinas de Gortari (seit 1988)

Mikronesien

Republik in freier Assoziation mit den USA
Staatsoberhaupt und Regierungschef: John Haglelgam (seit 1988)

Monaco

Konstitutionelle Monarchie
Staatsoberhaupt: Fürst Rainier III. (seit 1949)
Regierungschef: Jean Ausseil (seit 1985)

Mongolei

Kommunistische Volksrepublik
Staatsoberhaupt: Schambyn Batmunch (seit 1984)
Regierungschef: Dumaagiyn Sodnom (seit 1984)

Mosambik

Sozialistische Volksrepublik
Staatsoberhaupt: Joaquim Alberto Chissano (seit 1986)
Regierungschef: Mario Fernandes da Graça Machungo (seit 1986)

Namibia

UNO-Treuhandgebiet auf dem Weg in die Unabhängigkeit
Staatsoberhaupt: Louis Pienaar (seit 1985, von Südafrika eingesetzt; seit März 1989 für die Übergangszeit bis zur Unabhängigkeit); *UNO-Kommissar seit 1982:* Brajesh Chandra Mishra.

Nauru

Parlamentarische Republik
Staatsoberhaupt und Regierungschef: Hammer de Roburt (seit 1978)

Nepal

Konstitutionelle Monarchie
Staatsoberhaupt: König Birenda Bir Bikram (seit 1973)
Ministerpräsident: Marich Man Singh Shrestha (seit 1986)

Neuseeland

Parlam.-demokr. Monarchie
Staatsoberhaupt: Königin Elisabeth II., vertreten durch Generalgouverneur Sir Paul Reeves
Regierungschef: David Lange (1984 – 7. 8. 1989), Geoffrey Palmer (seit 8. 8. 1989)

Nicaragua

Republik
Staats- und Regierungschef: Daniel Ortega (seit 1984)

Niederlande

Konstitutionelle Monarchie
Staatsoberhaupt: Königin Beatrix Wilhelmina Armgard (seit 1980)

Ministerpräsident: Ruud Lubbers (seit 1982)

Niger

Präsidiale Republik
Staatsoberhaupt: Ali Seibou (seit 1987)
Ministerpräsident: Mamane Oumarou

Nigeria

Präsidiale Bundesrepublik
Staats- und Regierungschef: Ibrahim Babangida (seit 1985)

Norwegen

Parlamentarische Monarchie
Staatsoberhaupt: König Olav V. (seit 1957)
Ministerpräsidentin: Gro Harlem Brundtland (1986 – September 1989), Jan Peder Syse (seit 16. 10. 1989)

Oman

Sultanat
Staats- und Regierungschef: Sultan Qabus bin Said Al-Said (seit 1970)

Pakistan

Föderative Republik
Staatsoberhaupt: Ghulam Ishaq Khan (seit 1988)
Ministerpräsidentin: Benazir Bhutto (seit 1988)

Palau

Siehe Belau

Panama

Präsidiale Republik
Staats- und Regierungschef: Manuel Solis Palma (1988 – August 1989), Francisco Rodriguez (seit 1. 9. 1989; de facto General Manuel Antonio Noriega); seit 16. 12. 1989 offiziell Regierungschef)

Papua-Neuguinea

Parlamentarische Monarchie
Staatsoberhaupt: Königin Elisabeth II., vertreten durch Generalgouverneur Sir Ignatius Kilage
Regierungschef: Rabbie Namaliu (seit 1988)

Paraguay

Präsidiale Republik
Staats- und Regierungschef: General Alfredo Stroessner (1954 – Februar 1989), Andres Rodriguez (seit 4. 2. 1989)

Peru

Präsidiale Republik
Präsident: Alán García Perez (seit 1985)
Regierungschef: Armando Villanueva del Campo (1988 – Mai 1989), Luis Alberto Sánchez (seit 8. 5. 1989)

Philippinen

Präsidiale Republik
Staatsoberhaupt und Regierungschef: Corazon Aquino (seit 1986)

Polen

Sozialistische Volksrepublik
Staatsoberhaupt: General Wojciech Jaruzelski (seit 1985)
Regierungschef: Mieczyslaw Rakowski (1988 – 2. 8. 1989), Czeslaw Kiszczak (2. 8. 1989 – 17. 8. 1989), Tadeusz Mazowiecki (seit 24. 8. 1989)

Portugal

Parlamentarische Republik
Staatspräsident: Mário Soares (seit 1986)
Regierungschef: Anibal Cavaco Silva

Rumänien

Sozialistische Volksrepublik
Präsident: Nicolae Ceauşescu (seit 1967)
Ministerpräsident: Constantin Dascaleşcu (seit 1982)

Rwanda

Präsidiale Republik
Staatspräsident und Regierungschef: Juvénal Habyarimana (seit 1973)

Sahara

Republik (völkerrechtl. umstritten)
Staatsoberhaupt: Mohammed Abdel Aziz (seit 1982)
Ministerpräsident: Mahfoud Ali Beida (seit 1988)

Saint Christopher u. Nevis

Konstitutionelle Monarchie
Staatsoberhaupt: Königin Elisabeth II., vertreten durch Generalgouverneur Sir Clement Arrindell
Regierungschef: Kennedy Alphonse Simmonds (seit 1980)

Saint Lucia

Konstitutionelle Monarchie
Staatsoberhaupt: Königin Elisabeth II., vertreten durch Generalgouverneur Sir Stanislaus James
Regierungschef: John Compton (seit 1982)

Saint Vincent und die Grenadinen

Konstitutionelle Monarchie
Staatsoberhaupt: Königin Elisabeth II., vertreten durch Generalgouverneur Henry Harvey Williams
Ministerpräsident: James Mitchell (seit 1984)

Salomonen

Konstitutionelle Monarchie
Staatsoberhaupt: Königin Elisabeth II., vertreten durch Generalgouverneur Sir George Lepping
Ministerpräsident: Ezechiel Alebua (seit 1986)

Sambia

Präsidiale Republik
Präsident: Kenneth David Kaunda (seit 1964)
Regierungschef: Keby Musokotwanae (1985 – März 1989), Malimba Masheke (seit März 1989)

Samoa (West)

Parlamentarisch verfaßte Häuptlingsaristokratie
Staatsoberhaupt: Maletoa Tanumafili II. (seit 1963)
Ministerpräsident: Tofilau Eti Alesana (seit 1988)

San Marino

Parlamentarische Republik
Staatsoberhaupt: Zwei »Capitani reggenti«, die für jeweils sechs Monate gewählt werden.
Regierung: Staatsrat

São Tomé und Principe

Präsidiale Republik
Staatsoberhaupt: Manuel Pinto da Costa (seit 1975)
Ministerpräsident: Celestino Rocha da Costa (seit 1988)

Saudi-Arabien

Islamische Erbmonarchie
Staatsoberhaupt und Regierungschef: König Fahd Ibn Abd Al Asis (seit 1982)

Schweden

Parlamentarische Monarchie
Staatsoberhaupt: König Carl XVI. Gustaf (seit 1973)
Ministerpräsident: Ingvar Carlsson (seit 1986)

Senegal

Präsidiale Republik
Staats- und Regierungschef: Abdou Diouf (seit 1981)

Seychellen

Präsidiale Republik
Staatsoberhaupt und Regierungschef: France-Albert René (seit 1976)

Sierra Leone

Präsidiale Republik
Staatsoberhaupt und Regierungschef: Joseph Momoh (seit 1985)

Simbabwe

Siehe Zimbabwe

Singapur

Parlamentarische Republik
Präsident: Wee Kim Wee (seit 1985)
Ministerpräsident: Lee Kuan Yew (seit 1959)

Somalia

Präsidiale Republik
Staats- und Regierungschef: Mohammed Siyaad Barre (seit 1969)

Sowjetunion

Sozialistische föderative Republik
Staatsoberhaupt (Vorsitzender des Präsidiums des Obersten Sowjets bzw. seit 25. 5. 1989 Staatspräsident): Michail Gorbatschow (seit 1988)
Regierungschef (Vorsitzender des Ministerrats): Nikolai Ryschkow (seit 1985)
Parteichef: Michail Gorbatschow

Spanien

Parlamentarische Monarchie
Staatsoberhaupt: König Juan Carlos I. (seit 1975)
Regierungschef: Felipe González (seit 1982)

Sri Lanka

Präsidiale Republik
Staatspräsident: Ranasinghe Premadasa (seit 2. 1. 1989)
Ministerpräsident: Ranasinghe Premadasa (1978 – 1989), Dingiri B. Wijetunga (seit 3. 3. 1989)

Südafrika

Parlamentarische Bundesrepublik
Staatspräsident und Regierungschef: Pieter Willem Botha (1984 – 1989), Frederik Willem de Klerk (seit 15. 8. 1989)

Sudan

Republik
Staatsoberhaupt und Regierungschef: Ahmed al-Migani (1986 – 1989), Omar Hassan Ahmad al Baschir (seit 30. 6. 1989)

Surinam

Präsidiale Republik
Staatsoberhaupt: Ramsewak Shankar (seit 1988)
Regierungschef: Henck Arron (seit 1988)

Swasiland

Konstitutionelle Monarchie
Staatsoberhaupt: König Mswati III. (seit 1986)

Regierungschef: Sotsha Dlamini (seit 1983)

Syrien
Präsidiale Republik
Staatsoberhaupt: Hafis al-Asad (seit 1971)
Regierungschef: Mahmoud Zu'bi (seit 1987)

Tansania
Präsidiale Bundesrepublik
Staatspräsident: Ali Hassan Mwingyi (seit 1985)
Regierungschef: Joseph Warioba (seit 1985)

Taiwan
Siehe China

Thailand
Konstitutionelle Monarchie
Staatsoberhaupt: König Bhumibol (seit 1946)
Ministerpräsident: Prem Tinsulanond (1980 – 4. 8. 1988), Chatichai Choonhavan (seit 4. 8. 1988)

Togo
Präsidiale Republik
Staatsoberhaupt und Regierungschef: General Gnassingbé Eyadéma (seit 1967)

Tonga
Konstitutionelle Monarchie
Staatsoberhaupt: König Taufa'ahau Tupou IV. (seit 1970)
Ministerpräsident: Fatafehi Ty'ipelehake (seit 1970)

Transkei
Siehe Südafrika

Trinidad und Tobago
Präsidiale Republik

Staatsoberhaupt: Noor Hassanali
Ministerpräsident: Napoleon Raymond Robinson (seit 1986)

Tschad
Präsidiale Republik
Staatsoberhaupt und Regierungschef: Hissen Habré (seit 1982)

Tschechoslowakei
Föderative Sozialistische Republik
Staatspräsident: Gustav Husák (seit 1975)
Ministerpräsident: Ladislav Adamec (1988 – 7. 12. 1989), Marian Calfa (seit 7. 12. 1989)

Tunesien
Präsidiale Republik
Staatspräsident: Zine el Abidine Ben Ali (seit 1987)
Ministerpräsident: Hadi Baccouche (seit 1987)

Türkei
Republik
Präsident: Kenan Evren (seit 1980), Turgut Özal (seit 9. 11. 1989)
Ministerpräsident: Turgut Özal (1983 – 1989), Yildirim Akbulut (seit 15. 11. 1989)

Tuvalu
Konstitutionelle Monarchie
Staatsoberhaupt: Königin Elisabeth II., vertreten durch Generalgouverneur Tupua Leupena
Regierungschef: Tomasi Puapua (seit 1981)

Uganda
Präsidiale Republik
Staatsoberhaupt: Yoweri Museveni (seit 1986)

Ministerpräsident: Samson Kisekka (seit 1986)

Ungarn
Republik
Staatsoberhaupt: Bruno Straub (seit 1988)
Ministerpräsident: Miklos Németh (seit 1988)

Uruguay
Präsidiale Republik
Staatsoberhaupt und Regierungschef: Julio Maria Sanguinetti (seit 1985)

USA
Siehe Vereinigte Staaten von Amerika

Vanuatu
Republik
Staatsoberhaupt: Ati George Sokomanu (1980 – 1989), Fred Timakata (seit 30. 1. 1989)
Ministerpräsident: Walter Hadye Lini (seit 1980)

Vatikanstadt
Wahlmonarchie
Staatsoberhaupt: Papst Johannes Paul II. (seit 1978)
Regierungschef: Agostino Kardinal Casaroli (seit 1979)

Venezuela
Präsidiale Bundesrepublik
Staats- und Regierungschef: Carlos Andres Perez Rodriguez (seit 2. 2. 1989)

Vereinigte Arabische Emirate
Siehe Arabische Emirate

Vereinigte Staaten von Amerika
Präsidiale Bundesrepublik
Staats- und Regierungschef: Ronald Rea-

gan (1981 – 19. 1. 1989), George Bush (seit 20. 1. 1989)

Vietnam
Kommunistische Volksrepublik
Staatsratsvorsitzender: Vo Chi Cong (seit 1987)
Ministerratsvorsitzender: Do Muoi (seit 1988)

West-Sahara
Siehe Sahara

West-Samoa
Siehe Samoa (West)

Zaïre
Präsidiale Republik
Präsident: Marschall Mobutu Sésé-Seko
Regierungschef: Kengo Wa Dondo

Zambia
Siehe Sambia

Zentralafrikanische Republik
Präsidiale Republik
Staatsoberhaupt und Regierungschef: General André Kolingba (seit 1981)

Zimbabwe
Präsidiale Republik
Staatsoberhaupt und Regierungschef: Robert Gabriel Mugabe (seit 1980)

Zypern
Präsidiale Republik
Staatsoberhaupt und Regierungschef: Georgios Vassiliou (seit 1988)

Kriege und Krisenherde des Jahres 1989

Die herausragenden politischen und militärischen Krisensituationen des Jahres 1989 werden – alphabetisch nach Ländern geordnet – im Überblick dargestellt. Internationale Kriege und Krisenherde sind dem alphabetischen Länderverzeichnis vorangestellt.

Massaker in China

Mit dem Massaker der Volksbefreiungsarmee in Peking und anderen chinesischen Großstädten am → 4. Juni (S. 43) wird die hauptsächlich von Studenten getragene Demokratiebewegung brutal niedergeschlagen. Immer lauter wurde die Kritik an Korruption und Wirtschaftsmisere sowie die Rufe nach demokratischen Reformen. Massendemonstrationen von Studenten und Arbeitern, die im April begannen und im Mai mit einem Hungerstreik eskalierten, sollten die chinesische Führung unter Druck setzen. Die zunächst unentschiedene Führungsspitze, in der sich seit 1988 mehr und mehr konservative Politiker gegen die Anhänger der Reformen durchsetzen konnten, reagiert mit brutaler Gewalt. Deng Xiaoping, bis zum 9. November Vorsitzender der mächtigen zentralen Militärkommission, opfert sein reformerisches Lebenswerk und läßt auf die

Demonstranten schießen. Dem Massaker schließt sich nahtlos eine beispiellose Verfolgungswelle an. Bis August werden nach Angaben von Amnesty International mindestens 34 Oppositionelle hingerichtet. Im Zuge einer Säuberung der Partei wird der liberale Reformer Zhao Ziyang Ende Juni durch Jiang Zemin ersetzt, der als konservativer Technokrat gilt. Nach außen betont die Parteispitze trotz der offensichtlichen Rückkehr zu einer radikalen Planwirtschaft, an den Errungenschaften der wirtschaftlichen Reformen festzuhalten. Hintergrund ist die Furcht vor dem Ausbleiben westlicher Investitionen und Kredite.

El Salvador: Bürgerkrieg geht weiter

Der blutigste Konflikt Zentralamerikas, der Krieg zwischen rechtsgerichteter Regierung und der linken Guerillaorganisation FMLN in El Salvador, tritt im No-

vember in ein neues Stadium. Nachdem im Oktober Gespräche zwischen den Bürgerkriegsparteien in Costa Rica scheitern, startet die FMLN am → 11. November (S. 110) eine Großoffensive. Das Vordringen der Guerilla in die Hauptstadt San Salvador beantwortet die Regierung mit Luftangriffen auf Wohngebiete, wobei nach Ansicht von Experten phosphorhaltige Brandbomben eingesetzt werden. Innerhalb einer Woche kommen über 1000 Menschen ums Leben, darunter viele Zivilisten. Waffenstillstandsangebote der FMLN lehnt Präsident Cristiani wiederholt ab. Insgesamt forderte der Bürgerkrieg in El Salvador seit 1980 rund 70 000 Tote.

Kein Frieden für Kambodscha

Unter dem wirtschaftlichen Druck des Auslands kündigt Vietnam im April den vollständigen Rückzug seiner etwa 50 000 Mann starken Besatzungsarmee aus Kambodscha an. Am 26. September verlassen die letzten Truppen das Land. Damit erfüllt das kommunistische Vietnam die zentrale Bedingung der drei kambodschanischen Widerstandsgruppen für eine Verständigung mit der Regierung in Phnom Penh, die von der

UdSSR und Vietnam unterstützt wird. Die Widerstandskoalition unter der Führung des ehemaligen Staatsoberhauptes Prinz Norodom Sihanuk setzt sich zusammen aus den kommunistischen Roten Khmer und zwei westlich orientierten Guerillagruppen.
Nach aussichtsreichen Gesprächen zwischen den Bürgerkriegsparteien im Mai in Djakarta scheitert die Internationale Kambodscha-Konferenz im August in Paris an der mangelnden Kompromißbereitschaft beider Seiten. Insbesondere die kommunistische Regierung weigert sich, die Roten Khmer, deren Terrorherrschaft unter Pol Pot 1979 durch die Vietnamesen beendet wurde, an der Machtausübung zu beteiligen. Der Guerillakrieg wird fortgesetzt und verstärkt sich nach dem Abzug der Vietnamesen sogar. Besonders im Westen können die Widerstandsgruppen, die aus Thailand Nachschub beziehen, Erfolge verzeichnen. Eine Fortsetzung der Friedensgespräche wird erst für Mai 1990 erwartet.

Waffenstillstand im Libanon

Nach den heftigsten Kämpfen seit Beginn des Bürgerkriegs im Libanon 1975 stimmen die Konfliktparteien am → 23.

September (S. 71) einem Waffenstillstand zu. Anschließend handelt das Parlament unter Vermittlung der Arabischen Liga im saudi-arabischen Taif ein Übereinkommen zur Beendigung des Krieges und zu einer Verfassungsreform aus. Demnach wird der Einfluß der bislang politisch unterrepräsentierten moslemischen Bevölkerung gegenüber den Christen steigen. Über eine endgültige Lösung bezüglich der syrischen Besatzungstruppen soll in zwei Jahren verhandelt werden. Anfang November wählt das Parlament René Mouawad zum Staatspräsidenten. Der christliche Politiker gilt vor allem deshalb als Hoffnungsträger, weil er sowohl von christlichen als auch von moslemischen Gruppen und von Syrien anerkannt wird. Allein General Michel Aoun, Chef der selbsternannten christlichen Übergangsregierung des Libanon, akzeptiert den neuen Präsidenten nicht. Am 22. November fällt Mouawad in Beirut einem Sprengstoffanschlag zum Opfer. Zwei Tage später wird Elias Hrawi zu seinem Nachfolger gewählt. Hrawi, ebenfalls Christ, will den von Mouawad begonnenen Kurs fortsetzen, die verschiedenen religiösen und sozialen Gruppen des Landes zu integrieren.

Nicaragua: Contras weiter aktiv

Die Präsidenten der fünf mittelamerikanischen Staaten beschließen im Februar 1989 einen Plan zur Auflösung der Contra-Verbände, die mit US-Unterstützung die sandinistische Regierung Nicaraguas bekämpfen. Im Gegenzug garantiert die Regierung unter Daniel Ortega die Durchführung freier Parlamentswahlen am 25. Februar 1990. Seit August 1989 bemühen sich internationale Beobachter der Vereinten Nationen und der Organisation Amerikanischer Staaten, die ca. 12 000 nicaraguanischen Contra-Rebellen zur Niederlegung der Waffen zu bewegen. Da diese Bemühungen erfolglos bleiben, kündigt Präsident Ortega am 1. November den Waffenstillstand mit den Contras, der im März 1988 zunächst für 60 Tage ausgehandelt und seitdem von der Regierung einseitig verlängert wurde. Die Wahlvorbereitungen laufen unterdessen planmäßig weiter.

Weiter Bürgerkrieg in Sri Lanka

Die Regierung Sri Lankas unter Staatschef Ranasinghe Premadasa sieht sich 1989 mehr denn je von zwei miteinander verfeindeten Rebellenorganisationen bedroht. Sowohl die singhalesische Volksbefreiungsfront Janatha Vimukti Peramuna (JVP) als auch die tamilische Guerillaorganisation Befreiungstiger für Tamil Eelam (LTTE) betreiben den Sturz der Regierung und versetzen die Bevölkerung mit »Todesschwadronen« in Angst und Schrecken. Nährboden des Konflikts ist die Diskriminierung der hinduistischen Tamilenminderheit. Besonders die Parlamentswahlen im Februar werden von blutigen Attentaten überschattet. Auch nach dem beginnenden Truppenabzug der indischen Ordnungsmacht geht der Kampf gegen die Regierung weiter. Ein entscheidender Schlag gegen die Singhalesische JVP gelingt im November mit der Liquidierung ihres Führungstrios (→ 13. 11./S. 110).

Ausgewählte Neuerscheinungen auf dem Buchmarkt 1989

Die Auswahl berücksichtigt nicht nur Neuerscheinungen von literarischem oder wissenschaftlichem Wert, sondern auch vielgelesene Bücher des Jahres 1989. Die erschienenen Werke sind alphabetisch nach Autoren geordnet. Es sind lediglich Bücher berücksichtigt, die 1989 erstmals in der Bundesrepublik, in Österreich oder in der Schweiz – im Original oder in deutscher Übersetzung – veröffentlicht worden sind.

Saul Bellow
Mehr noch sterben an gebrochenem Herzen
Roman
Der 1976 mit dem Literaturnobelpreis ausgezeichnete Saul Bellow bewegt sich mit seinem neuesten Werk, das zwei Jahre nach der Originalveröffentlichung in den USA in deutscher Sprache bei Kiepenheuer & Witsch herauskommt, im gewohnten Themen- und Personenkreis: Ostjüdische Intellektuelle, die erfolgreich als Wissenschaftler an einer US-amerikanischen Universität arbeiten, scheitern in ihrem Liebes- und Eheleben. In »Mehr noch sterben an gebrochenem Herzen« sind es der als Ich-Erzähler fungierende Slawistik-Professor Kenneth Trachtenberg, vor allem aber sein Onkel, der Botaniker Benn Crader, die sich gegen berechnende und geldgierige Frauen nur unzureichend zur Wehr setzen können.

Manfred Bieler
Still wie die Nacht
Memoiren eines Kindes
Kaum eine deutschsprachige Neuerscheinung des Jahres 1989 wird in der Kritik so kontrovers diskutiert wie Manfred Bielers bei Hoffmann und Campe

veröffentlichter autobiographischer Roman »Still wie die Nacht«, in dem der Autor die ersten sieben Jahre seines Lebens in Worte zu fassen versucht. In einer nach seinem eigenen Bekunden langwierigen und ungeheuerlichen Anstrengung setzt er sich der Erinnerung an die Kindheit aus, die geprägt war von einer promiskuitiven Mutter, einem schwachen, feigen und alkoholabhängigen Vater und einer Großmutter, die trotz der Wärme und Zuneigung, die sie dem Jungen entgegenbringt, mit ihrer Herrschsucht ebenfalls einen negativen Einfluß auf seine Entwicklung hat. Das Kind ist Zeuge der sexuellen Erfahrungen der Mutter, wird zum Schweigen verurteilt und hegt daher schon frühzeitig Todesängste, Selbstmord- und sogar Mordgedanken.
Die Kritik scheidet sich an der Frage der Authentizität, der Glaubwürdigkeit des Niedergeschriebenen. Ein unzweideutiger Verriß: »Um es rundheraus zu sagen: Ich glaube Bieler kein Wort von dem, was er in diesem Buch erzählt. Was nach Sprachfülle aussieht, ist eher Produkt eines Synonymlexikons, die Wörter sind austauschbar und damit leer . . . Statt der Fülle erzählten Lebens stehen als Füllsel Selbstmitleid und hilflose Fragen, die Tiefe nur vortäuschen«, schreibt Gerhard Schulz in der »Frankfurter Allgemeinen Zeitung«. Ähnlich bissig resümiert Hans Daiber in der »Welt«: »Der Fünfjährige steckt im Fünfzigjährigen und drückt dessen Niveau . . . Einsichten sind spärlich.«

Willy Brandt
Erinnerungen
Eine Bilanz seines politischen Lebens legt der 75jährige Willy Brandt mit dem Band »Erinnerungen« vor, der im Propyläen Verlag erscheint. Der Altbundeskanzler, SPD-Ehrenvorsitzende und Friedensnobelpreisträger bietet dem Leser gegenüber früheren Buchveröffentlichungen, etwa »Links und frei«, und öffentlichen Stellungnahmen aus jüngster Zeit nur wenige neue Fakten, korrigiert jedoch Einschätzungen und setzt neue Akzente, etwa in der Darstellung seines Verhältnisses zu Kurt Georg Kiesinger, unter dessen Kanzlerschaft er Außenminister war (1966–69), zu Konrad Adenauer, dessen politischem Lebenswerk er hohen Respekt zollt, und zu seinem Rivalen in der Partei und Nachfolger im Kanzleramt, Helmut Schmidt. Während Brandt seine Beziehung zu Schmidt ins Positive zurückrückt und politische Auseinandersetzungen eher auf Temperamentsunterschiede zurückführt, bleibt sein Urteil über Herbert Wehner und dessen Rolle beim Kanzlersturz hart, ohne daß er seine Verletzung über das Intrigenspiel, das ihn über die Affäre Guillaume stolpern ließ, verbirgt. »Der Autor ›historisiert‹ sich selbst: Nicht weil er unzufrieden wäre mit der Republik, wie sie geworden ist. Er ist überzeugt, seinen Anteil an dem Erreichten zu haben. Und es ist ja nicht wenig erreicht. So besehen, muß man sein eigenes Brandt-Bild nicht über den Haufen werfen. Was er schreibt, ist schon – in allen Ambivalenzen, bei allen Schwächen und Stärken – typisch Brandt« (G. Hofmann in der »Zeit«).

Hermann Burger
Brenner
Erster Band: Brunsleben
Roman
In der Nacht, bevor der Roman »Brenner« (bei Suhrkamp) erscheint, nimmt sich der Autor, der Schweizer Hermann Burger, das Leben. Sein letztes Buch, das so zu einem Vermächtnis wird, ist, obwohl durchaus nicht dem Genre »Bekenntnisliteratur« zuzuordnen, geprägt von dem verzweifelten Kampf gegen die eigenen depressiven Tendenzen.
Erzählt wird die Geschichte eines Menschen, der wider Willen zum Tabakkaufmann geworden ist, sich in melancholisch-stillen Bildern in die Kindheit zurückträumt und die Vergangenheit im Gespräch mit Freunden wieder lebendig werden läßt. Als literarische Vorbilder werden Theodor Fontanes »Stechlin« und Marcel Prousts »Auf der Suche nach der verlorenen Zeit« explizit genannt. Doch während Burger diese Erinnerung mit seiner genauen und differenzierten Sprache beglaubigt, ist die Schilderung der depressiven Nöte des Helden in der Gegenwart plakativ, grob und ohne erzählerische Distanz. »Das künstlerische Scheitern von ›Brenner‹ spiegelt den verzweifelten Kampf Burgers um eine lebensrettende Kunst. Er schreibt sich in diesem Roman aus verwinkelten Anfängen in die strahlende Mitte seiner Kindheit, um sich gegen Ende . . . mit den Notschreien dessen, dem keine Zeit mehr bleibt, zu verabschieden«, kritisiert Andreas Isenschmid in der »Zeit«.

John le Carré
Das Rußland-Haus
Roman
Im Zeitalter von Glasnost und Perestroika ändert sich auch das Leben der Spione – und die Konstruktion von Spionageromanen, wie Erfolgsautor John le Carré mit seinem von Kiepenheuer & Witsch verlegten Thriller »Das Rußland-Haus« beweist. Erzählt wird die Geschichte eines britischen Verlegers, der für den literaturbegeisterten Sowjetbürger mit dem Tarnnamen »Goethe«, den er auf einer Buchmesse in Moskau kennenlernt, Notizbücher nach England bringen soll. Erst später stellt sich heraus, daß »Goethe« als Physiker in der sowjetischen Rüstungsindustrie arbeitet.

Irene Dische
Fromme Lügen
Erzählungen
Die Deutsch-Amerikanerin Irene Dische, die seit einigen Jahren in West-Berlin lebt, hat die in dem Buch »Fromme Lügen« zusammengefaßten sieben Erzählungen in englischer Sprache geschrie-

ben, sie erscheinen jedoch zunächst nur in der deutschen Übersetzung – als erster Band der von Hans Magnus Enzensberger herausgegebenen »Anderen Bibliothek« nach dem Wechsel vom Greno- zum Eichborn-Verlag.

Die Erzählungen spielen teils unter Juden in den USA, teils in jüdischen Kreisen in Deutschland. Mit erbarmungslosem Witz und großer intellektueller Raffinesse steuert die Autorin die Emotionen und Überzeugungen des Lesers in ungeahnt boshafte, auch antisemitische Richtungen. Kritiker loben die sprachliche Präzision, die durchkalkulierte Konstruktion und die feine Ironie in diesem Erstlingswerk der 34jährigen.

Hoimar von Ditfurth
Innenansichten eines Artgenossen
Meine Bilanz

Eine autobiographische Bilanz legt der Naturwissenschaftler und populäre Sachbuchautor Hoimar von Ditfurth mit

dem Buch »Innenansichten eines Artgenossen« vor, das wenige Monate vor dem Tod des Autors im Claassen Verlag erscheint. Die Schilderung des eigenen Heranwachsens und Reifens in der Weimarer Republik, in Nazi-Deutschland und in der jungen Bundesrepublik, des Lernens vom eigenen Vater, von Freunden und universitären Lehrern, ist eindrucksvoll verknüpft mit naturwissenschaftlichen Reflexionen, etwa über den Ursprung des Universums, über neuere Erkenntnisse der Neurophysiologie und Psychoanalyse. Dieses ebenso fundierte wie eingängige Nachdenken ist getragen von der Frage nach dem Sinn und Ziel des Universums und nach einem möglichen Schöpfer.

Friedrich Dürrenmatt
Durcheinandertal
Roman

Im Sommer ein Treffpunkt von Großindustriellen, Bankiers und Top-Managern, im Winter ein Zufluchtsort für or-

ganisierte Kriminelle, Rauschgifthändler und Mörder: So stellt sich das Kurhaus dar, das der Theologe Moses Melker in einem schweizerischen Tal führt, um die Reichen zur Armut zu erziehen und den Bodensatz der Gesellschaft vor Verfolgung zu schützen. Friedrich Dürrenmatt spielt in seinem Roman »Durcheinandertal«, der bei Diogenes erscheint, mit dem aus seinen früheren Werken bekannten Motiv der Umkehrung zwischen Ehrenmännern und Verbrechern. Grotesk-verzweifelte Gottsucher beherrschen die Szene, und Gott tritt in zweierlei Gestalt – mit und ohne Bart – auf. Am Ende geht das Kurhaus symbolisch in Flammen auf. Marcel Reich-Ranicki in der »Zeit«: ». . . dieses Buch also trägt alle Merkmale einer schriftstellerischen Katastrophe.«

Umberto Eco
Das Foucaultsche Pendel
Roman

In den Rahmen einer spannenden Kriminalhandlung hat der italienische Zeichentheoretiker und Schriftsteller Um-

berto Eco in dem Roman »Das Foucaultsche Pendel« (deutsch bei Hanser) seine Kritik am Irrationalismus der Gegenwart eingeschrieben. Drei frustrierte Lektoren eines Mailänder Verlagshauses entwerfen mit Hilfe eines Computers eine Verschwörungstheorie, die alle bisherigen Theorien in sich enthalten soll. Mit Hilfe dieses fingierten »Plans der Tempelritter« und des »Foucaultschen Pendels« (ein Gerät, das der Physiker Jean Bernard Léon Foucault entwickelte, um die Erdrotation nachzuweisen) soll der »Nabel der Welt« gefunden werden. Aus der Fiktion der drei Lektoren wird ganz unvorhergesehen Realität, alle drei sterben innerhalb weniger Tage.

Michael Ende
Der satanarchäolügenialkohöllische Wunschpunsch

Michael Ende, der mit seinen weltweit in Millionenauflagen verbreiteten Jugendbüchern zu den erfolgreichsten lebenden deutschen Schriftstellern gehört, hat im Thienemann Verlag ein neues Buch veröffentlicht, »Der satanarchäolügenialkohöllische Wunschpunsch«, in dem er auch den erwachsenen Leser wieder mit der raffinierten Kunst des Märchenerzählers in den Bann zieht. Es geht um nichts Geringeres als die Vernichtung des Planeten Erde in dem Kampf zwischen Beelzebub Irrwitzer und der geldgierigen Tante Tyti auf der einen, dem gewitzten Raben Co und einem lieben, aber etwas dümmlichen Kater auf der anderen Seite. Die höllische Partei bedient sich eines Wunschpunsches, um die Welt durch Atomkraft und Luftverschmutzung in den Untergang zu treiben. Doch um buchstäblich fünf vor zwölf wird sie gestoppt.

Jürg Federspiel
Geographie der Lust
Roman

Der Roman »Geographie der Lust« des Schweizers Jürg Federspiel (verlegt bei Suhrkamp) beginnt in Italien, wo es nach einem Zwischenspiel in New York auch endet. Es treten auf: Primo Antonio Robusti, ein 70jähriger vermögender Schürzenjäger, seine Geliebte, Laura Granati, von unwiderstehlicher Schönheit, Lucia, die Zofe Robustis, ebenfalls schön, aber

klumpfüßig, ein Tätowierer, ein Blinder, der aus dem Telefonbuch vorliest, eine Bande japanischer Verbrecher und viele Engel. Sie stiften Liebe zwischen Sehenden und Nichtsehenden, bestimmen mit einem Münzwurf das Ge-

schlecht eines gerade gezeugten Menschen und wenden alles zum Guten. Das begehrteste und schönste Kunstwerk des Erdballs – der Erdball, tätowiert auf den schönsten Hintern der Welt – hält mühsam die Handlung zusammen in einem Buch, in dem der Zufall regiert. »Ein Autor, so wort- und gefühlssicher, der Welt so nah, daß man sie schier berühren kann; Worte zum Anfassen, ganz neu und unverbraucht und resolut; Gradheit, die schockiert«, schreibt Dieter Fringeli in der »Zeit« über dieses neue Werk Federspiels.

Frederick Forsyth
Der Unterhändler
Roman

Der US-amerikanische Thriller-Autor Frederick Forsyth (»Der Schakal«) legt mit »Der Unterhändler« einen weiteren internationalen

Bestseller vor; die deutsche Übersetzung erscheint bei Piper. – Der Sohn des amerikanischen Präsidenten ist entführt worden, die Geiselnehmer verlangen ein Lösegeld. Von einem hohen CIA-Agenten überredet, wird ein Versicherungsmakler der Gesellschaft Lloyd's Quinn als Unterhändler tätig. Er kann Kontakt mit den Entführern aufnehmen und die Freilassung des Kindes erreichen, muß jedoch feststellen, daß er selbst Opfer eines Komplotts geworden ist, mit dem die USA und die Sowjetunion in die Konfrontation des kalten Krieges zurückgezwungen werden sollen.

Gabriel García Márquez
Der General in seinem Labyrinth
Roman

Der 1989 in deutscher Übersetzung bei Kiepenheuer & Witsch herausgekommene Roman »Der General in seinem Labyrinth« von Gabriel García Márquez unterscheidet sich in Ton und Anlage wesentlich von früheren Werken des kolumbianischen Literaturnobelpreisträgers: Mythische, magische und phantastische Elemente, die etwa die Romane »Hundert Jahre Einsamkeit« (1967) oder »Die Liebe in den Zeiten der Cholera« (1985), bestimmten, finden sich nur ganz vereinzelt. Dennoch hat sich García Márquez wiederum nichts Geringeres vorgenommen als eine Darstellung der lateinamerikanischen Psyche und ihrer historischen Ursprünge. Im Mittelpunkt der Handlung steht der südamerikanische Freiheitsheld Símon Bolívar, der den Kontinent von spanischer Fremdherrschaft befreit, ihn zugleich jedoch in die Wirren eines endlosen Bürgerkrieges gestürzt hat. García Márquez zeichnet die letzten sieben Lebensmonate seines Helden nach, der während dieser Zeitspanne noch einmal sein Leben Revue passieren läßt.

Amitav Gosh
Bengalisches Feuer oder Die Macht der Vernunft
Roman

Drei Jahre nach dem Buchmessen-Schwerpunkt »Indien« erscheint bei Rowohlt ein bestsellerverdächtiger Roman eines indischen Autors, »Bengalisches

Feuer oder Die Macht der Vernunft«. Der Autor Amitav Gosh ist in Kalkutta geboren, hat in Oxford in Sozialanthropologie promoviert und lehrt derzeit an der Universität Neu-Delhi. Thema seines burlesk erzählten und spannend geschriebenen Buches ist der Widerstreit zwischen europäischer (technischer) Rationalität und östlicher (mystischer) Weisheit. Im Zentrum der Handlung steht der Weber Alu Bose, der mit seinem Onkel in einem bengalischen Dorf mittels einer Desinfektionskampagne den Schmutz der Vergangenheit und Unaufgeklärtheit beseitigen will. Er muß deshalb vor einem intriganten Kommunalpolitiker und dem Geheimagenten Jyoti Das nach Arabien und Nordafrika fliehen.

Benoîte Groult
Salz auf unserer Haut
Roman

Eine selbständige, emanzipierte Frau, die Pariser Intellektuelle George, steht im Mittelpunkt des Romans »Salz auf unserer Haut« der bretonischen Schriftstellerin Benoîte Groult (deutsch bei Droemer). Wie ein modernes romantisches Märchen erscheint die Geschichte von

der Liebe der Literaturprofessorin zu dem einfachen bretonischen Fischer Gauvain, die über ein Leben hinweg andauert, sich jedoch – da die beiden Liebenden in verschiedene Kultur- und Lebenskreise eingebunden sind, ein unterschiedliches Bildungsniveau und verschiedene Weltanschauungen haben – nur an wenigen Tagen oder Wochen im Jahr verwirklichen kann. Das moderne Frauenbild und die Freizügigkeit in der Beschreibung sexueller Begegnungen trugen zum internationalen Erfolg des Buches bei.

Lars Gustafsson
Das seltsame Tier aus dem Norden

Eine Brühe aus degenerierten Infusionstierchen, die als bioelektrische Nagivatoren im 40. Jahrtausend unserer Zeitrechnung ein Raumschiff antreiben, erzählt unglaubliche Geschichten aus Vergangenheit und Gegenwart: Von Personen, die in eine Zeitfalte geraten und deshalb plötzlich ihrem Doppelgänger gegenüberstehen, von Fürstenhäusern, die Abtrünnige nicht töten, sondern in einem Tank aufbewahren und mit Bildersurrogaten füttern, die den Opfern als ihr tatsächliches Leben erscheinen, von unerwarteten Wendungen in der US-amerikanischen Geschichte der 30er Jahre des 20. Jahrhunderts, als ein machthungriger Präsident japanischer Herkunft an die Regierung kommt und mit Hitlerdeutschland paktiert . . . – Die in eine Rahmenhandlung eingebetteten Science-Fiction-Geschichten, die in deutscher Übersetzung bei Hanser erscheinen, zeugen von übermütigem Witz, Phantasie und Geistesschärfe.

Peter Handke
Versuch über die Müdigkeit

Handke setzt seine literarische Annäherung an das »Heilige«, an den Zustand, wo alles »gut und richtig« ist, mit dem

Buchneuerscheinungen 1989

»Versuch über die Müdigkeit« (Suhrkamp) fort. Während seine zuvor veröffentlichten Werke wegen ihres hohen, prätentiösen Tons der Kritik meist einhellig abgelehnt wurden, ist das Echo auf das jetzt herausgekommene schmale Bändchen überwiegend positiv. Im Stilmittel des Selbstgesprächs grenzt Handke mit feinem Unterscheidungsvermögen »bösartige« und »schöne« Ermattungszustände voneinander ab. Brigitte Haberer stellt in der »Süddeutschen Zeitung« fest, daß Handkes Sprachduktus »ruhiger, betrachtender, offener« geworden sei; Peter von Matt lobt die »klirrende Genauigkeit« der Formulierungen und spricht von einem »großen Erzähler«.

Christoph Hein
Der Tangospieler
Roman

Der DDR-Autor und Dramatiker Christoph Hein veröffentlicht im Luchterhand Literaturverlag nach der Novelle »Drachenblut« und dem Roman »Horns Ende« sein drittes episches Werk, den Roman »Der Tangospieler«. Hauptfigur ist der Historiker Dallow, der im Februar 1968 aus dem Gefängnis entlassen wird und beschließt, sich von allem Engagement zurückzuhalten und nur noch seinen privaten Genüssen zu leben. Nicht nur zwei Bedienstete des Staatssicherheitsdienstes, die ihm eine Rückkehr auf seine Universitätsstelle für den Fall in Aussicht stellen, daß er Informationen an sie weitergibt, auch Begegnungen mit Frauen, Ansprüche der Eltern und nicht zuletzt die Ereignisse des »Prager Frühlings« konfrontieren Dallow – und den Leser – immer wieder mit der Erkenntnis, daß ein solcher Rückzug nicht davor schützt, negative Erfahrungen noch einmal zu machen.

Wolfgang Hilbig
Eine Übertragung
Roman

Die Skrupel eines Schriftstellers bei dem Versuch, durch Schreiben Ordnung in eine Welt zu bringen, der jede Ausrichtung zu fehlen scheint, die gottlos und mit Ideologien nicht zu erklären ist, durchziehen den Roman »Eine Übertragung«, der bei S. Fischer erscheint. Eine konventionelle Erzählung um einen mysteriösen Mord verwirrt sich folgerichtig, da das schreibende Individuum vor der Aufgabe der Sinnstiftung versagt.

Der Autor Wolfgang Hilbig, Träger des Ingeborg-Bachmann-Preises 1989, lebt in der DDR und hat vor dem Wechsel in den Beruf des Schriftstellers – »Eine« Übertragung« ist sein sechstes Buch – als Heizer in Sachsen gearbeitet. Die Kompliziertheit seiner Prosa verbietet in diesem Fall jedoch das klischeehafte und allzu griffige Etikett von der »Arbeiterliteratur«.

Ernst Jandl
Idyllen
Gedichte

Sieben Jahre nach der Veröffentlichung seines letzten Gedichtbandes (»selbstporträt des schachspielers als trinkende

uhr«) legt der inzwischen 64jährige Ernst Jandl im Luchterhand Literaturverlag eine Sammlung von »idyllen« vor, die – den Titel Lügen strafend – in vollster Verzweiflung von den Entwürdigungen und Verlusten des Alters sprechen, gelegentlich unterbrochen von vorsichtig-kargen Erinnerungen an die Kindheit. Jandl verliert trotz aller Klage nicht den bekannten kalauernden Ton, spielt weiter virtuos mit den Wörtern.

Elfriede Jelinek
Lust
Roman

Als Anti-Porno hat die Autorin, die Österreicherin Elfriede Jelinek, ihren neuesten Roman »Lust« schon vor dem Erscheinen (bei Rowohlt) bezeichnet und damit für Medienaufmerksamkeit gesorgt. Im Zentrum des Buches stehen ein Fabrikdirektor, der aus Angst vor der »Lustseuche« Aids nicht mehr zu Prostituierten geht, sondern sich zur Befriedigung seiner immensen sexuellen Bedürfnisse wieder seiner

Frau zuwendet. Diese Frau, Gerti, sucht sich ihrerseits einen Liebhaber, den Juranstudenten Michael, der sie ebenfalls mißbraucht bis zur Vergewaltigung. Die Romanfiguren sind ohne individuelles Gesicht, sie erscheinen – der Absicht der Autorin entsprechend – als entmenschlichte sexuelle Hochleistungsmaschinen bzw. als Opfer in einer Versuchsanordnung, in der die Ausbeutung der Arbeiter durch den Fabrikdirektor und die sexuelle Ausbeutung der Frau durch ihren Mann parallel gesetzt sind. Ohne ästhetische Überhöhung wird das Geschehen in der gestanzten, gedankenlos-mörderischen Sprache unseres Alltags dargestellt. – Die Kritik reagiert kontrovers auf das Buch; allerdings überwiegen die negativen Stimmen.

Ingomar von Kieseritzky
Anatomie für Künstler
Roman

Verkrüppelt an Leib und Seele ist der Held in Ingomar von Kieseritzkys neuestem Roman, »Anatomie für Künstler« (Klett-Cotta), Max Marun: Beinamputiert aufgrund hohen Nikotingenusses, mit Psychopharmaka ruhiggestellt wegen zu großer Lüsternheit, kriminell und verrückt, daher ins Irrenhaus. Die Geschichte des Mordes, den er begangen hat, kann Marun nicht folgerichtig nacherzählen. Zettelkästen dienen als Stichwortgeber und helfen Marun bei der Rekonstruktion weiter. »Kieseritzky

schreibt nicht mit dem Herzen, nicht einmal mit der Hand, er schaltet Programme. Souverän, kunstvoll, kalt. Von kleineren Läppischkeiten . . . einmal abgesehen . . ., bleiben alle Bausteine von triftiger Bedeutungslosigkeit. Offensiver misanthropischer Zynismus – das ist die Kieseritzkysche Antwort auf eine neuerlich erhobene Forderung an die Literatur, die Schäden eines zynischen gesellschaftlichen Funktionalismus zu kompensieren«, resümiert Hubert Winkels in der »Zeit«.

Danilo Kiš
Frühe Leiden
Roman

Nach »Garten, Asche« (deutsch 1968) und »Sanduhr« (deutsch 1988) erscheint nun bei Hanser unter dem Titel »Frühe Leiden« in deutscher Übersetzung der dritte, in der chronologischen Ordnung mittlere Teil der Romantrilogie von Danilo Kiš über die vernichtete Welt des südosteuropäischen Judentums. Der 1935 geborene Autor, Sohn einer Montenegrinerin und eines ungarischen Juden, gibt in heitermelancholischem Ton Momentaufnahmen aus seiner Kindheit wieder, wobei in die heile Welt die Schrecken der Verfolgung hereinbricht. »Mit der beschwörenden Kraft einer poetisch geformten Erinnerung bewahrt Danilo Kiš den Erfahrungen seiner bedrohten Kindheit und der versunkenen Welt seines Vaters die Treue«, heißt es im »Spiegel«.

Erich Loest
Fallhöhe
Roman

Einen deutsch-deutschen Agentenroman, der schon bald von der Realität eingeholt werden könnte, veröffentlicht der in Sachsen geborene und seit 1981 in der Bundesrepublik lebende Erich Loest im eigens für das Projekt gegründeten und von seinem Sohn betriebenen Linden-Verlag. Zwei Mitarbeiter des Staatssicherheitsdienstes, die sich auf ein mögliches Tauwetter in der DDR nach Honekker einstellen wollen, schicken einen Kollegen als vermeintlichen Dissidenten in den Westen. Dieser soll sich unter den in der Bundesrepublik lebenden ehemaligen DDR-Autoren umhören und Möglichkeiten eines »Dritten Weges« zwischen Kapitalismus und Sozialismus in einer reformierten DDR erkunden. Die Beschreibungen dieser Szene einstiger DDR-Schriftsteller – Günter Kunert, Thomas Brasch, Hans Joachim Schädlich, Gerhard Zwerenz und Erich Loest selbst –, die dem Klatschbedürfnis des Lesers entgegenkommt, gehört zu den amüsantesten Teilen des Romans, der nach dem Urteil der Kritik im übrigen an einer »holzschnittartigen Figurenzeichnung« und an »Erzählerwillkür« (Stephan Reinhardt in der »Süddeutschen Zeitung«) leidet.

Klaus Mann
Tagebücher 1931–1933
Tagebücher 1934–1935

Die beiden ersten Bände einer sechsbändig angelegten Erstausgabe der Tagebücher des Schriftstellers Klaus Mann erscheinen im Herbst 1989 in der edition spangenberg. Kaum 25 Jahre war Klaus Mann alt, als er 1931 unter dem Eindruck der Lektüre eigener Tagebücher aus der Kindheit beschloß, diese Buchhaltung des eigenen Lebens wieder aufzuneh-

men. Die von den Herausgebern erheblich gerafften Notate, die ohne literarischen Anspruch und nicht zur Veröffentlichung bestimmt sind, geben Einblick in den Alltag eines jungen Schriftstellers und Intellektuellen, seinen Arbeitsrhythmus und seine Arbeitsstörungen, seinen Drogenkonsum und seine (homosexuellen) Liebschaften und Freundschaften. Der zweite Band erhält zusätzliches Gewicht durch die Aufzeichnung der Erfahrungen und Begegnungen im Exil. Unverkennbar sind die respektvolle Distanz zum eigenen Vater, dem Dichterfürsten Thomas Mann, die Bedeutung der Schwester Erika, aber auch des viel jüngeren Bruders Golo für den jungen Autor, der sich in der Kritik stets den – meist negativ ausfallenden – Vergleich mit anderen Familienmitgliedern gefallen lassen mußte.

Gita Mehta
Die Maharani
Roman

Ein farbenprächtiges Sittengemälde ihrer Heimat entwirft die Inderin Gita Mehta in dem Roman »Die Maharani«, der bei Droemer-Knaur erscheint.

Die Maharadscha-Tochter Jaya wächst zunächst unbehelligt von der aktuellen Politik in der Feudalwelt des alten Indien auf. Mit dem Ersten Weltkrieg bricht das Unheil über die Familie herein: Der Bruder fällt für die britische Kolonialmacht, der Vater stirbt, und Jaya wird mit dem ungeliebten Prinzen von Sirpur vermählt, mit dem sie einen Sohn hat. Als Indien 1947 die Unabhängigkeit erlangt, schließt Jaya, die nach dem Tod ihres Mannes die Herrschaft über das 3000 Jahre alte Fürstentum Sirpur übernommen hat, das Land an den neuen indischen Staat an.

Herta Müller
Reisende auf einem Bein

Die rumäniendeutsche Autorin Herta Müller, die seit 1987 in West-Berlin lebt, hat nach Skizzen aus dem Dorfleben ihrer ehemaligen Heimat (»Niederungen«, »Der Mensch ist ein großer Fasan auf der Welt«, »Barfüßiger Februar«) nun erstmals ein Buch veröffentlicht, in dem sie ihre Erfahrungen im Westen thematisiert. Ihr literarisches Alter ego, Irene, siedelt in die Bundesrepublik über in der Hoffnung auf ein Wiedersehen mit dem jungen Marburger Studenten Franz, den sie noch während eines Urlaubs am Schwarzen Meer kennengelernt hat und mit dem sie seitdem in Briefkontakt steht. Doch Franz weicht ihr aus, er schickt statt dessen Stefan, über den sie den schwulen Thomas kennenlernt. Die sexuellen Begegnungen erweitern Irene, deren erkennender Blick vor der Wirklichkeit des Westens versagt, als Chance, Vertrauen, Vertrautheit und Zuversicht zurückzugewinnen – doch diese Begegnungen scheitern schmerzhaft. In einer vertrackt-rätselhaften, genau beobachtenden Sprache – die allerdings manchen Kritikern als maniriert erscheint – spricht Herta Müller von ihrer Fremdheit in der neuen Heimat. (Rotbuch-Verlag).

Paul Nizon
Im Bauch des Wals
Caprichos

Fünf Texte, die auf den ersten Blick wie unabhängige, in sich geschlossene Erzählungen erscheinen, hat Paul Nizon in dem Band »Im Bauch des Wals« mit dem Untertitel »Caprichos« zusammengefaßt (Suhrkamp). Die Figur des Marschierers, eines alternden Clochards, hält die Textteile untergründig zusammen, seine Geschichte wird nicht erzählt, sondern »umgangen, gefünfteilt, von weitem angetupft, gleichsam hinterrücks in [das] Buch hineingelockt, darin versteckt und mit allen anderen Erzählsträngen so diskret verknüpft, daß [sie] festgeschrieben bleibt in diesem Buch, ohne ein Eigenleben beanspruchen zu können « (Werner Fuldt in der »FAZ«).

Erik Orsenna
Gabriel II. oder Was kostet die Welt
Roman

Erik Orsenna, unter dem bürgerlichen Namen Erik Arnoult Professor für Volkswirtschaft und Berater des französischen Staatspräsidenten

François Mitterrand, hat sich in seinem vierten Buch, »Gabriel II. oder Was kostet die Welt« (deutsch bei Kiepenheuer & Witsch), einen literarischen Vater geschaffen, den Kautschuk-Ingenieur Gabriel Orsenna, der 70 Jahre französischer Geschichte – Kolonialisierung Afrikas, deutsche Besatzung, Indochinakrieg – aus dem Blickwinkel eines Gummiproduzenten erlebt. »In seinem charmanten Plaudern nehmen sich auch die Schrecken der Geschichte eher wie Kuriositäten aus, nie schlägt der Witz in Aberwitz, die Ironie in Grauen um«, kommentiert der »Spiegel«.

Hanns-Josef Ortheil
Agenten
Roman

Mit den bei Piper verlegten »Agenten« hat Hanns-Josef Ortheil nach »Schwerenöter« (1987) den zweiten Anlauf zu einem Zeitroman der bundesrepublikanischen Wirklichkeit der 80er Jahre unternommen. Der Ich-Erzähler Meynard macht eine ebenso erstaunliche wie exemplarische Karriere vom Herausgeber einer Schülerzeitung zum Redakteur der »Szene«-Seite einer Wiesbadener Tageszeitung, begleitet von und konfrontiert mit anderen Typen aus der »Szene«, Rauschgifthändlern, Antiquitätenschiebern und Anzeigenakquisiteuren. Als Partnerinnen für Liebesabenteuer stehen

zur Verfügung: Der Theatervamp, der Blaustrumpf und die Karrierefrau. Der Roman fällt wegen der ungeschickten Dramaturgie, der unbeholfenen und unpräzisen Sprache und der mangelnden psychologischen Glaubwürdigkeit bei der Kritik durch.

Jacques Roubaud
Die schöne Hortense
Roman

Der französische Mathematiker Jacques Roubaud hatte mit dem Kriminalroman »Die schöne Hortense«, der 1989 bei Hanser in deutscher Übersetzung erscheint, 1985 in Frankreich sein literarisches Debüt.

Rätselhafte Einbruchsdiebstähle in einem Haushaltswarengeschäft, bei denen immer die gleichen Verwüstungen angerichtet werden, beschäftigen die Bewohner eines Pariser Viertels. Mit einem kunstvoll geschlungenen Handlungsfaden führt Roubaud den Leser von dem Lebensmittelhändler und Schürzenjäger Eusèbe zu der schönen Philosophiestudentin Hortense, die wiederum in einem Mann zweifelhaften Rufs namens Morgan befreundet ist, schließlich zu dem Kater Eusèbes, Alexander, der alle Spuren der Diebe immer wieder zu verwischen scheint.

Salman Rushdie
Die satanischen Verse
Roman

Das Buch, das dem Autor Salman Rushdie, Brite indischer Herkunft, einen Mordaufruf des inzwischen verstorbenen iranischen geistlichen Oberhaupts, Ayatollah Ruhollah Khomeini, eingebracht hat, erscheint in deutscher Übersetzung pünktlich nach der Frankfurter Buchmesse im Verlag »Artikel 19«, der sich eigens für dieses Projekt als Zusammenschluß mehrerer Einzelpersonen gegründet hat (→ 14. 2./S. 19). Rushdie wechselt zwischen mythischen Welten und der harten Realität im Großbritannien von heute, erzählt mit ungezügelter Phantasie

Geschichten, in denen Wirklichkeit und Übersinnliches unmerklich ineinander übergehen. – Zwei indische Schauspieler überleben auf wunderbare Weise einen Flugzeugabsturz und treten gemeinsam eine abenteuerliche Reise an, die sie vom Bombay ihrer Kindheit über London bis nach Mekka führt. Dort begegnet einem der beiden, Gibril, im Traum der Religionsstifter des Islams, Mohammed. Die Darstellung gilt vielen islamischen Fundamentalisten als Blasphemie. Die »Satanischen Verse«, in denen Mohammed empfiehlt, in einer Übergangszeit neben Allah auch andere Götter anzunehmen, sind nach islamischer Überlieferung später von dem Propheten selbst aus dem Koran getilgt worden.

Botho Strauß
Kongreß
Die Kette der Demütigungen

In der Tradition der großen obszönen Werke dieses Jahrhunderts, etwa der »Geschichte des Auges« von Georges Bataille, steht das Buch »Kongreß« von

Botho Strauß, das im Matthes & Seitz Verlag erscheint. Friedrich Aminghaus gerät aus der Lektüre hinüber in einen Traum, in dem er an einem »Kongreß der Eventualisten« teilnimmt und schließlich im Salon von Professor Albin Scherrer (Beiname: Thitonos) dessen Freundin Hermetia und einem Hausfreund, Czech, begegnet. Friedrich und Hermetia beginnen einander ausschweifende erotische Geschichten zu erzählen, die immer pornographischer und gewalttätiger werden, bis Friedrich schließlich aus dem Fenster stürzt. Czech führt Hermetia vom Schauplatz weg, und Thitonos erzählt die letzte Geschichte, die um die Formel »Ich liebe dich« kreist. Zum Schluß nimmt Strauß – ganz in der romantischen Tradition – die Rahmenhandlung wieder auf: Friedrich Aminghaus erwacht und stellt fest, daß er in einem Buch gelesen hat, in dem er selbst als Figur vorkommt. Wie stets bei Botho Strauß sind die Kritiken auch in diesem Fall kontrovers. Während Andreas Kilb in der »Zeit« schreibt: »Seine Erotismen sind von metallischer Klarheit, kühl und heiß zugleich«, spricht Ulrich Weinzierl davon, es sei Absicht des Autors gewesen, »eine plötzlich verrucht gewordene Courths-Mahler zu imitieren«. – Die zweite Strauß-Neuerscheinung von 1989, der schmale Band »Fragmente der Undeutlichkeit«, enthält Gedanken über den US-amerikanischen Dichter Robinson Jeffers sowie Aphorismen und Reflexionen, in denen Strauß mit dem Mittel der Sprachkritik irrationale Momente aufklärerischen Denkens aufdeckt.

Franz Josef Strauß
Die Erinnerungen

Die »Erinnerungen« von Franz Josef Strauß, der als Atom-, Verteidigungs- und Finanzminister, als CSU-Vorsitzender und bayerischer Ministerpräsident die Geschicke der Bundesrepublik entscheidend prägte, sind ein Fragment geblieben; der plötzliche Tod des Politikers am 3. Oktober 1988 hat die Vollendung verhindert. Viele Gewichtungen in dem nun veröffentlichten Text sind daher als nicht endgültig anzusehen, so zum Beispiel die knappe Behandlung der »Spiegel«-Affäre von 1962. Der Siedler Verlag hat die eigentlichen Memoiren von Strauß eingebettet in zwei Gespräche, die dieser mit Leonid Breschnew und Michail Gorbatschow geführt hat – sie belegen, daß Strauß bei aller unbedingten Feindschaft gegenüber der kommunistischen Ideologie doch den Machthabern im Kreml stets mit Pragmatismus und Realitätssinn begegnete.
Der Ton der Strauß-Memoiren unterscheidet sich kaum von dem seiner Rede: Drastische, provozierende Thesen haben Vorrang gegenüber Nachdenklichkeit und Differenzierung. Politische Gegner, aber auch Weggenossen, werden vielfach herablassend behandelt, während in der Beurteilung der eigenen Person das Selbstbewußtsein die Selbstkritik überwiegt.

John Updike
S.

Mit S. unterzeichnet Sarah Wooddie Briefe, die sie nach Hause schreibt aus dem Ashram in Arizona, der an die Großkommune des Bagwhan in Oregon erinnert. Nach 22 Jahren Eheleben an der US-amerikanischen Ostküste, das gekenn-

zeichnet war von Unterdrückung, Unterordnung und Verzicht, hofft sie in der Umgebung eines indischen Gurus ihr wahres Selbst zu finden. Sie steigt schnell zu seiner persönlichen Beraterin auf und erweist sich dabei als erstaunlich geschickt in kaufmännischen Dingen. Der US-amerikanische Erfolgsschriftsteller John Updike wählt in »S.«, das in deutscher Übersetzung bei Rowohlt erscheint, das traditionelle Mittel des Briefromans für seine scharfsinnige Kritik an der Mittelschicht der USA. »In der Tarnung des indischen Sari entpuppt sich Sarah als perfekte Geschäftsfrau. In ihren Briefen wird ein Sozialisations- und Verhaltensmuster sichtbar, das unter der Oberfläche dressierter Wohlanständigkeit nur auf zwei Dinge fixiert ist: Geld und Sex . . . Das unvermittelte, ungeschützte ›Selbst‹-Erzählen im Brief erlaubt Updike eine psychologische Entlarvung, wie sie ihm noch nie exakter gelang« (Klaus Modick in der »Zeit«).

Mario Vargas Llosa
Lob der Stiefmutter
Roman

Ein erotischer Roman voller Raffinesse ist »Lob der Stiefmutter« (deutsch bei Suhrkamp) des Peruaners Mario Vargas Llosa, der durch die Kandidatur des Autors für das Präsi-

dentenamt zusätzliche Publizität gewonnen hat. Ein spannungsreiches Beziehungsdreieck zwischen Don Rigoberto, seinem gerade in der Pubertät befindlichen Sohn Alfonsito und dessen Stiefmutter, der 40jährigen Dona Lukrezia, sorgt über 210 Seiten für Auf- und Anregung, wobei der Autor bewußt versucht, Konventionen des Genres zu durchbrechen.

Christa Wolf
Sommerstück
Erzählung

Das stets vom nahen Untergang bedrohte Glück eines Sommers in der ländlichen Mecklenburg erlebt eine Gruppe von Intellektuellen, die sich dort häuslich eingerichtet hat und zu bleiben hofft. Das Ensemble der Figuren ist leicht entschlüsselbar: Sarah Kirsch und Maxie Wander, Christa Wolf selbst und ihr Mann Gerhard sowie viele andere haben 1975 diesen »verrückten Sommer« gemeinsam verbracht. Das Interesse, etwas über das Privatleben dieser Personen zu erfahren, bestimmt also naturgemäß die Lektüre.
Peter von Matt beurteilt diese Verfahrensweise in einer Rezension als durchaus legitim angesichts der Erzähltechnik, die die Alternative »Klatsch oder Kunst« als falsch erscheinen läßt: »Das Buch setzt einen neuen Maßstab des autobiographischen Erzählens. Es tut dies, indem es unverfroren und zur anhaltenden Verblüffung des Lesers gegen die bisher heiligste Regel solchen Schreibens verstößt: Die unmögliche Perspektive von allem Geschehens aus einem einzigen entsinnenden Ich heraus . . . Bei Christa Wolf denken und fühlen alle Gestalten wie nur je bei einem allwissenden Erzähler.« (Luchterhand Literaturverlag).

Uraufführungen Schauspiel, Oper, Operette und Ballett 1989

Die bedeutendsten Uraufführungen im deutschsprachigen Raum und die deutschen Erstaufführungen aus Schauspiel, Oper, Operette und Ballett sind alphabetisch nach Autoren/Komponisten geordnet.

Klaus Arp
Odysseus auf Ogygia
Oper

Zum 200jährigen Bestehen des Koblenzer Opernhauses wird am 4. März die Oper »Odysseus auf Ogygia« uraufgeführt. Deren Libretto geht auf einen Text des in Koblenz gebürtigen expressionistischen Dramatikers Fritz von Unruh zurück. Unruh hat in dem – 1968 zur szenischen Urlesung gebrachten, aber seither nicht wieder aufgeführten – Stück eine Episode aus dem Homerschen Epos verarbeitet, die beschreibt, wie Odysseus sieben Jahre lang mit der Nymphe Kalypso auf der Insel Ogygia zusammenlebt. Seiner pazifistischen Überzeugung verleiht Unruh Ausdruck, indem er Kalypso als überzeugte Anhängerin der Vorstellung von einem harmonischen Zusammenleben der Weltbevölkerung darstellt. Ihr gelingt es, Odysseus zu einem Streiter für die Idee des Friedens zu läutern. Der Librettist Wolfgang Poch, der zugleich in Koblenz die Inszenierung besorgt hat, verleiht diesem Text durch die Einführung der auch im Niedergang nicht kriegslüsternen Göttin Pallas-Athene eine gewisse skeptische Komponente, ohne den Gesamtgehalt des Werks jedoch zu verändern.

Peter Edelmann (Odysseus) und Edith Fuhr (Kalypso) in »Odysseus auf Ogygia«

Der Komponist Klaus Arp, der in Koblenz einige Jahre als Kapellmeister tätig war, verläßt sich in seiner vielfach an Richard Strauss erinnernden Vertonung auf traditionelle, melodisch und harmonisch eingängige Mittel, so daß seine Musik »an dem schmerzlichen Ernst des Textes . . . doch zu wohltönend vorbeirauscht« (Matthias Norquet in der Zeitschrift »opernwelt«).

Alan Ayckbourn
Ab jetzt
Komödie

Peter Zadek, das Enfant terrible des deutschen Theaters, sorgt auch 1989 wieder für Aufregung: Er inszeniert das neueste Stück des britischen Autors Alan Ayckbourn, »Ab jetzt« (»Henceforward«), ausgerechnet am Berliner Theater am Kurfürstendamm, das mit seinem Repertoire eher schlichte Unterhaltungsbedürfnisse befriedigt. Damit bringt er wieder einmal die Kategorien durcheinander, mit denen die Bühnenwelt in »seicht« und »anspruchsvoll« geschieden wird (Deutsche Erstaufführung; Premiere 16. 3. in London).

Die Kritik reagiert gespalten auf die Science-Fiction-Komödie über einen Künstler in der Krise, der einen privaten Krieg sowohl gegen wirkliche Frauen als auch gegen einen Frauen-Roboter führt, den er vom Muttchen zur Geliebten umfunktioniert. Zu allem Überfluß wird der Bedauernswerte von Nachrichten bedrängt, die verkünden, Radikalfeministinnen hätten in manchen Stadtteilen die Polizeigewalt übernommen. Während Georg Hensel in der »Frankfurter Allgemeinen Zeitung« Ayckbourn »komödiantische Phantasien« und »handfeste Komik« bescheinigt, nennt die »Frankfurter Rundschau« das Stück »finster-reaktionär« und spricht von »Wende-Thatcherismus«. Benjamin Henrichs konstatiert in der »Zeit«, daß der moralische Anspruch des Autors jeden Witz ersticke: »Alle Pointen brauchen einen langen Anlauf – und landen dann genau am erwarteten Punkt.«

Thomas Bernhard
Elisabeth II.
Keine Komödie

Die letzte Uraufführung eines Stücks des österreichischen Dramatikers Thomas Bernhard, der am 12. Februar 1989 gestorben ist, findet nicht im Wiener Burgtheater, sondern im Berliner Schiller-Theater statt – der testamentarischen Verfügung des Autors folgend, der die Aufführung und Veröffentlichung seines Nachlasses in Österreich verboten hat. Regisseur der Inszenierung ist also nicht – wie stets in den letzten Jahren – Claus Peymann, sondern Niels Peter Rudolph. Das Stück jedoch – schon 1987, also vor dem »Heldenplatz«, verfaßt – weist typische Bernhard-Ingredienzen auf: Ein verkrüppelter, vergreister Großindustrieller namens Herrenstein, sein seit einem Vierteljahrhundert für ihn tätiger Diener Richard und die seit 42 Jahren bei ihm beschäftigte Haushälterin, Fräulein Zallinger, liefern sich zu wiederkehrenden Mustern erstarrte Wortgefechte, die getragen sind vom grenzenlosen Abscheu voreinander und vom Haß auf die Menschheit, insbesondere aber auf die Österreicher. Schließlich tauchen einige Dutzend Gäste in Herrensteins herrschaftlichem Haus an der Wiener Ringstraße auf, um die britische Königin Elisabeth II. vorbeifahren zu sehen. Sie alle stürzen in die Tiefe, da der Balkon das Gewicht der Schaulustigen nicht hält. »Einer, der, wie Bernhard, noch die schaurigsten Monstrositäten seiner Helden mit solcher Zärtlichkeit beschrieb, der konnte sie nur lieben . . . Daß aber auch die Figuren selbst von dieser unglücklichen Liebe zur Welt und zum Leben befallen sein können, in ›Elisabeth II.‹ erfährt man das in dieser Deutlichkeit zum ersten Mal«, faßt Esther Slevogt in der »tageszeitung« ihre Eindrücke von der Premiere am 5. November zusammen.

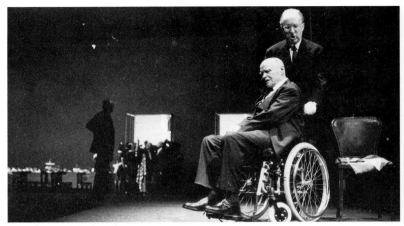

»Elisabeth II.«: Kurt Meisel im Rollstuhl als verbitterter Herrenstein und Walter Schmidinger als dessen Diener Richard; das Bühnenbild stammt von Paul Lerchbaumer.

Richard Blackford / Henning Brauel / Peter Maxwell Davies / Michael Dennhof / Hans Werner Henze / Niels Frédéric Hoffmann / Thomas Jahn / Geoffrey King / Francis Pinto
Der heiße Ofen
Oper

Das Gemeinschaftswerk von acht Komponisten unter der Leitung von Hans Werner Henze, bereits 1975 konzipiert, kommt am 18. März in Kassel endlich zur Uraufführung: »Der heiße Ofen«, ein »Protestoperettchen« (»opernwelt«) über den – folgenlosen – Widerstand verschiedener gesellschaftlicher Gruppierungen gegen ein neues, umweltschädliches Benzin. Die Musik erinnert an Kurt Weill, Hanns Eisler und Paul Dessau.

Rene Claasen (l.) und Dieter König (M.) spielen die Hauptrollen in »Der heiße Ofen«.

Volker Blumenthaler/Otto Winzen
Deinen Kopf, Holofernes
Oper

Einen Achtungserfolg erreicht der 37jährige Kölner Komponist Volker Blumenthaler mit der Kammeroper »Deinen Kopf, Holofernes«, die am 11. Februar in der Inszenierung von Hajo Fouquet (musikalische Leitung: Helmut Imig) in Gelsenkirchen uraufgeführt wird.
Im Libretto sind biblische Überlieferung, barocke Zwischenspiele und die Jetztzeit miteinander verknüpft: Eine alternde Frau phantasiert sich in die Gestalt der Judith, die ihren Geliebten Holofernes erschlägt. Eine musikalische Spiegelung der unterschiedlichen Zeitebenen gelingt jedoch häufig ebensowenig wie eine Darstellung des Wechsels zwischen Realität und Traum. Dennoch beeindruckt die durchaus nicht radikal avantgardistische Musiksprache durch kantable, expressive Melodienführung und effektvolle Instrumentierung.

Max Frisch
Jonas und sein Veteran
Ein Palaver

Mit seinem Stück »Jonas und sein Veteran«, das am 19. Oktober in deutscher Sprache in Zürich und am Tag darauf in französischer Sprache in Lausanne uraufgeführt wird (Inszenierung: Benno Besson), hat Max Frisch noch einmal seine Schweizer Landsleute provoziert. Enkel Jonas und sein Großvater, der Veteran, sitzen am Kaminfeuer und diskutieren in anheimelnder Atmosphäre über den Sinn der Schweizer Armee. Der bis in den Zweiten Weltkrieg zurückdenkende Alte und der in eine vage Zukunft blickende Junge sind sich in dem – ironisch gebrochenen, aber nichtsdestoweniger aufklärerisch gemeinten – Gespräch einig, daß die Armee für die Schweiz von Schaden sei, daß sie gerade heute, wo es keinen äußeren Feind mehr gebe, allein dazu diene, in einer Gesellschaft mit wachsendem Konfliktpotential die Privilegien der Herrschaftskaste in Politik und Wirtschaft zu sichern. – Einen Monat nach der Uraufführung findet in der Schweiz eine Volksabstimmung über die Abschaffung der Armee statt, bei der die Antimilitaristen – wie erwartet – unterliegen (→ 26. 11./S. 107).

Peter Hacks
Fredegunde
Komödie

Fünf Königinnen im Intrigengeplänkel: Der DDR-Dramatiker Peter Hacks entlarvt in seiner 1984 entstandenen historischen Polit-Komödie »Fredegunde« die Macht als ein lächerliches Spiel, das am Ende niemandem Vorteile bringt und bei dem die beteiligten Figuren nur ihre Funktionen wechseln, ohne daß sich real etwas verändert.

Das Macht-Spiel findet im Jahr 567 am Hof der fränkischen Merowinger statt, deren verwickelte Verwandtschaftsverhältnisse auf subtile, aber eindeutige Weise die Position in der Hierarchie festlegen. Die Hauptfiguren des Dramas sind nicht die Könige selbst, sondern ihre Witwen und Gemahlinnen, die durch eine neu dazugekommene, noch intrigenungewohnte Prinzessin aus der Routine gebracht werden.
Regisseur Wolfgang Gropper arbeitet mit einer deutlichen Symbolik und setzt mit einer scharfen Figurenzeichnung auf humoristische Effekte. Die Uraufführung findet am 21. Januar im Kleinen Haus des Staatstheaters Braunschweig statt.

Václav Havel
Sanierung
Drama

Václav Havel, tschechoslowakischer Schriftsteller, Bürgerrechtler und Friedenspreisträger des Deutschen Buchhandels 1989 (→ 20. 10./S. 83), schildert in dem Stück »Sanierung« den Widerstand von sieben Architekten und Städteplanern gegen eine von niemandem gewollte Altstadtsanierung, die nach einem pseudoliberalen Zwischenspiel von der Obrigkeit schließlich doch durchgesetzt wird. Albert, einer der Architekten, hält an seiner Überzeugung fest, kommt dafür ins Gefängnis und hat nach seiner Freilassung den Kontakt zum übrigen Team verloren. »Ein Dialog- und Thesenstück ohne sonderlich starke Dialoge oder sonderlich verblüffende Thesen, für uns jedenfalls . . .«, urteilt Michael Skasa in der »Zeit«. – Das Stück wird am 24. September in der Inszenierung von Joachim Bissmeier im Keller des Züricher Schauspielhauses uraufgeführt.

Ensemble des Züricher Schauspielhauses bei der Uraufführung von Havels »Sanierung«

Christoph Hein
Die Ritter der Tafelrunde
Komödie

Ursprünglich war das Stück des DDR-Schriftstellers Christoph Hein für den 24. März angekündigt. Nach diversen Auseinandersetzungen hinter den Kulissen kommt es jedoch erst am 12. April in Dresden zur offiziellen Uraufführung. Die vorherigen Aufführungen werden zu »Voraufführungen« erklärt.

Das Drama behandelt an der mittelalterlichen Legende von den Artusrittern die Problematik der Versteinerung einer Machtelite, die ihre Ideale (den »Gral«) verloren hat. Der Bezug zur überalteten DDR-Führung ist überdeutlich und sichert den Publikumserfolg. In der offiziellen DDR-Presse wird diese Brisanz jedoch verschwiegen oder nur angedeutet. Hein schildert keine Entwicklung, sondern leistet eine Bestandsaufnahme. Die Ritter der Tafelrunde als »traurige alte Streithammel« charakterisiert, die stets die gleichen Gespräche führen, haben ihre Legitimationsgrundlage verloren. Die Jugend glaubt nicht mehr an die Bedrohung von außen und erst recht nicht mehr an die gesellschaftliche Utopie, die die Alten nur noch in leeren Worthülsen im Munde führen. Allein die Frauen, die das Spiel der Ritter durchschauen, scheinen sich – außerhalb des öffentlichen Raumes – ihre Vitalität bewahrt zu haben.

Die Inszenierung von Klaus Dieter Kirst in Dresden vermeidet alle vordergründige Aktualisierung und inszeniert die Komödie als psychologisches Kammerspiel.

»Unbefleckte Empfängnis« (vorn v. l.): M. V. Martens, B. Minetti, S. Engin, H. Balzer

Rolf Hochhuth
Unbefleckte Empfängnis
Schauspiel

Gegen Kirche und Staat, Ärzte, Feministinnen und Gegner der Gentechnologie zieht der Dramatiker Rolf Hochhuth in seinem Stück »Unbefleckte Empfängnis« zu Felde, das am 8. April am Berliner Schillertheater in der Inszenierung des Intendanten Heribert Sasse uraufgeführt wird. Thema des Stücks ist der Kampf einer unfruchtbaren Frau, die ein Kind von einer »Leihmutter« austragen lassen will, gegen diese Institutionen und Bewegungen. Die Figuren bleiben nach dem fast einhelligen Urteil der Kritik bloße Sprachrohre für in Leitartikel-Manier formulierte Meinungen ohne Leben.

York Höller
Der Meister und Margarita
Oper

York Höller, ein Schüler von Bernd Alois Zimmermann, legt mit »Der Meister und Margarita« sein erstes Werk für das Musiktheater vor. Den Stoff liefert der gleichnamige Roman von Michail Bulgakow, der Kritik an stalinistischen Zensurmaßnahmen mit einer an »Faust« erinnernden Metaphysik verknüpft. Das Werk wird am 20. Mai am Palais Garnier in Paris in der Inszenierung von Hans Neuenfels uraufgeführt.

Höller verknüpft Vokalpartien – teilweise vom Tonband – und traditionelle Orchesterklänge mit elektronisch erzeugter serieller Musik. Er verwendet dabei »all das, was schon (sein) Lehrer Zimmermann für die »Oper der Zukunft« forderte . . .: Sprechen, Singen, Flüstern, Schreien; Jazz und Gregorianik; Collage mit Zitaten aus verschiedenen Epochen; Tanz und Film« (Heinz Josef Herbort in der »Zeit«). Die Kritik bemängelt, das Libretto – von Höller selbst verfaßt – sei zu lang, die Stoffwahl nicht überzeugend. Positiv hervorgehoben wird der souveräne Umgang mit den elektronischen Mitteln und die homogene Einbindung in die klassische Tonskala des Orchesters.

Heinz Holliger
What where
Kurzoper

Umrahmt von den beiden 1978 entstandenen Werken »Come and Go« und »Not I« wird Heinz Holligers neueste Kurzoper, »What where«, am 19. Mai im Kammerspiel der Frankfurter Städtischen Bühne uraufgeführt.

Alle drei musikalischen Werke basieren auf literarischen Vorlagen von Samuel Beckett. In »What where« sind vier Männer, offenbar Überlebende einer weltweiten Katastrophe, ständigen Verhören und Folterszenen unterworfen, wobei sich Täter und Opfer stets abwechseln.

Als »Fünfter« ist die Tonbandstimme von einem der Beteiligten über Lautsprecher zu hören.

Holliger verwendet in seiner Musik die Mittel der Avantgarde – Verfremdungen, Glissandi, Intervallreibungen, Wort- und Silbenzerlegung, Klangteppiche – und schafft mit seinen Motiv- und Melodiefetzen, die zum Ende des Stückes immer spärlicher werden, bis die Musik sukzessive verstummt, eine eindringliche Atmosphäre des Grauens (Besetzung: Vier Posaunen, zwei Schlagzeuge).

Klaus Huber
Wagner und . . .
Contra-Paradigma für Sänger, Schauspieler und Großes Orchester

Weit mehr als eine Collage aus Opern von Richard Wagner ist das Werk »Wagner und . . .« des schweizerischen Komponisten Klaus Huber, das der vor allem als Filmregisseur bekannt gewordene Werner Schröter für das Düsseldorfer Schauspielhaus inszeniert (Uraufführung am 22. Februar). Huber kombiniert das Vorspiel zu »Lohengrin« mit Szenen aus dem »Fliegenden Holländer« und Isoldes Liebestod aus »Tristan und Isolde«. Darauf läßt er Textparaphrasen auf Motive aus der »Götterdämmerung« folgen, verfremdet Siegfrieds Trauermarsch, indem er Stimme für Stimme des Orchesters abwandelt und Akkorde in Einzelstimmen zerlegt. Weitere Experimente mit Wagnerschem Material schließen sich an. Zwischen den Musikstücken tragen Sprecher eine Mischung aus Zitaten klassischer und moderner Lyrik vor. Die Sänger und die mit solistischen Aufgaben betrauten Orchestermitglieder verteilen sich im Zuschauerraum, um – allerdings auf Kosten der Verständlichkeit des gesprochenen und gesungenen Wortes – für eine umfassende Beschallung des Publikums zu sorgen.

Karl Kögler
Kohlhaas
Oper

Heinrich von Kleists Novelle von Michael Kohlhaas, der in einem maßlosen privaten Feldzug für sein Recht kämpft, liefert die Textgrundlage für die Oper des 70jährigen österreichischen Komponisten Karl Kögler, die am 12. März in Linz uraufgeführt wird. Das in der Novelle dramatisch zugespitzte Geschehen wird in der Opernfassung betulich entfaltet. Die Persönlichkeit des Einzelkämpfers

Kohlhaas geht in der Fülle des handelnden Personals fast unter. »Die Folge ist ein Bilderbogen mit vielem, meiner Ansicht nach allzu vielem theatralischem Schnick-Schnack«, meint der Kritiker Peter Cossé.

Franz Xaver Kroetz
Oblomow
Schauspiel

Iwan Gontscharows Roman »Oblomow« aus dem Jahr 1858, dessen Titelheld als Prototyp des lebensuntüchtigen, aber liebenswerten Faulpelzes in die Literaturgeschichte eingegangen ist, dient als Vorbild für das gleichnamige Stück von Franz Xaver Kroetz, das am 5. März in der Inszenierung des Autors am Münchener Prinzregententheater uraufgeführt wird. In einer Kurzkritik schreibt »Theater heute«: »Kroetz hat . . . nur Gontscharows . . . Buch eingestrichen, auf die Hauptpersonen und Hauptmotive reduziert und sie dabei mehr verdünnt als verdichtet.«

Volker Ludwig/Detlef Michel
Ab heute heißt du Sara

33 Bilder aus dem Leben einer Berlinerin Inge Deutschkrons autobiographischem Bericht »Ich trug den gelben Stern« haben Volker Ludwig und Detlef Michel für das Jugendtheater dramatisiert; die Uraufführung unter dem Titel »Ab heute heißt du Sara« findet am 9. Februar im Berliner GRIPS-Theater statt.

In einer raschen Szenenfolge, die immer wieder von kommentierenden Songs unterbrochen wird, zieht das Leben einer deutschen Jüdin unter nationalsozialistischer Herrschaft am Zuschauer vorbei. Ein Leben, das bestimmt ist durch die Beschränkung der Arbeits- und Ausbildungsmöglichkeiten, den Verlust der Wohnung und die Einschränkung der Lebensmittel. Schließlich muß Sara untertauchen, um den Deportationen zu entgehen. Bei aller Tragik steht dieser Alltag auch voller »schnurriger Begebenheiten« (Michael Merschmeier in »Theater heute«).

Den beiden Autoren gelingt nach dem überwiegend sehr positiven Urteil der Kritik die gefährliche Gratwanderung zwischen Lehr- und Rührstück: »Das unterhaltsame Geschichtsdrama wird nur selten mal zum bloß dokumentarischen Schulfunk, meist hat es die bedrängende szenische Kraft eines Zeitstücks« (Merschmeier).

Nina Lorck-Schierning (r.) spielt die Titelrolle in »Ab heute heißt du Sara«, das von der Kritik als besonderer Lichtblick in der Theaterlandschaft Berlins gewertet wird.

Siegfried Matthus
Graf Mirabeau
Oper

Die Oper zum 200. Jahrestag der Französischen Revolution stammt aus der Feder eines Deutschen, des Ost-Berliner Komponisten Siegfried Matthus. Er hat sich die Gestalt des Grafen Mirabeau (1747–1791) zum Titelhelden erwählt, der für die Revolution eine bedeutende Rolle spielte: Zeitweilig war er als Vertreter des Dritten Standes Präsident der Nationalversammlung. Als Berater von König Ludwig XVI. und seiner Frau Marie Antoinette war er aber auch eine zumindest zwielichtige Figur. Nicht nur als Politiker, sondern auch wegen seiner Liebesabenteuer beschäftigte er die Phantasie der Zeitgenossen und der Nachwelt.

Matthus, der das Libretto aus Briefen und Essays Mirabeaus sowie aus anderen Dokumenten zusammengestellt hat, entwirft das faszinierende Porträt eines Revolutionärs, der sich bei seinen Handlungen weniger von der Vernunft als vielmehr von Sinnlichkeit und Emotionalität leiten läßt. Die Persönlichkeit Mirabeaus wird in ihrer vollen Widersprüchlichkeit auf die Bühne gebracht, in ihrer Demagogie jedoch zugleich im Namen aufklärerischer Ideale kritisiert. Frappierend in ihrer Komplexität sind die musikalischen Mittel, die Matthus dafür einsetzt. Zu erkennen sind Anklänge an Gluck, Wagner und Reger ebenso wie Zitate aus Mozarts »Don Giovanni«, Gassenhauer und Walzerklänge. Aus einer Grundskala von sieben Tönen gewinnt der Komponist »Chiffren« für Mirabeaus zwischen übersteigerter Sinnlichkeit und logischer Kühle schwankenden Charakter.

Auch wenn Matthus keine »Revolutionsoper« geschrieben hat, so gelingt ihm doch mit Hilfe einer ebenso sorgfältigen wie effektvollen Dramaturgie, die aneinandergereihte kleine Szenen immer wieder zu großen, chorisch untermalten Tableaus erweitert, ein überzeugendes und faszinierendes Zeitpanorama.

Die Uraufführung findet am 14. Juli, dem Jahrestag des Sturms auf die Bastille, in Ost-Berlin und in Karlsruhe statt. Einen Tag darauf hat die Oper in Essen Premiere.

Ganz im Zeichen des »Bicentenaire«: Peter Jürgen Schmidt und Carola Höhn in »Graf Mirabeau«

Eckehard Mayer
Der goldene Topf
Oper

Die Oper »Der goldene Topf«, die Eckehard Mayer auf ein Libretto des Dresdener Schriftstellers Ingo Zimmermann komponiert hat, spielt auf mehreren Ebenen: Zum einen verarbeitet sie die gleichnamige romantische Märchenerzählung von E. T. A. Hoffmann, zum anderen setzt

Die Oper »Der goldene Topf« – hier eine Szene mit Armin Ude als Student Anselmus – ist eine von den 16 Uraufführungen, für die sich bei den Dresdener Musikfestspielen 1989 der Vorhang hebt.

sie die Belagerung und Besetzung der Stadt Dresden durch napoleonische Truppen in Szene; außerdem wird die Entwicklung Hoffmanns zum Dichter auf der Bühne nachvollzogen. In der Musik Eckehard Mayers ist die grundsätzliche Unterscheidung der Aktionsebenen nach Meinung des Kritikers Ernst Krause (»opernwelt«) »nur in Ansätzen zu erkennen«. Allerdings sei der Komponist aufgrund der Textfülle zu »einem melodisch gestützten Parlando, das vieles nivelliert«, gezwungen.

Die Uraufführung des aufwendigen Werks findet am 25. Mai in einer Inszenierung von Joachim Herz in der Dresdener Semperoper statt.

Lars Norén
Eintagswesen
Schauspiel

»Eintagswesen«, das neueste Stück des schwedischen Dramatikers Lars Norén, gelangt im Kasseler tif-Theater am 19. März in der Regie von Heinz Kreidl zur Welturaufführung. Drei Paare, etabliert und angepaßt – Politiker, Journalisten, Schriftsteller –, treffen sich an einem Augustabend und gefallen sich in gemeinsamen Erinnerungen an vergangene, größere Zeiten sowie im »intellektuellen« Spiel mit Namen und Ereignissen, die ihnen einmal etwas bedeutet haben. Diese fulminante, von narzißtischen Energien gespeiste Selbstdarstellungsmaschinerie läuft leer, da – im Sinne postmoderner Theorien – die Redeinhalte ihre Bedeutung und die Sprecher ihre Identität verloren haben. In der zweiten Hälfte des Stücks forschen die Protagonisten im psychoanalytischen Jargon nach Schlüsselerlebnissen in der Kindheit, die Ursache ihres gegenwärtigen Unglücks sein könnten – eines Unglücks, das vermutlich nur einen Bruchteil der Theaterbesucher bewegt. »Ein Stück für die oberen Hunderttausend der Zwei-Drittel-Gesellschaft«, kommentiert süffisant die Kritikerin Christine Richard.

Helmut Ruge / Toni Matheis / Dick Städtler
Die Berchtesgadener Freiheit
Rockmusical

Kritisch im Anspruch, einfach in der Handlungsführung und effektvoll in der musikalischen Untermalung ist das Rockmusical »Die Berchtesgadener Freiheit« von Helmut Ruge (Text), Toni Matheis und Dick Städtler (Musik), das am

20. April in Ulm uraufgeführt wird. Der Weg eines Mädchens zur Rocksängerin, die sich allen Anfechtungen zum Trotz ihren eigenen Stil bewahrt, wird von fetzig-witzigen Klängen begleitet.

Verbreitet Angst und Schrecken: Rudolf Kostas als blinder Herrscher Tiriel (l.)

Dmitri Smirnow
Tiriel
Oper

Im Rahmen des Zyklus »Russisches Erbe – sowjetische Gegenwart« bringt das Freiburger Opernhaus am 28. Januar als erste bundesdeutsche Bühne die Oper eines sowjetischen Komponisten zur Welturaufführung. »Tiriel« heißt das 1983 bis 1985 entstandene Werk des 41jährigen Dmitri Smirnow, das in der Inszenierung von Siegried Schoenbohm gezeigt wird. Dem Libretto folgend, einem ungedruckten Poem des britischen Dichters und Kupferstechers William Blake (1757 bis 1827), das Biblisches und Mythisches, antike und mittelalterliche Motive verknüpft und das in dem blinden Terrorherrscher Tiriel alle Sünden der Welt verkörpert, unternimmt der Komponist einen Gang durch die Musikgeschichte. Von volksliedhaften Melodien bis zu spätromantischen Anklängen und moderner Atonalität reicht seine Klangpalette.

Joshua Sobol
Adam
Drama

»Adam«, ein neues Werk des israelischen Dramatikers Joshua Sobol, dessen Stück »Ghetto« 1984 in der Inszenierung von Peter Zadek große Beachtung fand, wird am 10. November in Bonn in deutscher Erstaufführung auf die Bühne gebracht (Regie: David Mouchtar-Samorai). Die alte Nadya erinnert sich in ihrer Wohnung in Tel Aviv an die Ereignisse im Ghetto von Wilna im Jahr 1943, setzt sich das Gesche-

hen, das sie teils selbst miterlebt, teils von Augenzeugen erfahren hat, nach den Regeln der Wahrscheinlichkeit immer wieder neu zusammen. Im Mittelpunkt ihrer Gedächtnisarbeit steht der von den Nationalsozialisten ernannte »Gefängnisdirektor« des Ghettos, Jakob Gens (eine historische Figur), der dieses Amt dazu nutzt, den Tod möglichst vieler Menschen aufzuschieben oder ganz zu verhindern, dabei aber gezwungen ist, mit seinen Herren zu paktieren. Gens steht mit dem jüdischen Widerstandsrat in Verbindung, der einen bewaffneten Aufstand für den Fall der Vernichtung des Ghettos plant. Als die Gestapo fordert, den Führer der Gruppe auszuliefern, entschließt sich diese, dem Gesuch nachzukommen, da nach der allgemeinen Stimmung im Ghetto die Bedingungen für einen Aufstand nicht gegeben sind – der kollektive Selbstmord der Gruppe wäre die Alternative gewesen.

Botho Strauß
Die Zeit und das Zimmer
Stück

Als »amüsante Zeitgeist-Studie« (»Theater heute«) inszeniert Luc Bondy das Stück »Die Zeit und das Zimmer« von Botho Strauß und trifft damit nur für eine Seite dieses zwischen Leichtsinn und Tiefsinn, zwischen gehobenem Boulevard und verzweifelter Gottsuche schwankenden Stücks.

Das Drama besteht aus zwei Akten: Im ersten versammeln sich verschiedene Besucher in einem Zimmer, erzählen Anekdoten, erkennen sich wieder und entfremden sich voneinander. Im zweiten Teil sieht man die Hauptfigur, Marie Steuber, in verschiedenen Zimmern, jeweils in verschiedenen Funktionen und Beziehungspositionen: Die Frau, die ihren Mann vom Flughafen abgeholt hat, die Frau, die mit ihrem Chef zu Abend ißt, die Frau, die als Chefin drei Bewerber empfängt, die Angestellte in der Mittagspause.

Den mystagogischen Anspruch von Strauß enthüllt eine Szene, in der eine Säule des Zimmers mit Marie zu sprechen beginnt: »Ich die Säule der Pfahl. Männlich weiblich. Schmerzlich. Ich

Libgart Schwarz (l.) in der Rolle der Marie Steuber in Botho Strauß' Stück »Die Zeit und das Zimmer«

habe es versucht. Ich fand den Ton. Ich war in den Worten. Es war die Hölle … Verzeih mir Mensch, ich bin aus dem Herzen der Dinge verstoßen.«

Die Uraufführung findet am 8. Februar an der Berliner Schaubühne statt. In einer Kritikerumfrage der Zeitschrift »Theater heute« wird »Die Zeit und das Zimmer« mit überwältigender Mehrheit zum deutschsprachigen Theaterstück des Jahres gekürt.

Hansjörg Utzerath
Hitlerjunge Quex
Drama

Ein Experiment wagt Hansjörg Utzerath mit seiner Dramatisierung des Romans »Hitlerjunge Quex« aus dem Jahr 1932. Die Verfilmung der literarischen Vorlage von Karl Aloys Schenzinger kam als einer der ersten und erfolgreichsten NS-Propagandafilme 1933 in die Kinos. Utzeraths Stück, das am 4. März 1989 im Nürnberger Schauspielhaus uraufgeführt wird, rekonstruiert die Anziehungskraft der nationalsozialistischen Ideologie auf Jugendliche. Der 15jährige Quex, in der Inszenierung stark typisiert, flieht vor der komplizierten Wirklichkeit – und der ebenso komplizierten Erklärung dieser Wirklichkeit durch kommunistische Theorien – in die einfache, sichere Welt der Hitlerjugend, die ihm mit ihrem Gemeinschaftssinn Ersatz für fehlende Liebe im Elternhaus bietet.

Stanley Walden/Mathias Ulbricht
Bahn frei
Musical

Ein Musical aus deutscher Produktion, »Bahn frei« von Mathias Ulbricht (Libretto) und Stanley Walden (Musik), wird am 18. Juni in der Berliner Hochschule der Künste uraufgeführt. Dem Zuschauer begegnen Figuren, die er aus seiner Kindheit kennt: Struwwelpeter, Paulinchen, Suppenkaspar und der böse Friedrich. Diese »Bilderbuchgesellschaft« ist in dem Musical unterwegs im Milieu der Berliner Außenseiter und Underdogs, tummelt sich unter Aussiedlern, Türken, Prostituierten und scheitert mit ihren hochgespannten Idealen an der bitteren Wirklichkeit. Während der stark belehrende Text von Mathias Ulbricht bei der Kritik durchfällt, erntet die mal schräge, mal sprühende Musik des Komponisten Stanley Walden (»Oh! Calcutta!«) viel Anerkennung.

Günther Wiesemanns Oper »Brot und Spiele« in einer Inszenierung des Dortmunder Opernhauses; vorn v. l.: Markus Müller als Arbeitsvermittler und Jukka Rasilainen als Kurt Eving

Günther Wiesemann
Brot und Spiele
Oper

Ein Auftragswerk der Stadt Dortmund ist die Oper »Brot und Spiele«, zu der Günther Wiesemann die Musik und Max von der Grün den Text geliefert haben. Die Uraufführung im Dortmunder Opernhaus in der Inszenierung von Guido Huonder findet am 15. April statt. Thema der Oper ist der Strukturwandel im Ruhrgebiet, der Menschen mit dem Verlust des angestammten Arbeitsplatzes ihres Lebenssinns beraubt und sie Spekulanten und Geschäftemachern ausliefert. Dargestellt wird dieser Wandel am Beispiel einer Zechenschließung, die der Unternehmer dazu nutzt, seine Arbeiter als Darsteller ihrer bisherigen Tätigkeit in einem Film einzusetzen. Als einer von ihnen bei einem Unfall schwer verletzt wird, kommt es zu einer Revolte, bis der Unternehmer das Gelände von der Polizei räumen läßt.

In einer Kritik der Zeitschrift »Opernwelt« wird dem Librettisten vorgeworfen, daß er »die gesellschaftliche Realität verniedlicht und verschönert, Arbeitslosigkeit zur Opernfolklore verklärt«. Zur Musik heißt es, sie beschränke sich auf eine illustrative Funktion, sei kaum mehr als Klangkulisse.

Robert Wilson
Orlando
Stück

Eine Ein-Personen-Performance von höchster Intensität ist Robert Wilsons Adaption des Romans »Orlando« von Virginia Woolf aus dem Jahr 1928 (Uraufführung in der Berliner Schaubühne am Lehniner Platz am 21. 11.). Jutta Lampe spielt die Titelfigur, deren Zeitreise am Ende des 16. Jahrhunderts beginnt und am 11. Oktober 1928 endet. Orlando ist in den dreieinhalb Jahrhunderten kaum um 20 Jahre gealtert, aber vom schönen jungen Mann zur emanzipierten, modernen Frau geworden. Der Orlando der Shakespeare-Zeit verliebt sich in eine junge Russin, mit der er auf der Themse Schlittschuh läuft, wird von dieser jedoch verraten und gerät als Diplomat nach Konstantinopel. Dort heiratet er eine Zigeunerin und hat mit ihr drei Kinder. Während einer Revolte fällt Orlando in eine tiefe Ohnmacht, aus der er als Frau Orlanda erwacht. Diese bleibt noch eine kurze Zeit bei den Zigeunern, kehrt dann ins viktorianische England zurück und lebt dort als erfolgreiche Schriftstellerin, seit den 20er Jahren des 20. Jahrhunderts verheiratet mit Marmeduke Bonthrop Shelmerdine, der am Ende der Geschichte gerade einem Flugzeug entsteigt. Der Selbstfindungsprozeß der Heldenfigur, eine Suche nach den männlichen und weiblichen Anteilen der Identität, nach dem Bleibenden im steten Wandel, wird von Jutta Lampe vor kargem Bühnenbild in wunderbar genauen Posen und Gesten nachvollzogen. Die Aufführung wird von der Kritik überschwenglich gefeiert.

Stefan Zweig
Adam Lux
Schauspiel

Stefan Zweig arbeitete an seinem Stück von 1913 bis 1928 mit größeren Unterbrechungen. Erst mehr als 60 Jahre später, am 21. Januar 1989, wird das Stück in der Inszenierung von Guy Reinesch uraufgeführt in Mainz, wo es auch spielt. 1792/93 hat es dort eine Republik gegeben, die mit dem revolutionären Frankreich sympathisierte. Adam Lux wird zusammen mit dem Schriftsteller Georg Forster als Deputierter in den Pariser Konvent entsandt, sieht in der gewaltsamen Jakobinerherrschaft seine Ideale von Freiheit, Gleichheit und Brüderlichkeit verraten und liefert sich als Märtyrer den Henkern aus, indem er in Flugblättern für die Marat-Mörderin Charlotte Corday Partei ergreift.

Filme 1989

Die Übersicht enthält eine Auswahl von Filmen, die 1989 erstmals in den Kinos der Bundesrepublik gezeigt wurden; sie sind alphabetisch nach Regisseuren aufgeführt.

Woody Allen
Eine andere Frau

Die Philosophiedozentin Marion, Anfang 50, gespielt von Gena Rowlands, steht im Mittelpunkt des dritten ernsten Films des US-amerikanischen Komikers Woody Allen, »Eine andere Frau«, der am 16. März in den Kinos der Bundesrepublik anläuft. Für ein Forschungssemester hat sich Marion in New York eine Stadtwohnung gemietet, um dort in Ruhe zu arbeiten. Sie wird unfreiwillig Ohrenzeugin der Therapiestunden in der Nachbarwohnung, die eine junge, hochschwangere Frau (Mia Farrow) dort nimmt. Marion beginnt über ihr eigenes Leben, ihr Verhältnis zu Vater und Bruder, eine Beziehung, die sie noch als Studentin zu einem älteren Hochschullehrer hatte, eine Abtreibung, eine heftige, aber folgenlose Begegnung mit einem Mann (Gene Hackman) und ihre Ehe nachzudenken. In einem Gespräch mit der jungen Schwangeren wird sie, die selbst kinderlos ist, sich der Verfehltheit ihres bisherigen Lebens bewußt, aber auch der beschränkten Möglichkeiten, in ihrem Alter noch einmal neu anzufangen. Woody Allens ganz unspektakulärer, stiller Film erinnert in vielem an sein großes Vorbild, den schwedischen Regisseur Ingmar Bergman. Gerade die Alltäglichkeit der dargestellten Personen, die ihre Verletzungen scheinbar »ganz nebenbei« empfangen, machen den Film zu einem lange nachwirkenden Erlebnis.

Pedro Almodovar
Frauen am Rande des Nervenzusammenbruchs

Im Krieg der Geschlechter liegt die Sympathie des spanischen Regisseurs Pedro Almodovar eindeutig auf seiten der Frauen. Sie, die in seiner turbulenten Liebes-Groteske »Frauen am Rande des Nervenzusammenbruchs« von den notorisch untreuen Männern belogen, betrogen und verlassen werden, wissen mit subtilen Mitteln, bisweilen aber auch mit nackter Gewalt Rache zu nehmen und erscheinen dabei letzten Endes als durchaus liebenswerte Furien, insbesondere Carmen Maura in der Rolle der Pepa, die für ihre darstellerische Leistung mit dem Europäischen Filmpreis 1988 ausgezeichnet worden ist. Der Streifen läuft am 23. Februar in den bundesdeutschen Lichtspieltheatern an.

Faszinierende Naturaufnahmen bietet Jean-Jacques Annauds Tierfilm »Der Bär«.

Jean-Jacques Annaud
Der Bär

Die Geschichte eines Bärenjungen, dessen Mutter von einem Felsbrocken erschlagen wird und der sich in die Obhut eines mächtigen Kodiak begibt, erzählt der französische Regisseur Jean-Jacques Annaud in dem ergreifenden Tierfilm »Der Bär«, der am 16. Februar in den Kinos der Bundesrepublik anläuft. Die eindrucksvollen Tieraufnahmen waren erst nach vierjähriger Dressur der Bären und unter Einhaltung scharfer Sicherheitsvorkehrungen möglich, wirken jedoch gerade wegen ihrer Entstehungsbedingungen authentisch. Zu einer Parabel über das Menschliche im Tier und das Bestialische im Menschen gerät der Film, als sich der große Bär, der Kodiak, und der Jäger Tom gegenüberstehen: Das Tier geht in Angriffshaltung, verzichtet jedoch darauf, seinen Gegner zu vernichten. Den Vorwurf, er habe die Bären in seinem Film vermenschlicht, weist der Regisseur unter Hinweis auf die Ergebnisse der Verhaltensforschung zurück. Bereits mit seinem Erstling, »Am Anfang war das Feuer«, hatte Annaud stärker mit Bildern als mit Sprache operiert.

Michael Apted
Gorillas im Nebel
Das Leben der US-amerikanischen Biologin und Tierschützerin Dian Fossey (Sigourney Weaver) erzählt der Film »Gorillas im Nebel« nach, der am 2. Februar in den Kinos der Bundesrepublik gestartet wird. Dian Fossey hat 20 Jahre lang im Regenwald des afrikanischen Staates Ruanda gelebt und die vom Aussterben bedrohten Berggorillas intensiv und ausdauernd beobachtet. Die Faszination ging so weit, daß sie darüber zur menschenscheuen Eigenbrötlerin wurde. Regisseur Michael Apted bringt die Biographie der Forscherin geradlinig und ohne falsches Pathos auf die Leinwand und spart auch die problematischen Seiten ihres Charakters nicht aus. Besonders beeindruckend sind die Tierszenen, die unter schwierigsten Bedingungen an Originalschauplätzen gedreht wurden.

»Pelle der Eroberer«: Max von Sydow (2. v. r.) in der Rolle des Landarbeiters Lasse Karlsson

Bille August
Pelle, der Eroberer
Der 1988 mit der goldenen Palme in Cannes ausgezeichnete dänische Film »Pelle, der Eroberer« kommt am 23. März 1989 auch in die Kinos der Bundesrepublik. In eindringlichen poetischen Bildern erzählt Regisseur Bille August von dem von harter Arbeit und Entbehrungen gekennzeichneten Leben des Landarbeiters Lasse Karlsson (Max von Sydow) und seines Sohnes, des Schulkindes Pelle (Pelle Hvenegaard) am Ausgang des 19. Jahrhunderts. Den Stoff zu dieser Geschichte liefert der erste Teil einer Romantetralogie des großen dänischen (Jugend-)Schriftstellers Martin Andersen Nexö. Der Film lebt von der eindrucksvollen Schilderung der Beziehung zwischen Vater und Sohn, von dem ruhigen, dem Wechsel der Jahreszeiten folgenden Erzählfluß, aber auch von der schauspielerischen Leistung insbesondere Max von Sydows. Über ihn heißt es in der Filmzeitschrift »cinema«: »... eine wahrhaftigere Rollengestaltung war lange nicht mehr zu sehen; hier ist jeder Superlativ angebracht. Genau wie sein Regisseur erweckt er beim Zuschauer Emotionen, ohne je auf billige Tricks und Manipulationen zurückzugreifen.«

Hans-Christoph Blumenberg
»In meinem Herzen, Schatz . . .«
Hans Albers, der Draufgänger und große Junge des deutschen Films und Schlagers der 30er und 40er Jahre, hat Hans-Christoph Blumenberg zu einem filmischen Essay inspiriert, der dokumentarische Aufnahmen, Fotos, Erinnerungen von Freunden und Arbeitskollegen sowie Neuinterpretationen der Albersschen Lieder durch Ulrich Tukur souverän mit-

einander verknüpft und brillant mit Kinomythen und -klischees spielt. Ohne denunziatorischen Blick, unter Verzicht auf Kommentar und chronologische Ordnung nähert sich der Regisseur den vielfältigen, durchaus ambivalenten Rollen, die Albers auch außerhalb seiner Filme spielte. Blumenberg verschweigt auch nicht, welche Funktion der »blonde Hans« für die Propagandamaschinerie der Nationalsozialisten hatte (Kinostart in der Bundesrepublik: 7. September).

Klaus Maria Brandauer
Georg Elser – einer aus Deutschland
Sein Debüt als Filmregisseur gibt Klaus Maria Brandauer mit dem Film »Georg Elser – einer aus Deutschland«, der am 19. Oktober erstmals in den Kinos der Bundesrepublik gezeigt wird. Brandauer, der auch die Titelrolle spielt, erzählt – unterstützt von seinem Kameramann Lajos Koltai – in ruhigen, unaufdringlichen Bildern davon, wie der ohne Bindung an eine größere politische Organisation arbeitende Georg Elser ein Jahr lang ein Attentat auf Adolf Hitler vorbereitete und dieses schließlich, allerdings ohne Erfolg, am 8. November 1939 im Münchener Hofbräuhaus auch ausführt. Zu Brandauers Gestaltung des historischen Stoffes heißt es in der »Zeit«: »›Georg Elser‹ ist ein Film, der auf das Bild mehr als auf Worte setzt. Die Kamera spricht ihre eigene Sprache und hält so Zwiesprache mit dem Zuschauer.«

Tim Burton
Batman
Mit einem gewaltigen Aufwand der Verleihgesellschaft Warner Brothers wurde »Batman« am 23. Juni in den USA gestartet. Er spielte hier innerhalb von drei Tagen 43 Millionen US-Dollar (rund 86 Millionen DM) ein und versprach, das erfolgreichste Produkt der gesamten Filmgeschichte zu werden. In der Bundesrepublik wird er am 26. Oktober gleich mit 550 Kopien gestartet. Die Zuschauerbilanz bleibt jedoch vergleichsweise enttäuschend.
Die auf einem Comic beruhende Geschichte des Films stellt den erbarmungslosen Kampf eines Millionärs namens Bruce Wayne (Michael Keaton) gegen den Superverbrecher Joker (Jack Nicholson) dar, dessen Gesicht nach einem Säureanschlag völlig weiß und zu einem teuflischen Dauergrinsen verzerrt ist. Millionär Wayne geht bei Nacht im Fle-

Michael Keaton als »Batman«; in der Bundesrepublik wird der Film kommerziell ein Mißerfolg.

dermauskostüm des einsamen Rächers Batman auf Verbrecherjagd. Der Kampf wird kompliziert durch die junge Journalistin Vicki Vale (Kim Basinger), die sich – als Geliebte Batmans – hervorragend als Geisel für Joker eignet, und durch die furchtbare Erinnerung des Helden an die Ermordung seiner Eltern. Mit der Erkenntnis, daß Joker der Mörder seiner Eltern ist, vollzieht Batman einen Prozeß der Selbstreinigung. Der Film lebt von der bombastischen Kulisse und der technischen Wucht der Staffage.

Claude Chabrol
Eine Frauensache
Vor dem Hintergrund der deutschen Besetzung Frankreichs im Zweiten Weltkrieg und der Kollaboration der Vichy-Regierung mit den Nationalsozialisten spielt der Film »Eine Frauensache« von Claude Chabrol, dem ein authentischer Fall zugrunde liegt. Marie, die ihre beiden Kinder – ihr Mann wurde eingezogen – unter schwierigen Bedingungen allein durchbringen muß und von Reichtum, Luxus und einer Karriere als Sängerin träumt, hilft zunächst einer Freundin und Nachbarin bei einer Abtreibung. Als diese »Frauensache« glückt, verlegt sie sich darauf, das Geschäft der »Engelmacherin« als Beruf zu betreiben, kann so in eine bessere Wohnung umziehen und sich mit einem bescheidenen Wohlstand umgeben. Die lebenslustige und attraktive Frau hat sich ihrem Mann, als dieser völlig gebrochen aus dem Krieg heimkehrt, entfremdet und läßt sich mit anderen Männern, auch mit den Besatzern, ein. Nach einer mißglückten Abtreibung wird Marie verhaftet und zum Tod durch die Guillotine verurteilt. Der Film lebt von der darstellerischen Kraft Isabelle

Hupperts in der Rolle der Marie. Ihr kühles und äußerst differenziertes Spiel erzeugt Mitgefühl beim Zuschauer für eine Figur, die alles andere als eine Heldin ist, an der jedoch aus politischen Gründen eine unangemessen harte Strafe exekutiert wird. Der Film wird am 26. Januar in den Kinos der Bundesrepublik gestartet.

Charles Chrichton
Ein Fisch namens Wanda
Als einen »Klassiker des geschmacklosen Films, ein wüstes Konglomerat aus Sadismus, Gewalt, Grausamkeit und Lust, gleichzeitig aber auch eine zynische Groteske über den Gegensatz von britischer und amerikanischer Kultur« charakterisiert die Filmzeitschrift »cinema« den neuesten Streifen des Kino-Veteranen Charles Chrichton (78), »Ein Fisch namens Wanda«, der am 26. Januar in der Bundesrepublik anläuft.
Die Story von einem unbedarften Rechtsanwalt, der einen wegen Juwelenraubs verurteilten Gangster verteidigt und es bald mit dessen drei Komplizen zu tun bekommt, ist nur der äußere Rahmen für ein Panoptikum des alltäglichen Chaos, des Wahnsinns, der die Welt aus den Angeln hebt. Für ein Feuerwerk der Situationskomik sorgt der Drehbuch-Schreiber, Ex-Monty-Python John Cleese, der auch die Rolle des Rechtsanwalts spielt. Ferner sind die Hollywood-Stars Jamie Lee Curtis und Kevin Kline in witzigen Rollen mit von der Partie.

Fröhliche Anarchie: »Ein Fisch namens Wanda« mit Kevin Kline (l.) und John Cleese

Claire Denis
Chocolat
Ihre Kindheit in der ehemals französischen Kolonie Kamerun hat Claire Denis in ihrem Debütfilm »Chocolat«, der am 24. August in der Bundesrepublik anläuft, in kühlen, aber überzeugenden Bildern eingefangen. In das Quartett von Vater Marc (François Cluzet), einem häufig abwesenden Kolonialbeamten, Mutter Aimée (Giulia Boschi), die sich in ihrer Einsamkeit erotischen Phantasien hingibt, dem schwarzen Hausangestellten Protée (Isaach de Bankolé), Objekt dieser Phantasien, und der Tochter France (Cécile Ducasse/Mireille Perrier), die zu Protée eine vertrauensvolle Beziehung hat, brechen die Überlebenden eines Flugzeugabsturzes ein. Das labile Gleichgewicht der Figurenkonstellation bricht damit zusammen. Kritiker heben hervor, daß Claire Denis – eine Schülerin von Wim Wenders – die koloniale Wirklichkeit in ihren Filmsequenzen subtil erfaßt. »Die Minimalisierung der Unruhe erbringt ein Maximum an Spannung in den Bildern. Das ist die Schönheit von ›Chocolat‹« (Karsten Witte). – Die Musik stammt von dem Jazzpianisten Abdullah Ibrahim (Dollar Brand).

Auf dem Weg zum Fallbeil: Isabelle Huppert als Engelmacherin Marie-Louise Giraud in »Eine Frauensache«; Huppert zeigt in dem Film von Claude Chabrol eine einzigartige schauspielerische Leistung.

Uli Edel
Letzte Ausfahrt Brooklyn

Ein deutscher Film über ein amerikanisches Kultbuch der 60er Jahre ist »Letzte Ausfahrt Brooklyn«, der am 12. Oktober in den Kinos der Bundesrepublik gestartet wird. Die literarische Vorlage, der Roman »Last Exit to Brooklyn« von Hubert Selby, berichtet in nüchternem Protokollstil aus dem Prostituierten- und Verbrechermilieu des berüchtigten New Yorker Stadtteils. Doch während Selby seinen von Brutalität bestimmten »Helden« die Hoffnung auf ein besseres Leben einschreibt, bleibt der Film an der Oberfläche der mit Sentimentalität übertünchten Gewalttätigkeit. »Bald . . . verliert sich die Atmosphäre der Angst in süßlichem Opernkitsch, aus der blutrünstigen Gossenballade wird eine kandierte ›West Side Story‹«, heißt es im »Spiegel«.

Milos Forman
Valmont

Gleich zwei Filmversionen des Briefromans »Gefährliche Liebschaften« kommen 1989 in die Kinos. Während → Stephen Frears aus dem Stoff ein eiskaltes Spiel der Geschlechter macht, verleiht der US-amerikanische Regisseur Milos Forman (»Amadeus«) seinen Protagonisten, der Marquise de Merteuil (Annette Bening) und dem Vicomte Valmont (Colin Firth), menschliche Züge. Die Figuren werden weniger als Individuen gezeichnet – es gibt kaum Großaufnahmen, als vielmehr in ihre Umgebung, in die Räume, in denen sie sich bewegen, eingebettet. So entsteht ein Bild des vorrevolutionären Frankreich mit einem Adel, der inmitten von Reichtum und Pracht verloren, kraftlos und passiv erscheint.

Stephen Frears
Gefährliche Liebschaften

Ein Sittengemälde des Hochadels am Vorabend der Französischen Revolution lieferte der Schriftsteller Pierre Ambrois François Choderlos de Laclos mit seinem zwischen 1782 und 1788 veröffentlichten Briefroman »Les Liaisons dangereuses«. Der britische Regisseur Stephen Frears hat diese Briefe meisterhaft in eine Filmhandlung umgesetzt und die Geschichte als »Kammerspiel über Erotik, Sex, Männerphantasie, Frauenintrige und die Lust am aristokratischen Untergang« (»cinema«) auf die Leinwand gebannt. Die Handlungsträger sind die skrupellose Verführer Vicomte de Valmont (John Malkovich), seine ihn aus eigennützigen Motiven anstachelnde Freundin, die Marquise de Merteuil (Glenn Close) und sein Opfer, Madame de Tourvel (Michelle Pfeiffer).

Glenn Close als intrigante »Femme fatale« in Stephen Frears »Gefährliche Liebschaften«

Mitglieder der »Halbstarken«-Bande, die in dem Film »Letzte Ausfahrt Brooklyn« in der berüchtigten Vorstadt New Yorks die Menschen mit brutaler Gewalt in Furcht und Schrecken versetzen

John Glen
Lizenz zum Töten

Ein neuer Geheimagent 007, der James Bond der 90er Jahre, präsentiert sich in dem Film »Lizenz zum Töten«, der am 10. August in den Kinos der Bundesrepublik anläuft. In seinem Rachefeldzug gegen den südamerikanischen Drogenhändler Franz Sanchez, der seinen Freund und Ex-CIA-Kollegen Felix Leiter und dessen Frau umbringen ließ, muß Geheimagent 007 (Timothy Dalton) auf den Apparat des Secret Service verzichten: Man entzieht ihm nicht nur die Unterstützung, sondern schließlich sogar die »Tötungslizenz«. – Der neue Bond-Streifen kommt ohne hochgezüchtete technische Spielereien aus und ist an wesentlich weniger Schauplätzen gedreht als die Filme, in denen Roger Moore die Titelfigur verkörperte. Andererseits ist »Lizenz zum Töten« in vielen Szenen härter und brutaler als die Vorgänger in der Serie.

Peter Greenaway
Der Koch, der Dieb, seine Frau und ihr Liebhaber

Eine »schwarze Parabel über Macht und Kunst, Kannibalismus und Betrug, Sexualität und Tod« (Andreas Kilb in der »Zeit«) ist der fünfte Film des britischen Regisseurs Peter Greenaway, der unter dem Titel »Der Koch, der Dieb, seine Frau und ihr Liebhaber« am 23. November erstmals in den bundesdeutschen Lichtspieltheatern gezeigt wird.

Dem Dieb Albert Spica gehört das Restaurant »Le Hollandais«. Ein französischer Koch, Richard Borst, bewirtet den Besitzer, dessen Bande aus Hehlern, Betrügern, Mördern und Zuhältern sowie dessen Frau Georgina, ein nervöses, hektisches, in dieser Umgebung offensichtlich unglückliches Wesen. Ein Büchersammler, Michael, wird auf der Toilette zu ihrem Liebhaber. Der eifersüchtige Ehemann erstickt den Nebenbuhler mit Bücherseiten; er wird selbst zum Kannibalen, da Georgina den Koch beauftragt, Michaels Leiche zuzubereiten und aufzutischen – das letzte Mahl des Diebes, denn Georgina erschießt ihn während des Essens.

Ein Netz von Anspielungen und Zeichen durchzieht den Film, der sich nichts Geringeres als Kunst und Geschichte des Abendlandes zum Thema gesetzt hat. Analogien zum christlichen Abendmahl, aber auch zum Danteschen Inferno drängen sich auf.

David Hare
Ein fast anonymes Verhältnis

Einen Film voller psychologischer Raffinesse hat der britische Regisseur David Hare, der 1985 mit seinem Erstling »Wetherby« den Goldenen Bären bei der Berlinale gewann, mit »Ein fast anonymes Verhältnis« vorgelegt (Kinostart in der Bundesrepublik: 5. Oktober). Im Mittelpunkt steht eine emanzipierte und erfolgreiche, auf ein Leben ohne feste Beziehung eingeschworene Frau um die 40, die Ärztin Lilian (Blair Brown). Ihre Prinzipien geraten durcheinander, als eine flüchtige Urlaubsbekanntschaft (Bruno Ganz) eines Tages vor der Wohnungstür steht. Die Romanze endet in der Ehe, doch eines Tages verschwindet der – materiell sehr großzügige – Ehemann, ohne Spuren zu hinterlassen. Die Begegnung mit diesem geheimnisvollen Fremden, aber auch der Besuch ihrer jüngeren Schwester (Bridget Fonda), die unbekümmert die Männer wechselt und ein Kind zur Welt bringt, lassen Lilian ihr bisheriges diszipliniertes und bindungsloses Leben in einem anderen Licht erscheinen. Der englische Originaltitel, »Strapless« (bindungslos), spielt auf diese Problematik an.

Jim Jarmusch
Mystery Train

Mythen des amerikanischen Alltags, triviale Situationen voller skurriler Details geben auch dem vierten Film des US-amerikanischen Regisseurs Jim Jarmusch (»Stranger than Paradise«, »Down by Law«), seinem ersten Farbfilm, das unverwechselbare Gesicht. – »Mystery Train« (Starttermin in der Bundesrepublik: 30. November) spielt mit dem Medium Film, mit seiner spezifischen Möglichkeit des Umgangs mit der Zeit: Drei Handlungsketten, die tatsächlich gleichzeitig ablaufen, werden nacheinander gezeigt. »Dem Kino gelingt es, das Flüchtige einzufangen, festzuhalten und wiederholbar zu machen. Jarmusch nutzt diese Eigenschaft doppelt: Indem er sie einerseits vorführt und andererseits zugleich als Element seines Erzählens einsetzt. So ist es, als schaue man dem Erzählen bei der Arbeit zu«, charakterisiert Norbert Grob in der »Zeit« die Technik des Regisseurs. Der Film sei »Rhythm und Blues pur und eine Orgie von Pastelltönen für das Auge«, die eine »Aura des Verfalls« schufen, so Christiane v. Wahlert in »cinema«.

Barry Levinson
Rain Man

Ein Road-Movie besonderer Art ist »Rain Man« von Barry Levinson, der mit dem Goldenen Bären der Berliner Filmfestspiele und mit vier Oscars ausgezeichnet wird (→ 30. 3./S. 26; offizieller Starttermin in der Bundesrepublik: 16. März). Ein ungleiches Brüderpaar begibt sich auf die Reise: Der selbstverliebte, vor allem am Geld interessierte Charlie Babbitt (Tom Cruise) und sein älterer Bruder Raymond (Dustin Hoffman), der als Autist in einer inneren Isolation lebt und extreme Kontaktschwierigkeiten hat. Charlie hat erst nach dem Tod seines Vaters von der Existenz des Bruders erfahren, der das ganze Vermögen – drei Millionen US-Dollar – geerbt hat. Er entführt ihn aus einem Pflegeheim, um sich in den Besitz des Geldes zu bringen. Während der sechstägigen Fahrt durch die USA lernt Charlie die »Macken«, aber auch die Stärken seines Bruders kennen – und vollzieht in der Begegnung mit dem Kranken eine Korrektur seines Weltbildes: Die bisher für ihn allein gültigen Normen von Leistung, Erfolg und Reichtum verblassen, er entdeckt den Wert von Mitmenschlichkeit und Solidarität. – Kritiker des Films, der von Hollywood-Sentimentalität nicht frei ist, loben vor allem die schauspielerische Leistung Dustin Hoffmans, der in der Darstellung des in seiner Welt gefangenen Autisten über sich selbst hinauswachse.

Finden erst langsam zueinander: Dustin Hoffman (l.) und Tom Cruise in »Rain Man«

Claude Miller
Die kleine Diebin

»Für mich sind die großen Momente des Kinos die, in denen die Begabung eines Regisseurs mit der einer von ihm geführten Schauspielerin zusammenfällt«, meinte der 1984 gestorbene Nouvelle-Vogue-Regisseur François Truffaut. In dem Film »Die kleine Diebin« sind es sein langjähriger Mitarbeiter und Freund Claude Miller und die Schauspielerin Charlotte Gainsbourg, Tochter von Jane Birkin, die so ideal zusammenwirken. Der Film ist eine Umsetzung des letzten, nicht mehr verwirklichten Projekts von Truffaut. Miller erzählt die Geschichte einer lebens- und liebeshungrigen Heranwachsenden des Jahres 1950, die in ihrer Rebellion gegen die Erwachsenenwelt als weibliches Gegenstück zu Antoine Doinel erscheint, dem Helden von Truffauts erstem Film (»Sie küßten und sie schlugen ihn«; 1959). Die Inszenierung des Werbefilmers (»badedas«) und Thriller-Regisseurs Miller (»Das Auge«) ist ausgesprochen leise und bedächtig. – Der vor allem in Frankreich mit viel Lob bedachte Film läuft am 4. Mai in der Bundesrepublik an.

Mira Nair
Salaam Bombay!

Straßenkinder aus Bombay, unterstützt durch professionelle Schauspieler, tragen zum Erfolg des Films »Salaam Bombay!« der indischen Regisseurin Mira Nair entscheidend bei, der sich von anderen Produktionen aus ihrem Lande durch Verzicht auf Pathos und Sentimentalität wohltuend unterscheidet. In fast kühlen Bildern sind die Versuche des Jungen Krishna, sich aus dem von Prostitution, Drogen, Diebstahl und Betrügereien geprägten Slum-Milieu zu befreien, auf die Leinwand gebracht: Ein sozialkritischer Film, der nicht allein auf das Mitleid der Zuschauer setzt, sondern durch Witz und Exotik zu bezaubern weiß (Kinostart: 27. April).

Mike Nichols
Die Waffen der Frauen

Eine typische Aufsteiger- und Karriere-Komödie der 80er Jahre legt Regisseur Mike Nichols mit »Die Waffen der Frauen« vor (Kinostart in der Bundesrepublik: 9. März). Das Intrigenspiel zwischen der Unternehmerin Katherine Parker (Sigourney Weaver), die ihr – ausschließlich weibliches – Personal rücksichtslos für ihre Zwecke einsetzt, und ihrer Sekretärin Tess McGill (Melanie Griffith), die sich mit Hilfe ihres Förderers Jack Trainer (Harrison Ford) gegen die Heimtücke ihrer Chefin erfolgreich zur Wehr setzt und selbst den Aufstieg zur Anlageberaterin schafft, bringt einmal mehr den amerikanischen Traum in Hochglanzbildern auf die Leinwand: Der Weg nach oben steht jedem Tüchtigen (und neuerdings auch jeder Tüchtigen) offen.

Gefeierte Hauptdarstellerin in dem biographischen Film »Camille Claudel«: Isabelle Adjani

Bruno Nuytten
Camille Claudel

Die Bildhauerin Camille Claudel (Isabelle Adjani), die stets im Schatten ihres Lehrers und Geliebten Auguste Rodin (Gérard Depardieu) stand, ist die Titelfigur des Films von Bruno Nuytten, der am 18. Mai in den bundesdeutschen Kinos anläuft. Während die Regieleistung Nuyttens, der bisher als Kameramann gearbeitet hat, nach dem Urteil der Kritik nicht ganz überzeugt – er schwelge in schönen Bildern, bleibe aber an der Oberfläche und könne den Spannungsbogen nicht durchhalten, heißt es –, ernten die Darsteller höchstes Lob. »Isabelle Adjani führt die ganze Palette ihres Könnens vor – von der jugendlichen Besessenen, der hingebungsvollen Geliebten, der selbstbewußten Künstlerin bis zur verzweifelten Frau und der verkommenen Säuferin bleibt sie stets glaubwürdig«, heißt es in einer »cinema«-Rezension.

Schildert anschaulich den harten Arbeitsalltag einer jungen Bäuerin: »Herbstmilch« mit Dana Vavrova (2. v. l.) als Anna Wimschneider, nach deren Memoiren der Film gedreht wurde

Alan Parker
Mississippi Burning

Als ein »flammendes Fanal gegen den Rassismus« (»cinema«) inszeniert Regisseur Alan Parker den Film »Mississippi Burning«, der die schweren Rassenunruhen im US-Bundesstaat Mississippi 1964 und die Machenschaften der Geheimorganisation Ku-Klux-Klan zum Thema hat. Gene Hackman und Willem Dafoe spielen zwei FBI-Agenten, die einen Mord an drei Menschenrechtlern aufklären sollen. Der brisante Polit-Thriller löst auf den Berliner Filmfestspielen kontroverse Debatten aus (Kinostart in der Bundesrepublik: 6. April).

Alan Rudolph
The Moderns

Die amerikanische Künstlerkolonie im Paris der 20er Jahre, die Ernest Hemingway in seinem Buch »Paris – ein Fest fürs Leben« geschildert hat, inspirierte Regisseur Alan Rudolph zu dem Film »The Moderns«. Zum Personal gehören ein Maler, der sein Geld zu seinem eigenen Bedauern mit Fälschungen als mit seinen eigenen Werken verdient, eine Frau zwischen zwei Männern, Liebe und Luxus schwankend, ein Gummihändler mit anspruchsvollen Liebhabereien, eine Kunsthändlerin, die voller Naivität über ihre eigene Geschäftstüchtigkeit staunt, ein Klatschkolumnist sowie eine reiche Witwe. Der Film wirkt selbst absichtlich wie eine Fälschung: Der Mythos der europäischen Moderne wird mit künstlichen Mitteln noch einmal beschworen und damit zugleich als museal entlarvt. Der Film »feiert das Kino als Synthese von Kunst und Kommerz, ohne zu verbergen, daß auch das eine zwielichtige Methode ist«, so die »Zeit« zum Kinostart in der Bundesrepublik am 14. September.

Xaver Schwarzenberger
Beim nächsten Mann wird alles anders

Der Überraschungs-Bestseller des Jahres 1987 war der feministisch-ironische Roman »Beim nächsten Mann wird alles anders«. Die Psycho-Szene, deren Denk- und Sprechweise im Roman karikiert wird, erkannte sich wieder und nahm der Autorin, der Frankfurter Sozialwissenschaftlerin Eva Heller, ihren treffenden Witz nicht übel. Die Verfilmung ihres Buches durch den früher im Fassbinder-Team tätigen Schwarzenberger kritisiert die Autorin allerdings als »Altherrenfilm«. (Kinostart 12. Januar)

Steven Soderbergh
Sex, Lügen und Video

Gleich mit seinem ersten Film, »Sex, Lügen und Video«, gewinnt der 26jährige US-Amerikaner Steven Soderbergh den begehrtesten internationalen Filmpreis, die Goldene Palme von Cannes. Am 2. November ist offizieller Kinostart in der Bundesrepublik. Kritiker bezeichnen Soderberghs Debüt als sehr »europäisch«. Nicht durch vordergründige Effekte, nicht durch »Action«, sondern durch die zunehmende Intensität der Beziehungen erhält der Film seine Spannung – Andreas Kilb zieht in diesem Zusammenhang einen Vergleich zu Johann Wolfgang von Goethes Roman »Wahlverwandtschaften«. Wie dort sind auch in Soderberghs Film vier Personen an dem Spiel beteiligt: Ann, eine frustrierte junge Ehefrau, die ihre sexuelle Empfindungslosigkeit vor einem Psychiater ausbreitet, ihr Gatte John, ein smarter Rechtsanwalt, der seine Frau mit der Schwägerin Cynthia betrügt, und ein alter Schulfreund Johns, Graham. Dieser Graham, der von sich selbst sagt, er sei in Gegenwart anderer Personen impotent, bewegt die beiden Frauen dazu, vor laufender Videokamera ihr Intimleben zu erzählen, da ihm das Betrachten dieser Filme sexuelle Befriedigung verschafft. »Die Frigide, die Frivole, der Protz und der Projektionist: Eine Konstellation von fast laborhafter Künstlichkeit, so genau komplementär und symmetrisch sind die sexuellen Süchte und Ängste zugeordnet, genauer, als es in der Natur vorkommt. Der Film macht ein Experiment« – so beschreibt der Filmkritiker Thierry Chervel die Technik des Regisseurs.

Steven Spielberg
Indiana Jones und der letzte Kreuzzug

1938: Ein Archäologe (Harrison Ford) und sein Vater (Sean Connery) sind auf der Suche nach dem Heiligen Gral; ewiges Leben ist dem versprochen, der das dort in einer Schale aufbewahrte Blut Christi trinkt. Den beiden Helden des Films (Kinostart: 14. September) stellen sich in den Weg: Nationalsozialistische Schergen, Schlangen, Löwen und Krokodile. Allerlei Abenteuer sind zu bestehen, für Komplikation sorgt Elsa, die beide begehren. »Filme werden von Maschinen aufgenommen, entwickelt und projiziert . . . Bei Steven Spielberg endlich wird der Film selber zur Maschine« (Andreas Kilb in der »Zeit«).

Joseph Vilsmaier
Herbstmilch

»Herbstmilch« – die unter diesem Titel als Buch veröffentlichten Lebenserinnerungen einer niederbayerischen Bäuerin sind die Grundlage für den gleichnamigen Film von Joseph Vilsmaier, der am 19. Januar in den bundesdeutschen Kinos anläuft. Der Regisseur beschränkt sich dabei auf die Jahre 1938 bis 1944. Der Film schildert in einfachen, aber eindringlichen Bildern die Liebe und Ehe zwischen Anna und Albert Wimschneider, das arbeitsreiche, harte und durch Demütigungen der Schwiegermutter fast unerträgliche Leben der Ehefrau, deren Mann elf Tage nach der Hochzeit eingezogen wird und erst sechs Jahre später zurückkehrt. Kritiker heben die schauspielerische Leistung der Hauptdarsteller (Dana Vavrova und Werner Stocker) und die authentische Wiedergabe des Dorflebens unter nationalsozialistischer Herrschaft besonders hervor.

Bernhard Wicki
»Das Spinnennetz«

Ein politisch ambitioniertes, künstlerisch jedoch nach Meinung vieler Kritiker nicht ganz überzeugendes Opus legt der Altmeister des deutschen Kinos, Bernhard Wicki, mit seiner Verfilmung des Joseph-Roth-Romans »Das Spinnennetz« vor (Kinostart in der Bundesrepublik: 21. September). Das Jahr 1923 wird anhand der Geschichte des jungen ehemaligen Offiziers Lohse (Volker Mühe) dargestellt. Lohse, der sich in seiner Stellung als Hauslehrer gedemütigt sieht, gerät in völkisch-rechtsextreme Kreise, spioniert für diese eine anarchistische Künstlergruppe aus, ist an einem Feme-

Peter Roggisch (l.) und Volker Mühe in »Das Spinnennetz« von Bernhard Wicki

mord beteiligt, schlägt im deutschen Osten den Streik polnischer Landarbeiter nieder und kann sich durch verwandtschaftliche Beziehungen seiner Verlobten bis ins Innenministerium hocharbeiten. Sein Gegenspieler ist der Jude Lenz (Klaus Maria Brandauer), selbst eine zwielichtige Figur, die mit den politischen Geheimnissen anderer Menschen kleine Geschäfte macht, um dem eigenen Bruder das Studium zu finanzieren. – ». . . mit seinem Super-Realismus kommt er [Wicki] nur zur Illustration – statt zum Zeigen; zur Interpretation – statt zur Evidenz. Das Gesagte spielt die erste Geige, das Abbild, die Darstellung triumphiert. Ganz ungeniert huldigt Wicki dem Ausstattungsrealismus. Er denkt, je spannender die Geschichte, desto einfacher könne er seine ›politischen Dinge . . . verkaufen‹. Aber Emotionen haben noch nie zu Einsichten verholfen«, heißt es in einer Kritik von Norbert Grob.

Nekrolog 1989

Bekannte Persönlichkeiten aus allen Bereichen des gesellschaftlichen Lebens, die im Jahr 1989 gestorben sind, werden – alphabetisch geordnet – in Kurzbiographien vorgestellt.

Hilde Benjamin

deutsche Juristin und Politikerin (* 5. 2. 1902, Bernburg an der Saale), stirbt am 18. April in Ost-Berlin.
Als Vizepräsidentin des Obersten Gerichtshofs der DDR leitete Hilde Benjamin während der 50er Jahre die stalinistischen Schauprozesse. Nach dem Aufstand vom 17. Juni 1953 löste sie Max Fechner, der wegen »konterrevolutionärer Tätigkeit« verhaftet worden war, als Justizminister ab (bis 1967).

Thomas Bernhard

österreichischer Schriftsteller und Dramatiker (* 9. 2. 1931 in Kloster Heerlen bei Maastricht/Niederlande), stirbt am 12. Februar in Gmunden/Oberösterreich.
Seine autobiographischen Werke »Die Ursache« (1975), »Der Keller« (1976), »Die Kälte« (1981) und »Ein Kind« (1982) strahlen wie auch andere Prosa (»Frost«, 1963; »Das Kalkwerk«, 1970) tiefe Bitterkeit und Haß aus, der sich gegen die gesamte Menschheit – insbesondere jedoch gegen die Österreicher – zu richten scheint. In seinem Testament hat Bernhard jede Aufführung und Drucklegung seiner Werke in Österreich untersagt. Eine zutiefst pessimistische Welt- und Menschensicht prägt auch die Dramen Bernhards, die sich zudem durch brillante Dialogführung auszeichnen. Zu den wichtigsten Dramen gehören »Ein Fest für Boris« (1970), »Der Ignorant und der Wahnsinnige« (1972), »Minetti« (1976), »Theatermacher« (1985) und »Heldenplatz« (1988).

Rudolf von Bennigsen-Foerder

deutscher Industriemanager (* 2. 7. 1926 in Berlin) stirbt am 28. Oktober in Düsseldorf. Der Jurist begann seine Karriere 1957 im Bundesfinanzministerium. Zwei Jahre später wechselte er zum VEBA-Konzern, wurde 1965 Generalbevollmächtigter und 1971 Vorstandsvorsitzender. Er sorgte zuletzt für die Vereinbarung mit der französischen Gesellschaft Cogema über die Wiederaufbereitung atomarer Brennelemente, mit der die WAA in Wackersdorf überflüssig wurde (→ 12. 4./S. 30).

Margarete Buber-Neumann

deutsche Schriftstellerin und Publizistin (* 21. 10. 1901, Potsdam), stirbt am 6. November in Frankfurt/Main.
Internationales Aufsehen erregte Margarete Buber-Neumann, geb. Thüring, 1947 mit dem Buch »Als Gefangene bei Hitler und Stalin«, in dem sie ihre Lebensgeschichte schildert. Mit 25 Jahren der KPD beigetreten, ging Margarete Buber-Neumann 1933 ins Exil nach Spanien und in die Schweiz, dann nach Moskau. 1938 wurde sie von den stalinistischen Behörden verhaftet und zu fünf Jahren Zwangsarbeit verurteilt. Im Zuge des Hitler-Stalin-Pakts von 1939 ans Deutsche Reich ausgeliefert, verbrachte sie die Zeit von 1940 bis Kriegsende im Konzentrationslager Ravensbrück. – Ihre späteren publizistischen Arbeiten waren von einem strikten antikommunistischen Engagement geprägt.

Hermann Burger

schweizerischer Schriftsteller (* 10. 7. 1942, Burg/Schweiz), stirbt am 28. Februar in Brunegg/Schweiz.
Hermann Burger veröffentlichte 1976 seinen ersten Roman, »Schilten«, in dem bereits Grundmotive seiner späteren Werke (»Die künstliche Mutter«, Roman, 1982; »Die Wasserfallfinsternis von Badgastein«, Erzählung, 1985; Tractatus Logico-Suicidalis, Essay, 1988) anklingen: Eine von depressiver Verzweiflung und Angst geprägte, passive Weltsicht und der Versuch, sich durch Sprachfertigkeit das Leben erträglich zu machen. Burger beging Selbstmord, bevor sein letztes Werk, der Roman → »Brenner, Bd. 1: Brunsleben« (S. 126) erschienen war.

John Cassavetes

US-amerikanischer Schauspieler und Filmregisseur (* 9. 12. 1929 in New York), stirbt am 3. Februar in Los Angeles.
Nach Film- und Fernsehrollen als Schauspieler drehte John Cassavetes 1960 seinen ersten Film, »Shadows«, eine Milieustudie, die zu einem für einen Off-Hollywood-Film ungewöhnlichen kommerziellen Erfolg wurde. Auch in seinen weiteren Filmen, in denen häufig seine Frau, Gena Rowlands, die Hauptrolle spielte, erwies sich Cassavetes als scharfer Beobachter des US-Mittelstands und seiner Neurosen. Zu den bekanntesten Werken gehören: »Faces« (1968), »Eine Frau unter Einfluß« (1974), »Gloria« (1980; ausgezeichnet mit dem Goldenen Löwen von Venedig) und »Love Streams« (1984; ausgezeichnet mit dem Goldenen Bären der Berliner Filmfestspiele). Cassavetes war auch weiterhin als Schauspieler tätig, etwa in Roman Polanskis Horrorfilm »Rosemary's Baby« (1968).

Józef Cyrankiewicz

polnischer Politiker (* 23. 4. 1911, Tarnow), stirbt am 20. Januar in Warschau.
Józef Cyrankiewicz prägte als langjähriger Ministerpräsident die polnische Nachkriegsgeschichte – er hatte das Amt, lediglich unterbrochen in den Jahren 1952 bis 1954, von 1947 bis 1970 inne. In seine Regierungszeit fallen der Abschluß des Vertrags mit der DDR über die Oder-Neiße-Linie als Westgrenze Polens (1950), Sturz und Wiederaufstieg von KP-Chef Wladislaw Gomulka, mit dem er stets loyal zusammenarbeitete, der Einmarsch von Warschauer-Pakt-Truppen in die ČSSR (1968) und der Abschluß des Warschauer Vertrags mit der Bundesrepublik am 7. Dezember 1970. Nach blutigen Aufständen im Verlauf jenes Jahres wurde Cyrankiewicz schrittweise entmachtet; bis 1972 behielt er den repräsentativen Posten des Staatsratsvorsitzenden.

Salvador Dalí

spanischer Maler (* 11. 5. 1904 in Figueras), stirbt am 23. Januar in Figueras.
Dalí kam nach abgebrochenem Kunststudium in Madrid 1927 nach Paris und gehörte von 1929 bis 1934 der Gruppe der Surrealisten an. 1928 drehte er mit Luis Buñuel den Stummfilm »Un chien andalou«, der in verschlüsselter Form aus anarchistischer Perspektive scharfe Kritik an Staat und Kirche übt. Dalís Gemälde der Frühzeit zeichnen sich durch eine realistisch-exakte Malweise bei der Darstellung einer von psychoanalytischen Symbolen durchzogenen Traumwelt aus. Zu den bekanntesten gehören »Das Rätsel der Begierde« (1928), »Die Beständigkeit der Erinnerung« (1931) und »Die Madonna von Port Lligat« (1950), in dem Dalí seine Frau Gala – wie auch in vielen weiteren Werken – porträtierte. Bis in die 60er Jahre hinein tragen seine Gemälde eine eindeutig individuelle, phantasievolle Handschrift. Danach schuf der exzentrische Künstler zunehmend skurrile, nach dem Urteil der Kunstkritik großenteils wertlose Alltagsgegenstände (→ 23. 1./S. 10).

Bette Davis

US-amerikanische Filmschauspielerin (* 5. 4. 1908, Lowell/Massachusetts), stirbt am 6. Oktober in Paris.
Bette Davis kam 1930, mit dem Aufstieg des Tonfilms, nach Hollywood. Da sie dem damaligen Schönheitsideal nicht entsprach, mit ihren großen, ausdrucksvollen Augen und ihrer Schauspielkunst jedoch das Publikum faszinierte, war sie bald auf die Rolle des »Bad Girl« festgelegt. Sie spielte meist selbständige, emanzipierte, häufig jedoch auch autoritäre Frauen. Zu ihren größten Filmerfolgen gehören »Gefährlich« (1935), »Jezebel – die boshafte Lady« (1938) und »All about Eve« (1950) – in dem letztgenannten Film zeichnete sie in der Rolle einer alternden Diva ein Selbstporträt. In den 60ern gelang Bette Davis ein überzeugendes Comeback, u. a. mit »Was geschah wirklich mit Baby Jane?« (1962) und »Wiegenlied für eine Leiche« (1964). In ihren letzten Lebensjahren war sie vor allem in TV-Produktionen zu sehen, u. a. in der US-amerikanischen Serie »Hotel«.

Hoimar von Ditfurth

deutscher Psychiater, Wissenschaftsjournalist und Schriftsteller (* 15. 10. 1921, Berlin), stirbt am 1. November in Freiburg i. Br.
Hoimar von Ditfurth, der nach einer Ausbildung zum Arzt, Psychiater und Neurologen zunächst als Hochschullehrer, dann – von 1960 bis 1968 – als Forscher und Publizist im Pharmakonzern Boehringer arbeitete, wurde einer breiten Öffentlichkeit bekannt durch seine Moderation des ZDF-Wissenschaftsmagazins »Querschnitte«. In dieser Sendung, die er von 1971 bis 1983 leitete, erwies sich bald Ditfurths überragende Fähigkeit, komplizierte naturwissenschaftliche Zusammenhänge verständlich darzustellen sowie durch Experimente und Modelle zu veranschaulichen. Seine Buchpublikationen enthalten stets auch ein religiöses Moment, etwa in »Der Geist fiel nicht vom Himmel« (1976), »Wir sind nicht nur von dieser Welt« (1981), vor allem jedoch in »So laßt uns denn ein Apfelbäumchen pflanzen« (1985). Ökologisches und antimilitaristisches Engagement verbanden sich in den letzten Lebensjahren des Wissenschaftlers mit der Einsicht, daß die drohende Selbstvernichtung der Menschheit nur eine Episode in der Evolution der Natur sei. Drei Monate vor dem Tod des Autors erschien sein autobiographischer Bericht → »Innenansichten eines Artgenossen« (S. 127).

Daphne du Maurier

britische Schriftstellerin (* 13. 5. 1907, London), stirbt am 19. April in Par/Cornwall.
Mit ihren anspruchsvollen Unterhaltungsromanen, die in alle Weltsprachen übersetzt wurden, erzielte die britische Schriftstellerin Daphne du Maurier Millionenauflagen. Der Leserschaft gefielen insbesondere die spannungsreiche Handlung und die genaue Figurenzeichnung. Der Roman »Rebecca«, 1938 geschrieben, 1940 von Alfred Hitchcock verfilmt, begründete ihren Weltruhm.

Ida Ehre

deutsche Schauspielerin und Theaterleiterin (* 9. 7. 1900 in Prerau/Mähren), stirbt am 16. Februar in Hamburg.
Die in Wien aufgewachsene Jüdin Ida Ehre war bereits in den 20er Jahren auf vielen deutschsprachigen Bühnen als Schauspielerin erfolgreich, mußte jedoch nach der nationalsozialistischen Machtübernahme 1933 ihren Beruf aufgeben und wurde verfolgt. 1945 eröffnete sie die Hamburger Kammerspiele, denen sie bis zu ihrem Tod als Intendantin vorstand. Ida Ehre bemühte sich in der unmittelbaren Nachkriegszeit darum, dem deutschen Theaterpublikum als Darstellerin und Regisseurin die verfemten französischen, britischen und US-amerikanischen Dramatiker – u. a. Jean Giraudoux, Jean-Paul Sartre, Thornton Wilder – nahezubringen. In die Theatergeschichte eingegangen ist die Uraufführung des Dramas »Draußen vor der Tür« wenige Tage nach dem Tod des Autors Wolfgang Borchert (1947). – Ida Ehre war seit 1985 Ehrenbürgerin der Hansestadt.

Andrei Andrejewitsch Gromyko

sowjetischer Politiker (* 18. 7. 1909 in Starije Gromyki/heute UdSSR), stirbt am 2. Juli in Moskau.
Andrei Gromyko trat 1939 in den diplomatischen Dienst der UdSSR ein und

war von 1943 bis 1946 Botschafter in den USA. In dieser Funktion nahm er an den alliierten Kriegskonferenzen in Teheran (1943), Jalta (1945) und Potsdam (1945) teil und war an den Vorbereitungsarbeiten zur Gründung der UNO beteiligt; 1946 bis 1948 war er Ständiger Vertreter der Sowjetunion beim Weltsicherheitsrat dieses Gremiums. Eine weitere Station seiner diplomatischen Laufbahn war der Botschafterposten in London (1952/53). 1957 übernahm Gromyko die Leitung des Außenministeriums, die er bis 1985 ununterbrochen innehatte. In seine Amtszeit fallen die Berlin- und Kubakrise (1958/1962), der Beginn der Entspannungspolitik mit dem Westen, der Abschluß des Moskauer Vertrags mit der Bundesrepublik (1970), aber auch der Einmarsch der Warschauer-Pakt-Truppen in die ČSSR (1968) und die sowjetische Invasion in Afghanistan (1979). Nach dem Amtsantritt Michail Gorbatschows wurde Gromyko 1985 zum Staatsoberhaupt – mit eher repräsentativer Funktion – ernannt und 1988 auch von diesem Posten enthoben. – Gromyko galt als gewiefter Taktiker, als zäher, aber auch humorvoller Verhandlungspartner (→ 2. 7./S. 54).

Max Grundig

deutscher Unternehmer (* 7. 5. 1908, Nürnberg), stirbt am 8. Dezember in Baden-Baden.
Max Grundig galt als Prototyp des Unternehmers, der die Chancen der Nachkriegszeit für seine Geschäftsinteressen geschickt zu nutzen wußte. Bereits 1938 durch die Produktion und den Vertrieb von Transformatoren zum Umsatzmillionär geworden, legte er sein Kapital nach Kriegsende in der Produktion der »Heinzelmann«-Radio-Baukästen an, mit denen er das alliierte Verbot zum Verkauf von Rundfunkgeräten geschickt umging. In den folgenden Jahrzehnten stieg Grundigs Rundfunk- und Fernsehkonzern zu einem Großunternehmen auf, das allerdings seit Anfang der 80er Jahre durch die Billig-Konkurrenz der Japaner zu leiden hatte. 1984 übertrug Grundig daraufhin die Konzernleitung der niederländischen Gesellschaft Philips.

Alfred Herrhausen

deutscher Bankmanager (* 30. 1. 1930, Essen), wird am 30. November in Bad Homburg ermordet.
Alfred Herrhausen studierte nach dem Krieg Wirtschaftswissenschaften. 1952 begann er bei der Ruhrgas AG, wechselte 1955 zu den Vereinigten Elektrizitätswerken, wo er bereits mit 29 Jahren Prokura erhielt; 1967 zog er dort in den Vorstand ein. Zwei Jahre darauf ging er zur Deutschen Bank, wo er seit 1985 Vorstandssprecher war. Als Aufsichtsratsvorsitzender der Daimler-Benz AG, an der die Deutsche Bank mit 28% beteiligt ist, setzte er sich für die Fusion des Unternehmens mit dem Luft- und Raumfahrtkonzern Messerschmitt-Bölkow-Blohm ein, die im September 1989 auch vollzogen wurde (→ 8. 9./S. 72). Aufsehen erregte er 1987 mit seinem Plan eines Teil-

Schuldenerlasses für Staaten der Dritten Welt. – Herrhausen wurde Opfer eines Sprengstoffanschlags (→ 30. 11./S. 107).

Hirohito

Kaiser (Tenno) von Japan (* 29. 4. 1901, Tokio), stirbt am 7. Januar in Tokio.
Hirohito trat seine Regentschaft als geistliches und staatliches Oberhaupt von Japan 1921 in Vertretung für seinen erkrankten Vater Yoshihito an und wurde nach dessen Tod 1926 zum Kaiser (Tenno) gewählt. Während seiner Regentschaft vollzogen sich tiefgreifende Wandlungen in der japanischen Politik – in den 30er Jahren die Annexion der Mandschurei und der Krieg mit China, später die Teilnahme am Zweiten Weltkrieg gegen die alliierten Mächte. Die Kriegsschuld Hirohitos blieb bis zu seinem Tod umstritten. Nach 1945 wurde seine Macht in politischer, militärischer und religiöser Hinsicht beschnitten; er nahm danach nur noch repräsentative Aufgaben wahr (→ 24. 2./S. 14).

Hermann Höcherl

deutscher Jurist und Politiker (* 31. 3. 1912, Brennberg), stirbt am 18. Mai in Regensburg.
Seit 1949 betätigte sich Höcherl in der CSU und kam 1953 erstmals als Abgeordneter in den Bundestag, dem er bis 1976 angehörte. Höcherl war von 1961 bis 1965 – also auch während der »Spiegel«-Affäre 1962 – Bundesinnenminister und wechselte anschließend in der Großen Koalition ins Landwirtschaftsministerium (bis 1969). Nach seinem Rückzug aus der Politik 1976 war Höcherl, der Ansehen weit über die Grenzen der eigenen Partei hinaus genoß, wiederholt als Schlichter in Tarifkonflikten tätig.

Vladimir Horowitz

US-amerikanischer Konzertpianist ukrainisch-jüdischer Herkunft (* 1. 10. 1903 in Berditschew/heute UdSSR), stirbt am 5. November in New York.
Die Karriere des Pianisten Horowitz begann 1917 in Kiew. Acht Jahre darauf verließ er die Sowjetunion und wurde fortan in Westeuropa und den USA – etwa 1928 bei seinem Auftritt in der New Yorker Carnegie Hall – begeistert gefeiert. Insbesondere seine virtuose Fingerfertigkeit verblüffte die Zuhörer. 1953 zog er sich nach einer regen Konzerttätigkeit erstmals zurück, feierte jedoch 1965 ein Comeback; weitere vorübergehende Rückzüge folgten. Ein letzter triumphaler Erfolg war seine Europatournee im Frühjahr 1986. Viele Musikkritiker sehen in Horowitz den größten Pianisten des 20. Jahrhunderts.

Hu Yaobang

chinesischer Politiker (* 1915 in Liuyang/Provinz Hunan), stirbt am 15. April in Peking.

Hu Yaobang hatte von 1980 bis 1987 den Vorsitz der Kommunistischen Partei Chinas inne, wurde dann jedoch von der Partei zum Rücktritt gezwungen, da er offensichtlich gegen Studentendemonstrationen nicht mit der geforderten Härte vorging. Der Tod des liberalen Politikers 1989 löste die Demonstrationen auf dem Platz des Himmlischen Friedens in Peking aus (→ 13. 5./S. 37).

János Kádár

eigentlich János Zelmanovic, ungarischer Politiker (* 26. 5. 1912 in Fiume, heute: Rijeka/Jugoslawien), stirbt am 6. Juli in Budapest.
János Kádár prägte über Jahrzehnte die ungarische Politik. Bereits seit 1931 Mitglied der – zunächst illegalen – Kommunistischen Partei Ungarns, wurde er 1948 Innenminister, jedoch bereits drei Jahre später unter dem Vorwurf des »Titoismus« verhaftet. Nach seiner Rehabilitierung 1954 war Kádár hoher Parteifunktionär und trat 1956 in die Regierung des Reformers Imre Nagy ein. Nach der Niederschlagung des Volksaufstands bildete Kádár im Auftrag der Sowjetunion eine neue Regierung und wurde Parteichef. Dieses Amt hatte er bis zu seinem Sturz im Mai 1988 inne, zugleich war er von 1956 bis 1958 und von 1961 bis 1968 Ministerpräsident. Mit dem Namen Kádárs verknüpft sich der spezifisch ungarische Weg vorsichtiger Reformen vor allem auf wirtschaftlichem Gebiet. Er wurde jedoch in seinen letzten Lebensjahren von der Reformbewegung in der eigenen Partei überholt und schrittweise entmachtet. Insbesondere seine Rolle beim Sturz und bei der Hinrichtung von Imre Nagy stieß zunehmend auf Kritik (→ 16. 6./S. 47).

Herbert von Karajan

österreichischer Dirigent (* 5. 4. 1908, Salzburg), stirbt am 16. Juli in Anif bei Salzburg.
Herbert von Karajan war einer der erfolgreichsten Dirigenten des 20. Jahrhunderts. Mit seinen Schallplattenaufnahmen (100 Millionen Schallplatten bei etwa 700 Einspielungen bis 1988) erschloß er die klassische Musik einem großen Bevölkerungskreis.
Karajan übernahm 1934 das Amt des Generalmusikdirektors in Aachen, dirigierte 1938 erstmals an der Berliner Staatsoper und war Berlin seit diesem Jahr mit einem Gastvertrag, seit 1941 mit einer festen Anstellung als Leiter der Berliner Staatskapelle verbunden. Nach Kriegsende hatte er wegen einer kurzfristigen NSDAP-Mitgliedschaft zunächst Schwierigkeiten mit den Alliierten, konnte jedoch 1948 wieder bei den Salzburger Festspielen dirigieren. 1955 übernahm er – auf Lebenszeit – die künstlerische Leitung der Berliner Philharmoniker. Er war außerdem von 1956 bis 1960 künstlerischer Leiter der Salzburger Festspiele. Hinzu kam ab 1957 die musikalische Leitung der Wiener Staatsoper, die er 1964 im Streit abgab. 1967 führte er in Salzburg die Osterfestspiele ein, 1973 die Pfingstkonzerte. Seit Herbst 1982 war

das Verhältnis zu den Berliner Philharmonikern getrübt; im April 1989 erklärte Karajan schließlich seinen Rücktritt (→ 16. 7./S. 56).

Khomeini, Ruhollah

eigentlich Ruhollah Mussavi Hendi, iranischer Geistlicher (* 17. 5. 1900 oder 24. 9. 1902 in Khomein/Iran), stirbt am 3. Juni in Teheran.
Khomeini studierte islamisches Recht und wurde geistlicher Lehrer. Schah Mohammed Resa Pahlawi griff Khomeini so scharf an, daß er ins Exil – zunächst in die Türkei, dann in den Irak, schließlich ab 1978 nach Frankreich – gehen mußte. Nach dem Sturz des Schahs 1979 kehrte Khomeini in seine Heimat zurück und wurde geistliches und politisches Oberhaupt der neugegründeten »Islamischen Republik Iran«. Mit streng fundamentalistischen Dogmen setzte er die Bürger- und Menschenrechte außer Kraft und schaltete die politische Opposition u. a. durch zahlreiche Hinrichtungen aus. Dem Golfkrieg mit dem Nachbarstaat Irak (1980 bis 1988) fielen allein auf iranischer Seite rund 600 000 Menschen zum Opfer (→ 3. 6./S. 46).

Hans Hellmut Kirst

deutscher Schriftsteller (* 5. 12. 1914, Osterode/Ostpreußen), stirbt am 23. Februar in Bremen.
Kirsts Karriere als Autor begann nach dem Zweiten Weltkrieg und kulminierte 1954 in der Veröffentlichung des Kriegsromans »08/15«, der in zahlreiche Weltsprachen übersetzt wurde.

Danilo Kiš

jugoslawischer Schriftsteller (* 22. 2. 1935, Subotica/Jugoslawien), stirbt am 15. Oktober in Paris.
Als Sohn eines ungarischen Juden, der später in Auschwitz ermordet wurde, und einer Montenegrinerin war Kiš schon während seiner Kindheit der Erfahrung von Grausamkeit und Verfolgung ausgesetzt. In seinen literarischen Werken, in denen sich Dokumentarisches, Phantastisches und Metaphysisches miteinander verbinden, gestaltete er diese frühen Erlebnisse des Faschismus (→ »Frühe Leiden«, S. 128). Das Schicksal jüdischer Kommunisten unter dem Stalinismus behandelt »Ein Grabmal für Boris Dawidowitsch« (1976, deutsch 1983).

Erika Köth

deutsche Sängerin (* 15. 9. 1925, Darmstadt), stirbt am 20. Februar in Speyer.
Die Koloratursopranistin Erika Köth startete ihre internationale Karriere nach dem Engagement an der Münchener Staatsoper 1955 mit Gastauftritten u. a. an der Mailänder Scala, im Londoner Covent Garden, an der Metropolitan Opera

in New York und bei den Salzburger Festspielen. Sie beeindruckte insbesondere durch ihre warme, volksliedhafte Gesangsweise. 1978 zog sich Erika Köth von der Opernbühne zurück. Der Öffentlichkeit blieb sie durch zahlreiche Fernsehauftritte im Gedächtnis.

Robert Lembke

deutscher Journalist (* 17. 9. 1913, München), stirbt am 14. Januar in München.
Nach freiberuflicher journalistischer Tätigkeit in der Weimarer Zeit begann Lembkes eigentliche Karriere nach dem Zweiten Weltkrieg im neuen Medium Fernsehen. Von 1949 bis 1960 war er für den Bayerischen Rundfunk als Chefredakteur und Fernsehdirektor tätig, übernahm 1961 die Sport-Koordination der ARD und war an der Vorbereitung der Olympischen Spiele in München 1972 als Geschäftsführer des »Deutschen Olympia-Zentrums« maßgeblich beteiligt. Den Fernsehzuschauern bleibt Lembke jedoch vor allem durch seine Quizsendung »Was bin ich?« in Erinnerung, die von Januar 1955 bis zum Tod des Moderators 337mal ausgestrahlt wurde.

Sergio Leone

italienischer Filmregisseur (* 3. 1. 1929 in Rom), stirbt am 30. April in Rom.
Leone wirkte in mehr als 60 Filmen, darunter Vittorio De Sicas »Fahrraddiebe«, als Regieassistent mit, bevor er 1959 als erste eigene Regieleistung den Monumentalfilm »Die letzten Tage von Pompeji« vollendete. Der internationale Durchbruch gelang ihm 1964 mit dem Western »Für eine Handvoll Dollar«, dem weitere Filme dieses Genres folgten. Als Kultfilm des Italo-Westerns gilt Leones »Spiel mir das Lied vom Tod« (1968). Später wandte sich der Regisseur wieder monumentalen Themen zu.

Konrad Lorenz

österreichischer Verhaltensforscher (* 7. 11. 1903, Wien), stirbt am 27. Februar in Altenberg.
Konrad Lorenz gilt als Begründer und prominentester Vertreter der Ethologie, der modernen Verhaltensforschung. Besonders die Studien über das Familien- und Liebesleben der Graugänse, bei denen er das Phänomen der Prägung entdeckte, machten den Forscher bekannt. 1973 wurde Lorenz für sein Lebenswerk mit dem Nobelpreis für Medizin ausgezeichnet. Die Titel seiner erfolgreichsten Bücher lauten: »Das sogenannte Böse – zur Naturgeschichte der Aggression« (1963), »Die acht Todsünden der zivilisierten Menschheit« (1973), »Das Jahr der Graugans« (1979). – Lorenz war insbesondere wegen der Tendenz, tierische Verhaltensweisen, etwa im Überlebenskampf, direkt auf den Menschen zu übertragen, umstritten.

Ferdinando Edralin Marcos

philippinischer Politiker (* 11. 9. 1917, Sarrat), stirbt am 28. September in Honolulu/Hawaii. 1965 wurde Ferdinando E. Marcos Staatspräsident der Philippinen. Er regierte das Inselreich mit diktatorischen Vollmachten – 1978 bis 1981 war er zusätzlich Premierminister. Vetternwirtschaft, Korruption und persönliche Bereicherung bestimmten seine Amtszeit. Wachsender innen- und außenpolitischer Druck zwang ihn 1986 ins Exil in die USA.

Mary McCarthy

US-amerikanische Schriftstellerin (* 21. 6. 1912, Seattle/Washington), stirbt am 25. Oktober in New York.
Ihren internationalen Durchbruch erreichte Mary McCarthy 1963 mit dem Roman »Die Clique« (deutsch 1964, verfilmt 1966), in dem sie den Lebensweg von acht wohlhabenden College-Absolventinnen nachzeichnet und dabei bissige Kritik am »American Way of Life« übt.

Wolfgang Neuss

deutscher Kabarettist und Schauspieler (* 3. 12. 1923, Breslau), stirbt am 5. Mai in West-Berlin.
Der Kabarettist Wolfgang Neuss war ab 1952 Mitglied der Berliner »Stachelschweine« und drehte während der 50er und 60er Jahre zahlreiche Unterhaltungsfilme. Seine Zeitsatire »Wir Kellerkinder« (1960) – Neuss war Drehbuchautor, Hauptdarsteller und Produzent – wurde von den Kinos boykottiert. Ab 1963 machte sich Neuss, der »Mann mit der Pauke«, vor allem mit seinen Ein-Mann-Shows einen Namen.

Laurence Olivier

britischer Schauspieler (* 22. 5. 1907, Dorking), stirbt am 11. Juli in London.
Laurence Olivier, der vielen als der größte Schauspieler des 20. Jahrhunderts gilt, wurde 1937 Ensemblemitglied des Old Vic Theatre in London und leitete von 1963 bis 1973 das Nationaltheater der britischen Hauptstadt. Insbesondere für Shakespeare-Rollen setzte Olivier neue Maßstäbe: An die Stelle des bis in die 30er Jahre üblichen Pathos setzte er eine leise, beiläufige und alltägliche Sprechweise. Die Dramen »Heinrich V.« (1943/44), »Hamlet« (1947), »Richard III.« (1954) u. a. wurden auch verfilmt.

Andrei Dmitrijewitsch Sacharow

sowjetischer Atomphysiker und Bürgerrechtler (* 21. 5. 1921, Moskau), stirbt am 14. Dezember in Moskau.
Nach dem Physikstudium in Moskau bereits mit 22 Jahren Professor, war Sacharow maßgeblich an der Entwicklung der sowjetischen Wasserstoffbombe beteiligt. 1968 verurteilte er das Eingreifen der Warschauer-Pakt-Staaten in der ČSSR. 1975 erhielt Sacharow für seinen Kampf um die Menschenrechte den Friedensnobelpreis. 1980 bis 1986 wegen »andauernder subversiver Tätigkeit« nach Gorki verbannt, ließ ihn Parteichef Michail Gorbatschow 1986 frei. Als Abgeordneter des sowjetischen Volksdeputiertenkongresses übte er 1989 zunehmend Kritik an Gorbatschows Politik, deren Reformen seiner Meinung nach nicht schnell genug ausgeführt wurden.

Willy Schneider

deutscher Sänger (* 5. 9. 1905, Köln), stirbt am 12. Januar in Köln.
Der Baßbariton Willy Schneider widmete sich frühzeitig der Unterhaltungsmuse – Operette, volkstümliche Oper und Schlager. Zu seinen bekanntesten Liedern gehört »Man müßte noch mal 20 sein«.

Wolfdietrich Schnurre

deutscher Schriftsteller (* 22. 8. 1920, Frankfurt am Main), stirbt am 9. Juni in Kiel.
Wolfdietrich Schnurre, Mitbegründer der Gruppe 47, galt als Meister der kleinen Form (Erzählung, Lyrik, Novelle, Kurzgeschichte). In den Sammlungen »Die Rohrdommel ruft jeden Tag« (1950), »Die Blumen des Herrn Albin« (1955) und »Man sollte dagegen sein« (1960) entwirft er mit sparsamen Sprachmitteln und satirischem Witz ein Bild der Nachkriegszeit. In späteren, längeren Werken, etwa den Romanen »Der Schattenfotograf« (1978) und »Ein Unglücksfall« (1981) herrscht ein ruhigerer Ton vor.

Carl Heinz Schroth

deutscher Schauspieler und Regisseur (* 29. 6. 1902, Innsbruck/Österreich), stirbt am 19. Juli in München.
Nach wechselnden Engagements kam Carl Heinz Schroth 1928 an die Kammerspiele nach Hamburg, denen er bis 1941 angehörte.
Sein Filmdebüt gab er 1931 in »Der Kongreß tanzt« mit Lilian Harvey. Dem Publikum ist Carl Heinz Schroth vor allem durch seine Fernsehauftritte im Gedächtnis, etwa in den Serien »Alle Hunde lieben Theobald« (1971) oder »Jakob und Adele« (1983 bis 1985).

Georges Simenon

belgischer Schriftsteller (* 13. 2. 1903, Lüttich), stirbt am 4. September in Lausanne.
Georges Simenon schrieb über 400 Romane, davon ungefähr die Hälfte unter Pseudonym. Am bekanntesten sind die Kriminalromane, in deren Mittelpunkt Kommissar Maigret steht. Mit »Pietr der Lette« (1931, deutsch 1978) eröffnete Simenon den Reigen der Maigret-Bücher. Noch im gleichen Jahr folgten weitere neun; der letzte aus der Serie, »Maigret und Monsieur Charles«, erschien 1972.
Simenon gilt als Meister der Schilderung kleinbürgerlichen Milieus und der für diese Schicht typischen Zwänge und Konventionen. Kommissar Maigret löst die Kriminalfälle nicht durch Logik, sondern durch Einfühlung in die Mentalität von Tätern und Opfern.

Günther Ungeheuer

deutscher Schauspieler (* 15. 12. 1925, Köln), stirbt am 14. Oktober in Bonn.
Neben wechselnden Engagements an Provinz- und größeren Bühnen wandte sich Günther Ungeheuer seit Ende der 50er Jahre zunehmend Spielfilm und Fernsehen zu. Seine wichtigsten Filmrollen: »Hunde wollt ihr ewig leben?« (1959), »Polizeirevier Davidswache« (1964) und »Jägerschlacht« (1981). Im Fernsehen wirkte er – auf die Rolle des durchtriebenen Bösewichts festgelegt – u. a. in den Kriminalserien »Der Kommissar«, »Das Kriminalmuseum«, »Derrick«, »Der Alte« und »Tatort« mit.

Siegfried Wischnewski

deutscher Schauspieler (* 15. 4. 1922, Reichenwald/Ostpreußen), stirbt am 24. Januar in Königswinter.
Domäne des Schauspielers Siegfried Wischnewski war das Fernsehen – er wirkte in mehr als 140 TV-Produktionen mit, führte gelegentlich auch selbst Regie und versuchte sich als Drehbuch-Schreiber. Er verkörperte meist gestandene, harte Männer, Offiziere, aber auch den bärbeißigen Tierarzt in der Serie »Ein Heim für Tiere« (1985/86).

Zita von Bourbon und von Parma

ehemalige Kaiserin von Österreich und Königin von Ungarn (* 9. 5. 1892, Villa Pianore/Italien), stirbt am 14. März in Zizers/Schweiz.
Prinzessin Zita von Bourbon und von Parma wurde 1911 mit dem österreichischen Erzherzog Karl verheiratet, der nach dem Tod von Kaiser Franz Joseph 1916 als Karl I. Kaiser von Österreich und als Karl IV. König von Ungarn wurde. Mit dem Zusammenbruch des Habsburger Reiches 1918 dankte er ab und ging ins Exil. Erst 1982 wurde der Bann gegen seine Witwe Zita durch Österreich aufgehoben (→ 1. 4./S. 32).

Register

Das Register enthält alle in der Chronik '89 genannten Personen. Kursive Zahlen verweisen auf Abbildungen.

A

Abalkin, Leonid 53
Abbado, Claudio 77, *84*
Abdullah Ibrahim 134
Adamec, Ladislav 9, *108*, 116
Adamson, George 58, 63
Adjani, Isabelle *136*
Aguilar, Andreas 77, *84*, 119
Akihito Tsugu No Mija, Kaiser von Japan *14*, 61
Albers, Hans 134
Albertz, Heinrich *8*
Albrecht, Ernst 62, 69, 121
Alfonsín, Raúl 40, 52
Allen, Woody 133
Almodovar, Pedro 133
Alpiger, Karl *19*
Althoff, Ingeburg 76
Altman, Sidney *119*
Anderson, Ian *41*
Annaud, Jean-Jacques 133
Aouita, Said 58, 64
Aoun, Michel 71, 109
Apted, Michael 134
Aquino, Corazon 112, 117
Arafat, Jassir 28
Armstrong, Louis 64
Arndt, Otto 121
Arp, Klaus 130
August, Bille 134
Aus der Fünten, Ferdinand 6, 9
Aussem, Cilly 57
Axen, Hermann 103
Ayckbourn, Alan 130
Aylwin, Patricio 112, 117

B

Baker, James 40, 65, *71*, 105
Bakojannis, Pavlos 65
Balzer, Heike *131*
Bankolé, Isacch de 134
Barco Vargas, Virgilio 61
Barner, Albert 39
Barnes, David 20
Barrios, Arturo 58, 64
Barschel, Uwe 65
Basinger, Kim 134
Baumgärtel, Gerhard 121
Beckenbauer, Franz 51, 112, *119*
Becker, Boris 52, *57*, 65, 76, 112, 119
Becker, Verena 15
Beckett, Samuel 131
Beer, Wolfgang 107
Beil, Gerhard 121
Bellow, Saul 126
Bening, Annette 135
Benjamin, Hilde *137*

Bennigsen-Foerder, Rudolf von *30*, 137
Benthien, Bruno 121
Berghofer, Wolfgang *113*, 115
Bergman, Ingmar 133
Bernhard, Thomas 130, 137
Bernstein, Leonard 84, 112
Bertele, Franz 12, *15*
Besson, Benno 130
Beuys, Joseph 33
Bieler, Manfred 126
Biermann, Wolf 79
Birkin, Jane 135
Bisanz, Gero 57
Bishop, Michael J. *119*
Bissmeier, Joachim 131
Bittner, Armin 19
Blackford, Richard 130
Blake, William 132
Blecha, Karl 6, *9*, 121
Blüm, Norbert 7, 36, 39, 121
Blumenberg, Hans-Christoph *8*
Blumenthaler, Volker 130
Bochmann, Manfred 121
Boeynants, Paul Vanden 6, *9*, 12
Bogdanov, Michael 84
Bohley, Bärbel *68*, 93
Böhme, Hans-Joachim 121
Bondy, Luc 83, 132
Boock, Peter-Jürgen 15
Boschi, Giulia 134
Botha, Pieter Willem 12, 58, 71
Boy George 33
Brandauer, Klaus Maria *84*, 134, 136
Brandt, Willy *8*, 70, 93, 94, *95*, *96*, *118*, 126
Braque, Georges 33
Brauel, Henning 130
Breit, Ernst 39
Briksa, Gerhard 121
Brown, Blair 135
Brück, Wolfram 24
Bruno, Frank 12
Buber-Neumann, Margarete *137*
Büchi, Hernan 117
Budig, Klaus-Peter 121
Bulgakow, Michail 131
Bungert, Wilhelm 57
Buñuel, Luis 11
Burger, Hermann 126, 137
Burton, Tim 84, 134
Buschmann, Werner 121
Busek, Erhard 121
Buser, Walter 121
Bush, George 6, *11*, 14, 20, *38*, 46, 71, 110, 112, *116*, 117
Busse, Heinrich *68*

C

Čalfa, Marian 116
Carl XVI. Gustav, König von Schweden 119
Carlsson, Ingvar 6
Carlucci, Frank *10*
Carnogursky, Jan 116
Carter, Jimmy 13, 64
Cassavetes, John *137*

Ceaușescu, Nicolae 85, *109*, 120
Cech, Thomas R. *119*
Cela, Camilo José *119*
Chabrol, Claude 134
Chamorro, Violeta Barrios de 23, 65
Chang, Michael 42, 51
Chávez Mena, Fidel 23
Cheney, Richard 11, 20
Cheng Langcan 35
Chervel, Thierry 136
Choderlos de Laclos, Pierre Ambroise François 135
Chrichton, Charles 134
Claasen, René *130*
Claudel, Camille 136
Cleese, John *134*
Close, Glenn 26, *135*
Cluzet, François 134
Cohn-Bendit, Daniel 24
Collor de Mello, Fernando 112, 117
Connery, Sean 136
Connor, Denis 20
Cordes, Rudolf 38
Cossé, Peter 131
Cotti, Flavio 121
Cramm, Gottfried von 57
Cristiani, Alfredo 20, 23, 110
Cruise, Tom 26, *135*
Curtis, Jamie Lee 134
Cyrankiewicz, Józef 137

D

Dafoe, Willem 136
Dalai-Lama 119
Dalí, Salvador 6, *11*, 137
Dallinger, Alfred 121
Dalton, Timothy 135
Daniels, Hans 20
Darko, Alfred 6
Davies, Peter Maxwell 130
Davis, Bette 137
De Mita, Ciriaco 36
Dedler, Karin 19
Dehmelt, Hans G. *119*
Delamuraz, Jean-Pascal 121
Delgado, Pedro 57
Dellwo, Karl-Heinz 15
Delors, Jacques 49
Deng Xiaoping 37, 43, *44*, 45, 85
Denis, Claire 134
Dennhof, Michael 130
Depardieu, Gérard 136
Dessau, Paul 130
Deutschkron, Inge 131
Dickel, Friedrich 121
Dienstbier, Jiri 116
Diepgen, Eberhard *8*
Dinkins, David 85, 110
Dische, Irene 126
Ditfurth, Hoimar von 127, *137*
Doi, Takoko 61
Dregger, Alfred 92, 93
du Maurier, Daphne 137
Dubček, Alexander 108, *116*
Ducasse, Cécile 134
Duffy, Adriana 84
Dürrenmatt, Friedrich 127
Dylan, Bob 41

E

Eberspächer, Helmut 52
Eckes, Christa 15
Edberg, Stefan 51, 52, 57, 119
Edel, Uli 135
Edelmann, Peter *130*
Ehre, Ida *137*
Eisler, Hans 130
Elser, Georg 84
Endara, Guillermo 40, 117
Ende, Michael 127
Engelhard, Hans A. 121
Engholm, Björn 38, 121
Engin, Sema *131*
Eppelmann, Rainer 97, 104

F

Fadejew, Alexander 6
Farrow, Mia 133
Fechter, Peter *99*
Federspiel, Jürg 127
Fehrmann, Angelika 57
Felber, René 121
Fendt, Sepp 12
Ferlemann, Erwin 33
Fetisow, Wjatscheslaw 35
Fetzner, Steffen 28, *35*
Fignon, Laurent 57
Fink, Ulf 65, 69
Firth, Colin 135
Fischer, Franz 6, 9
Fischer, Helmut 38
Fischer, Joschka *24*
Fischer, Oskar 66, 121
Fitzwater, Marlin 117
Flegel, Manfred 121
Fleischmann, Martin 26
Folkerts, Knut 15
Fonda, Bridget 135
Ford, Harrison 136
Foregger, Egmont 121
Forman, Milos 135
Forsyth, Frederick 127
Fossey, Dian 134
Foster, Jodie 26
Fouquet, Hajo 130
Frears, Stephen 12, 26, 135
Frewer, Matt 33
Friderichs, Hans 16, *72*
Frisch, Max 130
Fritsch, Thomas 26
Fuchs, Peter 59
Fuhr, Edith *130*
Fürstenberg, Dietrich 28

G

Gachnang, Johannes 33
Gaddhafi, Muammar Al 10
Gainsbourg, Charlotte 135
Galán, Luis Carlos 58, 61
Galinski, Heinz 106
Gandhi, Indira 110
Gandhi, Rajiv 85, *110*
Ganz, Bruno 135
García Márquez, Gabriel 127
Geerts, Leo 12
Gehrke, Heinrich 81
Geißler, Heiner 8, 58, *62, 69*

Genscher, Hans-Dietrich 28, 65, 66, *67*, 94, *95*, *106*, 121
Georgi, Rudi 121
Geppert, Walter 121
Gerassimow, Gennadij 10, 105
Gerg, Michaela 19
Gerlach, Manfred 87, 102, 112, 113, *115*, 121
Gienger, Eberhard 84
Glen, John 135
Glotz, Peter 106
Gluck, Christoph Willibald 132
Goethe, Johann Wolfgang von 136
Gohr, Siegfried 33
Gontscharow, Iwan 131
Gonzáles, Felipe 77
Gorbatschow, Michail 13, 22, 36, *37*, 42, 47, *48*, 52, 53, 54, 63, 77, *78*, *109*, 112, *116*
Gorbatschowa, Raissa *48*
Gosh, Amitav 127
Goude, Jean-Paul 54
Graf, Robert 121
Graf, Steffi 51, 52, *57*, 65, 76, 112, 119
Grashof, Manfred 20
Grass, Günter 33, 50, 97
Gratz, Leopold 6
Greenaway, Peter 135
Greiff, Monica de 65
Griffith, Melanie 136
Grob, Norbert 135, 136
Gromow, Boris *13*
Gromyko, Andrei A. 28, 52, *54*, 137
Gropper, Wolfgang 130
Groß, Michael 64
Groult, Benoîte 127
Grün, Max von der 133
Grundig, Max *138*
Grünheid, Karl 121
Gunnarsson, Jan 119
Gustafsson, Lars 127
Gysi, Gregor 112, *113*, 121

H

Haavelmo, Trygve *119*
Habsburg, Otto von 59
Hackl, Georg 12
Hackman, Gene 133, 136
Hacks, Peter 6, 130
Haemers, Patrick 9
Hager, Kurt 86, 103
Haider, Jörg *23*
Halbritter, Walter 121
Halm, Gunter 121
Hamadi, Mohammad Ali 36, 38
Handke, Peter 127
Hare, David 135
Harris, Barbara 12
Hasselfeldt, Gerda *29*, 121
Häßler, Thomas 58
Hauff, Volker *24*, 28, 42, *83*
Haussmann, Helmut 20, 65, 72, 121
Havel, Václav 9, 77, 83, *108*, *116*, 131
Hein, Christoph 87, 128, 131

Heißler, Rolf 15
Heller, Eva 136
Hemingway, Ernest 12, 18, 136
Henrich, Rolf 68
Henrichs, Benjamin 130
Hensel, Georg 130
Henze, Hans Werner 130
Herbort, Heinz Josef 131
Hermann, Joachim 78, 103
Herrhausen, Alfred 85, 107, 138
Herz, Joachim 132
Heusinger, Hans-Joachim 121
Heuss, Theodor 36
Heym, Stefan 87, 97, 105
Hielscher, Margot 26
Higgins, William 54
Hilbig, Wolfgang 128
Hildebrandt, Dieter 38
Hilf, Willibald 57
Hippenstiel-Imhausen, Jürgen 7
Hirohito, Kaiser von Japan 6, 12, 14
Hisken, Ernst 93
Hitler, Adolf 84
Hoch, Oswald 69
Höcherl, Hermann 138
Hochhuth, Rolf 131
Hoffman, Dustin 26, 135
Hoffmann, E. T. A. 132
Hoffmann, Hans-Joachim 121
Hoffmann, Niels Frédéric 130
Hoffmann, Theodor 121
Höfner, Ernst 121
Höhn, Carola 132
Höller, York 131
Holliger, Heinz 131
Holtmeyer, Ralf 76
Honecker, Erich 6, 12, 77, 78, 79, 87, 98, 109, 112, 113, 114, 115, 121
Honecker, Margot 121
Hörnle, Raymund 15
Horowitz, Vladimir 138
Howe, Geoffrey 53
Hrawi, Elias 71, 109
Hu Yaobang 28, 138
Huber, Klaus 131
Huck, Karsten 64
Huonder, Guido 133
Huppert, Isabelle 134
Husak, Gustav 109, 112, 116
Hüser, Uwe 6
Hvenegaard, Pelle 134

I

Ickx, Jacky 6
Ieoh Ming Pei 25
Imig, Helmut 130
Ivanescu, Petre 19

J

Jagger, Mick 41
Jahn, Thomas 130
Jakes, Milos 108
Jandl, Ernst 128

Jarmusch, Jim 135
Jarryd, Anders 119
Jaruzelski, Wojciech 29, 52, 70, 109
Javier Errazuriz, Francisco 117
Jelen, Eric 119
Jelinek, Elfriede 128
Jelzin, Boris 22
Jiang Zemin 44
Johanes, Jaromir 66
Johannes Paul II., Papst 65, 77, 83
Johnson, Mark 26
Junker, Wolfgang 121

K

Kádár, János 36, 47, 52, 109, 138
Kahlcke, Wolfgang 75
Kaifu, Toshiki 58, 61
Kalinic, Zoran 35
Kaminski, Horst 121
Karajan, Herbert von 28, 33, 52, 56, 77, 84, 138
Karasek, Hellmuth 136
Karmal, Babrak 13
Kashoggi, Adnan 28, 31
Keach, Stacy 18
Keaton, Michael 134
Keller, Dietmar 121
Kelly, Petra 6
Kennedy, John F. 99
Keserü, Imre 80
Keßler, Heinz 121
Khamenei, Ali 46
Khomeini, Ayatollah Ruhollah 12, 19, 42, 46, 138
Kiechle, Ignaz 121
Kieseritzky, Ingomar von 128
Kilb, Andreas 135, 136
Killat, Albin 64
King, Geoffrey 130
Kirch, Leo 58, 63
Kirst, Hans Hellmut 138
Kirst, Klaus Dieter 131
Kiš, Danilo 128, 138
Kiszczak, Ceslaw 58
Klar, Christian 15
Kleiber, Günther 114, 121
Klein, Hans 29, 106, 121
Kleist, Heinrich von 131
Klerk, Frederic Willem de 58, 65, 71
Klimke, Reiner 38
Kline, Kevin 134
Kögler, Karl 131
Kohl, Helmut 20, 28, 29, 38, 48, 49, 58, 62, 69, 70, 77, 79, 81, 85, 92, 94, 95, 104, 105, 106, 112, 115, 121
Koller, Arnold 121
Koltai, Lajos 84, 134
Komárek, Valtr 116
König, Dieter 130
Kopelew, Lew 118
Kopp, Elisabeth 6, 9, 121
Kopp, Hans W. 9
Korthals-Altes, Frederik 9
Koskotas, Georgios 53

Kostas, Rudolf 132
Köth, Erika 138
Krabbe, Hanna 15
Krack, Erhard 100, 115
Kraeft, Volker 136
Krahwinkel, Hilde 57
Kraus, Peter 41
Krause, Ernst 132
Kreidl, Heinz 132
Kreisky, Bruno 9
Krenz, Egon 77, 78, 79, 85, 87, 95, 103, 105, 112, 113, 115, 121
Kristoffersen, Erwin 70
Kroetz, Franz Xaver 131
Krolikowski, Werner 114
Krusche, Günter 96
Kuby, Christine 15
Kucharski, Leszek 35
Kusturica, Emir 41

L

Lacina, Ferdinand 121
Lacroix, Christian 27
Lafontaine, Oskar 58, 62, 118, 121
Lamberti, Giorgio 64
Lambsdorff, Otto Graf 93
Lampe, Jutta 133
Lappas, Alfons 85
Larionow, Igor 35
Lauck, Hans-Joachim 121
Lawson, Nigel 53
Le Carré, John 126
Lehr, Ursula 121
Lembke, Robert 139
Lemmon, Jack 33
LeMond, Greg 52, 57
Lendl, Ivan 57, 76
Lenin, Wladimir Iljitsch 13
Lennartz, Monika 20
Leone, Sergio 139
Lerchbaumer, Paul 130
Levine, James 36, 56, 84
Levinson, Barry 12, 20, 26, 135
Li Peng 44
Lichal, Robert 121
Lietz, Bruno 121
Lippelt, Helmut 6, 92
Littbarski, Pierre 38
Lloreda, Rodrigo 61
Loest, Erich 128
Lohn, Ursula 57
Lorck-Schierning, Nina 131
Lorenz, Konrad 139
Löschnak, Franz 121
Lubbers, Ruud 36, 65
Lubowski, Anton 65
Ludwig, Volker 131
Luft, Christa 121
Lula da Silva, Luis Inácio 117
Lummer, Heinrich 65, 69

M

Maazel, Lorin 84
Maizière, Lothar de 102, 121
Major, John 53
Maleuda, Günter 85, 102

Malkovich, John 135
Mamede, Fernando 64
Mann, Golo 96
Mann, Klaus 128
Mann, Thomas 112
Mansell, Nigel 20
Marcos, Ferdinando Edralin 31, 117, 139
Markovic, Ante 20
Martens, Max Volkert 131
Martiny, Anke 33
Matheis, Toni 132
Matthus, Siegfried 132
Maura, Carmen 133
Mayer, Eckehard 132
Mayer-Vorfelder, Gerhard 51
Mazowiecki, Tadeusz 29, 58, 60, 65, 70, 92, 106
McCarthy, Mary 139
McCartney, Paul 41
Mehta, Gita 128
Meier, Felix 121
Meier, Waltraud 56
Meinhof, Ulrike 12
Meisel, Kurt 130
Menem, Carlos Saul 36, 40, 52
Mensch, Hannelore 121
Merschmeier, Michael 131
Michel, Detlef 131
Mielke, Erich 102, 103, 113, 114, 121
Mies, Herbert 6
Miller, Claude 135
Milosevic, Slobodan 23
Minetti, Bernard 131
Mischnick, Wolfgang 92
Mitsotakis, Kostas 85
Mittag, Günter 103, 105, 113, 114
Mitterrand, François 14, 25, 49, 54, 105, 112
Mitzinger, Wolfgang 121
Mladenow, Petar 109, 112
Mock, Alois 54, 121
Modrow, Hans 85, 102, 103, 105, 112, 113, 115, 118, 121
Mohnhaupt, Brigitte 15
Mohr, Heidi 57
Möllemann, Jürgen W. 121
Moltke, Helmuth Graf von 106
Momper, Walter 8, 20, 70, 92, 94, 95, 100, 115, 121
Montazeri, Hussein Ali 46
Moog, Hans-Jürgen 24
Moore, Roger 135
Moorehouse, Adrian 64
Moreth, Peter 121
Morrison, Van 41
Moschino, Franco 27
Mouawad, René 71, 85, 109
Mouchtar-Samorai, David 132
Mozart, Wolfgang Amadeus 132
Mross, Stefan 52
Mubarak, Hosni 12, 18
Mühe, Volker 136
Müller, Gerhard 114
Müller, Heiner 11
Müller, Herta 128
Müller, Jens 12
Müller, Markus 133
Müller, Peter 19

N

Nadschibullah, Mohammad 13
Nagy, Imre 42, 47
Nair, Mira 136
Nardin, Claude-Nicole 65
Navratilova, Martina 52, 57, 76
Nehru, Jawaharlal 110
Németh, Miklos 47, 80
Neske, Patricia 6
Neubert, Peter 72
Neuenfels, Hans 131
Neumeier, John 6
Neuss, Wolfgang 139
Nichols, Mike 136
Nicholson, Jack 134
Nickel, Uta 121
Nix, Jakob 107
Nizon, Paul 129
Nøren, Lars 132
Noriega, Manuel Antonio 40, 65, 117
Norquet, Matthias 130
North, Oliver 52
Novotny, Antonin 108
Nujoma, Sam 109
Nuytten, Bruno 136

O

Obeid, Abdul Karim 52, 54
Oesterle-Schwerin, Jutta 6, 104
Ogi, Adolf 121
Olivier, Laurence 139
Orsenna, Erik 129
Ortega, Daniel 36
Ortheil, Hanns-Josef 129
Ost, Friedhelm 29
Otto, Bernd 16

P

Pahlawi, Mohammed Resa 46
Palach, Jan 6, 9
Palme, Lisbet 54
Palme, Olof 52, 54
Papandreou, Andreas 42, 53
Parker, Alan 136
Patané, Giuseppe 36
Pätzold, Erich 69
Paul, Wolfgang 119
Pell, William 56
Perez Rodriguez, Carlos Andres 17
Perrier, Mireille 134
Pettersson, Christer 52, 54
Peymann, Claus 130
Pfeiffer, Michelle 135
Philip, Prinz von Großbritannien und Nordirland 14
Picasso, Pablo 33
Pinochet Ugarte, Augusto 112, 117
Pinto, Francis 130
Poch, Wolfgang 130
Pohl, Helmut 15
Pohl, Manfred 113
Pons, Stanley 26
Poßner, Wilfried 121

Pozsgay, Imre 47
Pratap Singh, Vishwanath 110
Prauss, Erik 6
Premadasa, Ramasinghe 110
Proksch, Udo 9
Prost, Alain 20, *84*

Q

Quayle, Dan *11*
Quiao Hong 35

R

Raake, Dominic 136
Rafsandschani, Ali Akbar Haschemi *46*, 52
Rakowski, Mieczyslaw 65
Ramsey, Norman F. *119*
Rasilainen, Jukka *133*
Rau, Johannes 15, 70, *95*, 121
Rauchfuß, Wolfgang 121
Reagan, Ronald 6, 10, *11*, 13, 52
Reed, Lou 41
Reger, Max 132
Reich, Jens *68*
Reichelt, Hans 121
Remarque, Erich-Maria 36
Renger, Annemarie 92, 93
Reuter, Ernst *8*
Ribamar Sarney, José de 28, 31, 112, 117
Richard, Christine 132
Riegler, Josef 121
Riesenhuber, Heinz *119*, 121
Ritter, Ilse *84*
Rodin, Auguste 136
Rodriguez, Andres 17
Rodriguez, Francisco 40, 65
Roeder, Michaela 65, *75*
Roggisch, Peter *136*
Rono, Henry 64
Roßkopf, Jörg 28, *35*
Rößner, Bernd 15
Roth, Joseph 136
Roubaud, Jacques 129
Rowlands, Gena 133
Rudolph, Alan 136
Rudolph, Niels Peter 130
Ruge, Helmut 132
Rühe, Volker 62, *69*
Rushdie, Salman 12, *19*, 46, 129

S

Sabatini, Gabriela 76

Sacharow, Andrei *22*, 37, 112, *139*
Sadr, Bani 46
Sanchez, Arantxa 42, 51
Sasse, Heribert 131
Sattler, Hans 121
Sauter, Franz 93
Sayyaf, Abdulrasuf *13*
Schabowski, Günter 87, 88
Schalck-Golodkowski, Alexander 112, *114*
Schäuble, Wolfgang *29*, 121
Schell, Maximilian *83*
Schenzinger, Karl Aloys 133
Schewardnadse, Eduard 12, 65, *71*
Schily, Otto 6, 85, *106*
Schiwkow, Todor 85, *109*
Schlich, Helmut 16
Schmalz-Jacobsen, Cornelia 93
Schmidinger, Kurt *130*
Schmidt, Alfred 38
Schmidt, Antje 136
Schmidt, Peter Jürgen *132*
Schneider, Oscar 16, 20, *29*, 121
Schneider, Willy 139
Schnitzler, Karl-Eduard von 79
Schnur, Wolfgang 112, 113
Schnurre, Wolfdietrich 139
Schoenbohm, Siegfried 132
Scholz, Heinrich 121
Scholz, Rupert *29*, 121
Schönherr, Albrecht 79
Schönhuber, Franz 8, *49*
Schorlemmer, Friedrich 87
Schreiber, Walther *8*
Schroth, Carl Heinz *139*
Schulz, Adelheid 15
Schulze, Rudolph 121
Schürer, Gerhard 121
Schüssel, Wolfgang 121
Schütz, Klaus *8*
Schwanitz, Wolfgang 121
Schwarz, Libgart *132*
Schwarz-Schilling, Christian 112, *118*, 121
Schwarzenberger, Xaver 136
Scowcroft, Brent 112
Seidler, Christoph 107
Seiters, Rudolf *29*, *67*, 92, 93, *118*, 121
Selby, Hubert 135
Seles, Monica 51
Senna, Ayrton 84
Shahanga, Alfredo 77
Sievering, Andrea 6
Simenon, Georges *139*
Simeonoff, Petko 109

Sindermann, Horst 102, 113, 114
Singhuber, Kurt 121
Sinkel, Bernhard 18
Sisulu, Walter 77
Skasa, Michael 131
Slevogt, Esther 130
Smet, Raoul de 12
Smirnow, Dmitri 132
Sobol, Joshua 132
Soderbergh, Steven 36, 41, 136
Sölle, Horst 121
Sommer, Theo 76
Sonnenberg, Günter 15
Spader, James 41
Späth, Lothar 62, 65, *69*, 121
Speitel, Angelika 20
Spielberg, Steven 136
Spilker, Karl-Heinz 92
Spira, Steffi 87
Spitzweg, Carl 75
Springer, Axel 58
Städtler, Dick 132
Staeck, Klaus 50
Steeb, Carl-Uwe 119
Stich, Otto 121
Stief, Albert 121
Stobbe, Dietrich *8*
Stocker, Werner 136
Stoltenberg, Gerhard 28, *29*, 81, *118*, 121
Stoph, Willi 85, 102, 103, 113, 114, 121
Strack, Günter *75*
Strauß, Botho 83, 129, 132
Strauß, Franz Josef 129
Strauss, Richard 130
Streep, Meryl 41
Streibl, Max 121
Strobl, Ingrid 42, 48
Stroessner, Alfredo 12, *17*
Suhr, Otto *8*
Süssmuth, Rita 38, 62
Suvar, Stipe 23
Sydow, Max von *134*
Szürös, Matyas 77, *80*

T

Takeshita, Noboru 28, *61*
Taufer, Lutz 15
Tauscher, Hansjörg 12, *19*
Tautenhahn, Gerhard 121
Thatcher, Margaret 49, 52, 53
Theissen, Horst 36, *39*
Thielmann, Klaus 121
Thurn und Taxis, Gloria Fürstin von 27
Tichonow, Viktor 35
Tikkanen, Paivi 77

Tisch, Harry 113, 114
Töpfer, Klaus 121
Tower, John 11, 20
Truffaut, François 135
Tukur, Ulrich *84*, 134
Tuppy, Hans 121
Tutu, Desmond 71
Tyson, Mike 12
Tzannetakis, Tzannis 52, 53

U

Ude, Armin *132*
Ulbricht, Mathias 133
Ungaro, Emanuele 27
Ungeheuer, Günther 139
Unland, Hermann Josef 93
Uno, Sosuke 42, *61*
Unruh, Fritz von 130
Unruh, Trude 52, 55
Unsinn, Xaver 35
Updike, John 129
Uphoff, Nicole 64, 119
Utzerath, Hansjörg 133

V

Vajen, Kurt 65, *69*
Vargas Llosa, Mario 129
Varmus, Harold E. *119*
Vatanen, Ari 6
Vavrova, Dana *136*
Villiger, Kaspar 121
Vilsmaier, Joseph 136
Vlasi, Azem 23
Vogel, Bernhard 20
Vogel, Hans-J. *8*, 92, 93, 104
Vogel, Wolfgang 15, 66
Vogts, Berti 112, *119*
Voigt, Karsten 104
Vollmer, Antje 6, 93
Voscherau, Henning 12, 93, 121
Vranitzky, Franz 121

W

Wagg, Peter 33
Wagner, Carl-Ludwig 121
Wagner, Richard 132
Wagner, Rolf Klemens 15
Wagner, Wolfgang 56
Waigel, Theo 8, *29*, 106, 121
Walden, Stanley 133
Waldheim, Kurt 64, 121
Waldner, Jan-Ove 35
Walesa, Lech *29*, 65, *70*, 105
Wallmann, Walter 24, *83*, 121

Walser, Martin *97*
Wange, Udo-Dieter 121
Warhol, Andy 33
Warnke, Jürgen *29*, 121
Watty, Rolf 75
Watzeck, Hans 121
Weaver, Sigourney 134, 136
Wedemeier, Klaus 121
Wei Qingqang 35
Weill, Kurt 130
Weirather, Harti 19
Weiz, Herbert 121
Weizsäcker, Richard von *8*, 9, 14, 20, *29*, 36, *38*, 65, 70, 81, *83*, 93, 121
Wentz, Martin *24*
Werner, Ilse 26
Werremeier, Stefani 76
Whitaker, John 64
Wicki, Bernhard 41, 136
Wiesemann, Günther 133
Wilander, Mats 119
Wilder, Douglas 85, 110
Wilms, Dorothee 121
Wilson, Robert 133
Wimschneider, Albert 136
Wimschneider, Anna 136
Winzen, Otto 130
Wischnewski, Siegfried *139*
Wisniewski, Stefan 15
Witte, Karsten 134
Wolf, Christa 87, 129
Wolf, Klaus 121
Wolf, Markus 87
Woolf, Virginia 133
Wörner, Manfred *37*
Wulf-Mathies, Monika 65
Wybran, Joseph 77
Wyschkowsky, Günter 121

Y

Young, Neil 41

Z

Zadek, Peter 84, 130, 132
Zamora, Jaime Paz 58
Zhao Ziyang *44*
Zimmermann, Bernd Alois 131
Zimmermann, Friedrich *29*, 50, 121
Zimmermann, Ingo 132
Zita von Bourbon und von Parma, ehemalige Kaiserin von Österreich und Königin von Ungarn 28, *32*, 139
Zweig, Stefan 133